Le meurtre de Roger Ackroyd

Les travaux d'Hercule

Agatha Christie

Le meurtre
de Roger Ackroyd

Les travaux d'Hercule

ÉDITIONS FRANCE LOISIRS

Le meurtre de Roger Ackroyd a paru sous le titre original :
The Murder of Roger Ackroyd.
© Dodd Mead & Company Inc., 1926.
Traduit de l'anglais par Françoise Jamoul.

Les travaux d'Hercule a paru sous le titre original :
Labours of Hercules.
© Agatha Christie Mallowan, 1939, 1944, 1945, 1947, 1949.
Traduit de l'anglais par Jean-Marc Mendel.

Une édition du Club France Loisirs,
réalisée avec l'autorisation de la Librairie des Champs-Élysées.

Éditions France Loisirs,
123, boulevard de Grenelle, Paris.
www.franceloisirs.com

© Éditions de la Librairie des Champs-Élysées, 1990, 1995.
© Éditions France Loisirs, 2001, pour la présente édition.

ISBN : 2-7441-5023-1.

Le meurtre
de Roger Ackroyd

À Punkie,
qui aime les romans policiers clas-
siques, avec un cadavre, une enquête,
et des protagonistes tous soupçonnés à
tour de rôle !

1

Petit déjeuner en famille

Mrs Ferrars mourut dans la nuit du 16 au 17 septembre, un jeudi. On me fit appeler le vendredi matin à 8 heures précises, soit quelques heures après sa mort. Je ne pouvais bien évidemment plus rien pour elle.

Il n'était guère plus de 9 heures quand je regagnai mon domicile. J'entrai par la porte principale et pris tout mon temps pour suspendre mes vêtements au porte-manteau du vestibule. Mon chapeau d'abord, puis le pardessus léger dont j'avais jugé prudent de me munir. Les matinées sont fraîches, au début de l'automne.

Je m'attardai à dessein, assez préoccupé je l'avoue, pour ne pas dire inquiet. Je n'irais pas jusqu'à prétendre qu'à cet instant je prévoyais déjà les événements que me réservaient les semaines suivantes. J'en étais même fort loin. Mais mon instinct me soufflait que ma tranquillité était gravement menacée.

De la salle à manger, située sur ma gauche, me parvint un bruit de tasses entrechoquées, puis la toux brève et sèche de ma sœur Caroline, et enfin, sa voix.

– C'est toi, James ?

Question superflue : qui d'autre cela pouvait-il être ? Mais c'était bien à cause de Caroline que je m'attardais ainsi, et non sans raison. S'il faut en croire Kipling, la devise de la gent mangouste tiendrait en quatre mots : « Va, cherche et trouve. » Et selon moi, la mangouste conviendrait parfaitement comme emblème à ma sœur Caroline, à supposer qu'elle s'inventât des armoiries. Quant à la devise, le dernier mot suffirait. Caroline n'a jamais besoin d'aller nulle part : elle trouve. Sans bouger de chez elle ni faire le moindre effort. Comment s'y prend-elle ? Je l'ignore mais c'est un fait : rien ne lui reste caché. Ou bien peu de chose. J'incline à croire que domestiques et livreurs lui servent d'agents de renseignements. Et quand elle sort, ce n'est pas pour aller aux nouvelles mais pour les diffuser – autre de ses talents, qu'elle exerce avec un brio confondant.

C'était d'ailleurs ce dernier trait de caractère qui causait chez moi l'hésitation dont j'ai parlé. Que je communique à Caroline le moindre détail sur le décès de Mrs Ferrars et, en une heure et demie tout au plus, la nouvelle aurait fait le tour du village.

En tant que médecin, il va de soi que je suis tenu au secret professionnel. J'observe donc envers ma sœur une discrétion rigoureuse. En pure perte, il faut bien l'avouer, mais au moins n'ai-je rien à me reprocher.

Il y a tout juste un an que le mari de Mrs Ferrars est mort et depuis, sans la moindre preuve, Caroline soutient que sa femme l'a empoisonné. J'ai beau lui répéter, inlassablement, que Mr Ferrars a succombé à une gastrite aiguë, aggravée par un penchant un peu trop prononcé pour la boisson, rien n'y fait. Elle ignore superbement mon opinion. Il est vrai que les symptômes de la gastrite et de l'empoisonnement par l'arsenic sont assez proches. Mais Caroline fonde ses accusations sur de tout autres critères, et je l'ai maintes fois entendue déclarer :

– Cela va de soi. Il n'y a qu'à la regarder, voyons !

Bien qu'ayant dépassé ce qu'il est convenu d'appeler la première jeunesse, Mrs Ferrars était encore très séduisante et savait ce qui l'avantageait : ses toilettes d'une sobre élégance lui allaient à la perfection. Mais enfin, s'habiller à Paris n'est pas un crime en soi, et si toutes celles qui le font devaient être accusées d'avoir empoisonné leurs maris…

En proie à ces considérations, j'hésitais toujours quand la voix de ma sœur me rappela à l'ordre, non sans une certaine impatience.

– Eh bien, James ? Le petit déjeuner est servi, qu'est-ce que tu attends ?

Je m'empressai de répondre.

– J'arrive, ma chère ! J'accrochais mon pardessus.

– Tu aurais eu le temps d'en accrocher une demi-douzaine !

En quoi elle avait raison. J'entrai dans la salle à manger, déposai le petit baiser rituel sur la joue de ma sœur et m'assis devant mes œufs au bacon, un tantinet refroidis.

– Bien matinal, cet appel, constata Caroline.

– En effet. C'était King's Paddock, pour Mrs Ferrars.

– Je sais.

– Et comment le sais-tu ?

– Par Annie.

Annie, notre bonne à tout faire, est certes une excellente

fille, mais une redoutable bavarde. Dans le silence qui suivit, je continuai à manger mes œufs, conscient de la curiosité de ma sœur. Quand elle flaire quelque chose, le bout de son nez long et fin palpite légèrement. C'était le cas.

– Eh bien ?

– Triste histoire. Et rien à faire. Elle a dû mourir pendant son sommeil.

– Je sais, répéta ma sœur.

Pour le coup, je me sentis froissé.

– Tu ne peux pas le savoir ! Je ne savais rien moi-même avant d'arriver là-bas et je n'ai encore rien dit à personne. Si tu tiens cela d'Annie, c'est qu'elle est extra-lucide !

– Je ne le tiens pas d'Annie, mais du laitier. Qui l'a su par la cuisinière des Ferrars.

Comme je le disais, Caroline n'a jamais besoin de courir aux nouvelles : celles-ci affluent spontanément vers elle.

– De quoi est-elle morte ? insista-t-elle. Crise cardiaque ?

– Le laitier ne te l'a pas dit ?

Mon ironie tomba à plat. Caroline ignore le sarcasme et prend toujours tout au pied de la lettre.

– Il n'était pas au courant, annonça-t-elle avec le plus grand sérieux.

Après tout, elle finirait bien par savoir… autant la renseigner moi-même.

– Mrs Ferrars a simplement pris trop de comprimés de véronal. Elle souffrait d'insomnie, ces temps-ci. Elle aura dépassé la dose par erreur.

– À d'autres ! Elle savait ce qu'elle faisait.

Certaines réactions humaines sont vraiment surprenantes. Il suffit d'entendre exprimer par autrui une opinion que l'on préférerait taire pour éprouver le besoin de la nier avec véhémence. J'éclatai en protestations indignées.

– Ah ! toi, alors, avec tes idées saugrenues ! Peux-tu me dire pourquoi une veuve encore jeune, bien portante et fortunée songerait à se suicider, au lieu de profiter de la vie ? C'est absurde !

– Pas du tout. Elle avait beaucoup changé depuis six mois, tu l'as certainement remarqué ? Comme si quelque chose la rongeait. Et elle ne pouvait plus dormir, tu l'as reconnu toi-même à l'instant.

Je m'informai, non sans froideur :

– Et quel est ton diagnostic ? Chagrin d'amour, sans doute ?

Ma sœur secoua la tête, savourant son effet :

– Le remords ! Cela va de soi.

– Le remords ?

– Oui. Tu n'as jamais voulu me croire, quand je soutenais qu'elle avait empoisonné son mari. Maintenant, j'en suis plus convaincue que jamais.

– Ta logique me semble en défaut, rétorquai-je. Il faut du sang-froid pour commettre un meurtre. Une femme capable de cela n'irait pas s'embarrasser de sentiments ni de repentir. Elle profiterait tranquillement des fruits de son crime.

Derechef, Caroline secoua la tête.

– Certaines femmes, peut-être. Mais pas Mrs Ferrars. C'était une grande nerveuse, qui devait détester la souffrance sous toutes ses formes. Sous le coup d'une impulsion irraisonnée, elle se sera débarrassée d'un mari qu'elle ne pouvait plus supporter. Il est vrai que vivre près d'un homme comme Ashley Ferrars devait représenter une véritable épreuve…

J'approuvai d'un signe de tête.

– Et depuis, elle se rongeait de remords. La pauvre, comment ne pas la plaindre ?

Du vivant de Mrs Ferrars, je doute fort que Caroline ait fait preuve d'une telle mansuétude à son égard. Mais depuis qu'elle s'en est allée là où, c'est fort probable, son élégance parisienne n'a plus cours, ma sœur découvre les douceurs de la compréhension et de la pitié.

D'un ton sans réplique, je décrétai cette idée ridicule. Avec d'autant plus d'assurance que je partageais secrètement les opinions de ma sœur. Tout au moins sur certains points. Mais ses déductions fulgurantes me déplaisent d'autant plus qu'elles se révèlent souvent justes, et je ne tenais pas à l'encourager dans cette voie. Sinon, elle ferait part de ses conclusions à tout le village, et les gens s'imagineraient que j'avais violé le secret professionnel. La vie n'est pas toujours facile.

– Ridicule ? objecta aussitôt Caroline. C'est ce que nous verrons. Je parie dix contre un qu'elle a laissé une confession écrite et détaillée.

– Elle n'a rien laissé du tout ! ripostai-je abruptement, sans prendre garde où je m'aventurais.

Caroline saisit la balle au bond.

– Tu as donc pris la peine de te renseigner ! Au fond de toi-même, James, tu n'es pas loin de penser la même chose que moi, espèce de vieux renard !

– On ne saurait écarter la possibilité d'un suicide, énonçai-je avec gravité.

– Il y aura une enquête ?

– Peut-être, cela dépend. Si je peux affirmer en toute certitude que cette absorption massive de véronal était accidentelle, l'enquête ne sera sans doute pas nécessaire.

– Et… tu peux l'affirmer en toute certitude ? demanda ma sœur d'un ton sagace.

J'évitai de répondre et quittai la table.

2

Coup d'œil sur le Tout-King's Abbot

Avant de m'étendre davantage sur ma conversation avec Caroline, je crois opportun d'esquisser à grands traits ce que j'appellerai notre géographie locale. King's Abbot, notre village, ressemble sans doute à beaucoup d'autres. Cranchester, la grande ville la plus proche, se trouve à douze kilomètres. Nous possédons une gare importante, un petit bureau de poste et deux magasins qui se font concurrence et où l'on trouve à peu près tout ce qu'on veut. Tous les hommes valides s'empressent de partir dès qu'ils sont en âge de le faire, mais nous ne manquons ni de vieilles filles ni d'officiers à la retraite. Quant à nos passe-temps et distractions favoris, un verbe suffira pour les décrire : cancaner.

Seules, deux maisons méritent le nom de « domaine »

à King's Abbot. L'une est King's Paddock, que Mrs Ferrars tenait de son défunt mari. La seconde, Fernly Park, appartient à Roger Ackroyd. Ackroyd est si parfaitement conforme au type classique du gentilhomme campagnard qu'il en devient invraisemblable. Et c'est bien ce qui m'a toujours intéressé en lui : ce côté « plus vrai que nature ». Il me rappelle ces opérettes surannées, où des hommes en tenue de sport et à la face vermeille apparaissent immanquablement au début du premier acte. Dans un décor de verdure, ils entonnent presque toujours une chanson où il est question de se rendre à Londres pour s'y amuser. On donne des revues, de nos jours, et le gentilhomme campagnard a quitté la scène.

Naturellement, Ackroyd n'est pas un gentilhomme campagnard à proprement parler. C'est un industriel qui, si je ne me trompe, a tiré une fortune colossale de la fabrication de roues de voitures. Il frise la cinquantaine, arbore un visage rougeaud et des manières affables. Très lié avec le pasteur et, bien qu'on le dise « fort près de ses sous », il participe généreusement aux collectes paroissiales. Il patronne les matches de cricket, les clubs de jeunes gens et les maisons d'accueil pour invalides de guerre. En un mot, il est l'âme de notre paisible village.

Il faut savoir qu'à l'âge de vingt et un ans, Roger Ackroyd était tombé amoureux d'une très jolie femme, de cinq ans son aînée, et l'avait épousée. Mrs Paton était veuve et avait un fils. Leur union fut brève et douloureuse : disons-le tout net, Mrs Ackroyd s'adonnait à la boisson – et il ne lui avait fallu que quatre ans pour en mourir.

Les années passèrent, sans que Roger Ackroyd se

montrât disposé à tenter une seconde aventure matrimoniale. L'enfant que lui laissait sa femme n'avait que sept ans à la mort de sa mère. Il en a maintenant vingt-cinq. Ackroyd l'a toujours considéré comme son propre fils et l'a élevé comme tel. Mais c'est un enfant terrible et, pour son beau-père, une source continuelle d'inquiétude et de soucis. Malgré cela, tout le monde l'aime, chez nous. Ralph est si beau garçon, et si séduisant !

Comme je l'ai déjà signalé, les potins vont bon train au village. Et très vite, chacun put s'apercevoir que Roger Ackroyd et Mrs Ferrars semblaient s'entendre à merveille. Quand elle perdit son mari, leurs liens parurent se resserrer davantage encore. On les voyait toujours ensemble et il était communément admis que, dès la fin de son deuil, Mrs Ferrars deviendrait la nouvelle Mrs Roger Ackroyd. D'un certain point de vue, on trouvait même que cette union serait particulièrement bien assortie. De notoriété publique, Mrs Ackroyd s'était noyée dans l'alcool et l'on pouvait en dire autant d'Ashley Ferrars. En somme, que ces deux victimes de la boisson trouvent un réconfort l'une près de l'autre semblait la solution idéale. N'avaient-ils pas porté la même croix ?

Les Ferrars ne s'étaient installés à King's Abbot qu'un an plus tôt, mais il y avait beau temps que Roger Ackroyd servait de cible aux commérages. Pendant l'enfance et l'adolescence de Ralph, d'innombrables gouvernantes s'étaient succédé à Fernly Park, suscitant chacune à son tour la méfiance de Caroline et de son cercle de commères. Et je crois pouvoir affirmer que, depuis quinze ans – au moins –, tout King's Abbot s'attendait de pied ferme à voir Ackroyd épouser une de ces dames.

La dernière d'entre elles – créature soi-disant redoutable et qui répond au nom de miss Russell – règne depuis cinq ans sur la demeure. Soit deux fois plus longtemps déjà que toutes celles qui l'ont précédée. Et l'on s'accorde sur le fait que, sans l'arrivée de Mrs Ferrars, Ackroyd aurait eu bien du mal à échapper à ses filets.

Une autre circonstance a joué en sa faveur : l'apparition inattendue d'une belle-sœur veuve, pourvue d'une fille, et qui débarquait du Canada. Mrs Cecil Ackroyd, veuve du jeune frère de Roger Ackroyd – le mauvais sujet de la famille –, s'était installée à Fernly Park. Et, selon Caroline, avait remis définitivement miss Russell « à sa place ».

Qu'entend-elle au juste par cette formule rébarbative et plutôt réfrigérante ? Je l'ignore. Mais je sais que miss Russell arbore une mine pincée et un sourire que je qualifierais d'acide. En outre, elle fait montre d'une sympathie débordante pour « cette pauvre Mrs Ackroyd, obligée de vivre à la charge de son beau-frère. Le pain de la charité est si amer, n'est-ce pas ? Pour ma part, je serais bien malheureuse de ne pas travailler pour gagner ma vie ! ».

J'ignore ce que put penser Mrs Cecil Ackroyd des liens qui se nouaient entre Mrs Ferrars et son beau-frère, mais une chose est sûre : il valait beaucoup mieux pour elle qu'il ne se remariât pas. Elle se montrait toujours charmante envers Mrs Ferrars, quand elles se rencontraient, et même particulièrement chaleureuse. Mais Caroline prétend que cela ne prouve rien.

Voilà donc à quoi s'occupait King's Abbot, toutes ces dernières années. Nous avons littéralement disséqué tout ce qui concernait Roger Ackroyd et assigné à Mrs Ferrars sa place exacte dans le tableau. Et voici qu'une pièce de ce puzzle vient d'être dérangée. Nous qui discutions déjà de ce mariage plus que probable et de nos présents de noces, nous voilà projetés en pleine tragédie.

C'est en pensant à tout cela, et à quelques autres choses encore, que je partis pour ma tournée de visites. La routine habituelle, aucun cas intéressant en vue. Et cela valait sans doute mieux, car mes réflexions me ramenaient sans cesse à la mort mystérieuse de Mrs Ferrars. Avait-elle mis fin à ses jours ? En ce cas, elle avait certainement laissé une lettre pour expliquer ses intentions. À ma connaissance, les femmes résolues à se suicider révèlent volontiers les raisons de leur geste fatal. Elles ont un sens inné du spectacle.

Quand l'avais-je vue pour la dernière fois ? Il devait y avoir une semaine, au moins. Elle s'était comportée tout à fait normalement, étant donné les… disons : les circonstances.

Tout à coup, la mémoire me revint. Je l'avais aperçue pas plus tard que la veille, sans lui parler toutefois. Elle se promenait avec Ralph Paton, ce qui m'avait surpris : j'ignorais la présence de ce dernier à King's Abbot. À vrai dire, je le croyais définitivement brouillé avec son beau-père ; il ne lui avait pas donné signe de vie depuis près de six mois. Mrs Ferrars et lui avaient fait, bras dessus, bras dessous, une de ces longues promenades propices aux confidences – et elle paraissait fort désireuse de le convaincre.

C'est en évoquant cette scène, je crois pouvoir

l'affirmer sans me tromper, que j'éprouvai pour la première fois le pressentiment dont j'ai parlé. Rien de bien précis encore, non. Mais une sorte de prémonition de ce que nous réservait l'avenir. Ce doux tête-à-tête entre Mrs Ferrars et Ralph Paton, surpris la veille, me laissait une impression désagréable. J'y pensais toujours, lorsque je me retrouvai face à Roger Ackroyd.

– Sheppard ! s'exclama-t-il. Moi qui espérais justement vous rencontrer ! C'est terrible, n'est-ce pas ?

– Alors, vous savez déjà ?

Il acquiesça, et je pus voir à quel point il accusait le coup. Ses bonnes joues rouges semblaient avoir fondu, sa mine joviale et son teint fleuri n'étaient plus qu'un souvenir. Il déclara d'un ton posé :

– Et vous ne connaissez pas encore le pire. Écoutez, Sheppard, il faut que je vous parle. Vous serait-il possible de me raccompagner ?

– Maintenant ? Difficilement. Il me reste trois malades à voir et je dois être chez moi à midi pour ma consultation.

– Alors, cet après-midi ? Non, venez plutôt dîner, ce sera mieux. Sept heures et demie, si cela vous convient ?

– Entendu, je dois pouvoir m'arranger. Mais de quoi s'agit-il ? Un problème avec Ralph ?

La question m'avait échappé, mais elle tombait sous le sens. Ralph lui avait toujours causé tellement de soucis… Ackroyd ne parut pas comprendre. Il me dévisagea d'un œil éteint et je commençai à me rendre compte qu'il se passait quelque chose de grave. De vraiment grave. Jamais je ne l'avais vu aussi désemparé.

– Ralph ? répéta-t-il d'un ton absent. Oh non ! il ne

s'agit pas de lui, il est à Londres. Ciel, voici la vieille miss Gannett ! Je ne tiens pas à lui parler de cette horrible histoire. À ce soir, Sheppard. Sept heures et demie.

J'approuvai d'un signe de tête et il s'empressa de me quitter, me laissant tout pensif. Ralph, à Londres ? En tout cas, il était venu à King's Abbot la veille, dans l'après-midi. Il avait dû rentrer dans la soirée, ou ce matin à la première heure. Pourtant, les propos d'Ackroyd ne laissaient rien supposer de tel. À l'entendre, ils ne s'étaient pas revus depuis des mois.

Je n'eus pas le temps de creuser la question plus avant : miss Gannett fondait sur moi, assoiffée de nouvelles. Cette demoiselle ressemble étrangement à ma sœur Caroline, à un détail près toutefois : il lui manque ce flair infaillible qui permet à ma sœur de se faire une opinion immédiate et confère à ses manigances une sorte de grandeur. Hors d'haleine, miss Gannett passa aussitôt à l'attaque.

Pauvre chère Mrs Ferrars ! Une bien pénible affaire, n'est-ce pas ? Et tous ces gens qui affirmaient qu'elle se droguait depuis des années ! Mais les gens sont si malveillants… Pourtant, c'est triste à dire, il y a souvent une trace de vérité dans les pires calomnies. Pas de fumée sans feu ! On racontait aussi que Mr Ackroyd avait découvert le pot aux roses et rompu les fiançailles. Car il y avait eu fiançailles, miss Gannett en possédait la preuve indubitable. Et moi aussi, naturellement : les médecins ne savent-ils pas tout ? Seulement voilà, ils savent aussi se taire…

Et de me vriller de son regard perçant, pour tenter de surprendre une éventuelle réaction de ma part. Dieu merci, ma longue intimité avec Caroline a porté ses fruits. J'ai acquis l'art de rester insensible aux approches et de ne pas me compromettre. En l'occurrence, je félicitai chaudement miss Gannett de ne pas se joindre au clan des mauvaises langues. Puis, satisfait de cette riposte imparable, je m'éloignai sans lui laisser le temps de se reprendre, l'abandonnant à sa perplexité.

Tout songeur, je rentrai chez moi où m'attendaient plusieurs patients. Je croyais avoir expédié le dernier et me préparais à passer quelques minutes dans le jardin avant le déjeuner, quand je m'avisai qu'il me restait une cliente. Quand elle se leva, j'eus la surprise de reconnaître miss Russell. Pourquoi cette surprise ? Rien ne la motivait, sinon le fait que cette demoiselle bénéficie d'une santé de fer. Elle paraît tout simplement inaccessible à la maladie. La gouvernante de Roger Ackroyd est une grande et belle personne au regard sévère et à la bouche pincée, d'allure plutôt revêche. Si j'étais femme de chambre ou cuisinière sous ses ordres, je crois que je m'enfuirais à son approche.

– Bonjour, Dr Sheppard, dit miss Russell. Je vous serais très obligée de bien vouloir jeter un coup d'œil à mon genou.

Je m'exécutai mais, je l'avoue, n'en fus pas plus avancé pour autant. Et la description plutôt vague qu'elle me donna de ses douleurs me parut fort peu convaincante. De la part d'une femme moins intègre, j'aurais volontiers supposé qu'il s'agissait d'un prétexte pour me soutirer des informations sur la mort de Mrs Ferrars. Si le soupçon m'en traversa l'esprit, je dus bien vite reconnaître que j'avais mal jugé ma patiente, en tout cas sur ce point précis. Elle ne fit qu'une brève allusion à cet événement tragique. Toutefois il était clair qu'elle souhaitait s'entretenir avec moi.

– Eh bien, finit-elle par dire, merci pour ce flacon de liniment, docteur. Bien que je ne croie pas beaucoup à son efficacité.

Je n'y croyais pas davantage mais protestai pour la forme. Après tout, le remède ne lui ferait pas de mal, et il faut bien prêcher pour sa paroisse. Miss Russell promena sur ma rangée de flacons un regard désapprobateur et annonça :

– Je me méfie de toutes ces drogues, docteur. Elles peuvent être très dangereuses. Tenez, la cocaïne, par exemple.

– Là-dessus, tout ce que je peux vous dire…

– Son usage est très répandu parmi la haute société.

Miss Russell est beaucoup plus au courant que moi des habitudes du grand monde, j'en suis convaincu. Aussi ne me risquai-je pas à en discuter avec elle et la laissai poursuivre.

– Simple curiosité, docteur. Supposons qu'une personne soit devenue l'esclave de la drogue : existe-t-il un traitement ?

Une telle question exige une réponse détaillée et je fis à ma patiente un bref exposé qu'elle écouta avec attention, ce qui raviva mes soupçons. Persuadé qu'elle cherchait à me soutirer des informations sur la mort de Mrs Ferrars, j'ajoutai :

– Prenez le véronal, par exemple…

Mais, curieusement, le véronal ne parut pas l'intéresser, bien au contraire. Elle orienta la conversation sur certains poisons aussi rares qu'impossibles à déceler et voulut savoir s'ils existaient bien.

– Ah ! miss Russell, vous avez lu des romans policiers ! Elle en convint sans se faire prier.

– Le poison, expliquai-je, est l'ingrédient le plus classique du roman policier. Il doit être rarissime, provenir si possible d'Amérique du Sud, et de préférence d'une obscure tribu qui l'utilise pour y tremper ses flèches. Il provoque une mort instantanée que la science occidentale est incapable d'expliquer. C'est à cela que vous pensez ?

– Exactement. Un tel poison existe-t-il vraiment ? Je secouai la tête d'un air désolé.

– Je crains que non. À part le curare, naturellement.

Je m'étendis longuement sur le curare mais, cette fois encore, miss Russell parut se désintéresser de la question. Elle me demanda si j'en gardais dans mon armoire à poisons, et j'eus le sentiment de baisser dans son estime en répondant par la négative. Puis elle déclara qu'elle devait rentrer et je la reconduisis jusqu'à la porte de mon cabinet. C'est à cet instant précis que le gong annonça le déjeuner.

Ainsi, miss Russell se délectait de romans policiers ! Je ne l'aurais jamais cru, et penser à elle sous ce jour m'amuse infiniment. Je la vois très bien sortir de l'office pour réprimander une femme de chambre maladroite, puis y retourner en hâte pour se replonger avec délices dans *Le Mystère de la Septième Mort,* ou quelque chose d'approchant.

3

L'amateur de courges

Au déjeuner, j'avertis Caroline que je dînerais à Fernly. Elle ne souleva aucune objection, bien au contraire.

– C'est parfait, tu vas tout savoir. Au fait, qu'est-ce qui cloche avec Ralph ?

– Avec Ralph ? m'étonnai-je. Mais… rien du tout.

– Alors pourquoi n'est-il pas à Fernly Park, et que fait-il aux *Trois Marcassins* ?

Je ne mis pas une seconde en doute l'affirmation de Caroline. Si elle déclarait que Ralph Paton séjournait à l'auberge du village, il ne pouvait être ailleurs. Sous le coup de la surprise, je faillis à ma règle d'or : toujours garder mes informations pour moi.

– Ackroyd m'avait dit qu'il était à Londres, observai-je.

– Tiens donc ! fit Caroline dont le nez remua, signe qu'elle méditait le renseignement. Il est arrivé hier aux *Trois Marcassins,* et il y est toujours. Hier soir, il est sorti avec une jeune fille.

La nouvelle ne m'étonna guère : Ralph sortait pratiquement chaque soir avec une fille. Mais qu'il ait choisi King's Abbot pour théâtre de ses ébats me donnait à réfléchir. La capitale est tellement plus amusante ! Je m'informai :

– Avec une des employées ?

– Non, justement. Il a rejoint cette jeune fille en ville, et j'ignore qui elle est.

Pénible aveu, dans la bouche de Caroline.

– Mais je peux deviner, enchaîna-t-elle, inlassable.

J'attendis patiemment la suite.

– C'était sa cousine, cela va de soi.

– Flora Ackroyd ? m'exclamai-je, ébahi.

Naturellement, Flora Ackroyd et Ralph Paton n'ont aucun lien de parenté, mais ce cousinage est tacitement admis par tous. Il y a si longtemps que Ralph est considéré comme le fils de Roger Ackroyd !

– Flora Ackroyd, répéta ma sœur.

– Mais pourquoi n'est-il pas allé à Fernly, s'il voulait la voir ?

– Parce qu'ils sont fiancés, énonça Caroline en savourant chaque mot. Secrètement. Et comme le vieil Ackroyd ne veut rien savoir, ils sont obligés de se cacher.

Je distinguais de nombreuses failles dans la théorie de Caroline mais m'abstins de les relever. Une remarque anodine sur notre nouveau voisin me servit d'échappatoire.

Les Mélèzes, la maison mitoyenne, était occupée depuis peu par un inconnu. Et Caroline, à son grand dépit, n'avait strictement rien pu apprendre sur lui, sinon qu'il était étranger. Son service de renseignements avait fait chou blanc. Cet homme doit se faire livrer du lait, des légumes, de la viande et quelquefois du poisson, comme tout le monde. Mais aucun des fournisseurs concernés ne semble avoir obtenu la moindre information à son sujet. Ce serait un certain Mr Porrot, nom qui recèle un je ne sais quoi d'invraisemblable. La seule chose dont nous soyons sûrs, c'est qu'il s'adonne à la culture des courges.

Mais ce n'est pas ce genre de détails qui intéresse Caroline. Elle veut savoir d'où il vient, ce qu'il fait dans la vie, s'il est marié, comment est ou était sa femme, s'il a des enfants, le nom de jeune fille de sa mère, etc. À mon avis, l'inventeur du questionnaire des passeports devait avoir un caractère assez proche de celui de ma sœur.

– Ma chère Caroline, déclarai-je, je n'ai aucun doute sur la profession qu'exerçait notre voisin. C'est un coiffeur à la retraite, il n'y a qu'à voir sa moustache.

Caroline réfuta mon opinion. Elle soutint que si l'homme avait été coiffeur il n'aurait pas les cheveux plats mais ondulés, comme tous ses pareils. Je nommai plusieurs coiffeurs de ma connaissance qui avaient les cheveux plats, mais elle refusa de se laisser convaincre.

– Je n'arrive pas à le situer, dit-elle d'un ton ulcéré. L'autre jour, je lui ai emprunté quelques outils de jardinage. Il s'est montré parfaitement courtois mais je n'en ai rien tiré. J'ai fini par lui demander tout net s'il était français, il a répondu que non et… je ne sais pas pourquoi, je n'ai plus osé le questionner. Ce qu'il y a de sûr, c'est qu'il s'exprime dans un anglais invraisemblable et que son accent est à couper au couteau.

Notre mystérieux voisin commence à m'intéresser sérieusement. Un homme capable de river son clou à Caroline et de la renvoyer bredouille, comme la reine de Saba, ne doit pas – quels que soient son accent et ses faiblesses linguistiques – être n'importe qui.

– Je crois qu'il possède un de ces nouveaux aspirateurs à poussière, annonça-t-elle.

Je compris qu'elle méditait déjà de l'emprunter, bon prétexte pour s'informer davantage. Je vis son œil s'allumer à cette perspective et en profitai pour m'esquiver dans le jardin. J'ai un certain goût pour le jardinage. Et je m'appliquais à arracher des pissenlits quand un cri d'avertissement retentit, tout près de moi. Un objet pesant me frôla les oreilles et s'écrasa à mes pieds dans un gargouillis répugnant. Une courge !

Je levai la tête, furibond. Un visage se montra par-dessus le mur, sur ma gauche. Un crâne en forme d'œuf partiellement planté de cheveux d'un noir suspect, une invraisemblable moustache et une paire d'yeux scrutateurs. C'était notre mystérieux voisin, Mr Porrot. Il se confondit en excuses.

– Mille regrets, monsieur, je suis absolument impardonnable. Cela fait quelques mois que je m'adonne à la culture des cucurbitacées. Et voilà que ce matin, je les ai prises en aversion et les envoie promener, en pensée et en action. J'ai donc empoigné la plus grosse et l'ai jetée par-dessus le mur. Je suis affreusement confus, monsieur. J'implore votre pardon.

Ma colère ne résista pas à ce déluge d'excuses. Après tout, ce malheureux légume ne m'avait pas touché. L'essentiel était que notre nouveau voisin ne prît pas goût au lancement des cucurbitacées par-dessus les murs. J'espérais sincèrement que ce ne serait pas le cas. C'était là un procédé qui ne pouvait faciliter nos rapports de voisinage.

L'étrange petit homme parut déchiffrer mes pensées.

– Rassurez-vous ! s'exclama-t-il, je n'ai pas pour habitude d'agir ainsi. Mais trouvez-vous croyable, monsieur, qu'un homme se donne tant de mal pour atteindre un certain objectif, à savoir le moment où il pourra occuper ses loisirs à sa guise ; qu'il sue sang et eau pour y parvenir et que, une fois ce but atteint, il regrette le bon vieux temps et les activités qu'il se croyait si heureux d'abandonner ?

– Oui, répondis-je après réflexion, j'estime le phénomène assez fréquent. Il se peut même que ce soit mon cas. Il y a un an, j'ai fait un héritage, suffisant pour me permettre de réaliser un vieux rêve. Voyager, voir le monde… eh bien, comme je vous l'ai dit, cela date d'un an et je suis toujours là !

Le petit homme hocha la tête.

– Les chaînes de l'habitude… Nous travaillons en vue d'un but précis et, celui-ci atteint, nous découvrons à quel point notre tâche quotidienne nous manque. Et notez bien, monsieur, que mon travail était particulièrement intéressant. Le plus intéressant qui soit au monde.

Dans un accès d'humeur carolinienne, et résolu à lui pardonner ses gallicismes, je l'encourageai à poursuivre :

– Ah oui ?

– Je parle de l'étude de la nature humaine, monsieur.

– Certes, approuvai-je avec bienveillance.

Plus de doute, c'était un coiffeur à la retraite. Qui mieux que les coiffeurs connaît les secrets de l'humaine nature ?

– Et j'avais aussi un ami, un vieux compagnon de route. Il m'était très cher, bien qu'il se montrât parfois d'une sottise à faire peur. Croiriez-vous que je regrette jusqu'à sa stupidité ? Sa naïveté, sa rectitude morale, le plaisir que je prenais à l'étonner et à l'enchanter par mes remarquables talents… tout cela me manque plus que je ne saurais dire.

– Il est mort ? m'informai-je avec une mine de circonstance.

– Non, et la vie lui réussit, mais il est à l'autre bout du monde maintenant. En Argentine.

– En Argentine, répétai-je avec envie.

J'ai toujours désiré connaître l'Amérique du Sud. Je soupirai, levai les yeux et rencontrai le regard compatissant de Mr Porrot. Un petit homme très compréhensif, semblait-il.

– Comptez-vous y aller ?

Je secouai la tête en soupirant de plus belle.

– J'aurais pu y aller, il y a un an, mais j'ai agi comme un idiot, et même pire. Je me suis montré trop gourmand et j'ai lâché la proie pour l'ombre.

– Je comprends, dit Mr Porrot. Vous avez spéculé ?

J'approuvai, l'air maussade, mais secrètement amusé. C'était plus fort que moi : ce ridicule petit homme arborait une mine si solennelle, et son langage fleuri s'émaillait de tournures si surprenantes ! Sa question me prit totalement au dépourvu.

– Pas sur les *Pétroles Panthère* ?

J'ouvris des yeux effarés.

– À vrai dire, j'y avais songé. Mais j'ai finalement opté pour une mine d'or, dans l'ouest de l'Australie.

Mon voisin m'observait d'un air bizarre dont le sens m'échappait totalement.

– C'est le Destin, déclara-t-il enfin.

– Comment cela, le Destin ? demandai-je avec humeur.

– Il était écrit que je deviendrais le voisin d'un homme

32

qui s'intéresse de près aux *Pétroles du Porc-Épic* et aux *mines d'or d'Australie occidentale*. Vous n'auriez pas un faible pour les cheveux auburn, par hasard ?

Je le regardai, bouche bée, et il éclata de rire.

– Mais non, je ne perds pas la tête, soyez tranquille, et ma question était ridicule. L'ami dont je vous ai parlé était jeune, il croyait à la bonté des femmes et les trouvait toutes belles, ou presque. Mais vous êtes un homme mûr, vous, un médecin. Vous connaissez la folie et la vanité de la plupart des choses de la vie. Et puisque nous sommes voisins, je vous prie d'accepter ma plus belle courge et de l'offrir à votre charmante sœur.

Il se pencha et se releva en exhibant pompeusement un gigantesque spécimen du genre, que j'acceptai avec toute la solennité requise.

– Eh bien, reprit le petit homme avec chaleur, voici une matinée bien employée puisque j'ai fait la connaissance d'un homme qui me rappelle un ami lointain. Au fait, j'aimerais vous poser une question. Vous devez connaître tout le monde dans ce petit village : qui donc est ce beau garçon brun aux yeux noirs, qu'on voit passer le nez au vent et le sourire aux lèvres ?

Cette description ne laissait aucune place au doute.

– Ce doit être le capitaine Ralph Paton.

– Je ne l'avais jamais vu jusqu'ici.

– Non, cela fait un certain temps qu'il n'est pas venu. C'est le fils de Mr Ackroyd, de Fernly Park. Ou plutôt, son fils adoptif.

Mon voisin esquissa un geste d'impatience.

– Mais bien sûr, j'aurais dû m'en douter ! Mr Ackroyd m'en a souvent parlé.

– Vous connaissez Mr Ackroyd ? m'écriai-je, quelque peu surpris.

– Mr Ackroyd a eu l'honneur de faire ma connaissance à Londres, à l'époque où j'y exerçais. Mais je l'ai prié de ne pas révéler ma profession aux gens du pays.

– Je vois, commentai-je, plutôt amusé par ce qui me parut une prétention sans bornes.

Mais le petit homme enchaîna, plein d'importance :

– Mieux vaut garder l'incognito, je n'aspire pas à la notoriété. Je n'ai même pas pris la peine de corriger la façon dont les gens écorchent mon nom, par ici.

– Vraiment ? hasardai-je, ne sachant trop que dire.

Mr Porrot reprit d'une voix songeuse :

– Le capitaine Ralph Paton… Ainsi, il est fiancé à la nièce d'Ackroyd, la charmante miss Flora.

– Qui vous en a parlé ? demandai-je, ébahi.

– Mr Ackroyd, il y a une semaine environ. Il est enchanté. Lui qui désirait depuis si longtemps que cela finît ainsi… en tout cas, c'est ce que j'ai cru comprendre. Je pense même qu'il a exercé une certaine pression sur le jeune homme, ce qui n'est jamais très sage. Un homme devrait se marier par inclination, et non pour plaire à un beau-père dont il espère hériter un jour.

Je ne savais plus que penser. Je voyais mal Ackroyd prendre un coiffeur pour confident et discuter avec lui du mariage de sa nièce et de son beau-fils. Certes, Ackroyd fait montre d'une extrême bienveillance envers les classes inférieures, mais il n'en possède pas moins le sens aigu de sa dignité personnelle. Je commençais à me demander si ce Porrot était réellement coiffeur. Et, pour dissimuler ma gêne, je saisis le premier prétexte qui me vint à l'esprit.

– Qu'est-ce qui a bien pu attirer votre attention sur Ralph Paton ? Sa bonne mine ?

– Non, pas seulement cela, bien qu'il soit particulièrement beau pour un Anglais. Un véritable Apollon, comme on dit dans les romans. Non, il y a chez ce jeune homme quelque chose qui m'échappe.

Il prononça ces derniers mots d'un ton rêveur qui me laissa une impression indéfinissable. Un peu comme s'il jugeait Ralph à la lumière d'un savoir personnel, que je ne pouvais partager. Et ce fut sur cette impression que je restai car, à cet instant, Caroline m'appela de la maison.

Je rentrai, pour trouver ma sœur le chapeau sur la tête : de toute évidence, elle arrivait du village. Elle attaqua sans préambule :

– J'ai rencontré Mr Ackroyd.

– Ah bon ?

– Naturellement, je l'ai arrêté au passage, mais il semblait vraiment très pressé. Il ne tenait plus en place.

Sur ce point, elle avait sûrement raison. Elle avait dû lui faire le même effet que miss Gannett un peu plus tôt, mais en pire. On se débarrasse moins aisément de Caroline.

– Je l'ai aussitôt questionné au sujet de Ralph, et il est tombé des nues. Il ignorait totalement qu'il était en ville et m'a même dit que je devais me tromper. Me tromper, moi !

– Ridicule. Il devrait mieux te connaître.

– Et là-dessus, il m'a annoncé que Flora et Ralph étaient fiancés.

– Je le savais ! m'écriai-je, assez fier de moi.

– Et qui te l'a dit ?

– Notre nouveau voisin.

Caroline connut un instant d'indécision manifeste. Pendant une ou deux secondes elle hésita comme la boule de la roulette vacillant entre deux cases, puis repoussa l'appât.

– J'ai dit à Mr Ackroyd que Ralph était descendu aux *Trois Marcassins*.

– Caroline ! Il ne t'est jamais venu à l'esprit que tu pouvais faire beaucoup de mal, en parlant à tort et à travers ?

– Que me chantes-tu là ? Les gens ont le droit de savoir ! Et je considère de mon devoir de les avertir. Mr Ackroyd m'en a été extrêmement reconnaissant.

– Et ensuite…, commençai-je, voyant venir d'autres révélations.

– À mon avis, il est allé tout droit aux *Trois Marcassins*. Et s'il l'a fait, il n'y a pas trouvé Ralph.

– Ah non ?

– Non. Parce qu'en revenant par le bois, je…

– En revenant par le bois, toi ?

Caroline eut le bon goût de rougir.

– Il faisait si beau ! s'exclama-t-elle, j'ai eu envie de faire un petit tour. La forêt est superbe à cette époque-ci, avec toutes ces teintes automnales…

Caroline n'éprouve pas le moindre intérêt pour la forêt, quelle que soit la saison. Pour elle, ce n'est qu'un endroit où on se mouille les pieds et où on court le risque de recevoir toutes sortes de choses déplaisantes sur la tête. Non, c'était bel et bien l'instinct de la mangouste qui l'avait conduite jusqu'à notre forêt communale. Dans les environs, c'est la seule cachette possible pour deux jeunes gens qui souhaitent se parler sans être vus par tout le village. Et elle jouxte le parc de Fernly.

– Eh bien ? Continue.

– Donc, je rentrais par le bois, quand j'ai entendu des voix.

Ici, Caroline fit une pause.

– Et alors ?

– L'une était celle de Ralph Paton : je l'ai reconnue tout de suite. L'autre était celle d'une jeune fille. Je n'avais pas l'intention d'écouter, bien sûr…

– Bien sûr que non, ironisai-je ouvertement.

En pure perte pour Caroline, cela va de soi.

– … Mais je n'ai pas pu m'empêcher d'entendre. La jeune fille a dit quelque chose que je n'ai pas compris et Ralph lui a répondu, furieux semblait-il. « Enfin, mon petit, tu ne vois donc pas qu'il va me couper les vivres, et pour de bon. J'ai lassé sa patience, depuis quelques années, mais cette fois la mesure est comble. Et nous ne pouvons pas vivre d'amour et d'eau fraîche. Je roulerai sur l'or quand le vieux passera l'arme à gauche. Il est aussi pingre qu'on le dit, mais il est riche comme Crésus et je ne tiens pas à ce qu'il modifie son testament. Alors laisse-moi faire, et ne te tracasse pas. » Voilà exactement ses paroles, je m'en souviens parfaitement. Par malheur, juste à ce moment-là, j'ai marché sur une branche morte ou je ne sais quoi, alors ils ont baissé la voix et se sont éloignés. Comme il n'était pas question que je les suive, je n'ai pas pu savoir qui était la jeune fille.

– De quoi être vexée ! Mais j'imagine que tu t'es précipitée aux *Trois Marcassins,* où tu t'es sentie mal, et que tu es allée au bar demander un verre de cognac, histoire de vérifier si les deux serveuses étaient à leur poste ?

– Cette jeune fille n'était pas une serveuse, déclara sans hésiter Caroline. Je suis même presque certaine que c'était Flora Ackroyd, sauf que…

– Sauf que cela ne tient pas debout.

– Mais si ce n'était pas Flora… alors qui ?

Ma sœur passa rapidement en revue les jeunes célibataires du voisinage, pesant le pour et le contre en étayant chaque hypothèse d'une avalanche de bonnes raisons. Quand elle s'interrompit pour reprendre haleine, je murmurai une vague excuse concernant un patient à voir et m'éclipsai.

Ralph avait déjà dû regagner *Les Trois Marcassins,* et je comptais m'y rendre moi-même. Je connaissais très bien Ralph Paton, sans doute mieux que personne à King's Abbot. Car j'avais bien connu sa mère, et cela m'aidait à comprendre certains aspects de son caractère qui déroutaient bon nombre de gens. Ralph était, dans une certaine mesure, une victime de l'hérédité. Sa mère ne lui avait pas transmis son fatal penchant pour la boisson, mais on décelait en lui une certaine faiblesse de caractère. Et, comme l'avait souligné mon nouvel ami le matin même, il était singulièrement beau. Un bon mètre quatre-vingts, des proportions parfaites, la souple aisance d'un athlète et aussi brun que sa mère. Avec cela un visage avenant, hâlé par le soleil et toujours prêt au sourire : Ralph Paton possédait le charme inné des êtres créés pour séduire. Très dépensier, il ne se refusait rien, ne respectait rien, mais n'en était pas moins aimable et ses amis ne juraient que par lui. Serais-je en mesure de l'aider ? J'osais le croire.

Aux *Trois Marcassins,* on m'apprit que le capitaine Paton venait de rentrer. Je montai à l'étage et entrai dans sa chambre sans me faire annoncer. Après ce que j'avais vu et entendu, je craignis un instant d'être mal reçu, mais je m'inquiétais à tort.

– Tiens, Sheppard ! Ravi de vous voir.

Il s'avança vers moi, la main tendue, le visage ouvert et souriant.

– La seule personne de ce maudit patelin que je sois heureux de rencontrer !

Je haussai les sourcils :

– Qu'avez-vous donc contre les gens du pays ?

Ralph eut un rire contraint.

– C'est une longue histoire, docteur ! Les choses ont mal tourné, pour moi. Mais d'abord, si nous prenions un verre ?

– Volontiers, merci.

Il alla sonner, revint vers moi et se jeta dans un fauteuil.

– Autant vous le dire carrément, annonça-t-il d'un air sombre, je suis dans de sales draps. En fait, je ne vois pas du tout comment m'en sortir.

– Quel est le problème ? demandai-je avec sympathie.

– C'est mon satané beau-père !

– Qu'a-t-il donc fait ?

– Oh ! ce n'est pas ce qu'il a fait qui m'inquiète, mais ce qu'il va sans doute faire.

Un domestique se montra et reçut la commande de Ralph. Après son départ, le jeune homme demeura prostré dans son fauteuil, le visage fermé.

– C'est donc si grave que cela ? demandai-je.

– Je suis au bout du rouleau, cette fois-ci, se contenta-t-il de dire.

Le ton inhabituel de sa voix avait une résonance sincère. Il en fallait beaucoup pour lui faire perdre son insouciance.

– En fait, reprit-il, je ne sais plus où j'en suis. Et que je sois pendu si je m'en sors !

– Si je pouvais vous aider…, hasardai-je timidement.

Mais il secoua énergiquement la tête.

– C'est très chic de votre part, docteur, mais je ne veux pas vous entraîner là-dedans. Je dois me débrouiller tout seul.

Il garda le silence pendant quelques instants, puis répéta d'une voix légèrement changée :

– Oui… je dois me débrouiller tout seul.

4

Dîner à Fernly Park

Il n'était pas tout à fait 19 h 30 quand je sonnai à la porte de Fernly Park. Elle me fut ouverte avec une remarquable promptitude par les soins de Parker, le maître d'hôtel.

La soirée était si belle que j'avais préféré venir à pied. Je pénétrai dans le grand vestibule carré, où Parker me débarrassa de mon pardessus. Ce fut à cet instant précis que le secrétaire d'Ackroyd, affable jeune homme nommé Raymond, traversa le hall pour se rendre dans le cabinet de travail, les bras chargés de paperasses.

– Bonsoir, docteur. Vous êtes venu dîner, ou s'agit-il d'une visite professionnelle ?

Cette question se justifiait, car j'avais déposé ma sacoche noire sur le coffre de chêne. J'expliquai que je m'attendais à être appelé d'un instant à l'autre pour un accouchement, sur quoi Raymond hocha la tête et poursuivit son chemin.

– Passez au salon, lança-t-il par-dessus son épaule, vous connaissez les lieux. Ces dames ne vont pas tarder à descendre et je ne vous demande que le temps de porter ces papiers à Mr Ackroyd. Je lui dirai que vous êtes arrivé.

Parker s'était retiré à l'arrivée de Raymond et je me retrouvai seul dans le vestibule. Je rajustai ma cravate, jetai un coup d'œil dans le grand miroir accroché au mur et me dirigeai vers la porte qui me faisait face, celle du salon.

À l'instant précis où je tournais la poignée, un son me parvint de l'intérieur. On aurait dit le bruit d'une fenêtre à guillotine qui retombe. Je l'enregistrai de façon quasi mécanique, mais sans y attacher d'importance sur le moment. J'ouvris la porte, entrai et faillis me heurter à miss Russell qui sortait. Nous échangeâmes des excuses et, pour la première fois, je me surpris à admirer la gouvernante. Elle avait dû être très belle, et à dire vrai l'était encore. On ne voyait pas le moindre fil blanc dans ses cheveux noirs et il suffisait que son teint se colorât, ce qui était justement le cas, pour qu'elle parût beaucoup moins sévère.

Presque machinalement, je me demandai si elle était sortie, car elle avait le souffle court comme si elle venait de courir.

– Je crains d'être arrivé trop tôt, déclarai-je.

– Oh ! je ne crois pas, Dr Sheppard. Il est 7 heures et demie passées. (Puis elle ajouta :) Je… j'ignorais que vous dîniez ici. Mr Ackroyd ne m'en avait rien dit.

Sans parvenir à m'expliquer pourquoi, j'eus la vague impression que ma présence ne lui était pas agréable.

– Et ce genou ?

– Toujours la même chose, docteur, merci. Il faut que je vous quitte, maintenant, Mrs Ackroyd va descendre dans un instant. Je… j'étais simplement venue vérifier l'état de fraîcheur des fleurs.

Elle s'éclipsa et je me dirigeai vers la fenêtre, intrigué par son désir manifeste de justifier sa présence. Ce faisant, je pris conscience d'un détail dont j'aurais dû m'aviser beaucoup plus tôt, si seulement j'avais pris la peine d'y songer. À savoir que les baies du salon étaient en fait de hautes portes-fenêtres donnant sur la terrasse. Le bruit que j'avais perçu ne pouvait donc être celui d'un châssis qui retombe.

Par désœuvrement, et sans autre raison que d'échapper à des pensées moroses, je m'amusai à essayer de deviner l'origine de ce bruit. Des charbons jetés dans l'âtre ? Non, c'était un son tout différent. Un tiroir de bureau repoussé ? Non, pas cela non plus.

C'est alors que mon regard fut attiré par une de ces boîtes plates que l'on appelle, je crois, un présentoir, et dont le couvercle vitré permet de voir le contenu. Je me penchai pour l'examiner et découvris deux ou trois objets d'argenterie ancienne, un soulier de bébé du roi Charles Ier, quelques figurines de jade chinoises et une quantité d'ustensiles et de bibelots africains. Afin d'étudier de plus près l'une des figurines de jade, je soulevai le couvercle. Il me glissa entre les doigts et retomba.

Instantanément, j'identifiai le bruit que j'avais entendu : celui de ce même châssis, refermé avec précaution. Je répétai le geste une ou deux fois pour ma satisfaction personnelle, puis rabattis le couvercle en arrière et m'absorbai dans un examen minutieux des bibelots. J'étais toujours penché sur la vitrine ouverte lorsque Flora Ackroyd entra.

Nombreux sont ceux qui n'apprécient pas Flora Ackroyd, mais nul ne peut s'empêcher de l'admirer. Et elle sait être si charmante avec ses amis ! La première chose qu'on remarque en elle, c'est sa blondeur scandinave. Elle a des cheveux d'or pâle, des yeux bleus comme l'eau des fjords de Norvège, un teint de lys et de rose. Large d'épaules, les hanches étroites, sa silhouette est un tantinet garçonnière et elle respire la santé. Ce qui, pour l'œil blasé d'un médecin, est on ne peut plus rafraîchissant.

C'est une vraie jeune fille anglaise, simple et droite, comme on n'en rencontre plus beaucoup je dois l'avouer, quitte à paraître vieux jeu. Flora me rejoignit près de la vitrine et – ô hérésie – osa douter que le soulier eût appartenu au roi Charles.

– D'ailleurs, ajouta la demoiselle, tous ces embarras parce qu'untel a porté ou utilisé tel ou tel objet me semblent grotesques. Tenez, la plume avec laquelle George Eliot a écrit *Le Moulin sur la Floss*... ce n'est jamais qu'une plume, non ? Si vous appréciez vraiment George Eliot, ne vaut-il pas mieux acheter son livre dans une édition ordinaire et le lire ?

– Mais vous, miss Flora, vous ne lisez pas cette littérature surannée, j'imagine ?

– Vous vous trompez, Dr Sheppard. J'adore *Le Moulin sur la Floss*.

Je ne fus pas fâché de l'apprendre : les lectures et les goûts qu'affichent les jeunes filles modernes me donnent des sueurs froides.

– Vous ne m'avez pas encore félicitée, Dr Sheppard. Vous ne savez donc pas la nouvelle ?

Flora me tendit sa main gauche, dont l'annulaire s'ornait d'une perle unique, montée avec un goût exquis.

– Je vais épouser Ralph, et mon oncle est enchanté. Comme cela, je reste dans la famille.

Je pris ses deux mains dans les miennes.

– J'espère que vous serez très heureuse, ma chère petite !

– Il y a environ un mois que nous sommes fiancés, reprit Flora de sa voix tranquille, mais nous ne l'avons annoncé qu'hier. Mon oncle va faire rénover Cross Stones et nous l'offrir. Nous serons censés exploiter les terres. En fait, nous y chasserons tout l'hiver, passerons la saison à Londres et ensuite nous ferons de la voile. J'adore la mer. Et naturellement, je consacrerai beaucoup de temps aux œuvres de la paroisse et ne manquerai aucune des réunions de mères de famille !

Elle en était là quand Mrs Ackroyd entra dans un

frou-frou de jupes et se confondit en excuses pour son retard.

Je regrette d'avoir à l'admettre, mais je déteste Mrs Ackroyd. Cette femme est un fort déplaisant amalgame de colliers, de dents et d'os. Ses petits yeux bleu pâle ont la dureté du silex et leur froideur calculatrice dément les paroles aimables qu'elle prodigue si volontiers.

Abandonnant Flora près de la fenêtre, je traversai le salon pour m'approcher d'elle. Elle me tendit une poignée d'os et de bagues et se répandit en discours volubiles.

Étais-je au courant des fiançailles de Flora, si satisfaisantes sous tous rapports ? Ces chers enfants ! Entre eux, cela avait été le coup de foudre. Et quel beau couple ils formaient, lui si brun et elle si blonde !

– Je ne saurais vous dire, mon cher docteur, quel soulagement ce peut être pour le cœur d'une mère.

Un soupir s'échappa de son cœur de mère, tandis qu'elle m'observait d'un regard aigu.

– Je me demandais justement… Vous êtes un vieil ami de ce cher Roger, et nous savons combien il a confiance en vous. En tant que veuve du pauvre Cecil, je me trouve dans une position très délicate. Et il y a tous ces problèmes fastidieux à régler, des dispositions à prendre… enfin, tout cela… Je suis convaincue que Roger compte faire le nécessaire pour notre chère Flora mais, comme vous le savez, il serre un peu trop les cordons de sa bourse. Je me suis laissé dire que c'était assez répandu chez ces capitaines d'industrie. Et, voyez-vous, je me demandais… si vous ne pouviez pas tâter le terrain ?

Flora a tellement d'affection pour vous ! Nous vous considérons comme un vieil ami, réellement, même si nous ne vous connaissons que depuis deux ans.

Une fois de plus, la porte du salon s'ouvrit, ce qui coupa court à ce flot d'éloquence. J'accueillis avec joie cette interruption. J'ai horreur d'intervenir dans les affaires d'autrui, et n'avais pas la moindre intention de sonder Ackroyd sur ses projets vis-à-vis de Flora. Un peu plus et je me voyais forcé de m'en expliquer avec Mrs Ackroyd.

– Je crois que vous connaissez le major Blunt, docteur ?

– Oui, en effet.

Beaucoup de gens connaissent Hector Blunt, ne serait-ce que de réputation. Il a dû tuer plus d'animaux sauvages que tout autre chasseur vivant, et ce dans les endroits les plus invraisemblables. Au seul énoncé de son nom, chacun s'écrie : « Blunt ? Pas le chasseur de grands fauves, tout de même ? »

Son amitié avec Ackroyd m'a toujours un peu intrigué : ils sont tellement différents ! Hector Blunt doit bien avoir cinq ans de moins qu'Ackroyd. Cet attachement remonte à leur prime jeunesse et, bien qu'ils aient suivi des chemins différents, il est toujours aussi solide. Tous les deux ans environ, Blunt vient passer une quinzaine de jours à Fernly. Et l'énorme trophée de chasse aux bois innombrables qui vous fixe d'un œil vitreux dès que vous entrez dans le hall est un témoignage durable de cette amitié.

Blunt s'était avancé dans la pièce, de son pas si particulier, à la fois hardi et silencieux. C'est un homme de taille moyenne, solidement bâti, sinon massif. Un hâle intense, presque acajou, colore son visage singulièrement inexpressif. Ses yeux gris semblent toujours observer une scène qui se déroulerait à des kilomètres de là. Il parle peu et par syllabes hachées, comme si les mots lui étaient arrachés de force. Ce fut de cette manière abrupte qu'il m'aborda.

– Comment allez-vous, Sheppard ?

Sur ce, il se campa devant la cheminée et son regard glissa par-dessus nos têtes, comme s'il contemplait un spectacle passionnant qui aurait eu lieu à Tombouctou.

– Major Blunt, dit alors Flora, j'aimerais que vous m'expliquiez ce que sont exactement tous ces bibelots africains. Je suis sûre que vous le savez.

On m'avait décrit Hector Blunt comme un misogyne, mais je fus frappé par sa promptitude – pour ne pas dire son empressement – à rejoindre Flora près de la vitrine. Tous deux se penchèrent sur son contenu. Et, de crainte que Mrs Ackroyd n'aborde à nouveau des questions financières, je me hâtai de placer quelques observations sur la nouvelle variété de pois de senteur – découverte dont j'avais appris l'existence le matin même, en parcourant le *Daily Mail*. Mrs Ackroyd ignore tout de l'horticulture, mais elle est de ces femmes qui aiment paraître au courant des nouveautés et elle aussi lit le *Daily Mail*. Ce qui nous permit d'échanger des propos relativement sensés jusqu'à l'arrivée d'Ackroyd et de son secrétaire. Aussitôt après, Parker annonça le dîner.

À table, je pris place entre Flora et Mrs Ackroyd, et Blunt entre celle-ci et Geoffrey Raymond. Le dîner ne fut pas des plus animés. Visiblement préoccupé, Ackroyd avait l'air malheureux et ne mangea pratiquement rien. Mrs Ackroyd, Raymond et moi nous chargeâmes d'entretenir la conversation. Flora semblait très affectée par l'humeur morose de son oncle et, comme toujours, Blunt se réfugiait dans le silence.

Sitôt le dîner fini, Ackroyd glissa son bras sous le mien et m'entraîna dans son cabinet de travail.

– Dès qu'on aura servi le café, nous serons tranquilles, annonça-t-il. J'ai chargé Raymond de veiller à ce que nous ne soyons pas dérangés.

Je l'observai tranquillement, sans en rien laisser paraître. De toute évidence, il était en proie à quelque émotion violente. Il arpenta la pièce pendant quelques minutes puis, lorsque Parker apporta le café, se laissa tomber dans un fauteuil, devant la cheminée.

La pièce respirait le confort. Des étagères chargées de livres tapissaient l'un des murs et les fauteuils, aux proportions accueillantes, étaient recouverts de cuir bleu foncé. Sur le grand bureau, près de la fenêtre, s'alignaient des dossiers étiquetés avec soin, et diverses revues et journaux sportifs s'empilaient sur une table ronde.

Tout en se versant du café, Ackroyd déclara posément :

– J'ai eu un nouvel accès après le repas, récemment. Je vais encore avoir besoin de vos cachets.

Soupçonnant qu'il n'abordait ce sujet médical que pour donner le change au maître d'hôtel, j'entrai dans le jeu.

– J'y avais pensé, et j'en ai apporté.

– Ah ! ça, c'est gentil. Puis-je les avoir tout de suite ?

– Ils sont dans ma sacoche, je vais la chercher. Je l'ai laissée dans le vestibule.

Ackroyd m'arrêta d'un geste.

– Ne prenez pas cette peine, Parker s'en chargera. Voulez-vous nous apporter la sacoche du docteur, Parker ?

– Tout de suite, monsieur.

Parker se retira et j'étais sur le point de parler quand Ackroyd éleva la main.

– Non, attendez ! Je suis dans un tel état de nerfs que j'arrive à peine à me contrôler. Vous ne le voyez donc pas ?

Je ne le voyais que trop bien, et m'en inquiétais fort. Toutes sortes de pressentiments m'assaillirent, mais Ackroyd reprenait déjà la parole.

– Allez voir si cette fenêtre est bien fermée, voulez-vous ?

Quelque peu surpris, je me levai et m'approchai de la fenêtre, à guillotine celle-ci. Les épais rideaux de velours bleu étaient tirés, cachant les vitres, mais le panneau supérieur était ouvert. Je me trouvais toujours derrière les rideaux quand Parker revint avec ma sacoche.

– Tout est en ordre, affirmai-je en réapparaissant de l'autre côté.

– Vous avez bien mis le loquet ?

– Mais oui. Voyons, Ackroyd, que se passe-t-il ?

Parker venait de refermer la porte derrière lui, sans quoi je n'aurais jamais posé cette question. Ackroyd n'en resta pas moins un bon moment silencieux avant de répondre. Une minute exactement.

– J'endure l'enfer, dit-il alors d'une voix lente. Non,

49

oubliez ces maudits cachets. Je n'en parlais que pour Parker, les domestiques sont si curieux ! Venez ici et asseyez-vous. La porte aussi est bien fermée, n'est-ce pas ?

– Mais oui, rassurez-vous. Personne ne peut nous épier.

– Sheppard, personne ne sait ce que j'ai enduré depuis vingt-quatre heures. Si jamais homme a vu son univers s'écrouler sur lui, c'est bien moi. Cette histoire de Ralph est la goutte d'eau qui fait déborder le vase, mais pour l'instant, passons. Le pire c'est… c'est l'autre. L'autre ! Je ne vois aucune solution… Or, il faut que je prenne une décision – et vite.

– Mais que se passe-t-il ?

Ackroyd garda le silence pendant une minute ou deux, comme s'il lui en coûtait de parler. Quand il commença, ce fut par une question qui me laissa pantois. C'était la dernière chose à laquelle je m'attendais.

– Sheppard, vous avez soigné Ashley Ferrars durant sa dernière maladie, n'est-ce pas ?

– En effet.

Il sembla éprouver encore plus de difficulté à formuler la question suivante.

– Avez-vous jamais soupçonné… l'idée vous a-t-elle seulement effleuré… qu'il ait pu être empoisonné ?

Pendant une bonne minute, ce fut moi qui gardai le silence, puis je me décidai. Après tout, Roger Ackroyd n'était pas Caroline.

– Je vais vous dire la vérité. À l'époque, je n'ai pas eu le moindre soupçon, mais depuis… En fait, c'est une réflexion oiseuse de ma sœur Caroline qui m'a mis cette idée en tête et… je n'ai jamais pu la chasser. Mais elle ne repose sur rien, croyez-le bien.

– Il a bel et bien été empoisonné, affirma Ackroyd.

– Par qui ? m'écriai-je.

– Par sa femme.

– Et comment le savez-vous ?

– C'est elle-même qui me l'a avoué.

– Quand cela ?

– Hier. Mon Dieu… hier ! Il me semble que c'était il y a dix ans !

J'attendis, et il reprit au bout d'un instant :

– Comprenez-moi bien, Sheppard, je vous confie ceci sous le sceau du secret, cela ne doit pas sortir d'ici. Mais ce fardeau est trop lourd pour moi, j'ai besoin de vos conseils. Comme je vous le disais, je ne sais plus quoi faire.

– Et si vous me racontiez toute l'histoire ? Il y a encore beaucoup de choses qui m'échappent. Comment Mrs Ferrars en est-elle venue à tout vous avouer ?

– Voici les faits. Il y a trois mois de cela, je lui ai demandé de m'épouser. Elle a refusé. Je suis revenu à la charge et cette fois, elle a dit oui. À condition toutefois que notre décision ne soit pas rendue publique avant la fin de son deuil. Puisque ce délai d'un an est maintenant révolu, je lui ai rendu visite hier. Je lui ai fait observer que, son deuil ayant pris fin depuis déjà trois semaines, plus rien ne nous empêchait de faire connaître nos intentions. J'avais remarqué chez elle un comportement plutôt bizarre, ces derniers jours. Et brusquement, de façon totalement inattendue, elle s'est effondrée. Elle… elle m'a tout avoué. Sa haine pour cette brute qu'était son mari, son amour croissant pour moi et la… la terrible solution qu'elle avait choisie. Le poison ! Seigneur ! Ce fut un meurtre commis de sang-froid !

Je vis la répulsion, l'horreur inscrites sur le visage d'Ackroyd, telles que Mrs Ferrars avait dû les voir, elle aussi. Ackroyd n'est pas de ces grands passionnés prêts à tout pardonner au nom de l'amour. C'est le type même du bon citoyen. Cet être foncièrement sain, honnête et respectueux des lois avait dû être horrifié par cette révélation et, sous l'effet du choc, par Mrs Ferrars elle-même.

– Oui, reprit-il d'une voix basse et monocorde, elle m'a avoué la vérité. À l'entendre, quelqu'un était au courant de tout, depuis le début. Une personne qui a grassement monnayé son silence. Et c'est cette tension nerveuse qu'elle ne pouvait plus supporter.

– Et qui était cet homme ?

Soudain l'image de Ralph Paton et de Mrs Ferrars surgit dans ma mémoire. Je les revis tout près l'un de l'autre, leurs têtes se touchant presque, et je connus un moment d'angoisse. Et si… Non, impossible. Ralph m'avait accueilli avec une telle franchise, cet après-midi même… Non, c'était absurde.

– Elle n'a pas voulu me dire son nom, répondit Ackroyd, tout pensif. En fait, elle n'a même jamais dit s'il s'agissait d'un homme, mais naturellement…

– Naturellement, cela ne peut être qu'un homme. Et vous n'avez aucun soupçon ?

Ackroyd gémit et enfouit son visage dans ses mains.

– C'est impossible, cette seule pensée me rend fou. Non, je n'ose même pas vous avouer l'horrible soupçon qui m'a traversé l'esprit, mais il faut bien vous en parler. Certains de ses propos m'ont fait penser que la personne en question vivait sous mon propre toit… mais cela ne se peut pas. J'ai dû me méprendre sur le sens de ses paroles.

– Et que lui avez-vous dit ?

– Que pouvais-je dire ? Elle a bien vu quel choc terrible cela avait été pour moi. Et je me trouvais en face d'un cruel dilemme : où était mon devoir ? Elle avait fait de moi son complice après coup, comprenez-vous ? Et je crois qu'elle s'en est rendu compte bien avant que je n'en prenne conscience moi-même. J'étais sans réaction. Elle m'a demandé vingt-quatre heures et m'a fait promettre de ne rien faire jusque-là. Mais elle refusait énergiquement de me livrer le nom du scélérat qui l'avait fait chanter. Elle avait peur que je n'aille tout droit lui casser la figure, j'imagine, ce qui l'eût perdue. Elle m'a assuré que j'aurais de ses nouvelles avant que les vingt-quatre heures ne soient écoulées. Mon Dieu ! Je vous le jure, Sheppard, l'idée ne m'a pas effleuré qu'elle songeait à se suicider. Et c'est moi qui l'y ai poussée !

– Mais non, ne noircissez pas les choses. Vous n'êtes aucunement responsable de sa mort.

– Et maintenant, que dois-je faire ? La pauvre femme est morte, à quoi bon réveiller le passé ?

– À quoi bon, en effet ? Je partage votre point de vue.

– Mais il y a autre chose. Comment mettre la main sur le misérable qui a causé sa mort aussi sûrement que s'il l'avait tuée de ses propres mains ? Il savait tout du premier crime et s'est jeté sur sa proie comme un ignoble vautour. Elle a payé sa dette. Mais lui, va-t-on le tenir quitte de la sienne ?

– Vous voulez sa tête ? dis-je d'une voix lente. Cela va faire marcher les langues, sachez-le.

– Je sais, j'y ai pensé. Et j'ai longuement hésité.

– Le gredin doit être puni, je vous l'accorde. Mais il faut songer aux risques.

Ackroyd se leva, arpenta la pièce de long en large et replongea dans son fauteuil.

– Très bien, Sheppard, je crois que je vais m'en tenir là. Si aucun message ne me parvient de sa part, nous laisserons les morts dormir en paix.

Je dressai l'oreille.

– Comment cela, un message de sa part ?

– J'ai l'impression très nette qu'avant de… de partir, elle s'est arrangée pour m'en laisser un. Ne me demandez pas pourquoi, mais c'est ainsi.

– Mais elle n'a laissé ni lettre, ni rien de ce genre ?

– Je suis sûr que si, Sheppard. Et quelque chose me dit qu'en choisissant la mort, elle souhaitait faire éclater la vérité, ne fût-ce que pour se venger de celui qui l'a poussée à cet acte désespéré. Je crois que si j'avais pu la voir à temps, elle m'aurait dit son nom et chargé de faire l'impossible pour la venger… Croyez-vous aux intuitions ? ajouta-t-il en me regardant bien en face.

– Eh bien… oui. Dans une certaine mesure. Et si vraiment elle vous a écrit…

Je m'interrompis : la porte s'ouvrait, sans un bruit. Parker entra, portant un plateau chargé de lettres qu'il tendit à Ackroyd.

– Le courrier du soir, monsieur.

Sur ce, il rassembla nos tasses et se retira.

Mon attention, un instant détournée, se reporta sur Ackroyd. Pétrifié, il fixait d'un œil hagard une longue enveloppe bleue. Il avait laissé tomber les autres lettres sur le tapis.

– Son écriture ! dit-il dans un souffle. Elle a dû sortir poster ceci hier soir, juste avant de… avant de…

Il déchira l'enveloppe, en retira une épaisse liasse de feuillets et me lança un regard aigu.

– Vous êtes sûr d'avoir bien fermé la fenêtre ?

– Certain, répondis-je, étonné. Pourquoi ?

– Toute la soirée, j'ai eu la sensation bizarre d'être observé, épié. Mais qu'est-ce que…

Il se retourna brusquement, et moi de même. Nous avions tous deux cru entendre jouer très doucement la poignée de la porte. Je me levai et allai ouvrir : il n'y avait personne.

– Ce sont mes nerfs, murmura Ackroyd.

Il déplia les épais feuillets et commença à lire d'une voix sourde :

Mon cher, très cher Roger,
Une vie se paie d'une autre vie. Je le sais, je l'ai lu dans vos yeux cet après-midi. Aussi vais-je prendre la seule issue qui s'offre à moi. Je vous laisse le soin de châtier la personne qui, depuis un an, a fait de ma vie un enfer. Cet après-midi, je n'ai pas voulu vous dire son nom, mais maintenant je vais le faire. Je n'ai ni enfants ni proches parents à ménager, aussi ne craignez pas de publier la vérité. Et si vous le pouvez, Roger, mon très cher Roger, pardonnez-moi le tort que j'allais vous causer, puisque, le moment venu, je n'ai pas pu m'y résoudre…

Sur le point de tourner la page, Ackroyd s'interrompit.

– Pardonnez-moi, Sheppard, dit-il d'une voix mal assurée, mais je dois poursuivre cette lecture en privé. Ces lignes ont été écrites pour moi, et pour moi seul.

Il remit la lettre dans l'enveloppe et la posa sur la table.

– Je la lirai plus tard, quand je serai seul.

– Non ! m'écriai-je impulsivement. Lisez-la maintenant.

Ackroyd me jeta un regard surpris et je me sentis rougir.

– Je vous demande pardon, je ne parlais pas de la lire à haute voix, non. Je voulais dire : avant que je parte.

Ackroyd secoua la tête.

– Non, j'aime mieux attendre.

Mais, sans bien savoir pourquoi moi-même, j'insistai de plus belle :

– Lisez au moins le nom de cet homme !

Mais Ackroyd est aussi têtu qu'une mule. Plus vous le poussez à agir et plus il s'y refuse. Tous mes arguments restèrent vains.

La lettre lui avait été remise à 9 heures moins 20. Il ne l'avait toujours pas lue quand je le quittai, à 9 heures moins 10 exactement. J'hésitai un instant sur le seuil, la main sur la poignée, et me retournai en me demandant si je n'oubliais rien. Non, apparemment. Je n'avais plus rien à faire ici. Résigné, je quittai la pièce et refermai la porte derrière moi.

Je sursautai en me retrouvant nez à nez avec Parker. Il parut gêné, ce qui me fit penser qu'il avait fort bien pu écouter à la porte. Quel déplaisant personnage, ce

Parker, avec son visage adipeux, bouffi de suffisance. Je lui trouvai décidément l'air chafouin.

– Mr Ackroyd ne veut être dérangé sous aucun prétexte, déclarai-je avec froideur. Il m'a chargé de vous le dire.

– Très bien, monsieur. Je… j'avais cru entendre sonner.

Ce mensonge était tellement gros que je ne me donnai même pas la peine de répondre. Parker me précéda dans le hall, m'aida à enfiler mon pardessus et je sortis dans la nuit. La lune s'était cachée, tout semblait plongé dans l'obscurité et le silence. Quand je franchis la grille du parc, l'horloge du clocher égrena neuf coups. Je tournai à gauche, en direction du village, et faillis entrer en collision avec un homme qui arrivait en sens inverse. Il s'adressa à moi d'une voix enrouée :

– Pardon, m'sieur. Fernly Park, c'est bien par là ?

Je le dévisageai. Il avait rabattu son chapeau sur ses yeux et relevé le col de son manteau. Je ne voyais presque pas son visage, mais il me parut jeune. Sa voix était rude et vulgaire.

– Vous êtes à la grille du parc, l'informai-je.

– Merci bien, m'sieur.

Il s'interrompit et, sans nécessité aucune, ajouta :

– C'est que j'suis pas du coin, voyez-vous.

Il reprit sa route et je me retournai sur lui, pour le voir entrer dans le parc. Sa voix me semblait étrangement familière. Elle me rappelait quelqu'un… mais qui ?

Dix minutes plus tard, j'avais regagné mes pénates. Caroline brûlait de savoir pourquoi je rentrais si tôt, et je dus m'exécuter. Je lui fis un compte rendu légèrement transposé de ma soirée, et j'eus la sensation inconfortable qu'elle n'en était pas dupe. À 10 heures, je me levai, bâillai et proposai que nous allions nous coucher. Caroline m'approuva.

Nous étions vendredi et, chaque vendredi soir, je remonte les pendules. Je les remontai donc, pendant que Caroline vérifiait si les domestiques avaient bien fermé la porte de la cuisine. Il était 10 heures et quart quand nous nous engageâmes dans l'escalier. À peine étais-je sur le palier que la sonnerie du téléphone retentit dans le vestibule.

– C'est Mrs Bates, décréta aussitôt Caroline.

– J'en ai peur, commentai-je d'un ton morose.

Je dévalai les marches et décrochai le combiné.

– Quoi ? Que dites-vous ? Mais certainement, j'arrive tout de suite !

Je remontai quatre à quatre, empoignai ma sacoche et y entassai quelques pansements supplémentaires, tout en criant à Caroline :

– C'était Parker qui appelait de Fernly. On vient de trouver Roger Ackroyd assassiné !

5

Le meurtre

Je sortis ma voiture du garage en un temps record et me précipitai à Fernly, où je ne fis qu'un bond jusqu'à la sonnette. Comme on tardait à répondre, je sonnai une seconde fois.

J'entendis cliqueter la chaîne, la porte s'ouvrit et Parker s'encadra dans l'embrasure, figé dans son impassibilité coutumière. Je l'écartai et pénétrai dans le hall.

– Où est-il ? m'écriai-je d'un ton pressant.

– Je vous demande pardon, monsieur ?

– Où est votre maître ? Mr Ackroyd ? Ne restez pas planté là à me regarder, voyons ! Avez-vous averti la police ?

Parker ouvrait des yeux ronds comme s'il avait vu un fantôme.

– La police, monsieur ? Comment cela, la police ?

– Mais enfin, Parker, que vous arrive-t-il ? Si, comme vous le dites, votre maître a été assassiné…

Le domestique émit un hoquet de surprise.

– Monsieur, assassiné ? C'est impossible, docteur !

Ce fut à mon tour de le dévisager.

– Ne m'avez-vous pas appelé, il y a moins de cinq minutes, pour m'annoncer qu'on venait de trouver le corps de Mr Ackroyd ?

– Moi, monsieur ? Certainement pas ! Je n'aurais jamais fait une chose pareille !

– Dois-je comprendre qu'il s'agit d'une mauvaise plaisanterie ? Qu'il n'est rien arrivé à Mr Ackroyd ?

– Excusez-moi, monsieur. Votre correspondant s'est-il présenté sous mon nom ?

– Je vais vous répéter mot à mot ce qui m'a été dit. « Dr Sheppard ? Ici Parker, le maître d'hôtel de Fernly. Voudriez-vous venir tout de suite, docteur ? Mr Ackroyd a été assassiné. »

Parker et moi nous dévisageâmes, totalement déconcertés. Et sa voix eut un accent horrifié quand il retrouva la parole :

– Une plaisanterie de bien mauvais goût, monsieur. Comment peut-on inventer une chose pareille !

– Où est Mr Ackroyd ? demandai-je tout à trac.

– Toujours dans son bureau, je suppose, monsieur. Ces dames sont montées se coucher, et le major Blunt est dans la salle de billard, avec Mr Raymond.

– Je vais juste aller le voir un instant, annonçai-je. Je sais qu'il ne veut plus être dérangé mais tout ceci est bizarre, je ne suis pas tranquille. Je veux simplement m'assurer que tout va bien.

– Mais certainement, monsieur, et je partage votre inquiétude. Voyez-vous un inconvénient à ce que je vous accompagne jusqu'à la porte, monsieur ?

– Aucun. Suivez-moi.

Parker sur mes talons, je franchis une porte et traversai le petit vestibule d'où partaient les quelques marches menant à la chambre d'Ackroyd, puis je frappai à la porte de son cabinct de travail. Pas de réponse. Je tournai la poignée, mais la porte était fermée à clé.

– Si monsieur veut me permettre…

Avec une agilité surprenante pour un homme de sa corpulence, Parker se laissa tomber sur un genou et appliqua son œil au trou de la serrure.

– La clé est à l'intérieur, monsieur, annonça-t-il en se relevant. Mr Ackroyd a dû s'enfermer et s'endormir, on dirait.

Je me penchai et pus vérifier que c'était bien le cas.

– Tout paraît normal, constatai-je, mais je vais quand

même réveiller votre maître, Parker. Je ne pourrai pas rentrer tranquille avant de l'avoir entendu me dire lui-même que tout va bien.

Ce disant, je secouai la poignée et appelai :

– Ackroyd ! Ackroyd, puis-je entrer un instant ?

N'obtenant toujours pas de réponse, je jetai un coup d'œil par-dessus mon épaule et déclarai d'un ton hésitant :

– Je ne tiens pas à affoler toute la maison.

Parker s'éloigna et alla fermer la porte de communication avec le hall d'entrée.

– Cela devrait suffire, monsieur. Le billard, les cuisines et les chambres de ces dames sont de l'autre côté de la maison.

Je l'approuvai d'un signe de la tête et, cette fois, ébranlai la porte à grands coups. Puis je me baissai et criai, ou plutôt hurlai par le trou de serrure :

– Ackroyd ! Ackroyd, c'est Sheppard. Ouvrez-moi !

Toujours le même silence, pas le moindre signe de vie. Mon regard croisa celui du maître d'hôtel.

– Écoutez, Parker. Je vais enfoncer cette porte, c'est-à-dire… avec votre aide. J'en prends la responsabilité.

– Si monsieur le juge nécessaire…, répondit-il sans conviction.

– Plus que nécessaire : indispensable. Je suis sérieusement inquiet pour Mr Ackroyd.

Mon regard balaya la petite antichambre et s'arrêta sur une lourde chaise de chêne. Parker et moi la soulevâmes comme un bélier et nous élançâmes d'un même élan. À trois reprises, nous la projetâmes contre la serrure.

Au troisième coup, celle-ci céda, et nous fûmes précipités dans la pièce.

Ackroyd était assis là où je l'avais laissé, dans un fauteuil, devant la cheminée. Sa tête retombait sur le côté et, tout près du col de sa veste, on distinguait nettement un objet de métal, courbe et luisant.

Parker et moi nous approchâmes du corps affaissé, et j'entendis le maître d'hôtel inspirer bruyamment.

– Poignardé par-derrière, murmura-t-il. Quelle horreur !

Il essuya son front moite avec son mouchoir et tendit vivement la main vers le manche du poignard.

– N'y touchez pas ! m'écriai-je. Appelez immédiatement le poste de police. Racontez-leur ce qui vient de se passer, puis prévenez Mr Raymond et le major Blunt.

– Très bien, monsieur.

Tamponnant toujours son front, Parker s'éloigna précipitamment et je fis le peu qu'il y avait à faire, prenant grand soin de ne pas déplacer le corps ni de toucher au poignard. Le retirer n'eût d'ailleurs servi à rien, il était clair que Roger Ackroyd était mort depuis un bon moment. Soudain une voix me parvint du couloir, à la fois horrifiée et incrédule : celle de Raymond, le jeune secrétaire.

– Que dites-vous ? Non, c'est impossible ! Où est le docteur ?

Il se montra sur le seuil et s'arrêta tout net, pâle comme un linge. Puis une main l'écarta et Hector Blunt passa devant lui.

– Mon Dieu ! fit la voix de Raymond, dans son dos. C'est donc vrai.

Blunt alla droit au fauteuil et se pencha sur le cadavre. Je crus qu'il allait tenter de retirer le poignard, lui aussi, et je le retins d'un geste ferme.

– Rien ne doit être déplacé, expliquai-je. La police doit trouver le corps dans la position où nous l'avons découvert.

Il m'adressa un bref signe d'intelligence. Ses traits conservaient leur impassibilité coutumière, mais je crus déceler une trace d'émotion sous ce masque d'indifférence. Geoffrey Raymond nous avait rejoints et regardait le corps par-dessus l'épaule du major.

– C'est terrible, murmura-t-il d'une voix sourde.

Il avait recouvré son calme mais, quand il ôta son pince-nez pour en essuyer les verres, je vis trembler sa main.

– Il doit s'agir d'un cambriolage, observa-t-il. Mais comment le malfaiteur est-il entré ? Par la fenêtre ? A-t-on volé quelque chose ?

Comme il s'approchait du bureau, je demandai en pesant bien mes mots :

– Ainsi, pour vous, le vol serait le mobile du crime ?

– En voyez-vous un autre ? Le suicide est hors de question, j'imagine ?

– Aucun homme ne pourrait se poignarder lui-même de cette manière. Il s'agit donc bien d'un meurtre, mais comment l'expliquer ?

– Roger n'avait pas un seul ennemi, déclara le major. Le coupable est sans doute un cambrioleur, mais que cherchait-il ? Apparemment, rien n'a été dérangé.

Il balayait la pièce du regard. Quant à Raymond, il était toujours occupé à inventorier les papiers du bureau.

– On dirait qu'il ne manque rien, et aucun des tiroirs ne semble avoir été forcé, annonça-t-il enfin. C'est un mystère.

– Il y a quelques lettres par terre, observa Blunt.

Je suivis son regard. Trois ou quatre enveloppes étaient restées là où Ackroyd les avait laissées tomber, un peu plus tôt dans la soirée. Mais celle qui avait contenu la lettre de Mrs Ferrars, la bleue, avait disparu. J'ouvrais déjà la bouche pour parler quand un carillon retentit à travers toute la maison. Un bruit de voix confus monta du hall et Parker arriva, flanqué de l'inspecteur de la police locale et d'un agent.

– Bonsoir, messieurs, commença l'inspecteur. Je suis navré d'apprendre ce qui s'est passé. Mr Ackroyd était un homme si bon ! Le maître d'hôtel m'a parlé d'un meurtre. Ne peut-il s'agir d'un accident ou d'un suicide, docteur ?

– Absolument pas.

– Ah ! Vilaine affaire !

Il s'approcha du corps et s'enquit d'un ton bref :

– On ne l'a pas déplacé ?

– Absolument pas. Je ne l'ai touché que pour m'assurer qu'il n'y avait plus rien à faire, ce qui n'était pas difficile à découvrir.

– Bien ! Tout porte à croire, du moins pour l'instant, que l'assassin a pris la fuite. Maintenant, racontez-moi tout. Qui a découvert le corps ?

Je lui exposai les faits en détail.

– Un appel téléphonique, dites-vous ? Du maître d'hôtel ?

– Cet appel ne provenait pas de moi, protesta énergiquement Parker. Je ne me suis pas approché du téléphone de toute la soirée, les autres domestiques pourront vous le confirmer.

– Voilà qui est étrange. Avez-vous cru reconnaître la voix de Parker, docteur ?

– Eh bien… c'est difficile à dire. Je ne me suis même pas posé la question.

– Cela va de soi. Donc, vous êtes arrivé, vous avez défoncé la porte et découvert le pauvre Mr Ackroyd dans cet état. Depuis combien de temps était-il mort, à votre avis, docteur ?

– Au moins une demi-heure… peut-être plus.

– La porte était fermée de l'intérieur, dites-vous ? Et la fenêtre ?

– Je l'avais moi-même fermée au loquet un peu plus tôt dans la soirée, sur la demande de Mr Ackroyd.

L'inspecteur traversa la pièce et alla ouvrir les rideaux.

– En tout cas, constata-t-il, maintenant, elle est ouverte.

En effet, la fenêtre était ouverte, le châssis inférieur remonté au maximum. L'inspecteur tira une lampe-torche de sa poche et en promena le faisceau sur l'entablement extérieur.

– C'est bien par là que l'assassin est sorti… et même entré. Regardez, là !

Dans le rayon puissant de sa torche apparaissaient plusieurs empreintes, nettement visibles. Leur dessin caractéristique était celui de semelles de caoutchouc. L'une d'elles, particulièrement nette, avait la pointe tournée vers l'intérieur de la pièce. Une autre, en sens inverse, la recouvrait en partie.

– C'est clair comme le jour, commenta l'inspecteur. Des objets de valeur auraient-ils disparu ?

Geoffrey Raymond secoua la tête.

– Pas à ma connaissance. Mr Ackroyd ne gardait rien de spécialement précieux, dans cette pièce.

– Hum ! fit l'inspecteur. L'homme a trouvé la fenêtre ouverte, l'a enjambée, a vu Mr Ackroyd assis ici-même – peut-être endormi, qui sait ? – et l'a frappé par-derrière. Puis, perdant la tête, il s'est enfui, non sans laisser des traces évidentes de son passage. Nous ne devrions pas avoir beaucoup de mal à lui mettre la main dessus. Aucun inconnu suspect n'a été vu dans les parages ?

– Oh ! m'exclamai-je subitement.

– Qu'y a-t-il, docteur ?

– J'ai rencontré quelqu'un ce soir en sortant du parc. Un homme. Il m'a demandé le chemin de Fernly.

– À quelle heure ?

– Vingt et une heures précises, j'ai entendu sonner au clocher du village.

– Pourriez-vous nous le décrire ?

Je m'y employai de mon mieux et l'inspecteur se tourna vers le maître d'hôtel.

– Quelqu'un répondant à ce signalement se serait-il présenté à l'entrée principale ?

– Non, monsieur, il n'est venu personne ce soir.

– À la porte de service non plus ?

– Je ne crois pas, monsieur, mais je vais me renseigner.

Parker s'éloignait déjà quand l'inspecteur l'arrêta d'un geste :

– C'est inutile, merci, je m'en chargerai moi-même. Mais avant tout, je tiens à examiner cette question d'heure d'un peu plus près. Quand Mr Ackroyd a-t-il été vu en vie pour la dernière fois ?

– Probablement par moi, quand je l'ai quitté, avançai-je. À… voyons… environ 9 heures moins 10. Il m'a dit qu'il ne voulait pas être dérangé, et j'ai transmis la consigne à Parker.

– En effet, monsieur, confirma respectueusement ce dernier.

– Je suis certain que Mr Ackroyd était encore vivant à 21 heures 30, intervint Raymond. Je l'ai entendu parler.

– Et à qui parlait-il ?

– Cela, je l'ignore. Mais sur le moment, j'ai tout naturellement supposé qu'il se trouvait encore en compagnie du Dr Sheppard. Je voulais lui poser une question relative à certains documents que j'étudie, mais en entendant des voix, je me suis rappelé qu'il avait exprimé le désir de s'entretenir avec le docteur sans être dérangé. Je suis donc revenu sur mes pas. Si je comprends bien, le docteur était déjà parti ?

Je fis un signe d'assentiment.

– Je suis arrivé chez moi à 21 heures 15 et ne suis ressorti qu'après avoir reçu cet appel.

– Qui donc se trouvait avec lui à 21 heures 30 ? questionna l'inspecteur. Pas vous, monsieur… heu…

– Major Blunt, annonçai-je.

La voix de l'inspecteur se nuança de respect.

– Le major *Hector* Blunt ?

L'interpellé se contenta de hocher la tête.

– Il me semble que vous êtes déjà venu chez nous, monsieur, reprit l'inspecteur. Sur le moment, je ne vous ai pas reconnu, mais vous étiez l'hôte de Mr Ackroyd en mai dernier.

– Juin, rectifia Blunt.

– En juin, c'est cela. Et pour en revenir à ma question, ce n'était pas vous qui vous trouviez ce soir à 21 heures 30 avec Mr Ackroyd ?

– Non, je ne l'ai pas revu depuis le dîner.

Une fois de plus, l'inspecteur se tourna vers Raymond.

– Vous n'avez rien entendu de cette conversation, j'imagine ?

– À peine quelques mots, répondit le secrétaire. Et ils m'ont paru d'autant plus bizarres que je croyais Mr Ackroyd en compagnie du Dr Sheppard. Si mes souvenirs sont bons, voici leur teneur exacte. « Vos emprunts se sont répétés si fréquemment ces temps-ci que je crains – je cite – de ne pouvoir accéder à votre requête… » Naturellement, je me suis retiré aussitôt et n'ai donc pas entendu la suite. Mais j'étais plutôt intrigué car le Dr Sheppard…

– N'emprunte ni pour lui ni pour personne, achevai-je.

L'inspecteur parut songeur.

– Une demande d'argent… voilà sans doute un indice important. Et vous dites, Parker, que vous n'avez fait entrer personne ce soir ?

– C'est bien cela, monsieur.

– Il est donc presque certain que Mr Ackroyd a lui-même laissé entrer cet inconnu. Mais je ne vois vraiment pas…

L'inspecteur s'absorba dans une longue rêverie. Plusieurs minutes s'écoulèrent.

– Nous avons au moins une certitude, déclara-t-il enfin, s'arrachant à ses réflexions. À 21 heures 30, Mr Ackroyd était encore en vie et en parfaite santé. À partir de cet instant, personne à notre connaissance ne l'a revu vivant.

Parker se racla la gorge, ce qui attira instantanément sur lui l'attention de l'inspecteur.

– Oui, Parker ?

– Sauf votre respect, monsieur, miss Flora l'a vu un peu plus tard.

– Miss Flora ?

– Oui, monsieur. Vers 10 heures moins le quart. Et c'est après cela qu'elle m'a dit que Mr Ackroyd ne voulait plus être dérangé.

– Était-ce lui qui l'avait chargée de ce message ?

– Pas exactement, monsieur. J'apportais un plateau avec de l'eau gazeuse et du whisky au moment où miss Flora sortait de la pièce. Elle m'a dit que son oncle désirait rester seul.

L'attention que l'inspecteur portait au maître d'hôtel s'aiguisa sensiblement.

– Ne vous avait-on pas déjà dit de ne plus déranger Mr Ackroyd ?

Les mains de Parker se mirent à trembler. Il bégaya :

– Si, si, monsieur… parfaitement, monsieur.

– Et cependant vous vous proposiez de le faire ?

– J'avais oublié, monsieur. Enfin je veux dire, c'est vers cette heure-là que j'apporte le whisky et l'eau gazeuse et que je demande à Monsieur s'il n'a plus besoin de moi. Alors je… je n'ai pas réfléchi, j'ai fait comme d'habitude.

Ce fut à cet instant que je m'avisai de l'agitation pour le moins suspecte de Parker. Il claquait des dents.

– Hum ! fit l'inspecteur. Il faut que je voie miss Ackroyd sur-le-champ. Pour l'instant, nous laisserons cette pièce exactement telle qu'elle est. Il se peut que je revienne lorsque j'aurai entendu ce que miss Ackroyd a à me dire. Je prendrai simplement la précaution de bien fermer la porte et la fenêtre.

Cela fait, l'inspecteur s'éloigna en direction du hall et nous lui emboîtâmes le pas. Il fit une brève halte devant le petit escalier et lança à l'agent par-dessus son épaule :

– Vous feriez mieux de rester ici, Jones. Ne laissez personne pénétrer dans cette pièce.

– Si je peux me permettre, monsieur, intervint respectueusement Parker. Il vous suffirait de fermer la porte qui donne sur le hall pour que personne ne puisse entrer. Cet escalier ne dessert que la chambre et la salle de bains de Mr Ackroyd, il n'existe aucune communication avec le reste de la maison. Il y a bien eu une porte, autrefois, mais Mr Ackroyd l'a fait condamner. Il aimait se sentir chez lui.

Pour donner une idée des lieux et rendre mon récit plus clair, j'y ai joint un plan succinct de l'aile droite. Comme l'a expliqué Parker, le petit escalier mène à une chambre spacieuse – en fait, deux chambres réunies en une – jouxtant une salle de bains et un cabinet de toilette.

L'inspecteur enregistra d'un coup d'œil la disposition des lieux. Nous passâmes dans le vaste hall, il ferma la porte derrière lui et glissa la clé dans sa poche. Puis il donna à voix basse quelques instructions à l'agent, qui se prépara à partir, et expliqua à notre intention :

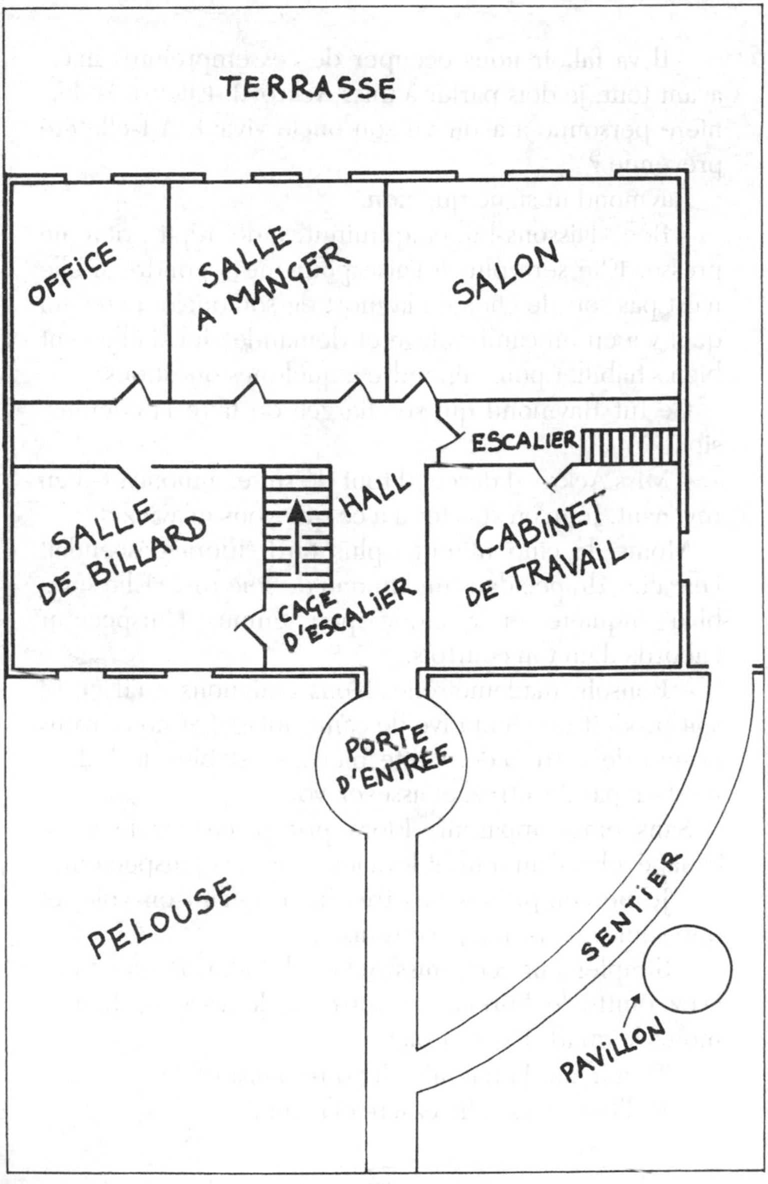
TERRASSE
OFFICE
SALLE A MANGER
SALON
ESCALIER
SALLE DE BILLARD
HALL
CABINET DE TRAVAIL
CAGE D'ESCALIER
PORTE D'ENTRÉE
PELOUSE
SENTIER
PAVILLON

– Il va falloir nous occuper de ces empreintes mais, avant tout, je dois parler à miss Ackroyd. Elle est la dernière personne à avoir vu son oncle vivant. A-t-elle été prévenue ?

Raymond fit signe que non.

– Bon, laissons-lui cinq minutes de répit, rien ne presse. Elle sera plus à l'aise pour me répondre si elle n'est pas sous le choc de la mort de son oncle. Dites-lui qu'il y a eu un cambriolage et demandez-lui si elle veut bien s'habiller pour répondre à quelques questions.

Ce fut Raymond qui se chargea de faire la commission.

– Miss Ackroyd descend tout de suite, annonça-t-il en revenant. Je m'en suis tenu à ce que vous m'aviez dit.

Moins de cinq minutes plus tard, Flora descendait l'escalier, drapée dans un kimono de soie rose. Elle semblait inquiète et quelque peu émue. L'inspecteur l'aborda d'un ton courtois.

– Bonsoir, mademoiselle. Nous craignons qu'il ne se soit produit une tentative de cambriolage, et nous avons besoin de votre aide. Cette pièce, c'est bien le billard n'est-ce pas ? Entrez, et asseyez-vous.

Sans émoi apparent, Flora prit place sur le vaste canapé adossé au mur et leva les yeux vers l'inspecteur.

– Je ne comprends pas très bien. Qu'a-t-on volé, et que voulez-vous que je vous dise ?

– Simplement ceci, miss Ackroyd. Selon Parker, vous avez quitté le bureau de votre oncle vers 10 heures moins le quart. Est-ce exact ?

– Tout à fait. J'étais allée lui dire bonsoir.

– Et l'heure, est-elle exacte elle aussi ?

– Eh bien… je crois, je n'en suis pas sûre. Peut-être était-ce un peu plus tard.

– Votre oncle était-il seul ? Ou y avait-il quelqu'un auprès de lui ?

– Il était seul. Le Dr Sheppard était parti.

– Avez-vous remarqué si la fenêtre était ouverte ou fermée ?

Flora secoua la tête.

– Je ne saurais le dire. Les rideaux étaient tirés.

– Très juste. Et votre oncle semblait-il aussi calme qu'à l'ordinaire ?

– Oui, je crois.

– Voudriez-vous nous dire exactement ce qui s'est passé entre vous ?

Flora garda un instant le silence, comme si elle rassemblait ses souvenirs.

– Je suis entrée et j'ai dit : « Bonsoir, mon oncle. Je vais me coucher, je suis fatiguée, ce soir. » Il a poussé une espèce de grognement et… je suis allée l'embrasser. Ensuite il m'a complimentée sur ma robe et m'a dit de me sauver parce qu'il était occupé, ce que j'ai fait.

– A-t-il précisé qu'il ne voulait pas être dérangé ?

– Ah oui, j'oubliais ! Il a ajouté : « Préviens Parker que je n'aurai plus besoin de rien et qu'il ne doit pas me déranger. » J'ai rencontré Parker à la porte et lui ai passé la consigne.

– Parfait, commenta l'inspecteur.

– N'allez-vous pas me dire ce qui a été volé ?

– Nous… nous n'en sommes pas très sûrs, répondit l'inspecteur d'une voix hésitante.

Une lueur d'angoisse passa dans les yeux de la jeune fille. Elle bondit sur ses pieds.

– Que se passe-t-il ? Vous me cachez quelque chose.

De sa démarche souple et silencieuse, Hector Blunt vint se placer entre l'inspecteur et Flora. Elle ébaucha le geste de tendre la main et il la prit entre les siennes pour la tapoter doucement, comme il eût fait pour un enfant. Quant à elle, elle se tourna vers lui comme pour chercher dans sa force tranquille le réconfort et la sécurité.

– C'est une mauvaise nouvelle, Flora, annonça-t-il avec calme. Mauvaise pour nous tous. Votre oncle Roger…

– Eh bien ?

– Vous allez recevoir un choc. Un choc terrible. Le pauvre Roger est mort.

Flora s'écarta de lui, les yeux dilatés d'horreur.

– Quand ? chuchota-t-elle. Quand ?

– Très peu de temps après que vous l'avez quitté, dit Blunt, très grave.

Flora porta la main à sa gorge, laissa échapper un faible cri et je m'élançai pour la recevoir dans mes bras. Elle s'était évanouie, et Blunt et moi dûmes la transporter à l'étage où nous l'étendîmes sur son lit. Après quoi, j'envoyai Blunt réveiller Mrs Ackroyd et lui annoncer la nouvelle. Flora ne tarda pas à reprendre ses sens et je conduisis sa mère auprès d'elle en lui indiquant comment la soigner. Puis je redescendis en toute hâte.

6

Le poignard tunisien

Je me trouvai nez à nez avec l'inspecteur qui venait de sortir de l'office.

– Comment va la jeune demoiselle, docteur ?

– Beaucoup mieux. Sa mère est à son chevet.

– À la bonne heure. J'ai interrogé les domestiques, ils sont unanimes : personne n'a été vu à la porte de service ce soir. Votre description de cet inconnu est assez floue. Ne pourriez-vous me donner quelques détails plus précis ?

– Hélas non ! dis-je d'un ton navré, il faisait bien trop noir. L'homme avait relevé le col de son manteau et rabattu le bord de son chapeau.

– Hum ! fit l'inspecteur. Il voulait dissimuler son visage, apparemment. Vous êtes vraiment sûr de ne l'avoir pas reconnu ?

Je répondis par la négative, mais avec un certain manque de conviction. Cette voix m'avait semblé vaguement familière. Non sans hésitation, je fis part de mon impression à l'inspecteur.

– Une voix rude et vulgaire, dites-vous ?

J'acquiesçai, mais la pensée m'effleura que cette rudesse de ton était presque trop marquée. Si, comme le pensait l'inspecteur, l'homme avait cherché à dissimuler ses traits, il pouvait tout aussi bien avoir tenté de déguiser sa voix.

– Cela vous dérangerait-il de retourner avec moi dans

le cabinet de travail, docteur ? J'ai une ou deux choses à vous demander.

J'y consentis et l'inspecteur Davis ouvrit la porte de communication, puis la referma à clé derrière nous.

– Évitons les importuns et les indiscrets, déclara-t-il d'un ton grave et résolu. Alors ?… que signifie cette histoire de chantage ?

– Un chantage ! m'exclamai-je en sursautant.

– Est-ce un effet de l'imagination de Parker ou y a-t-il quelque chose là-dessous ?

– Si Parker a entendu parler de chantage, énonçai-je avec lenteur, c'est qu'il avait l'oreille collée à la serrure.

– Rien de plus probable. Voyez-vous, j'ai mené ma petite enquête sur ses occupations pendant la soirée. Pour être franc, je n'aime pas son attitude. Cet homme sait quelque chose. Quand j'ai commencé à l'interroger, il a senti d'où venait le vent et monté de toutes pièces cette histoire de chantage.

Je pris mon parti sur-le-champ.

– Je ne suis pas fâché que vous abordiez la question, inspecteur. Après beaucoup d'hésitations, j'avais décidé de tout vous dire et n'attendais plus qu'une occasion. La voici.

Je lui fis alors un compte rendu détaillé des événements de la soirée, en tous points conforme à celui que j'ai consigné précédemment. Il m'écouta avec beaucoup d'attention, m'arrêtant de temps à autre pour me poser une question.

– C'est l'histoire la plus extraordinaire que j'aie jamais entendue, déclara-t-il quand j'eus achevé mon récit. Et vous dites que cette lettre a disparu ? Cela s'annonce mal, vraiment très mal. Nous avons maintenant ce que nous cherchions : le mobile du crime.

– Je m'en rends compte.

– Et Mr Ackroyd aurait laissé entendre qu'il soupçonnait un membre de son entourage ? Cela nous laisse le choix !

– Ne pourrait-il s'agir de Parker lui-même ? suggérai-je.

– Cela m'en a tout l'air. Il écoutait à la porte quand vous êtes sorti, c'est flagrant. Un peu plus tard, miss Ackroyd le surprend au moment où il se proposait d'entrer dans la pièce. Imaginons qu'après son départ il ait renouvelé sa tentative. Il poignarde Ackroyd, ferme la porte à clé de l'intérieur, ouvre la fenêtre pour s'enfuir et contourne la maison jusqu'à une porte latérale qu'il a pris soin de laisser ouverte. Cela se tient, non ?

– Presque, mais il reste un détail qui me chiffonne, dis-je d'un ton rêveur. Si Ackroyd avait repris sa lecture après mon départ, comme il en avait l'intention, je serais fort étonné qu'il soit resté les bras ballants à réfléchir pendant une heure. Il aurait immédiatement fait venir Parker pour le confondre, l'aurait traité de tous les noms, et tout ceci à grand tapage. Il était plutôt irascible, rappelez-vous.

– Il n'avait peut-être pas encore eu le temps de lire la lettre jusqu'au bout, suggéra l'inspecteur. Nous savons qu'il n'était pas seul à 21 heures 30. Si son visiteur est arrivé sur vos talons, et si, juste après son départ, miss Ackroyd est venue dire bonsoir à son oncle, il ne devait pas être loin de 22 heures quand il a pu reprendre sa lecture.

– Et le coup de téléphone ?

– Il avait été donné par Parker, bien entendu. Il a dû appeler avant de réfléchir à ce problème de porte fermée et de fenêtre ouverte. Puis il a changé d'avis, ou s'est affolé, et a décidé de tout nier. Voilà les faits, aucun doute là-dessus.

– Hum !… oui…, acquiesçai-je sans conviction.

– De toute façon, nous pourrons savoir ce qu'il en est par le central. Si l'appel vient d'ici, il ne peut émaner que de Parker. Aucun doute, je vous dis, c'est notre homme. Mais gardez ça pour vous, il ne s'agit pas d'éveiller sa méfiance avant d'avoir toutes les preuves en main. Je ne tiens pas à ce qu'il nous file entre les doigts, aussi ferons-nous semblant d'orienter l'enquête sur le mystérieux inconnu.

Perché à califourchon sur la chaise du bureau, l'inspecteur se leva pour aller observer le mort dans son fauteuil.

– L'arme devrait nous fournir un indice, déclara-t-il en levant les yeux, elle n'est vraiment pas ordinaire. Une pièce unique, semble-t-il.

Il se pencha pour examiner le manche et je l'entendis pousser un grognement de satisfaction. Puis, avec une grande délicatesse, il exerça une pression des deux mains sous la garde et retira la lame de la blessure. Après quoi, prenant toujours grand soin de ne pas toucher la poignée, il alla déposer l'arme dans une grande coupe de porcelaine qui trônait sur la cheminée et reprit en hochant la tête :

– Oui, c'est vraiment une œuvre d'art comme on ne doit pas en rencontrer souvent.

Certes, l'arme était superbe, avec sa lame étroite et

effilée, et sa poignée curieusement ciselée où s'entrela-
çaient des motifs de différents métaux. Un chef-d'œuvre
d'artisanat ! L'inspecteur en éprouva légèrement le fil du
bout du doigt et eut une grimace admirative.

– Bigre, quel tranchant ! Un enfant vous planterait ça
dans le corps d'un homme aussi facilement que dans du
beurre. Un genre de jouet qu'il vaut mieux ne pas laisser
traîner !

– Puis-je examiner le corps d'un peu plus près,
maintenant ?

– Allez-y.

Je m'absorbai dans une inspection minutieuse.

– Alors ? s'enquit l'inspecteur lorsque j'eus terminé.

– Je vous fais grâce du jargon médical, annonçai-je.
Réservons-le pour l'enquête. L'homme qui a porté le
coup était droitier et se tenait derrière la victime. La
mort a dû être instantanée et sans doute tout à fait
imprévue, à voir l'expression du malheureux. Il est probablement mort sans savoir qui était son agresseur.

– Les maîtres d'hôtel ont l'art de s'approcher sans
bruit, tout comme les chats, commenta l'inspecteur
Davis. Et l'énigme ne sera pas très difficile à résoudre.
Tenez, jetez un coup d'œil sur le manche de ce poignard.

Je l'examinai.

– Sans doute ne les voyez-vous pas, mais moi si, et
même très bien. Des *empreintes digitales,* ajouta-t-il en
baissant la voix.

Et il recula de quelques pas, pour mieux juger de
l'effet produit sur moi.

– En effet, confirmai-je avec flegme. Je m'y attendais
un peu.

Je ne vois pas pourquoi je devrais passer pour un débile mental. Je lis les journaux, et même des romans policiers, et je ne suis pas plus bête qu'un autre. Mon attitude eût été toute différente si nous avions trouvé des empreintes de doigts de pied. En l'occurrence, la surprise eût été de mise, et même un certain respect.

L'inspecteur dut être déçu par mon manque d'enthousiasme. Il reprit la coupe de porcelaine et m'invita à le suivre dans la salle de billard.

– Voyons si Mr Raymond peut nous apprendre quelque chose au sujet de ce poignard, dit-il en refermant la porte de communication derrière nous.

Il y donna un tour de clé et nous prîmes le chemin de la salle de billard où nous trouvâmes Geoffrey Raymond. L'inspecteur exhiba sa pièce à conviction :

– Avez-vous déjà vu cet objet, Mr Raymond ?

– Eh bien, je crois… je suis même presque certain que c'est un cadeau du major Blunt à Mr Ackroyd. Une pièce de collection qui provient du Maroc… non, de Tunisie. Alors, voici l'arme du crime ? Incroyable ! Cela semble impossible et pourtant, il n'existe sûrement pas deux poignards identiques. Puis-je aller chercher le major Blunt ?

Sur ce, Raymond s'éclipsa sans attendre la réponse.

– Charmant jeune homme, observa l'inspecteur. Il a quelque chose d'honnête et d'ingénu.

J'en convins. Depuis deux ans que Geoffrey Raymond était le secrétaire d'Ackroyd, je ne l'avais jamais vu perdre son calme ni montrer la moindre humeur. Et son travail avait été, je le savais, on ne peut plus satisfaisant.

Il ne tarda pas à reparaître, accompagné du major Blunt, et s'écria avec émotion :

— J'avais raison, c'est bien le poignard tunisien !

— Mais le major ne l'a pas encore regardé, objecta l'inspecteur.

— Je l'ai vu dès que je suis entré dans le cabinet de travail, dit Blunt avec son flegme habituel.

— Et vous l'avez reconnu ?

Hochement de tête du major.

— Mais vous ne l'avez pas dit, releva l'inspecteur, soupçonneux.

— Ce n'était pas le moment. On peut faire beaucoup de mal en parlant trop vite.

L'inspecteur soutint quelques instants le regard tranquille du major, puis se détourna en grommelant et alla chercher le poignard.

— Vous le reconnaissez formellement, monsieur ? Vous êtes bien sûr de vous ?

— Tout à fait. Aucun doute.

— Et savez-vous où l'on rangeait d'habitude ce... cet objet rare ? Pouvez-vous me le dire, monsieur ?

Ce fut le secrétaire qui répondit.

— Dans la vitrine du salon.

— Quoi !

Tous les regards convergèrent sur moi et l'inspecteur demanda d'un ton encourageant :

— Oui, docteur ?

— ...

— Eh bien ? dit-il encore, toujours encourageant.

— C'est que... c'est si peu de chose, expliquai-je en manière d'excuse. Mais hier soir, quand je suis arrivé pour dîner, j'ai entendu un bruit dans le salon. Le couvercle de la vitrine qu'on refermait.

L'expression de l'inspecteur trahit un profond scepticisme, et même une certaine méfiance.

– Comment savez-vous qu'il s'agissait de ce couvercle ?

Contraint de m'expliquer, je me lançai dans un récit détaillé, interminable et fastidieux, dont je me serais bien passé. L'inspecteur m'écouta jusqu'au bout, puis demanda :

– Lorsque vous avez examiné les bibelots, le poignard était-il toujours à sa place ?

– Je n'en sais rien, je ne me souviens pas de l'avoir remarqué. Mais il pouvait très bien s'y trouver, naturellement.

– Nous ferions mieux d'appeler la gouvernante, fit observer l'inspecteur en tirant le cordon de la sonnette.

Quelques minutes plus tard, mandée par les soins de Parker, miss Russell entra dans la pièce.

– Je ne crois pas m'être approchée de cette vitrine, répondit-elle à la question de l'inspecteur. Je vérifiais la fraîcheur des bouquets. Ah, si ! Je me rappelle, maintenant. La vitrine était ouverte, sans aucune raison d'ailleurs, et je l'ai refermée en passant.

Elle toisa l'inspecteur d'un air agressif, et il reprit :

– Je vois. Et pouvez-vous me dire si ce poignard était à sa place à ce moment-là ?

Miss Russell regarda l'arme d'un œil tranquille.

– Je ne puis vous l'affirmer, je n'ai pas pris le temps de m'y arrêter. Ces dames allaient descendre et je ne tenais pas à me trouver là.

– Je vous remercie.

Une imperceptible hésitation nuança la voix de l'inspecteur, comme s'il se réservait de poser d'autres questions, mais miss Russell prit cette réponse pour une invitation à se retirer et s'éclipsa. Il la regarda disparaître et observa :

– Pas commode, on dirait. Bon, récapitulons. Cette vitrine se trouve en face de l'une des fenêtres avez-vous dit, docteur ?

Raymond répondit pour moi :

– Oui, devant la porte-fenêtre de gauche.

– Laquelle était ouverte ?

– Elles étaient entrouvertes, toutes les deux.

– Bon, je ne crois pas nécessaire de creuser davantage la question pour l'instant. N'importe qui – je dis bien n'importe qui – a pu prendre cette arme quand il lui plaisait, et le moment n'a d'ailleurs aucune importance. Je reviendrai demain matin avec le commissaire, Mr Raymond. Jusque-là, je conserve la clé de cette porte. Je tiens à ce que le colonel Melrose trouve chaque chose à sa place actuelle, très exactement. J'ai appris par hasard qu'il dînait à l'autre bout du comté, où je suppose qu'il passera la nuit…

Il s'empara du vase sous notre regard attentif et déclara :

– Il faut que j'emballe ceci soigneusement, ce sera une pièce à conviction capitale.

Quelques minutes plus tard, comme je sortais de la salle de billard en compagnie de Raymond, celui-ci eut un petit rire amusé. Je sentis qu'il me pressait le bras et suivis la direction de son regard. L'inspecteur Davis semblait solliciter l'opinion de Parker sur un petit agenda de poche.

– Un peu gros, murmura mon compagnon. Ainsi, Parker est le suspect numéro un ? L'inspecteur Davis apprécierait sans doute un échantillon de nos empreintes, qu'en pensez-vous ?

Il prit deux cartes de visite sur le plateau de l'entrée, les essuya avec son mouchoir de soie, m'en glissa une dans la main et garda l'autre. Puis, avec un grand sourire, il les tendit à l'inspecteur.

– À titre de souvenir, annonça-t-il. N° 1, le Dr Sheppard. N° 2, mon humble personne. La carte du major Blunt vous parviendra dans la matinée.

Insouciance de la jeunesse ! L'horrible assassinat de son employeur et ami ne pouvait ternir longtemps la bonne humeur de Geoffrey Raymond. Et peut-être était-ce mieux ainsi, je ne sais. J'ai moi-même perdu depuis longtemps cet entrain si précieux.

Il était très tard quand je rentrai chez moi, et j'espérais que Caroline serait couchée. J'aurais dû mieux la connaître. Elle m'avait préparé un chocolat chaud, et, pendant que je le buvais, elle m'arracha le compte rendu de ma soirée. Je passai sous silence la question du chantage et me bornai à lui décrire les circonstances du meurtre.

– La police soupçonne Parker, dis-je en me levant pour me diriger vers l'escalier. Il semble que de lourdes charges pèsent sur lui.

– Parker ! s'écria ma sœur, tu m'en diras tant ! Faut-il que cet inspecteur soit nigaud… Parker, vraiment ! C'est à n'y pas croire.

Ce fut sur cette déclaration sibylline que nous allâmes nous coucher.

7

Où je découvre la véritable profession de mon voisin

Le lendemain matin, j'expédiai mes visites avec une hâte condamnable, ma seule excuse étant que je n'avais aucun cas bien sérieux à traiter. À mon retour, Caroline vint à ma rencontre dans le vestibule.

– Flora Ackroyd est ici, m'annonça-t-elle dans un murmure fébrile.

– Quoi !

Je fis de mon mieux pour dissimuler ma surprise.

– Elle t'attend avec impatience. Il y a une demi-heure qu'elle est là.

Caroline prit le chemin de notre petit salon et je lui emboîtai le pas.

Flora était assise sur le canapé, près de la fenêtre. Elle était en deuil et se tordait nerveusement les mains. J'éprouvai un choc en la voyant : toute couleur avait disparu de son visage. Mais quand elle prit la parole, ce fut d'un ton aussi calme et aussi résolu que possible.

– Dr Sheppard, je suis venue vous demander votre aide.

– Bien sûr qu'il va vous aider, mon petit, dit Caroline.

Je crois que Flora se fût volontiers passée de la présence de Caroline. Je suis même certain qu'elle eût infiniment préféré me parler en privé. Mais comme elle voulait aussi gagner du temps, elle se résigna à l'inévitable.

– Je voudrais que vous m'accompagniez aux Mélèzes.

– Aux Mélèzes ? m'écriai-je, effaré.

– Pour voir ce drôle de petit bonhomme ? s'exclama Caroline.

– Oui. Vous savez qui c'est, je suppose ?

– Nous nous imaginions que c'était un coiffeur à la retraite, répondis-je.

Les yeux bleus de Flora s'arrondirent de surprise.

– Mais… c'est Hercule Poirot ! Vous voyez qui je veux dire ? Le détective privé. Il paraît qu'il a fait des choses fantastiques, comme dans les romans policiers. Il a pris sa retraite l'année dernière pour venir se fixer ici. Mon oncle savait qui c'était, mais il avait promis de n'en rien dire à personne. M. Poirot ne voulait pas être importuné.

– C'était donc ça…, énonçai-je avec une lenteur pensive.

– Vous avez sûrement entendu parler de lui ?

– J'ai beau n'être qu'une vieille baderne, comme dit Caroline, j'en ai effectivement entendu parler. Tout récemment.

– Incroyable ! commenta Caroline.

J'ignore à quoi elle faisait allusion. À son propre manque de perspicacité, sans doute. Je pesai mes mots :

– Vous souhaitez le rencontrer… mais pourquoi ?

– Mais pour qu'il enquête sur ce meurtre, bien sûr ! lança Caroline. Ne sois donc pas aussi stupide, James.

Ma question n'avait rien de stupide, mais Caroline ne voit pas toujours où je veux en venir.

– Vous ne faites pas confiance à l'inspecteur Davis ?

– Bien sûr que non, décréta Caroline. Et moi non plus.

À l'entendre, on aurait pu croire que c'était son oncle qui avait été assassiné.

– Et qui vous dit qu'il acceptera de se charger de l'affaire ? Il a pris sa retraite, rappelez-vous.

– Voilà pourquoi j'aurai besoin de votre aide, reconnut Flora avec simplicité. Il va falloir le décider.

– Êtes-vous sûre de prendre le parti le plus sage ? demandai-je avec gravité.

– Mais oui, elle en est sûre, trancha Caroline. Je l'accompagnerai moi-même, si elle veut.

– Sans vouloir vous offenser, miss Sheppard, je préfé-rerais que ce soit le docteur qui m'accompagne.

Flora sait se montrer directe quand il le faut ; une allusion plus discrète eût été sans effet sur Caroline. Avec tact, la jeune fille justifia la fermeté de ses propos :

– Voyez-vous, c'est le Dr Sheppard qui a découvert le corps. Et, en tant que médecin, il sera mieux placé que quiconque pour éclairer M. Poirot.

– Oui, ronchonna Caroline. Je comprends.

J'arpentai la pièce pendant quelques instants avant de déclarer d'un ton pénétré :

– Flora, suivez mon conseil. Ne demandez pas son concours à ce détective.

Flora bondit sur ses pieds et le sang afflua à ses joues.

– Je sais ce qui vous fait dire cela, et c'est justement pourquoi je suis si impatiente d'agir ! Vous avez peur, mais pas moi. Je connais Ralph mieux que vous.

– Ralph ! s'exclama Caroline. Et qu'est-ce que Ralph vient faire là-dedans ?

Ni l'un ni l'autre, nous ne lui prêtâmes la moindre attention.

– Ralph est peut-être faible, poursuivit Flora. Il a pu commettre des folies, dans le passé – et même de graves erreurs –, mais il est incapable de tuer quelqu'un !

– Non ! protestai-je. Non, je n'ai jamais pensé cela de lui.

– Alors pourquoi êtes-vous passé aux *Trois Marcassins* hier soir en rentrant chez vous, après avoir découvert le corps de mon oncle ?

Je restai muet pendant quelques secondes. Jusque-là, j'espérais que cette visite était passée inaperçue. Je rétorquai :

– Comment l'avez-vous su ?

– J'y suis allée ce matin, après avoir appris par les domestiques que Ralph y était descendu…

Je lui coupai la parole.

– Vous ignoriez donc qu'il était à King's Abbot ?

– Oui, et je n'en revenais pas. C'est incompréhensible. Je suis allée le demander et on m'a répondu, comme on a dû vous le dire hier soir, qu'il était sorti dans la soirée, vers 21 heures… et qu'il n'était pas rentré.

Elle me défia du regard et, comme pour répondre à une pensée qu'elle me prêtait, me jeta avec véhémence :

– Eh bien, qu'y a-t-il d'anormal à cela ? Il a pu aller… n'importe où. Et même retourner à Londres.

– Sans emmener ses bagages ? demandai-je avec douceur.

Flora tapa du pied. Ses joues s'enflammèrent.

– Peu importe, il doit y avoir une explication toute simple.

– Et voilà pourquoi vous voulez voir Hercule Poirot ? Ne vaut-il pas mieux laisser les choses comme elles sont ? La police ne soupçonne aucunement Ralph. Elle s'est orientée sur une tout autre piste.

– Mais si, on le soupçonne, justement ! Ce matin, un policier est arrivé de Cranchester… L'inspecteur Raglan, un affreux petit homme à la mine chafouine. J'ai découvert qu'il était passé aux *Trois Marcassins* avant moi. On m'a répété point par point ce qu'il y avait fait et dit, les questions qu'il avait posées. Il croit certainement que Ralph est le coupable.

– Voilà qui diffère sensiblement de l'hypothèse d'hier soir, observai-je. Cet inspecteur ne croit plus à la théorie de Davis, qui incriminait Parker ?

– Parker, vraiment ! ricana Caroline.

Flora vint poser la main sur mon bras.

– Je vous en prie, Dr Sheppard, allons tout de suite chez ce M. Poirot. Il découvrira la vérité.

– Ma chère Flora, repris-je avec douceur en effleurant sa main, êtes-vous bien sûre que nous souhaitions la connaître ?

Elle acquiesça en me regardant bien en face.

– Si vous n'en êtes pas sûr, moi, je le suis. Je connais Ralph mieux que vous.

– Ralph est innocent, cela va de soi ! lança Caroline qui n'en pouvait plus de garder le silence. C'est un enfant prodigue, mais un garçon charmant, et d'une exquise courtoisie.

J'eusse aimé dire à Caroline que nombre d'assassins avaient d'excellentes manières, mais la présence de Flora m'en empêcha. Devant une telle détermination, je fus contraint de capituler et nous partîmes sur-le-champ, sans laisser le temps à Caroline de nous assener une tirade supplémentaire. Laquelle n'eût pas manqué de débuter par son expression favorite : « Cela va de soi ! »

Une vieille femme au chef orné d'une gigantesque coiffe bretonne nous ouvrit la porte des Mélèzes. Apparemment, M. Poirot était chez lui. Nous fûmes introduits dans un petit salon où régnait un ordre méticuleux, et nous ne tardâmes pas à voir entrer mon ami de la veille. Il nous aborda en souriant.

– Monsieur le docteur, mademoiselle…

Il s'inclina devant Flora et j'entrai dans le vif du sujet.

– Sans doute avez-vous entendu parler de l'événement tragique survenu hier soir ?

Le visage de mon interlocuteur devint grave.

– Mais certainement, et Mademoiselle a toute ma sympathie. En quoi puis-je vous être utile ?

– Miss Ackroyd souhaite que… que vous…

– Que vous découvriez l'assassin, acheva Flora sans hésiter.

– Je vois, dit le petit homme. Mais la police va s'en charger, non ?

– La police peut se tromper, repartit Flora, et à mon avis c'est ce qu'elle est en train de faire. S'il vous plaît, monsieur Poirot, voulez-vous nous aider ? Si… si c'est une question d'argent…

Poirot l'arrêta d'un geste.

– Pardonnez-moi, mademoiselle. Non que je méprise l'argent…

Une lueur furtive scintilla dans ses yeux :

– Au contraire. Il a toujours compté beaucoup pour

moi. Donc si je me charge de cette affaire, comprenez-le bien, je la suivrai jusqu'au bout. Un bon chien n'abandonne jamais la piste. Et vous pourriez bien regretter de n'avoir pas laissé la police agir seule.

– Je veux la vérité, dit Flora en affrontant son regard.

– Toute la vérité ?

– Toute la vérité.

– Alors j'accepte, répondit le petit homme. J'accepte en espérant que vous ne regretterez pas ces paroles. Et maintenant, racontez-moi tout.

– Je préfère laisser ce soin au Dr Sheppard, il est mieux renseigné que moi.

Sur cette injonction, je me lançai dans un exposé détaillé de tous les faits relatés plus haut. Poirot m'écouta attentivement, glissant une question ici ou là mais la plupart du temps silencieux, le regard au plafond. J'achevai mon récit sur mon départ de Fernly en compagnie de l'inspecteur, la veille au soir.

– Et maintenant, conclut Flora, dites-lui tout au sujet de Ralph.

J'hésitai, mais un regard impératif m'enjoignit de parler.

– Vous êtes donc allé à cette auberge, *Les Trois Marcassins,* hier soir en rentrant chez vous ? demanda Poirot quand j'eus terminé. Et pour quelle raison, au juste ?

Je pris le temps de choisir mes mots avec soin.

– J'ai pensé que quelqu'un devait informer ce jeune homme de la mort de son oncle. Après avoir quitté Fernly, l'idée m'est venue que, à part Mr Ackroyd et moi, tout le monde ignorait sa présence au village.

Poirot hocha la tête.

– Parfaitement. Et vous n'aviez pas d'autre raison de vous y rendre, j'imagine ?

– Aucune, répondis-je d'un ton raide.

– Ne cherchiez-vous pas à… disons à vous rassurer au sujet de ce jeune homme ?

– Me rassurer ?

– Je crois, monsieur le docteur, que vous saisissez très bien ma pensée, même si vous prétendez le contraire. À mon humble avis, c'eût été un soulagement pour vous d'apprendre que le capitaine Paton avait passé la soirée à l'auberge.

– Pas du tout !

Le petit détective secoua gravement la tête.

– Vous ne m'accordez pas la même confiance que miss Flora, mais peu importe. Ce qui nous intéresse, c'est la disparition du capitaine Paton, dans des circonstances qui restent à… à éclairer. Son cas est grave, je ne vous le cacherai pas. Bien que je n'exclue pas la possibilité d'une explication toute simple.

– C'est bien ce que je disais ! s'exclama Flora avec chaleur.

Loin d'insister sur la question, Poirot me suggéra de nous présenter sans attendre au poste de police. Il jugea préférable que Flora rentre chez elle et que je sois le seul à l'accompagner pour le présenter à l'officier chargé de l'affaire. Nous nous rangeâmes à son avis.

Devant le poste de police, nous trouvâmes un inspecteur Davis des plus moroses, en compagnie de deux de ses supérieurs : le colonel Melrose, chef de la police du comté, et un autre homme que, d'après la description de

Flora, il me fut facile d'identifier – à sa mine chafouine, je reconnus l'inspecteur Raglan, de Cranchester.

Je connais très bien Melrose, et je lui présentai Poirot en expliquant la situation. Le chef de la police parut très froissé, l'inspecteur Raglan, furibond. Davis, lui, semblait savourer discrètement le dépit de ses supérieurs.

– Cette affaire est claire comme le jour, grogna Raglan. Inutile que des amateurs viennent y fourrer leur nez. N'importe quel blanc-bec aurait pu la résoudre hier soir, ce qui nous aurait fait gagner douze heures.

Il foudroya du regard le malheureux Davis, qui conserva un calme imperturbable.

– La famille de Mr Ackroyd agira comme elle le jugera bon, cela va de soi, dit le colonel Melrose. Mais il n'est pas question d'entraver en quoi que ce soit la marche de l'enquête officielle. Naturellement, ajouta-t-il avec courtoisie, je connais la brillante réputation de M. Poirot.

– Malheureusement, rétorqua Raglan, la police ne peut pas faire sa propre publicité !

Ce fut Poirot qui sauva la situation.

– Il est vrai que j'ai renoncé au métier, annonça-t il, et je n'avais certes pas l'intention de m'y remettre. En outre, s'il y a une chose que je déteste, c'est bien la publicité. Je dois vous prier, au cas où je contribuerais à éclairer le mystère, de ne pas citer mon nom.

L'inspecteur Raglan parut un tantinet moins sombre.

– J'ai entendu parler de certains de vos remarquables succès, accorda le colonel, radouci.

– J'ai beaucoup d'expérience, admit posément Poirot, mais je dois la plupart de mes réussites à l'aide efficace de la police. J'admire énormément la police anglaise. Et si l'inspecteur Raglan m'autorise à le seconder, j'en serai aussi honoré que flatté.

L'expression de l'inspecteur se fit nettement plus indulgente et le colonel me prit en aparté.

– D'après la rumeur, ce petit homme a fait des choses assez étonnantes, murmura-t-il. Et naturellement, nous aimerions beaucoup mieux ne pas avoir à faire appel à Scotland Yard. Raglan me paraît très sûr de lui, mais j'hésite à me ranger à son avis. Vous comprenez, je… hum !… je connais mieux que lui les personnes en cause. Ce Poirot ne semble pas chercher à se faire mousser, qu'en pensez-vous ? Est-ce qu'il saurait travailler… discrètement ?

– … et pour la plus grande gloire de l'inspecteur Raglan ? Je vous le garantis, affirmai-je d'un air solennel.

La voix du colonel Melrose retrouva sa sonorité ordinaire.

– Parfait, dit-il d'un ton jovial. Monsieur Poirot, il faut que nous vous exposions en détail nos récentes conclusions.

– Je vous remercie, colonel. Mon ami, le Dr Sheppard, m'a laissé entendre qu'on soupçonnait le maître d'hôtel ?

– Grotesque ! trancha Raglan. Ces domestiques de grande maison sont tellement froussards que leurs moindres gestes ont des allures suspectes.

– Et les empreintes ? hasardai-je.

– Rien à voir avec celles de Parker.

L'inspecteur ébaucha un sourire et ajouta :

– Ni avec les vôtres ou celles de Mr Raymond, docteur.

– Et qu'en est-il de celles du capitaine Ralph Paton ? s'informa Poirot d'un ton égal.

J'admirai à part moi sa façon de prendre le taureau par les cornes et vis le regard de l'inspecteur se nuancer de respect.

– Je vois que vous ne perdez pas de temps, monsieur Poirot, et j'aurai grand plaisir à travailler avec vous, j'en suis sûr. Nous prendrons les empreintes de ce jeune homme dès que nous aurons mis la main sur lui.

– Je ne peux m'empêcher de croire que vous faites erreur, inspecteur, intervint le colonel Melrose avec chaleur. J'ai connu Ralph Paton en culottes courtes ! Il ne s'abaisserait jamais à commettre un meurtre.

– Possible, jeta l'inspecteur d'un ton indifférent.

– Quelles charges relevez-vous contre lui ? demandai-je.

– Il est sorti hier soir à 21 heures précises. Il a été vu aux abords de Fernly Park vers 21 heures 30, mais pas revu depuis. Il semble avoir de sérieux problèmes d'argent. J'ai ici une paire de chaussures à semelles de caoutchouc : elles lui appartiennent. Il en possède deux autres paires pratiquement semblables. J'ai l'intention de les comparer aux empreintes dont nous disposons, et qu'un agent surveille afin qu'elles ne soient pas brouillées.

– Allons-y tout de suite, décida le colonel. M. Poirot et vous nous accompagnerez, je suppose, docteur ?

Le petit homme et moi acquiesçâmes, et nous partîmes tous ensemble dans la voiture du colonel. Impatient d'aller vérifier ses empreintes, l'inspecteur demanda à être déposé devant le pavillon du gardien. En effet, presque à mi-chemin de la maison, un sentier bifurquait sur la droite pour rejoindre la terrasse, près de la fenêtre du cabinet d'Ackroyd.

– Irez-vous avec l'inspecteur, monsieur Poirot, s'enquit le chef de la police, ou préférez-vous examiner d'abord le cabinet de travail ?

Poirot choisit la seconde proposition. La porte nous fut ouverte par un Parker guindé et déférent, qui semblait tout à fait remis de sa terreur de la veille. Le colonel Melrose tira une clé de sa poche, ouvrit la porte de communication et nous fit entrer dans le cabinet de travail.

– À part le fait que le corps a été enlevé, la pièce est dans le même état qu'hier, monsieur Poirot.

– Et… où se trouvait le corps ?

Je décrivis le plus précisément possible la position d'Ackroyd. Le fauteuil était toujours devant la cheminée, et Poirot alla s'y asseoir.

– Et cette fameuse lettre bleue, où se trouvait-elle quand vous avez quitté la pièce ?

– Mr Ackroyd l'avait posée sur cette petite table, à sa droite.

Poirot fit un signe de tête.

– À part cela, chaque chose est exactement à la même place ?

– Oui, enfin je crois.

– Colonel Melrose, auriez-vous l'extrême obligeance de vous asseoir un instant dans ce fauteuil ? Je vous remercie. Maintenant, monsieur le docteur, veuillez être assez bon pour m'indiquer la position exacte du poignard.

Je m'exécutai, tandis que le petit homme allait se placer dans l'embrasure de la porte.

– Le manche était donc bien visible de l'entrée : Parker et vous avez dû le voir tout de suite ?

– Oui.

Poirot marcha vers la fenêtre et lança par-dessus l'épaule :

– Bien entendu, la pièce était éclairée quand vous avez découvert le corps ?

Je répondis par l'affirmative et le rejoignis, tandis qu'il examinait les traces laissées sur l'appui.

– Les semelles présentent le même motif que les chaussures du capitaine Paton, observa-t-il tranquillement.

Puis il revint au milieu de la pièce et la parcourut d'un regard vif, inquisiteur, auquel nul détail n'échappait. Le coup d'œil exercé du professionnel.

– Dr Sheppard, demanda-t-il enfin, êtes-vous observateur ?

– Il me semble, répondis-je, quelque peu surpris.

– Je vois que l'on a fait du feu dans la cheminée. Quand vous avez enfoncé la porte et trouvé le cadavre de Mr Ackroyd, où en était ce feu ? Sur le point de s'éteindre ?

J'eus un rire assez penaud.

– Je… je n'en sais vraiment rien. Je n'y ai pas prêté attention. Peut-être Mr Raymond ou le major Blunt…

Le petit homme eut un léger sourire et secoua la tête.

– On devrait toujours procéder avec méthode, et vous poser cette question fut de ma part une erreur de jugement. À chacun son métier. Si vous me décriviez l'état de la victime, aucun détail ne vous échapperait. Si je voulais des renseignements relatifs aux papiers posés sur ce bureau, Mr Raymond serait en mesure de m'indiquer l'essentiel. En ce qui concerne le feu, je m'adresserai donc à celui dont le rôle est d'observer ce genre de choses. Si vous permettez...

Il alla tirer le cordon de sonnette, près de la cheminée. Une ou deux minutes plus tard, Parker se présenta.

– On a sonné, monsieur ? s'enquit-il d'une voix hésitante.

– Entrez, Parker, dit le colonel Melrose. Ce monsieur souhaite vous poser quelques questions.

L'attention respectueuse de Parker se reporta sur Poirot.

– Parker, commença celui-ci, quand vous avez enfoncé la porte avec le Dr Sheppard, hier soir, et trouvé votre maître décédé, comment était le feu ?

Parker n'eut pas besoin de réfléchir pour répondre :

– Très bas, monsieur. Presque éteint.

– Ah ! s'exclama Poirot avec un accent de triomphe. Et maintenant, regardez autour de vous, mon brave. Cette pièce est-elle exactement dans le même état qu'à ce moment-là ?

Le maître d'hôtel s'exécuta, et son regard s'attarda sur la fenêtre.

– Les rideaux étaient tirés, monsieur. Et la lampe allumée.

Poirot eut un mouvement de tête approbateur.

– Rien d'autre ?

– Si, monsieur. Ce fauteuil était un peu plus en avant.

Il désigna une grande bergère à oreillettes, sur sa gauche, entre la porte et la fenêtre. Je joins à ces notes un plan de la pièce, en marquant ce siège d'une croix.

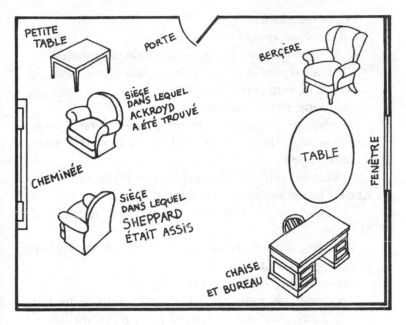

— À quel endroit, au juste ? demanda Poirot. Montrez-moi.

Le maître d'hôtel écarta la bergère du mur d'une bonne cinquantaine de centimètres et la tourna face à la porte.

— Voilà qui est curieux, murmura Poirot en français et comme pour lui-même, avant de reprendre à notre intention : Personne n'irait s'asseoir dans un fauteuil tiré de la sorte, j'imagine, et je me demande qui a bien pu le remettre à sa place initiale. Serait-ce vous, mon ami ?

— Non, monsieur. J'étais bien trop bouleversé de voir mon maître dans un état pareil.

Poirot me jeta un regard.

– Alors vous, docteur ?

Je fis signe que non et Parker crut bon de préciser :

– Il avait repris sa place quand je suis revenu avec la police, monsieur, j'en suis certain.

– Curieux, répéta Poirot.

– Raymond ou Blunt peuvent très bien l'avoir repoussé, suggérai-je. Cela ne doit pas avoir tellement d'importance ?

– Pas la moindre, affirma Poirot, qui ajouta à mi-voix : Et c'est justement ce qui est si intéressant.

– Veuillez m'excuser un instant, dit le colonel Melrose.

Sur quoi, il quitta la pièce en compagnie de Parker. J'interrogeai le détective :

– Croyez-vous que Parker dise la vérité ?

– À propos du fauteuil, oui. Pour le reste, je ne sais pas. Si vous étiez souvent mêlé à ce genre d'affaires, monsieur le docteur, vous sauriez qu'elles présentent toutes un point commun.

– Ah ! Et lequel ?

– Tous les intéressés ont quelque chose à cacher.

– Même moi ? demandai-je en souriant.

Poirot me dévisagea et déclara sans s'émouvoir :

– Je pense que oui.

– Mais…

– M'avez-vous vraiment tout dit, au sujet du jeune Ralph Paton ? (Il sourit en me voyant rougir.) Oh ! ne craignez rien, je ne forcerai pas vos confidences. Chaque chose en son temps.

– J'aimerais beaucoup que vous me parliez de vos

méthodes, répliquai-je précipitamment pour cacher ma gêne. Au sujet du feu, par exemple…

– Rien de plus simple ! Vous avez quitté Mr Ackroyd à… 9 heures moins 10, c'est bien cela ?

– Oui, exactement… si l'on peut dire.

– Bon. À ce moment-là, la fenêtre était fermée au loquet et la porte n'était pas fermée à clé. À 10 heures et quart, quand on découvre le corps, la porte est fermée à clé et la fenêtre ouverte. Qui l'a ouverte ? Il est évident que seul Mr Ackroyd a pu le faire, et cela pour une ou deux raisons. Ou la température de la pièce était devenue insupportable, ce qui ne saurait être le cas puisque le feu était mourant et que le thermomètre est brutalement descendu la nuit dernière. Ou Mr Ackroyd a fait entrer quelqu'un par là. Et dans ce cas, il devait s'agir d'un de ses familiers, n'est-ce pas, puisqu'il venait de se montrer tellement inquiet au sujet de cette même fenêtre.

– Cela paraît tout simple, en effet.

– Tout est simple, si vous classez les faits méthodique-ment. Pour l'instant, notre tâche consiste à identifier la personne qui se trouvait ici hier soir à 9 heures et demie en compagnie de Mr Ackroyd. Selon toute apparence, c'est aussi celle qu'il a fait entrer par la fenêtre. Et bien qu'il ait été vu vivant un peu plus tard par miss Flora, nous ne tiendrons la solution du problème qu'en découvrant l'identité de ce visiteur. La fenêtre a pu rester ouverte après son départ et ainsi livrer passage à l'assassin. Ou alors, la même personne a pu revenir une seconde fois… Ah, voici le colonel !

Le colonel Melrose revenait. Et il avait l'air porteur d'une nouvelle intéressante.

– On a fini par retrouver la trace de cet appel téléphonique : il n'émane pas d'ici. On a demandé le Dr Sheppard hier soir à 22 heures 15 d'une cabine publique, à la gare de King's Abbot. Et à 22 heures 23, le train de nuit part pour Liverpool.

8

Un inspecteur très sûr de lui

Nos regards se croisèrent. Je m'informai :

– Vous allez enquêter à la gare, j'imagine ?

– Naturellement, mais je ne me fais pas trop d'illusions. Quand on connaît cette gare… vous voyez ce que je veux dire.

Je voyais. King's Abbot n'est qu'un village, mais la gare est un important nœud ferroviaire. Presque tous les grands express s'y arrêtent et des trains y sont dérivés, formés ou reformés. Il y a deux ou trois cabines téléphoniques. À cette heure-là, trois trains du réseau local entrent en gare à intervalles très rapprochés, pour assurer la correspondance avec l'express du Nord qui arrive à 22 heures 19 et repart à 22 heures 23. On se croirait dans une fourmilière, et les chances de remarquer quelqu'un qui téléphone ou monte dans un train sont effectivement des plus minces.

– Mais pourquoi avoir téléphoné ? demanda Melrose. C'est cela qui me paraît le plus bizarre... cela ne tient vraiment pas debout.

Avec un soin méticuleux, Poirot rectifia la position d'un bibelot de porcelaine sur une étagère.

– Soyez certains qu'il y a une raison, lança-t-il par-dessus son épaule.

– Mais laquelle ?

– Quand nous saurons cela, nous saurons tout. Cette affaire est vraiment très intéressante.

Ce fut sur un ton presque indéfinissable qu'il prononça ces derniers mots. J'eus le sentiment qu'il avait sur la question des vues bien à lui et qui m'échappaient complètement.

Il alla se camper devant la fenêtre, regarda au-dehors et demanda sans se retourner :

– Vous dites qu'il était 21 heures quand vous avez croisé cet inconnu à la grille, Dr Sheppard ?

– Oui, j'ai entendu sonner l'heure au clocher.

– Combien de temps lui aura-t-il fallu pour aller jusqu'à la maison... mettons, jusqu'à cette fenêtre par exemple ?

– Cinq minutes par la grande allée. Deux ou trois, pas plus, s'il a pris le sentier de droite pour venir directement ici.

– Mais pour cela, il aurait fallu qu'il connaisse le chemin ? Et qu'il soit... comment dire ? Un familier des lieux.

– Très juste, observa le colonel Melrose.

– Et si Mr Ackroyd avait reçu des étrangers au cours de la dernière semaine, nous pourrions certainement arriver à le savoir ?

– Le jeune Raymond pourrait nous le dire, avançai-je.

– Ou Parker, hasarda le colonel Melrose.

– Ou tous les deux, suggéra Poirot en souriant.

Le colonel s'en fut à la recherche de Raymond et, une fois de plus, je sonnai Parker. Le commissaire revint presque aussitôt, en compagnie du jeune secrétaire qu'il présenta à Poirot. Geoffrey Raymond, aimable et souriant comme toujours, se montra ravi de faire la connaissance de ce dernier.

– J'ignorais que vous viviez parmi nous incognito, monsieur Poirot. Ce sera pour moi un grand privilège de vous voir à l'œuvre... Hé, là ! que se passe-t-il ?

D'un mouvement vif, Poirot venait de s'écarter de la place qu'il occupait, à gauche de la porte, découvrant la bergère. Et je compris qu'il avait dû profiter d'un moment où je lui tournais le dos pour la remettre dans la position qu'avait indiquée Parker.

– Qu'attendez-vous de moi ? plaisanta Raymond, que je m'y installe pour subir une prise de sang ?

– Mr Raymond, ce fauteuil se trouvait à cet endroit précis quand on a découvert le corps de Mr Ackroyd, hier soir. Quelqu'un l'a remis à sa place. Serait-ce vous ?

– Certainement pas, répliqua le secrétaire sans une seconde d'hésitation. Je ne me rappelle même pas l'avoir vu là, mais si vous le dites... Quelqu'un d'autre l'aura remis en place, voilà tout. Aurait-on détruit un indice ? Ce serait dommage !

– Cela n'a aucune importance, je vous assure. Absolument aucune. En fait, ce que je voulais vous demander, Mr Raymond, c'est ceci : Mr Ackroyd aurait-il, dans le courant de la semaine, reçu la visite d'un inconnu ?

Le secrétaire réfléchit quelques minutes, au cours desquelles Parker fit son apparition.

– Non, répondit enfin Raymond, je ne vois pas. Et vous, Parker, vous en souvenez-vous ?

– Je vous demande pardon, monsieur. Si je me souviens de quoi ?

– D'un inconnu qui serait venu voir Mr Ackroyd cette semaine ?

Le maître d'hôtel réfléchit quelques instants, lui aussi.

– Il y a bien eu ce jeune homme, mercredi... un représentant de Curtis & Troute, je crois.

D'un geste impatient, Raymond écarta cette piste.

– En effet, je me souviens, mais ce n'est pas à ce genre de visiteur que Monsieur fait allusion.

Le secrétaire se tourna vers Poirot pour expliquer :

– Mr Ackroyd estimait qu'un dictaphone à cylindres nous ferait gagner beaucoup de temps et songeait à en acheter un. Curtis & Troute nous ont envoyé un représentant, mais l'affaire ne s'est pas faite. Mr Ackroyd hésitait.

Poirot s'adressa au maître d'hôtel :

– Pourriez-vous me décrire ce jeune homme, mon brave ?

– Oui, monsieur. Il était petit, blond, et portait un complet de serge bleue très strict. Il faisait très bonne impression, pour un homme de sa condition.

Hercule Poirot se tourna vers moi :

– L'homme que vous avez rencontré devant la grille était grand, n'est-ce pas, docteur ?

– Oui. Environ un mètre quatre-vingts, ou davantage.

– Donc, rien de commun entre les deux, conclut le Belge. Je vous remercie, Parker.

Le maître d'hôtel s'adressa à Raymond :

– Mr Hammond vient d'arriver, monsieur. Il a hâte de savoir si l'on a besoin de ses services et serait désireux de s'entretenir avec vous.

– Je vais le recevoir tout de suite, dit le jeune homme, qui sortit sans perdre un instant.

Poirot lança un regard interrogateur au commissaire.

– C'est l'avoué de la famille, expliqua ce dernier.

– Ce jeune Mr Raymond va avoir du pain sur la planche, murmura Poirot. Heureusement, il n'a pas les deux pieds dans le même sabot.

– Je crois, en effet, que Mr Ackroyd voyait en lui un collaborateur précieux.

– Depuis combien de temps était-il son secrétaire ?

– Si je ne me trompe, deux ans.

– Il remplit parfaitement ses fonctions, j'en suis certain. Et quelles sont ses distractions ? Pratique-t-il un sport ?

– Un secrétaire particulier n'a guère de temps à consacrer aux loisirs, observa Melrose en souriant. Raymond joue au golf, je crois, et aussi au tennis, en été.

– Est-ce qu'il s'intéresse aux chevaux, je veux dire : est-ce qu'il va les voir courir ?

– S'il va aux courses ? Non, je ne pense pas qu'il soit un parieur effréné.

Poirot hocha la tête et parut se désintéresser de la question. Son regard balaya lentement la pièce.

– J'ai vu tout ce qu'il y avait à voir ici, semble-t-il.

À mon tour, je promenai mon regard autour de moi et murmurai :

– Si seulement ces murs pouvaient parler !

– Pour cela, commenta Poirot, une langue ne leur suffirait pas. Il leur faudrait aussi des yeux et des oreilles. Mais n'allez pas croire que ces objets inanimés… (il effleura l'étagère supérieure de la bibliothèque)… soient toujours muets. Ces fauteuils, ces tables me parlent aussi clairement que s'ils me transmettaient un message, acheva-t-il en gagnant la porte.

– Quel message ? m'écriai-je. Que vous ont-ils appris aujourd'hui ?

Il se retourna à demi et haussa un sourcil narquois :

– Une fenêtre ouverte, commença-t-il. Une porte fermée. Un fauteuil qui, apparemment, s'est déplacé tout seul. À chacun d'eux j'ai demandé : « Pourquoi ? » et ils ne m'ont pas répondu.

Il secoua la tête, bomba le torse et nous gratifia d'un regard filtrant. Il semblait si plein de lui-même qu'il en frisait le ridicule, son accent ne faisait qu'ajouter au grotesque et je me demandai s'il était vraiment à la hauteur de sa réputation. Se pouvait-il qu'il ne la dût qu'à une série de coups de chance ?

Le colonel Melrose dut se faire la même réflexion car il fronça les sourcils et demanda d'un ton bref :

– Souhaitez-vous voir autre chose, monsieur Poirot ?

– Auriez-vous l'extrême obligeance de me désigner la vitrine d'où l'arme fut sortie ? Après quoi, je n'abuserai pas davantage de votre bonté.

Nous nous dirigions vers le salon quand l'agent de service arrêta le colonel et le prit en aparté. Ils échangèrent quelques mots à voix basse, sur quoi Melrose s'excusa de devoir nous laisser seuls, Poirot et moi. Je montrai la vitrine à ce dernier qui, après avoir une ou deux fois soulevé et laissé retomber le couvercle, alla ouvrir la porte-fenêtre et sortit sur la terrasse. Je l'y suivis au moment précis où l'inspecteur Raglan tournait le coin de la maison. Il s'avança vers nous, arborant une mine à la fois rogue et satisfaite.

– Ah ! vous voilà, monsieur Poirot. Cette affaire est on ne peut plus simple, finalement, et vous m'en voyez navré. C'est triste de voir un si gentil garçon tourner mal.

Poirot prit un air déconfit et déclara d'un ton bénin :

– Je crains de ne pouvoir vous être très utile, en ce cas.

– Ce sera pour la prochaine fois, répliqua suavement l'inspecteur. Bien que les meurtres soient plutôt rares dans notre petit coin tranquille.

Poirot leva sur lui un regard admiratif.

– Quel résultat fulgurant, observa-t-il. Et comment avez-vous procédé, si je puis me permettre… ?

– Mais certainement. Première chose : de la méthode. Oui, c'est ce que je dis toujours : de la méthode.

– Ah ! s'exclama le Belge, la méthode ! C'est mon mot clé, à moi aussi. Méthode, ordre, et les petites cellules grises.

– Des cellules ? s'ébahit l'inspecteur, les yeux ronds.

– Mais oui, les petites cellules grises du cerveau.

– Oh ! je vois. Nous nous servons tous des nôtres, je suppose.

– Plus ou moins, murmura Poirot, et elles diffèrent en qualité, ce qui compte aussi. Tout comme la psychologie d'un crime : il convient de l'étudier avec soin.

– Ah ! Vous donnez dans tout ce fatras, la psychanalyse et tout ça ? Moi qui suis un homme plutôt terre à terre…

– Ce n'est certainement pas l'avis de Mrs Raglan, l'interrompit Hercule Poirot en s'inclinant.

Quelque peu désarçonné, l'inspecteur rendit la courbette.

– Vous ne m'avez pas compris, dit-il avec un sourire épanoui. C'est fou ce que le même mot peut changer de sens, d'une langue à l'autre ! C'est de ma façon de travailler que je parlais. Et tout d'abord, de la méthode. Miss Ackroyd est la dernière personne à avoir vu son oncle vivant, et ceci à 10 heures moins le quart. C'est un point de départ, vous en conviendrez ?

– Si vous le dites…

– Je l'affirme. À 10 heures et demie, selon le Dr Sheppard ici présent, Mr Ackroyd était mort depuis une demi-heure. C'est bien cela, docteur ?

– En effet, confirmai-je. Peut-être même un peu plus.

– Parfait. Cela nous laisse donc une marge d'un quart d'heure exactement, au cours duquel le crime a forcément été commis. J'ai étudié la liste de toutes les personnes qui se trouvaient à la maison. En face de chaque nom, j'ai noté où elles étaient et ce qu'elles faisaient entre 21 heures 45 et 22 heures 10.

L'inspecteur tendit à Poirot une feuille de papier que je lus par-dessus son épaule. Très lisiblement écrite, la liste était rédigée comme suit :

Major Blunt. – Dans la salle de billard avec Mr Raymond (qui confirme).

Mr Raymond. – Salle de billard (voir plus haut).

Mrs Ackroyd. – 21 heures 45 : assiste à la partie de

billard. 21 heures 55 : se retire pour aller se coucher. Blunt et Raymond l'ont vue monter l'escalier.

Miss Ackroyd. – Montée directement en sortant de chez son oncle. (Confirmé par Parker et par la femme de chambre, Elsie Dale.)

Domestiques :

Parker. – S'est rendu tout droit à l'office. (Confirmé par la gouvernante, miss Russell, descendue lui parler vers 21 heures 47. Restée environ dix minutes.)

Miss Russell. – Voir plus haut. À 21 heures 45, bavardait avec la femme de chambre, Elsie Dale, à l'étage.

Ursula Bourne (femme de chambre). – Dans sa chambre jusqu'à 21 heures 55, puis à l'office.

Mrs Cooper (cuisinière). – À l'office.

Gladys Jones (seconde femme de chambre). – À l'office.

Elsie Dale. – Au premier, dans les chambres de maître. Vue par miss Russell et miss Flora Ackroyd.

Mary Thripp (fille de cuisine). – À l'office.

– La cuisinière est ici depuis sept ans, Ursula Bourne un an et demi, Parker un an tout juste, précisa l'inspecteur. Les autres sont nouveaux et, sauf Parker dont l'attitude est un peu douteuse, semblent tous hors de cause.

Poirot lui rendit son papier.

– Voilà une liste on ne peut plus complète… mais je suis certain que Parker n'est pas l'auteur du meurtre, observa-t-il avec gravité.

J'y allai de mon commentaire personnel.

– Ma sœur aussi, et elle se trompe rarement.

Intervention qui passa totalement inaperçue.

– Ce qui disculpe les habitants de la maison, enchaîna

l'inspecteur, et nous amène à un fait grave. La gardienne, Mary Black, tirait les rideaux du pavillon hier soir quand elle a vu Ralph Paton franchir la grille et se diriger vers la maison.

– Elle en est sûre ? demandai-je, intéressé.

– Tout à fait, elle le connaît très bien de vue. Il est passé très rapidement devant le pavillon et a tourné à droite pour prendre le raccourci qui mène à la terrasse.

– Et quelle heure était-il ? demanda Poirot, impassible.

– Exactement 21 heures 25, déclara gravement l'inspecteur.

Un silence accueillit sa réponse, et il enchaîna :

– L'affaire est claire, et tout concorde. À 21 heures 25, un témoin voit le capitaine Paton pénétrer dans le parc. À 21 heures 30, ou environ, Mr Geoffrey Raymond entend, dans le cabinet de travail, quelqu'un demander de l'argent à Mr Ackroyd et celui-ci refuser. Que se passe-t-il ensuite ? Le capitaine Paton repart comme il est venu : par la fenêtre. Furieux et déçu, il arpente la terrasse et s'arrête devant la porte-fenêtre du salon. Il est à peu près 10 heures moins le quart et miss Ackroyd est allée dire bonsoir à son oncle. Le major Blunt, Mr Raymond et Mrs Ackroyd sont dans la salle de billard. Le salon est vide. Ralph Paton s'y faufile, prend le poignard dans la vitrine et retourne près de la fenêtre du bureau. Là, il ôte ses chaussures, se hisse à l'intérieur et… bref, inutile d'entrer dans les détails. Il repart donc, mais n'a pas le courage de retourner à l'auberge et va directement à la gare, d'où il téléphone…

– Pourquoi ? interrogea doucement Poirot.

L'interruption me fit sursauter. Le petit homme s'était penché en avant, une bizarre lueur verte au fond des yeux. L'inspecteur Raglan demeura quelques instants sans voix, désarçonné par la question.

— Il est difficile d'expliquer ce geste, dit-il enfin, mais les meurtriers ont des réactions étranges. Vous sauriez cela, si vous faisiez partie de la police. Les plus intelligents commettent parfois des erreurs stupides. Tenez, venez donc voir ces empreintes.

Emboîtant le pas derrière l'inspecteur, nous contournâmes la terrasse jusqu'à la fenêtre du cabinet de travail. Sur un mot de Raglan, un agent exhiba les chaussures découvertes à l'auberge. L'inspecteur les plaça sur les empreintes.

— Ce sont les mêmes, déclara-t-il avec assurance. Entendons-nous : cette paire-ci n'est pas celle qui a laissé ces empreintes, puisque le capitaine Paton est parti avec. Celles-ci sont du même modèle, mais plus vieilles… Vous voyez comme les motifs sont effacés par l'usage ?

— Mais il doit y avoir quantité de gens qui portent des chaussures à semelles de caoutchouc ? intervint Poirot.

— Naturellement, admit l'inspecteur. Et si j'insiste tellement sur ces empreintes, c'est que j'ai d'autres raisons.

— Et le capitaine Ralph Paton a laissé de pareils indices derrière lui ? murmura pensivement Poirot. Quel jeune homme étourdi, vraiment !

— Mais il faisait très beau, ce soir-là, le sol était sec. Le capitaine n'a pas laissé de traces sur la terrasse ni sur le gravier du sentier. Malheureusement pour lui, il semble qu'une source ait jailli récemment au bout du raccourci. Tenez, regardez.

Le petit chemin gravillonné rejoignait la terrasse à quelque distance de là. Et, non loin de l'endroit où il se terminait, le sol était humide et bourbeux. À partir de là, on retrouvait des empreintes, parmi lesquelles celles de semelles en caoutchouc. En compagnie de l'inspecteur, Poirot fit quelques pas sur le sentier et demanda tout à coup :

— Avez-vous remarqué les traces de souliers de femme ?

L'inspecteur s'esclaffa.

— Évidemment ! Mais plusieurs femmes sont passées par là, et des hommes aussi. C'est le chemin le plus court pour se rendre à la maison, et il est très fréquenté : il serait impossible de débrouiller toutes ces empreintes. Et celles de l'appui de fenêtre sont les seules qui nous intéressent.

Poirot acquiesça d'un hochement de tête.

— Inutile d'aller plus loin, décréta l'inspecteur, comme nous arrivions en vue de la grande allée. Ici, le gravier est à nouveau bien tassé et aussi dur que possible.

Une fois de plus, Poirot hocha la tête. Mais ses yeux étaient fixés sur une maisonnette située devant nous, sur la gauche. On aurait dit un pavillon d'été, assez spacieux, et une allée y conduisait. Poirot s'attarda dans les parages jusqu'à ce que l'inspecteur eût repris le chemin de la maison, puis se tourna vers moi, le regard pétillant.

— Ce doit être le bon Dieu qui vous envoie pour remplacer mon ami Hastings, Dr Sheppard, vous me suivez comme une ombre. Eh bien, que diriez-vous d'aller visiter ce pavillon d'été ? Il m'intéresse.

Sur ce, il alla ouvrir la porte. À l'intérieur, l'obscurité était presque totale. Il y avait un ou deux sièges rustiques, un jeu de croquet et quelques transatlantiques repliés.

Le comportement de mon nouvel ami me laissa pantois : il s'était laissé tomber sur le plancher et s'y promenait à quatre pattes. De temps à autre, il secouait la tête d'un air mécontent. Et finalement, il se redressa et s'assit sur ses talons.

– Rien…, murmura-t-il. Peut-être aurais-je dû m'y attendre, mais cela eût pu signifier tant de…

Il s'interrompit, soudain en alerte, et tendit la main vers le bord d'une des chaises dont il détacha quelque chose.

– Qu'est-ce que c'est ? m'écriai-je. Qu'avez-vous trouvé ?

Il sourit et ouvrit la main, m'en découvrant le contenu : un morceau de batiste blanche empesée.

Je le pris, l'examinai avec curiosité et le lui rendis.

– Eh bien, mon ami, demanda-t-il en me dévisageant avec acuité, que pensez-vous que ce soit ?

– Un morceau de mouchoir déchiré, suggérai-je avec un haussement d'épaules.

D'un geste aussi vif que le premier, il ramassa un petit tuyau de plume, de plume d'oie me sembla-t-il.

– Et ceci ? lança-t-il avec un accent de triomphe, de quoi croyez-vous qu'il s'agisse ?

Je me contentai de le regarder, médusé.

Il glissa la plume dans sa poche et contempla à nouveau le lambeau de chiffon blanc.

– Un morceau de mouchoir ? dit-il d'une voix songeuse. Vous avez sans doute raison. Mais rappelez-vous ceci : *une bonne blanchisseuse n'amidonne pas les mouchoirs.*

Et, avec un hochement de tête triomphant, il rangea soigneusement le bout de chiffon dans son carnet.

9

Le bassin aux poissons rouges

Nous reprîmes ensemble le chemin de la maison, sans même apercevoir l'inspecteur. Sur la terrasse, Poirot s'arrêta, face au parc, et promena son regard autour de lui.

— Belle propriété, dit-il enfin, une note de respect dans la voix. Qui en hérite ?

Je faillis sursauter. Aussi bizarre que cela pût paraître, je ne m'étais jamais posé la question. Poirot m'observait avec attention.

— On dirait que je vous ouvre des horizons, docteur. Vous n'aviez jamais envisagé cet aspect des choses ?

— Non, répondis-je sans détours. Et je voudrais bien l'avoir fait plus tôt !

L'attention de Poirot s'aiguisa.

— Je me demande bien ce que vous entendez par là, dit-il d'une voix rêveuse... Oh, non ! Inutile de me répondre, vous ne m'ouvririez pas le fond de votre pensée.

– Tout le monde a quelque chose à cacher, rétorquai-je en souriant, citant ses propres paroles.

– Exactement.

– Vous le pensez toujours ?

– Plus que jamais, mon ami, mais cacher quelque chose à Hercule Poirot n'est pas si facile : il possède un flair de limier.

Tout en parlant, mon compagnon descendait les marches qui menaient à ce qu'on appelait le jardin hollandais.

– Allons faire quelques pas, lança-t-il par-dessus son épaule, il fait si bon aujourd'hui.

À sa suite, je m'engageai sur un chemin qui descendait entre les ifs, sur la gauche. Une allée s'en détachait. Bordée de parterres fleuris soigneusement ordonnés, elle menait au centre du jardin, là où un rond-point dallé servait de cadre à un bassin à poissons rouges. Il y avait aussi un banc de pierre. Mais Poirot ne prit pas cette allée et bifurqua sur un sentier qui remontait en pente douce, entre les arbres. Là aussi nous trouvâmes un siège, à l'endroit où l'on avait éclairci le bosquet pour ménager un magnifique point de vue sur la campagne environnante. De là-haut, le regard plongeait directement sur le rond-point dallé et le bassin.

– L'Angleterre est vraiment très belle, dit Poirot en contemplant le paysage d'un air rêveur. (Puis il sourit et ajouta en baissant la voix :) Les jeunes Anglaises aussi, d'ailleurs, mais… chut ! Taisons-nous, mon ami, et regardons plutôt ce charmant tableau.

Ce fut alors que j'aperçus Flora. Elle descendait d'un pas dansant le sentier que nous venions de quitter. Elle fredonnait un petit air et, malgré sa robe de deuil, tout en elle exprimait la joie. Soudain, elle pirouetta sur la pointe des pieds dans un envol de jupes noires, renversa la tête en arrière et éclata de rire. Au même instant, un homme surgit d'entre les arbres : Hector Blunt. La jeune fille sursauta et son expression se modifia légèrement.

– Vous m'avez fait peur ! Je ne vous avais pas vu.

Blunt ne répondit rien et, pendant une bonne minute, se contenta de la dévisager.

– Ce que j'aime en vous, dit Flora avec une pointe de malice, c'est le brio de votre conversation.

Blunt dut en rougir sous son hâle et, quand il prit la parole, sa voix me parut changée. J'y discernai une sorte d'humilité qui ne lui ressemblait pas.

– Je n'ai jamais été brillant causeur, même quand j'étais jeune.

– Ce qui remonte à loin, j'imagine, observa Flora avec le plus grand sérieux.

Si je perçus la note moqueuse de sa voix, je crois qu'elle échappa à Blunt, qui se borna à répondre :

– Très loin, c'est vrai.

– Et quel effet cela fait-il d'être vieux comme Mathusalem ?

Cette fois, la raillerie était plus sensible, mais Blunt avait d'autres idées en tête.

– Vous vous souvenez de cet homme qui vendit son âme au diable pour retrouver sa jeunesse ? C'est le sujet d'un opéra.

– C'est à Faust que vous pensez ?

– Tout juste. Pas banale, son histoire. Beaucoup d'entre nous aimeraient bien pouvoir en faire autant.

– À vous entendre, on vous prendrait pour un vieillard cacochyme ! lança Flora d'un ton mi-figue, mi-raisin.

À nouveau, Blunt s'enferma dans le silence. Puis, le regard au loin comme s'il s'adressait à l'un des arbres environnants, il annonça qu'il était temps pour lui de regagner l'Afrique.

– Pour une de vos expéditions de chasse ?

– En principe. Enfin, comme toujours.

– L'animal accroché dans le hall, c'est vous qui l'avez tué, non ?

Blunt hocha la tête, rougit et débita tout d'une traite :

– Si vous aimez les belles peaux de bête, je pourrai vous en envoyer quelques-unes.

– Oh oui, s'il vous plaît ! s'écria Flora. Vraiment, vous n'oublierez pas ?

– Je n'oublierai pas, promit Hector Blunt. (Puis, sortant subitement de sa réserve :) Il est temps que je parte, ce genre de vie n'est pas fait pour moi. Ce n'est pas mon style. Un ours comme moi n'est pas à l'aise en société, je ne dis jamais ce qu'il faut dire. Vraiment, il vaut mieux que je m'en aille.

– Mais pas tout de suite ! s'exclama Flora. Pas… pas au moment où nous avons tous ces ennuis. Oh, je vous en prie ! Si vous partez…

Comme elle se détournait, Blunt demanda très simplement et sans détours :

– Vous souhaitez que je reste ?

– Nous le souhaitons tous…

118

– Non, coupa Blunt d'un ton net. Je veux dire : vous, personnellement.

Flora se tourna lentement vers lui et leurs yeux se rencontrèrent.

– Je souhaite que vous restiez… si une telle déclaration change quelque chose pour vous.

– Cela change tout, dit Hector Blunt.

Un silence s'établit, et ils s'assirent sur le banc de pierre, près du bassin aux poissons rouges. Ni l'un ni l'autre ne semblait savoir de quoi ils pourraient bien parler ensuite.

– Il… il fait vraiment très beau ce matin, finit par dire Flora. Voyez-vous, je ne puis m'empêcher d'être heureuse malgré… malgré les événements. C'est épouvantable, non ?

– C'est tout à fait naturel, affirma Blunt. Vous ne connaissiez votre oncle que depuis deux ans, n'est-ce pas ? On ne peut donc pas s'attendre à ce que vous éprouviez un chagrin immense, et il vaut bien mieux ne pas faire semblant.

– Vous avez le don de consoler les gens, observa Flora. Avec vous, tout paraît si simple…

– Mais tout est simple, rétorqua le chasseur de fauves.

– Non, pas toujours.

Flora avait baissé la voix et je vis Blunt tourner la tête pour la dévisager, comme s'il s'arrachait à la contemplation de la côte africaine. Il dut tirer ses propres conclusions de son changement de ton car, après un silence prolongé, il déclara abruptement :

– Aucune raison de vous inquiéter, croyez-moi. Au sujet de ce jeune homme, je veux dire. Cet inspecteur n'est qu'un âne. Tout le monde sait bien que… bref, ça ne tient pas debout : il ne peut pas être coupable. Ni personne de la maison. Le criminel est un cambrioleur, c'est la seule solution possible.

Flora se tourna vers lui :

– C'est vraiment ce que vous pensez ?

– Pas vous ? rétorqua-t-il aussitôt.

– Moi ?… Mais si, bien sûr.

Un autre silence plana, que Flora rompit brutalement :

– J'aimerais… je vais vous dire pourquoi je me sentais si heureuse ce matin. Même si vous devez me juger sans cœur, je préfère que vous le sachiez. C'est parce que cet avoué… vous savez, Mr Hammond ? Il nous a parlé du testament. Oncle Roger m'a laissé vingt mille livres, vous vous rendez compte ? Vingt mille belles et bonnes livres, quelle merveille !

Blunt marqua une certaine surprise.

– Est-ce donc si important pour vous ?

– Important ? Mais c'est bien plus que cela, pour moi, cela veut dire… tout ! La liberté, la vie, la fin des calculs, des privations, des mensonges…

– Des mensonges ? lança brutalement Blunt.

Un instant désarçonnée, Flora reprit d'une voix incertaine :

– Vous voyez sûrement ce que je veux dire… Faire semblant d'être reconnaissante envers vos parents riches qui vous abandonnent leurs vieilles nippes. Porter les manteaux, les jupes et les chapeaux de l'année d'avant… tout ça, quoi !

– Je ne m'y connais guère en chiffons, mais je vous ai toujours trouvée plutôt élégante.

– Oui, murmura Flora d'une voix sourde, mais à quel prix ! Bah ! ne parlons plus de ces mesquineries ! Je suis si heureuse, je suis libre ! Libre d'agir à ma guise. Libre de ne pas…

Elle s'interrompit tout net et Blunt demanda aussitôt :

– De ne pas quoi ?

– Rien d'important, j'ai déjà oublié.

Blunt, qui tenait un bâton à la main, le plongea brusquement dans l'eau comme s'il visait un point particulier.

– Mais que faites-vous, major Blunt ?

– Il y a quelque chose qui brille, là-dedans, je me demandais ce que c'était… une broche en or, peut-être. Mais j'ai remué la vase et on ne la voit plus.

– C'était peut-être une bague, suggéra Flora, comme celle que Mélisande a perdue dans l'eau.

– Mélisande, répéta Blunt d'un ton rêveur. C'est bien un personnage d'opéra, n'est-ce pas ?

– En effet, et vous semblez en savoir long sur l'opéra.

– Il arrive qu'on m'y invite, dit Blunt sans enthousiasme. Curieuse façon de se distraire, ce tintamarre. C'est pire que les Noirs avec leurs tam-tams !

Flora éclata de rire.

– Je me souviens de Mélisande, reprit Blunt. Elle avait épousé un homme qui aurait pu être son père.

Il lança un petit caillou dans le bassin et, quand il se tourna vers Flora, son attitude avait changé du tout au tout.

– Miss Ackroyd, si je puis faire quelque chose pour vous… Au sujet du capitaine Paton, je veux dire. J'imagine par quelles affres vous devez passer.

– Merci, laissa tomber Flora d'un ton sec, mais il est

tout à fait inutile d'intervenir. Tout se passera bien, pour Ralph. J'ai déniché le plus merveilleux des détectives, et il va tirer toute cette affaire au clair.

Je commençais à trouver notre situation assez gênante. Nous n'étions pas exactement en train d'épier les deux personnages qui bavardaient dans le jardin puisqu'il leur suffisait de lever la tête pour nous voir. Néanmoins, je leur aurais signalé plus tôt notre présence si mon compagnon ne m'en avait dissuadé en me pressant le bras d'un geste ferme. Il souhaitait que je me taise, aucun doute là-dessus. Mais subitement, il passa à l'action, bondit sur ses pieds et s'éclaircit la gorge.

– Je vous demande mille pardons ! s'écria-t-il. Je ne saurais laisser Mademoiselle m'accabler de compliments sans me montrer. Qui écoute aux portes a parfois, dit-on, de mauvaises surprises, ce qui est loin d'être mon cas en l'occurrence. Pour ne pas rougir de honte, il faut que je vienne déposer mes excuses à vos pieds.

Je dévalai le sentier sur ses talons, et nous rejoignîmes les autres près du bassin. Flora fit les présentations.

– Major, voici M. Hercule Poirot, dont vous avez certainement entendu parler.

Poirot s'inclina.

– Je connais le major Blunt de réputation, déclara-t-il avec courtoisie. Monsieur, je suis heureux de vous avoir rencontré. J'ai besoin de certaines informations que vous pouvez me fournir.

Blunt lui jeta un regard interrogateur.

– Quand avez-vous vu Mr Ackroyd en vie pour la dernière fois ?

– Au dîner.

– Et depuis, vous ne l'avez plus revu, ni entendu parler ?

– Revu, non. Entendu, oui.

– Et dans quelles circonstances ?

– Je me promenais sur la terrasse…

– Pardon, mais quelle heure était-il ?

– Environ 9 heures et demie. Je faisais les cent pas en fumant devant la porte-fenêtre du salon quand j'ai entendu la voix d'Ackroyd, dans son cabinet de travail.

Poirot ôta de sa manche un minuscule brin d'herbe.

– Mais de l'endroit où vous vous trouviez, vous ne pouviez certainement pas entendre parler dans le cabinet de travail, murmura-t-il.

Il ne regardait pas Blunt, mais moi, oui. Et, à ma grande surprise, je vis rougir le major.

– Je suis allé jusqu'à l'angle de la terrasse, expliqua-t-il de mauvaise grâce.

– Ah bon ? fit Poirot, suggérant le plus délicatement possible qu'il attendait d'autres détails.

– J'avais cru voir… une femme disparaître dans les buissons. Enfin, quelque chose de blanc, juste une silhouette. J'ai dû me tromper. Et c'est à ce moment-là que j'ai entendu Ackroyd parler à son secrétaire.

– À Mr Geoffrey Raymond ?

– Oui, ou enfin c'est ce qu'il m'a semblé. Apparemment, c'était une erreur.

– Mr Ackroyd n'a donc pas prononcé son nom ?

– Non.

– Alors, si je puis me permettre, pourquoi avoir supposé…

Blunt se lança dans une explication laborieuse :

– Pour moi, cela ne pouvait être que Raymond, et pour une raison fort simple. Juste avant que je ne sorte, il avait annoncé qu'il allait porter quelques papiers à Ackroyd. Il ne m'est pas venu à l'esprit qu'il pouvait s'agir de quelqu'un d'autre.

– Vous rappelez-vous les paroles que vous avez entendues ?

– Désolé, mais cela semblait très anodin, de toute façon. Je n'ai saisi que quelques mots, j'avais la tête ailleurs.

– C'est sans importance, major. Et… quand vous êtes entré dans le cabinet de travail, après la découverte du corps, avez-vous remis un fauteuil à sa place, contre le mur ?

– Un fauteuil ? Non. Pourquoi aurais-je fait ça ?

Sans répondre, Poirot haussa les épaules et se tourna vers Flora :

– Il y a une chose que je souhaite apprendre de vous, mademoiselle. Lorsque vous examiniez les bibelots de la vitrine avec le Dr Sheppard, le poignard s'y trouvait-il, oui ou non ?

Flora se rebiffa, le menton haut :

– L'inspecteur Raglan m'a déjà posé cette question, et la réponse n'a pas changé. Je suis certaine que le poignard *n'était pas* dans la vitrine. Lui pense que si, et que Ralph est venu furtivement le prendre un peu plus tard. Il ne me croit pas. D'après lui, je ne cherche qu'à protéger Ralph.

– Et ce n'est pas le cas ? demandai-je avec gravité.

Flora tapa du pied.

– Vous aussi, Dr Sheppard ! Cette fois, c'est trop !

Poirot fit adroitement diversion :

– Vous aviez raison, major Blunt, il y a un objet brillant dans ce bassin. Voyons si je peux l'atteindre.

Il s'agenouilla près du bord, remonta sa manche jusqu'au coude et plongea le bras dans l'eau, très lentement, afin de ne pas la troubler. Malgré toutes ses précautions, des remous se produisirent dans la vase et il fut contraint de retirer son bras, la main vide. Il contempla d'un air écœuré son avant-bras couvert de boue et je lui offris mon mouchoir, qu'il accepta avec force démonstrations de gratitude.

– Il va être l'heure du déjeuner, observa Blunt en consultant sa montre. Nous ferions mieux de rentrer.

– Voulez-vous déjeuner avec nous, monsieur Poirot ? proposa Flora. J'aimerais vous faire connaître ma mère. Elle… elle a beaucoup d'affection pour Ralph.

Le petit homme y alla d'une courbette.

– J'en serais enchanté, mademoiselle.

– Vous restez aussi, Dr Sheppard ?

J'hésitai.

– Oh si, j'insiste !

Comme je souhaitais rester, j'acceptai l'invitation sans plus de cérémonie. Et notre petit groupe prit le chemin du retour, Flora et le major Blunt en tête. D'un signe discret, Poirot me désigna la jeune fille.

– Quelle chevelure magnifique ! observa-t-il à mi-voix. De l'or pur ! Elle et ce beau ténébreux de capitaine Paton formeront un couple parfait, ne pensez-vous pas ?

Je lui jetai un regard interrogateur. Mais il s'absorba dans un nettoyage méticuleux de sa manche, où tremblaient quelques gouttelettes microscopiques. Avec ses yeux verts et ses petites manies tâtillonnes, il me faisait penser à un chat.

– Et toute cette peine pour rien ! déplorai-je avec sympathie. Que pouvait-il bien y avoir dans le bassin ? Je me le demande.

– Vous voulez voir ?

Devant mon regard effaré, Poirot hocha la tête.

– Mon bon ami, dit-il avec une douceur nuancée de reproche, Hercule Poirot ne courrait pas le risque de créer du désordre dans sa toilette sans être sûr d'atteindre son but. Ce serait aussi ridicule qu'absurde, et je ne suis jamais ridicule.

– Mais votre main était vide !

– Il faut parfois savoir se montrer discret, docteur. Dites-vous toujours tout à vos patients, absolument tout ? Je ne crois pas. Non plus qu'à votre excellente sœur, n'est-ce pas ? Avant de montrer ma main vide, j'avais laissé tomber dans l'autre l'objet qu'elle contenait. Vous voulez le voir ?

Il ouvrit tout grand sa main gauche, découvrant le petit cercle d'or posé sur sa paume : une alliance de femme. Je la pris.

– Regardez à l'intérieur, ordonna Poirot.

Je m'exécutai et lus l'inscription suivante, très finement gravée : *Avec l'amour de R., le 13 mars.*

Je levai les yeux vers Poirot, mais il examinait son image dans un petit miroir de poche. Il concentrait toute son attention sur ses moustaches et m'ignorait complètement. Je compris qu'il n'était pas disposé aux confidences.

10

La femme de chambre

Nous trouvâmes Mrs Ackroyd dans le hall d'entrée, en compagnie d'un petit homme sec, au menton agressif et au regard gris et pénétrant. Le parfait spécimen de l'homme de loi.

– Mr Hammond déjeune avec nous, annonça Mrs Ackroyd. Mr Hammond, vous connaissez le major Blunt, n'est-ce pas ? Et ce cher Dr Sheppard, un ami très proche de ce pauvre Roger, lui aussi. Et, voyons…

Elle s'interrompit et dévisagea Poirot d'un œil perplexe.

– M. Hercule Poirot, maman, intervint Flora. Je vous en ai parlé ce matin.

– Mais oui, bien sûr, ma chérie… bien sûr, dit Mrs Ackroyd d'une voix incertaine. Il est là pour retrouver Ralph, c'est bien cela ?

– Pour découvrir qui a tué oncle Roger, maman.

– Oh ! je t'en prie, ma chérie, pitié pour mes nerfs ! Je suis littéralement effondrée, ce matin. Qui eût pu s'attendre à pareille tragédie ? C'est épouvantable. Je ne puis m'empêcher de croire qu'il s'agit d'un accident. Roger aimait tant manipuler ces objets bizarres. Il aura fait un geste maladroit…

Un silence poli accueillit cette hypothèse. Je vis Poirot se glisser aux côtés de l'avoué et lui parler à voix basse. Ils se retirèrent dans l'embrasure d'une fenêtre où je les rejoignis, non sans hésitation.

– Peut-être suis-je indiscret ?…

– Pas du tout, protesta Poirot avec chaleur. Vous et moi sommes associés dans cette enquête, monsieur le docteur, et je serais perdu sans vous. Je désirais m'informer un peu plus auprès de ce bon Mr Hammond.

– Si je comprends bien, avança prudemment l'avoué, vous agissez au nom du capitaine Ralph Paton ?

– Pas du tout, j'agis dans l'intérêt de la justice. Miss Ackroyd m'a demandé d'enquêter sur la mort de son oncle.

Mr Hammond tiqua :

– J'ai peine à croire que le capitaine Paton soit impliqué dans cette affaire de meurtre, si accablantes soient les charges qui pèsent contre lui. Le fait qu'il ait eu besoin d'argent ne suffit pas à…

– Il avait donc besoin d'argent ? intervint vivement Poirot.

L'avoué haussa les épaules.

– C'est un mal chronique, chez Ralph Paton, lança-t-il d'un ton sec. L'argent lui file entre les doigts et il avait sans cesse recours à son beau-père.

– Et l'a-t-il fait récemment… au cours de l'année, par exemple ?

– Difficile à dire. Mr Ackroyd ne m'en a pas parlé.

– Je comprends. Et je suppose, Mr Hammond, que vous connaissez les dispositions testamentaires de Mr Ackroyd ?

– Assurément. C'est le principal objet de ma visite.

– Donc, sachant que j'agis au nom de miss Ackroyd, vous ne voyez pas d'objection à me les communiquer ?

– Elles sont très simples, et je vous fais grâce du

jargon professionnel. Donc, une fois payés divers petits legs…

– À savoir ?…

Mr Hammond parut quelque peu surpris par cette interruption.

– Mille livres à sa gouvernante, miss Russell. Cinquante livres à la cuisinière, Emma Cooper. Cinq cents livres à son secrétaire, Mr Geoffrey Raymond. À différents hôpitaux…

Poirot leva la main :

– Ah ! les donations charitables… aucun intérêt pour moi.

– Entendu. Mrs Ackroyd touchera, sa vie durant, les intérêts d'un capital de dix mille livres en titres. Miss Ackroyd hérite d'une somme de vingt mille livres, entièrement disponible. Le reste, y compris cette propriété et les actions de la firme Ackroyd & Fils, revient à son fils adoptif, Ralph Paton.

– Mr Ackroyd était donc riche ?

– Très riche. Le capitaine Paton sera un jeune homme extrêmement fortuné.

Un silence plana. Poirot et l'avoué échangèrent un regard.

– Mr Hammond…, appela Mrs Ackroyd d'un ton geignard.

L'avoué la rejoignit près de la cheminée et Poirot me prit par le bras. Il m'attira tout contre la fenêtre et, forçant légèrement le ton, déclara à voix haute :

– Admirez ces iris… Magnifiques, n'est-ce pas ? Quelle pureté de lignes ! C'est ravissant.

Tout en parlant, il me pressa le bras et ajouta un peu plus bas :

– Voulez-vous vraiment m'aider ? M'assister dans cette enquête ?

– Bien sûr ! m'écriai-je avidement. Rien ne saurait me plaire davantage. Ma vie est si monotone, si vous saviez ! Il ne se passe jamais rien, ici. C'est étouffant.

– Parfait, nous voici donc associés. Tiens, je sens que le major Blunt ne va pas tarder à nous rejoindre : il n'apprécie pas tellement la compagnie de la chère maman. Profitons de la situation. Comme il y a certains points de détail que je désire connaître, je compte sur vous pour lui poser – comment dire ? « mine de rien » – les questions à ma place.

– Quelles questions ? demandai-je, sur la défensive.

– Je voudrais que vous fassiez allusion à Mrs Ferrars.

– Et comment cela ?

– Le plus naturellement possible. Demandez au major s'il était à Fernly quand Mr Ferrars est mort. Vous suivez ma pensée ? Et pendant qu'il vous répondra, observez bien son expression, mais sans en avoir l'air. *C'est compris ?*

Il ajouta ces derniers mots en français mais ne put m'éclairer davantage car, à cet instant précis, sa prédiction se réalisa. Avec sa brusquerie ordinaire, Blunt quitta ses interlocuteurs et s'approcha de nous.

Je lui proposai de faire un tour sur la terrasse, ce qu'il accepta. Poirot ne nous suivit pas. Après quelques pas, je m'arrêtai pour examiner une rose tardive et déclarai d'un air détaché :

– Dire qu'il y a un jour ou deux les choses étaient si

différentes… comme tout change vite ! Je me revois en train d'arpenter cette même terrasse, mercredi dernier, avec Ackroyd. Il était plein d'entrain, alors. Il y a trois jours de cela et maintenant… il est mort, le pauvre ! Tout comme Mrs Ferrars. Vous l'avez connue, je crois ? Mais oui, bien sûr.

Blunt acquiesça d'un signe de tête.

– Et depuis votre arrivée, l'aviez-vous rencontrée ?

– Je lui ai rendu visite avec Ackroyd. Mardi dernier, je crois. Une femme charmante, bien qu'un peu étrange. Secrète… On ne savait jamais ce qu'elle avait en tête.

J'étudiai ses yeux gris, son regard impassible : ils ne cachaient rien, j'en étais sûr. Je poursuivis :

– Mais vous la connaissiez déjà, je suppose ?

– Depuis mon dernier séjour. Son mari et elle venaient de s'installer ici.

Après un instant de silence, le major ajouta :

– C'est curieux comme elle a pu changer, entre-temps.

– Comment cela, changé ?

– Elle semblait avoir dix ans de plus.

Je m'appliquai à paraître le plus naturel possible :

– Séjourniez-vous ici quand son mari est mort ?

– Non. Bon débarras d'ailleurs, pour ce que j'en sais. Pas très charitable de ma part, mais vrai.

J'en convins, et ajoutai prudemment :

– Ashley Ferrars n'était certes pas le modèle des maris.

– Une vraie brute, vous voulez dire.

– Non, seulement un homme pourri par l'argent.

131

– Ah, l'argent ! Qu'on en ait ou qu'on en manque, c'est toujours lui la cause du mal.

– Quel mal vous a-t-il fait, personnellement ?

– Je n'ai pas à me plaindre. Je fais partie des heureux.

– Ah oui ?

– Oui… et non. Il se trouve qu'en ce moment je suis un peu à court. J'ai fait un héritage, il y a un an, et, comme un idiot, je me suis laissé entraîner dans des spéculations hasardeuses.

Je compatis à ses déboires et lui racontai les miens. Puis le gong annonça le déjeuner, nous rentrâmes, et Poirot m'attira à l'écart.

– Eh bien ? demanda-t-il en français.

– Rien de suspect chez ce garçon, j'en jurerais.

– Pas la moindre… anomalie ?

– Il a bien fait un héritage, il y a un an, et après ? Ce n'est pas défendu. Cet homme est franc comme l'or et n'a rien à se reprocher, j'en mettrais ma main au feu.

– Très bien, très bien, dit Poirot d'un ton conciliant. Ne vous emballez pas comme cela !

On aurait juré qu'il s'adressait à un enfant capricieux.

Nous entrâmes tous ensemble dans la salle à manger. Dire qu'il ne s'était pas écoulé vingt-quatre heures depuis que j'avais pris place à cette même table pour la dernière fois ! Cela paraissait incroyable.

Le repas terminé, Mrs Ackroyd m'invita à m'asseoir à ses côtés sur un canapé.

– Je ne peux m'empêcher de me sentir blessée, murmura-t-elle en exhibant un mouchoir, apparemment peu fait pour éponger les larmes. Oui, blessée par ce manque de confiance de la part de Roger. C'est à moi qu'il aurait dû léguer ces vingt mille livres, et non à Flora. Les intérêts d'un enfant ne sauraient être mieux placés qu'entre les mains de sa mère.

– Vous oubliez les liens du sang, madame. Flora était la nièce d'Ackroyd. Si vous aviez été sa sœur, et non sa belle-sœur, le cas eût été différent.

La belle éplorée se tamponna délicatement les paupières.

– En tant que veuve de ce pauvre Cecil, j'estime qu'on aurait pu tenir compte de mes prérogatives, larmoyait-elle. Mais Roger a toujours été très regardant, pour ne pas dire pingre, et nous nous trouvions dans une position difficile, toutes les deux. Il aurait dû faire une pension à la pauvre enfant, mais non ! Il se faisait prier pour payer ses factures et lui demandait sans arrêt à quoi lui servaient toutes ces fanfreluches. Quelle question ! C'est bien d'un homme… mais je ne sais plus où j'en suis. Nous n'avions rien qui fût vraiment à nous, pas un centime, et c'était humiliant pour Flora, vous comprenez. Elle en souffrait, et même beaucoup. Oh ! elle était très attachée à son oncle, bien sûr, mais n'importe quelle autre jeune fille eût souffert, dans sa position. Il faut bien avouer qu'en matière d'argent, Roger avait des idées singulières. Jusqu'aux serviettes de toilette qu'il refusait de remplacer, et je lui avais pourtant dit que les vieilles étaient en loques. Et quelle idée…, enchaîna Mrs Ackroyd en passant brusquement du coq à l'âne, ce qui lui arrivait souvent. Quelle idée de laisser tout cet argent, mille livres, vous vous rendez compte ! Mille livres à… à cette femme !

– Quelle femme ?

– Cette Russell ! Elle a quelque chose de bizarre, je l'ai toujours dit, mais Roger n'admettait pas qu'on la critique. Il lui trouvait beaucoup de force de caractère et répétait qu'il l'admirait et la respectait. On n'entendait parler que de sa droiture, de son détachement et de ses qualités morales. À mon avis, tout cela cachait quelque chose et elle ne songeait qu'à épouser Roger. Mais j'y ai mis le holà et elle m'a toujours détestée, forcément. Moi, je n'étais pas dupe.

Je commençais à me demander si j'avais la moindre chance d'échapper à ce flot de paroles quand Mr Hammond m'en offrit une en venant prendre congé. Je saisis la balle au bond.

– Et à propos de l'enquête, demandai-je en me levant, où préférez-vous qu'elle ait lieu ? Ici ou aux *Trois Marcassins* ?

Mrs Ackroyd me dévisagea, bouche bée.

– L'enquête ? répéta-t-elle, figée par la consternation. Il ne sera sûrement pas nécessaire d'en arriver là ?

Mr Hammond toussota et laissa tomber, laconique :

– Inévitable, vu les circonstances.

– Mais le Dr Sheppard doit pouvoir s'arranger…

– Je crains que mes pouvoirs n'aillent pas jusque-là, rétorquai-je avec sécheresse.

– Mais si la mort de Roger n'est qu'un accident…

Cette fois, je me montrai brutal.

– Il a été assassiné, Mrs Ackroyd.

Elle laissa échapper un petit cri.

– L'hypothèse de l'accident est absolument indéfendable.

Mrs Ackroyd me jeta un regard de détresse, où je ne

crus voir que la crainte stupide des désagréments. Cela ne me rendit pas indulgent.

– Mais s'il y a une enquête, reprit-elle, je n'aurai pas à… à répondre à des questions, et tout ça ?

– Je ne sais pas si cela sera nécessaire. J'imagine que Mr Raymond pourra s'en charger pour vous. Il connaît très bien les circonstances du meurtre et doit être en mesure d'identifier le corps.

L'avoué m'approuva d'un signe de tête et déclara :

– Je ne crois pas qu'il y ait lieu de vous inquiéter, madame. Tous les désagréments vous seront épargnés. Quant à l'argent… avez-vous tout ce qu'il vous faut pour le moment ?

Et, comme elle l'interrogeait du regard, il ajouta :

– En espèces, je veux dire. Ou si vous préférez, en liquide. Sinon, je peux m'arranger pour faire le nécessaire.

– Cela devrait aller, intervint Raymond qui se trouvait à portée de voix. Mr Ackroyd a tiré un chèque de cent livres, hier.

– Cent livres ?

– Oui, pour payer les gages des domestiques et régler quelques factures. Comme il devait le faire aujourd'hui, la somme est toujours intacte.

– Et où est cet argent ? Dans son bureau ?

– Non, il le gardait toujours dans sa chambre, dans une vieille boîte à faux-cols, pour être précis. Drôle d'idée, non ?

– Mieux vaudrait nous assurer qu'il y est encore, estima l'avoué. Allons-y avant que je parte.

– Mais certainement, approuva le secrétaire. Je vous précède… Oh, j'oubliais ! La porte est fermée à clé.

Envoyé aux nouvelles, Parker finit par découvrir que l'inspecteur Raglan s'était rendu à l'office pour un supplément d'enquête. Quelques minutes plus tard, l'inspecteur nous rejoignit dans le hall, clé en main, et nous ouvrit la porte. Nous nous engageâmes dans le couloir, puis dans le petit escalier, pour trouver la porte de la chambre d'Ackroyd grande ouverte. Il faisait sombre à l'intérieur de la pièce. Les rideaux étaient tirés et le lit dans le même état que la veille, préparé pour la nuit, L'inspecteur ouvrit les rideaux, laissant pénétrer le soleil, et Geoffrey Raymond se dirigea vers un bureau en bois de rose dont il désigna le tiroir supérieur.

– Et il gardait son argent là, sans prendre la peine de fermer le tiroir à clé ? observa l'inspecteur. Incroyable !

Une légère rougeur monta aux joues du secrétaire.

– Mr Ackroyd avait la plus totale confiance en son personnel ! s'écria-t-il avec indignation.

– Bien sûr ! se hâta de répondre l'inspecteur. Cela va de soi.

Raymond ouvrit le tiroir. Il en sortit une boîte en cuir de forme ronde, qu'il ouvrit à son tour. De là, il tira un portefeuille rebondi.

– Voici l'argent, dit-il en prélevant une épaisse liasse de billets. Je sais que vous trouverez la somme intacte car Mr Ackroyd l'a rangée dans cette boîte en ma présence, hier soir, en s'habillant pour le dîner. Naturellement, personne n'y a touché depuis.

Mr Hammond lui prit la liasse des mains, compta les billets et releva vivement la tête.

– Cent livres, dites-vous ? Mais il n'y en a que soixante !

Raymond ouvrit des yeux ronds.

– Impossible ! s'exclama-t-il en arrachant les billets des mains de l'avoué pour les compter à haute voix.

Mr Hammond ne s'était pas trompé : il n'y avait que soixante livres.

– Mais… je ne comprends pas ! s'écria le secrétaire, abasourdi.

Alors Poirot se décida à intervenir :

– Vous avez bien vu Mr Ackroyd ranger cet argent hier soir pendant qu'il s'habillait ? Vous êtes certain qu'il n'avait pas déjà disposé d'une partie de cette somme ?

– Certain. Il n'avait rien dépensé du tout. Il a même dit : « Je ne veux pas descendre avec ces cent livres en poche. C'est trop encombrant. »

– En ce cas, c'est tout simple, commenta Poirot. Ou bien il a disposé de ces quarante livres hier soir, ou bien on les lui a volées.

– On ne saurait mieux dire, approuva l'inspecteur, qui se tourna vers Mrs Ackroyd. Parmi les domestiques, qui a pu entrer dans cette pièce hier soir ?

– La seconde femme de chambre. Pour préparer le lit.

– Qui est-ce ? Que savez-vous d'elle ?

– Il n'y a pas très longtemps qu'elle est ici, en fait. Mais c'est une brave fille de la campagne, comme tant d'autres.

– Il nous faut tirer cela au clair, déclara l'inspecteur. Si Mr Ackroyd a disposé de cet argent lui-même, l'usage qu'il en a fait a peut-être un rapport avec le crime. Selon vous, rien à reprocher aux autres domestiques ?

– Pas à ma connaissance.

– Vous n'avez jamais constaté de disparitions ?

– Non.

– Pas de départs, ou quoi que ce soit d'inhabituel ?

– Si. La femme de chambre qui sert à table s'en va.

– Quand ?

– Elle a donné son congé hier.

– À vous ?

– Oh, non ! Je n'ai rien à voir avec le personnel. C'est miss Russell qui s'occupe des affaires domestiques.

L'inspecteur s'absorba dans une longue réflexion, puis il hocha la tête et déclara :

– Je crois que je ferais bien d'avoir un entretien avec miss Russell. J'en profiterai pour voir aussi cette Elsie Dale.

Poirot et moi le suivîmes dans le bureau de la gouvernante, où miss Russell nous reçut avec son sang-froid coutumier.

Elsie Dale était à Fernly depuis cinq mois, nous apprit-elle. Une brave fille, travailleuse et des plus comme il faut, avec de bonnes références. En somme, la dernière personne au monde à soupçonner de dérober le bien d'autrui.

– Et l'autre femme de chambre ? Celle qui sert à table ?

– Une fille remarquable, elle aussi. Pondérée, distinguée, et irréprochable dans son travail.

– Alors, pourquoi part-elle ?

Miss Russell pinça les lèvres.

– Ça, je n'y suis pour rien. Mais si j'ai bien compris, Mr Ackroyd l'a accablée de reproches, hier après-midi. C'est elle qui fait le ménage dans le cabinet de travail, et je crois qu'elle a dérangé des papiers posés sur le bureau. Mr Ackroyd était furieux, et elle a donné son congé. En tout cas, c'est ce que j'ai déduit de ses explications, mais peut-être préféreriez-vous lui parler ?

L'inspecteur acquiesça et miss Russell fit appeler Ursula Bourne. J'avais déjà remarqué la femme de chambre qui nous servait à table. Une grande fille à l'opulente chevelure brune tirée sur la nuque et avec des yeux gris au regard tranquille. Elle entra et resta debout devant nous, très droite, fixant sur nous son impassible regard gris.

– Vous êtes Ursula Bourne ? s'enquit l'inspecteur Raglan.

– Oui, monsieur.

– J'apprends que vous partez ?

– Oui, monsieur.

– Et pour quelle raison ?

– J'ai dérangé des papiers sur le bureau de Mr Ackroyd. Il s'est emporté et m'a dit que je ferais mieux de m'en aller, et le plus tôt possible.

– Hier soir, êtes-vous entrée dans la chambre de Mr Ackroyd, pour ranger ou pour toute autre raison ?

– Non, monsieur, c'est le travail d'Elsie. Je ne suis jamais allée dans cette partie de la maison.

– Je dois vous informer, mon petit, qu'une importante somme d'argent a disparu de la chambre de Mr Ackroyd.

Cette fois, la jeune fille sortit de son indifférence. Je vis le rouge lui monter aux joues.

– J'ignorais jusqu'à l'existence de cet argent. Si vous croyez que je l'ai pris et que Mr Ackroyd m'a renvoyée à cause de cela, vous vous trompez.

– Je ne vous accuse pas de l'avoir pris, mon petit. Ne soyez pas si susceptible !

La jeune fille le toisa d'un regard glacial.

– Vous pouvez fouiller mes affaires, lança-t-elle avec dédain, vous n'y trouverez rien.

Poirot se hâta d'intervenir :

– C'est bien hier que Mr Ackroyd vous a donné congé… ou que vous avez pris congé de vous-même, n'est-ce pas ?

La femme de chambre hocha la tête.

– Combien de temps a duré votre entrevue ?

– Notre entrevue ?

– Avec Mr Ackroyd, dans son bureau ?

– Je… je ne sais pas.

– Vingt minutes ? Une demi-heure ?

– Quelque chose comme ça.

– Pas plus ?

– Pas plus d'une demi-heure, en tout cas.

– Merci, mademoiselle.

J'observai Poirot avec curiosité. À petits gestes méticuleux, il redisposait en les alignant quelques bibelots sur la table. Son regard brillait.

– Ce sera tout, dit l'inspecteur.

Ursula Bourne s'éclipsa, et il se tourna vers miss Russell.

– Depuis combien de temps travaille-t-elle ici ? Pourrais-je voir ses certificats ?

Ignorant la première question, miss Russell s'approcha d'un bureau, ouvrit l'un des tiroirs et en tira une liasse de lettres, attachées par un trombone. Elle en choisit une et la tendit à l'inspecteur.

– Hum ! tout cela me semble parfait, observa-t-il.

Mrs Richard Folliott, Marby Grange, Marby. Qui est cette personne ?

– Une dame très distinguée. Grande bourgeoisie terrienne, répondit brièvement miss Russell.

L'inspecteur lui rendit la lettre.

– Bien ! Voyons l'autre, maintenant. Cette Elsie Dale.

Elsie était une belle fille bien plantée, au visage agréable bien qu'un peu stupide. Elle répondit à nos questions sans se faire prier et s'émut beaucoup de la disparition de l'argent.

– Je ne vois pas ce qu'on pourrait lui reprocher, commenta l'inspecteur après l'avoir congédiée. Et sur Parker, quelle est votre opinion ?

Miss Russell pinça les lèvres, sans répondre.

– Je flaire quelque chose de louche chez cet homme, reprit l'inspecteur d'un ton pensif. Le problème c'est que je ne vois pas quand il aurait bien pu commettre le crime. Juste après le dîner, il a été accaparé par son service et il a un alibi solide pour le reste de la soirée. Je le sais, j'ai vérifié avec un soin tout particulier… Eh bien, miss Russell, je vous remercie. Nous en resterons là pour l'instant. Il est on ne peut plus probable que Mr Ackroyd ait lui-même disposé de cet argent.

La gouvernante nous gratifia d'un « bon après-midi » des plus secs, et nous nous retirâmes. Je quittai la maison en compagnie de Poirot.

– Je me demande ce que pouvaient bien être ces papiers pour qu'Ackroyd se soit mis dans une colère pareille, dis-je après un silence. Ne pourraient-ils nous fournir un indice ?

– D'après le secrétaire, il n'y avait aucun papier important sur le bureau, observa tranquillement Poirot.

– Sans doute, mais…

– Mais vous trouvez bizarre qu'Ackroyd soit monté sur ses grands chevaux pour un détail aussi insignifiant ?

– Euh… oui, en quelque sorte.

– Mais s'agissait-il vraiment d'un détail insignifiant ?

– Il est vrai que nous ne savons rien de ces papiers, dus-je admettre. Mais Raymond n'a-t-il pas…

– Oublions un instant Mr Raymond. Que pensez-vous de cette fille ?

– Laquelle ? Celle qui servait à table ?

– Oui, la seconde femme de chambre. Ursula Bourne.

– Elle m'a semblé être une fille très bien, hasardai-je en appuyant sur les deux derniers mots.

Poirot, lui, accentua le premier verbe.

– Oui, dit-il en reprenant mes paroles, elle vous a *semblé* être une fille très bien.

Puis, après un instant de silence, il tira quelque chose de sa poche et me le tendit :

– Tenez, mon ami, je voulais vous montrer ce papier.

Le papier en question n'était autre que la liste établie par l'inspecteur, et que ce dernier lui avait remise le matin même. Du bout du doigt, il me désigna une petite croix au crayon, en face d'un nom. Celui d'Ursula Bourne.

– Vous ne l'avez peut-être pas remarqué sur le moment, mon bon ami, mais il y a une personne sur cette liste dont l'alibi n'a pas été confirmé. Ursula Bourne.

– Vous ne supposez pas…

– Dr Sheppard, je dois tout supposer. Ursula Bourne peut très bien avoir tué Mr Ackroyd, mais j'avoue ne pas comprendre ce qui aurait pu l'y pousser. Et vous ?

Il m'observait avec une attention aiguë, si aiguë que j'en fus mal à l'aise.

– Et vous ? répéta-t-il.

– Moi non plus, déclarai-je avec assurance.

Son attention se relâcha. Il fronça les sourcils et murmura, comme pour lui-même :

– Le maître chanteur était un homme, ce qui la met hors de cause. Donc…

Je toussotai.

– Sur ce point…, commençai-je d'un ton dubitatif.

Il pivota sur ses talons et me regarda bien en face.

– Quoi donc ? Que voulez-vous dire ?

– Rien. Rien si ce n'est que… pour être exact, Mrs Ferrars a fait allusion à une *personne,* sans plus. Elle n'a pas précisé s'il s'agissait d'un homme, c'est Ackroyd et moi qui l'avons supposé. Cela nous a paru évident.

Poirot ne semblait pas m'entendre : il s'était remis à marmonner entre ses dents.

– Mais alors, c'est possible après tout… oui, bien sûr que c'est possible… mais alors… ah ! il faut que je remette mes idées en ordre. Oui, de l'ordre et de la méthode, je n'en ai jamais eu autant besoin. Tout doit concorder… chaque élément trouver sa place, sinon… sinon je suis sur une fausse piste.

Il s'interrompit et, une fois de plus, se tourna vers moi :

– Où se trouve Marby ?

143

– De l'autre côté de Cranchester.

– À combien d'ici ?

– Une vingtaine de kilomètres.

– Vous serait-il possible d'y aller ? Demain, par exemple.

– Demain ? Voyons…, nous serons dimanche… oui, je devrais pouvoir m'arranger. Mais que voulez-vous que j'aille y faire ?

– Rendre visite à cette Mrs Folliott. Et recueillir le plus de renseignements possible sur Ursula Bourne.

– Très bien. Mais j'avoue que l'idée ne m'enchante guère.

– Ce n'est pas le moment de faire des difficultés : la vie d'un homme est en jeu.

– Pauvre Ralph ! soupirai-je. Vous le croyez innocent, malgré tout ?

Poirot me dévisagea, très grave.

– Vous voulez savoir la vérité ?

– Bien entendu.

– Alors vous la saurez, mon ami. Toutes les pistes convergent sur lui.

– Quoi !

– Eh oui. Ce stupide inspecteur – car il est stupide – a rassemblé des indices accablants pour lui. Moi, je cherche la vérité, et elle me ramène toujours à Ralph Paton. Mobile, occasion, moyens employés, tout le désigne. Mais je vérifierai toutes les hypothèses, absolument toutes, je l'ai promis à miss Flora. Et elle semblait vraiment très sûre de ce qu'elle avançait, cette enfant. Oui, vraiment très sûre.

11

Poirot en visite

Ce ne fut pas sans une certaine nervosité que je sonnai à la porte de Marby Grange, le lendemain après-midi. J'aurais bien voulu savoir ce que Poirot espérait découvrir et pourquoi il m'avait chargé de cette démarche. Était-ce pour rester discrètement à l'écart, comme lorsqu'il m'avait prié d'interroger le major Blunt ? Mais ici, le cas était différent et ce scrupule ne me paraissait pas justifié. L'entrée d'une sémillante femme de chambre mit fin à mes réflexions. J'appris que Mrs Folliott était chez elle.

Introduit dans un salon spacieux pour y attendre la maîtresse de maison, je promenai autour de moi un regard curieux. La grande pièce était assez nue, les tentures et les sièges, plutôt râpés. Çà et là, quelques très belles porcelaines et des gravures de maître. Aucun doute, j'étais bien chez une grande dame.

Je m'arrachai à l'examen d'un Bartolozzi au moment où Mrs Folliott fit son entrée. C'était une grande femme à la chevelure brune un peu en désordre et au sourire engageant.

– Dr Sheppard…, énonça-t-elle avec un rien d'hésitation.

– C'est bien mon nom, madame. Je vous prie d'excuser mon intrusion, mais je désirais des renseignements sur une femme de chambre qui a été à votre service : Ursula Bourne.

Ce nom produisit un effet instantané. Le sourire de Mrs Folliott s'évanouit et sa cordialité de même. Elle parut soudain très mal à l'aise.

– Ursula Bourne ? répéta-t-elle d'une voix incertaine.

– Oui. Ce nom ne vous dit sans doute plus rien ?

– Oh si ! je me souviens très bien d'elle.

– Elle vous a quittée il y a un an, si j'ai bien compris ?

– Oui. Oui, c'est exact.

– Vous avait-elle donné satisfaction ? Combien de temps est-elle restée à votre service, au fait ?

– Un an ou deux, je ne me rappelle pas au juste. Elle est extrêmement capable et je suis certaine qu'elle vous donnera toute satisfaction, à vous aussi. Ainsi, elle quitte Fernly… je n'étais pas au courant.

– Pouvez-vous m'apprendre quelque chose de plus à son sujet ?

– Quoi, par exemple ?

– D'où elle vient, de quel milieu… ce genre de détails.

La froideur de Mrs Folliott s'accentua sensiblement.

– Je n'en ai pas la moindre idée.

– Où travaillait-elle avant d'entrer à votre service ?

– Je crains de l'avoir oublié.

Sous la nervosité de mon hôtesse perçait une note de colère. Elle redressa la tête en un geste qui me parut vaguement familier.

– Toutes ces questions sont-elles vraiment indispensables ?

Un peu étonné, je me récriai poliment :

– Mais pas du tout, et je n'avais pas l'intention de vous mettre dans l'embarras. Vous m'en voyez navré.

Mrs Folliott se radoucit et je vis reparaître sa gêne.

– Mais vos questions ne m'embarrassent pas, je vous assure. Pas le moins du monde… et d'ailleurs, en quoi le pourraient-elles ? Elles m'ont simplement paru un peu… surprenantes. Oui, c'est bien le mot : surprenantes.

L'un des avantages de la pratique médicale, c'est que vous savez presque toujours quand les gens vous mentent. Rien qu'à son attitude, j'aurais pu deviner que Mrs Folliott répugnait à me répondre. Et même énormément. Sa confusion et son désarroi parlaient d'eux-mêmes : elle avait quelque chose à cacher. Mais quoi ?… Mystère. Il était clair pour moi qu'elle n'avait pas l'habitude des faux-fuyants. Et comme tous les novices en la matière, elle était aussi maladroite que mal à l'aise. Un enfant l'aurait percée à jour.

Mais ce qui était tout aussi clair, c'est qu'elle n'avait pas l'intention de m'en dire plus. Et ce n'était certainement pas elle qui m'aiderait à éclaircir le mystère entourant Ursula Bourne, quel qu'il fût. Frustré dans mes espoirs, je m'excusai une fois de plus de l'avoir importunée, pris mon chapeau et me retirai.

J'allai voir deux patients à domicile et rentrai chez moi vers 6 heures. La cérémonie du thé venait de s'achever, à en juger par l'état de la table où trônait Caroline. Je lus sur son visage une exaltation contenue, que je ne connaissais que trop bien. Il y avait des nouvelles dans l'air. Venait-elle de les répandre ou au contraire d'en recevoir, c'est ce qu'il me restait à apprendre. Je n'eus que le temps de me laisser tomber dans mon fauteuil et d'allonger les jambes en direction du bon feu qui flambait dans la cheminée : Caroline passa à l'attaque.

– J'ai passé un après-midi passionnant.

– Ah oui ? Miss Gannett est venue prendre le thé ?

Miss Gannett est un des piliers de notre service de renseignements.

– Cherche encore, jubila Caroline.

J'offris plusieurs autres noms, passant lentement en revue tous les informateurs de Caroline. À chaque tentative, ma sœur secouait la tête d'un air triomphant. Finalement, ce fut elle qui m'annonça :

– M. Poirot est venu me voir… Eh bien, que penses-tu de cela ?

J'en pensais quantité de choses, mais me gardai bien d'en faire part à Caroline.

– Que voulait-il ?

– Me voir, bien sûr ! Il m'a dit que, puisqu'il connaissait si bien mon frère, il se croyait autorisé à se présenter à sa charmante sœur… enfin, à ta charmante sœur, je veux dire.

– Et de quoi a-t-il parlé ?

– Il m'a raconté des tas de choses sur lui et sur ses enquêtes. Tu vois qui est le prince Paul de Maurétanie, celui qui vient d'épouser une danseuse ?

– Oui, et alors ?

– J'ai lu un article très intrigant au sujet de cette femme l'autre jour, dans *Les Potins mondains*. On laissait entendre qu'elle serait en réalité une grande duchesse russe, une des filles du tsar qui aurait réussi à échapper aux bolcheviques. Il paraît que M. Poirot a résolu une sombre affaire de meurtre dans laquelle ils ont failli être impliqués, elle et son mari. Le prince Paul lui en a été on ne peut plus reconnaissant.

– Lui a-t-il offert une épingle de cravate ornée d'une émeraude grosse comme un œuf ? ironisai-je.

– Il n'en a pas parlé, pourquoi ?

– Pour rien, je croyais que c'était la coutume. En tout cas, c'est ainsi que cela se passe dans les romans policiers. La chambre de l'insurpassable détective est toujours jonchée de rubis, de perles et d'émeraudes, témoignages de la gratitude royale de ses clients.

– En tout cas, dit ma sœur d'un ton satisfait, c'est très intéressant d'entendre parler de ces choses par ceux qui les ont vues de près.

Ce l'était certainement, du moins pour Caroline, et je ne pus m'empêcher d'admirer la subtilité de M. Hercule Poirot. Il avait su choisir entre toutes l'histoire la plus propre à séduire une vieille demoiselle de village.

– T'a-t-il révélé si la danseuse était vraiment une grande duchesse ?

– Il n'en avait pas le droit, cela va de soi, dit Caroline, pleine d'importance.

Dans quelle mesure Poirot avait-il altéré la vérité en bavardant avec ma sœur ? Pas du tout, sans doute. Il avait dû procéder par mimiques et haussements d'épaules, et suggérer sans se compromettre.

– Et j'imagine qu'après ça, tu étais prête à lui manger dans la main ? m'écriai-je.

– Ne sois pas si grossier, James. Je me demande où tu vas chercher ces tournures triviales !

– Probablement chez mes malades, mon seul lien avec le monde extérieur. Malheureusement, ma clientèle ne se compose pas d'altesses royales, ni de fascinants émigrés russes.

Caroline remonta ses lunettes et me dévisagea :

– Tu m'as l'air bien acariâtre, James, ce doit être ton foie. Tu me feras le plaisir de prendre une pilule, ce soir.

À me voir vivre chez moi, personne ne se douterait que je suis médecin. C'est Caroline qui prescrit les traitements de la famille, aussi bien les miens que les siens.

– Au diable mon foie ! maugréai-je. Avez-vous parlé du meurtre ?

– Enfin, James… naturellement ! De quoi pourrait-on bien parler dans tout le pays en ce moment, sinon de cela ? J'ai pu préciser certains détails à M. Poirot, qui m'en a été très reconnaissant. Il m'a dit que j'avais un véritable flair de détective et un sens inné de la psychologie humaine.

Caroline se pourléchait comme une chatte devant un bol de crème. Pour un peu, elle aurait ronronné.

– Il m'a beaucoup parlé des petites cellules grises du cerveau. Les siennes sont de toute première qualité, paraît-il.

– Mais comment donc ! ricanai-je. M. Hercule Modeste Poirot. Tu ne trouves pas que cela lui irait bien ? Il devrait faire refaire ses cartes de visite !

– Je n'aime pas du tout ce ton, James. Tu parles comme un Américain. M. Poirot pense qu'il faut à tout prix retrouver Ralph et lui conseiller de se montrer. D'après lui, son absence produirait une impression désastreuse à l'enquête.

– Et qu'as-tu répondu à cela ?

– Que c'était aussi mon avis, dit Caroline d'un ton suffisant. Et je lui ai répété tout ce qu'on raconte déjà sur Ralph.

– Caroline, m'informai-je avidement, as-tu rapporté à

M. Poirot la conversation que tu as surprise dans le bois, l'autre jour ?

– Mais oui, fit béatement Caroline.

Je me levai et me mis à arpenter la pièce.

– J'espère que tu te rends compte de ce que tu as fait ! Tu as passé la corde au cou de Ralph, ni plus ni moins !

– Pas du tout, rétorqua ma sœur, imperturbable. Et je m'étonne que tu n'en aies pas parlé toi-même.

– Je m'en suis bien gardé ! J'aime beaucoup ce garçon.

– Moi aussi, c'est pourquoi je trouve ta remarque stupide. Je ne crois pas que Ralph soit coupable. Donc la vérité ne peut pas lui nuire et nous devrions aider M. Poirot du mieux que nous pouvons. Réfléchis. Il est on ne peut plus probable que Ralph soit sorti avec cette jeune fille le soir du meurtre. Si c'est le cas, il a un excellent alibi.

– Mais s'il a un si bon alibi, pourquoi ne pas venir le dire ?

– Sans doute pour ne pas causer d'ennuis à la jeune fille, observa Caroline d'un ton sagace. Mais si M. Poirot la retrouve et lui fait comprendre où est son devoir, elle viendra de son propre chef disculper Ralph.

– Quelle imagination… un vrai conte de fées. Tu lis trop de mauvais romans, Caroline. Je te l'ai toujours dit.

Sur ce, je m'affalai à nouveau dans mon fauteuil.

– Et… Poirot t'a-t-il posé d'autres questions ? demandai-je.

– Seulement sur les patients que tu as vus ce matin.

– Les patients ? répétai-je, incrédule.

– Oui, ceux de ta consultation. Il voulait savoir combien ils étaient, et aussi leurs noms.

– Dois-je comprendre que tu as pu le renseigner ?

Caroline me surprendra toujours.

– Et pourquoi pas ? triompha-t-elle. De cette fenêtre, je vois très bien le chemin qui mène à ton cabinet, et j'ai une excellente mémoire, James. Bien meilleure que la tienne, permets-moi de te le dire.

– Je n'en doute pas, murmurai-je distraitement.

Ma sœur enchaîna en comptant sur ses doigts :

– Il y a d'abord eu la vieille Mrs Bennett, puis ce garçon de ferme qui s'est fait mal à la main, Dolly Grace qui s'est planté une aiguille dans le doigt, et ce garçon de cabine américain. Ce qui nous fait, voyons… quatre. Et aussi le vieux George Evans, avec son ulcère. Et pour finir…

Caroline observa un silence lourd de sens.

– Eh bien ?

Le moment triomphal était arrivé, et ma sœur ne manqua pas son effet. En prenant grand soin de faire sonner les « l », elle annonça d'un ton théâtral :

– Miss Russell !

Sur quoi, elle se renversa en arrière et me lança un regard significatif. Et quand ma sœur vous regarde d'un air significatif, il est difficile de faire celui qui ne comprend pas. C'est pourtant ce que je fis.

– Je ne vois pas ce que tu veux dire. Pourquoi miss Russell ne serait-elle pas venue me voir ? Elle a mal au genou.

– Mal au genou, répéta Caroline. À d'autres ! Elle n'a pas plus mal au genou que toi ou moi. C'est autre chose qu'elle voulait.

– Ah oui, et quoi ?

Là, ma sœur dut reconnaître son ignorance.

– Mais sois tranquille, ajouta-t-elle, c'est ce qu'il cherchait à savoir… M. Poirot, je veux dire. Il y a quelque chose de louche chez cette femme. Et il s'en est aperçu.

– Tiens ! c'est justement ce que me disait Mrs Ackroyd hier. Qu'il y avait quelque chose de louche chez miss Russell.

Caroline se rembrunit.

– Ah, Mrs Ackroyd ! En voilà une qui…

– Qui quoi ?

Mais ma sœur se refusa à tout commentaire. Elle se contenta de hocher plusieurs fois la tête, roula son tricot et monta dans sa chambre pour revêtir sa blouse de soie mauve, sur laquelle elle porte un médaillon en or. C'est ce qu'elle appelle « s'habiller pour dîner ».

Je m'attardai en bas à contempler les flammes, tout en réfléchissant aux paroles de ma sœur. Poirot était-il réellement venu pour se renseigner sur miss Russell, ou l'esprit alambiqué de ma sœur avait-il tout interprété selon ses vues personnelles ? Rien, dans l'attitude de miss Russell, ne m'avait paru suspect, sinon…

Je me rappelai son insistance à ramener la conversation sur les drogués, le poison et les empoisonneurs. Mais cela ne voulait rien dire. Ackroyd n'avait pas été empoisonné. Tout de même, c'était curieux…

De l'étage me parvint la voix de Caroline, plutôt acide, me sembla-t-il.

– James, tu vas être en retard pour le dîner.

Je mis du charbon sur la grille et montai docilement me préparer. Chaque chose a son prix, et rien ne vaut la paix chez soi.

12

Tour de table

Une confrontation officielle eut lieu le lundi.

Je n'en rapporterai pas tous les détails, ce qui donnerait lieu à des répétitions fastidieuses. Avec l'accord de la police, nous nous arrangeâmes pour éviter toute publicité. Ma déposition porta sur la cause et l'heure probable de la mort d'Ackroyd. Le coroner nota l'absence de Ralph Paton, mais évita de s'appesantir sur le sujet. Après quoi, Poirot et moi échangeâmes quelques mots avec l'inspecteur Raglan. Ce dernier se montra très soucieux.

– Tout cela ne me dit rien qui vaille, monsieur Poirot, et j'essaie de juger ce cas sans parti pris. Je suis du pays et j'ai rencontré souvent le capitaine Paton à Cranchester. Je ne tiens pas à le déclarer coupable, mais que voulez-vous ? Tout l'accable. S'il est innocent, pourquoi ne se manifeste-t-il pas ? Nous possédons des charges contre lui, mais il pourrait très bien se disculper. Alors pourquoi ne le fait-il pas ?

J'ignorais encore, à ce moment-là, tout ce qu'impliquaient les paroles de l'inspecteur. Le signalement de Ralph avait été diffusé dans tous les ports et toutes les gares du royaume. La police était sur le pied de guerre. On surveillait l'appartement de Ralph et tous les endroits où il avait l'habitude de se montrer.

Avec un tel déploiement de forces, il semblait impossible que Ralph pût s'échapper. Il n'avait pas de bagages, et vraisemblablement pas d'argent non plus.

– Je n'ai pu trouver personne qui l'ait vu à la gare ce soir-là, reprit l'inspecteur, et pourtant il est très connu, par ici. On pouvait s'attendre à ce que quelqu'un l'ait remarqué. Aucune nouvelle de Liverpool non plus.

– Vous pensez qu'il est allé à Liverpool ? demanda Poirot.

– Ce n'est pas impossible. Cet appel téléphonique de la gare, juste avant le départ de l'express de Liverpool… c'est peut-être une piste.

– Ou une fausse piste, dans l'intention de vous égarer, précisément. Ce qui expliquerait ce coup de téléphone.

– C'est une idée ! s'exclama vivement l'inspecteur. Croyez-vous réellement que ce soit l'explication de ce message ?

– Je ne sais pas, mon ami, dit gravement Poirot. Mais laissez-moi vous dire ceci : à mon avis, quand nous aurons l'explication de ce coup de téléphone, nous aurons aussi celle du meurtre.

Je le regardai avec curiosité.

– Je me souviens de vous l'avoir déjà entendu dire.

Il fit un signe affirmatif et déclara d'un ton sérieux :

– J'en reviens toujours à ça.

– Cela me semble tout à fait arbitraire, observai-je.

– Je n'irai pas jusque-là, rétorqua l'inspecteur, mais je dois avouer que M. Poirot attache un peu trop d'importance à ce détail. Nous avons de meilleurs indices : les empreintes digitales, par exemple. Celles qu'on a trouvées sur le poignard.

Comme cela lui arrivait souvent lorsqu'il s'animait, Poirot devint subitement très continental.

– Monsieur l'inspecteur, s'écria-t-il dans un anglais

hésitant entrecoupé de français, prenez garde au… au chemin aveugle, non… comment *dit-on* ? la petite rue qui ne débouche nulle part ?

L'inspecteur Raglan ouvrit des yeux ronds, mais je compris plus vite.

– Une impasse, c'est cela ?

– Oui, voilà : l'impasse qui ne mène nulle part. Et les empreintes, c'est la même chose : elles ne vous mèneront peut-être nulle part.

– Je vois mal comment ce serait possible, répliqua l'officier de police. Insinuez-vous qu'on les a falsifiées ? J'ai rencontré ce genre de cas dans des livres, mais jamais dans la réalité. Et d'ailleurs, vraies ou fausses, elles *doivent* mener quelque part.

Poirot se contenta de hausser les épaules et d'écarter les bras en un geste d'impuissance.

Puis l'inspecteur nous soumit différents agrandissements d'empreintes et se lança dans des explications savantes sur les boucles et les volutes.

– Alors, dit-il enfin, vexé par l'indifférence manifeste de Poirot, vous admettrez que ces empreintes ont été laissées par quelqu'un qui se trouvait dans la maison ce soir-là ?

– Bien entendu, fit Poirot en hochant la tête.

– J'ai donc relevé les empreintes de tous les habitants de la maison. Absolument toutes, vous m'entendez ? De la vieille dame à la fille de cuisine.

Mrs Ackroyd n'eût sans doute pas apprécié d'être qualifiée de vieille dame. Elle devait consacrer des sommes rondelettes aux soins de beauté.

– Absolument toutes, répéta l'inspecteur d'un ton suffisant.

– Y compris les miennes, dis-je avec sécheresse.

– En effet. Et aucune d'elles ne correspond à celles du poignard, ce qui nous laisse deux possibilités. Le coupable est soit Ralph Paton, soit le mystérieux inconnu dont le docteur nous a parlé. Quand nous tiendrons ces deux-là…

– Nous aurons perdu un temps précieux, coupa Hercule Poirot.

– Je ne vous suis pas très bien, monsieur Poirot.

– Vous avez relevé les empreintes de tous les habitants de la maison, dites-vous ? Êtes-vous certain que cette déclaration soit conforme à la vérité, monsieur l'inspecteur ?

– Certain.

– Vous n'avez oublié personne ?

– Personne.

– Ni vivant… ni mort ?

L'inspecteur demeura sans voix devant ce qu'il prit pour une allusion d'ordre religieux. Puis, lentement, la lumière se fit dans son esprit.

– Vous pensez au…

– Au mort, monsieur l'inspecteur.

Il fallait toujours une bonne minute à Raglan pour comprendre.

– Je suggérais, reprit calmement Poirot, que les empreintes retrouvées sur le manche du poignard sont celles de Mr Ackroyd lui-même. Ce qui sera facile à vérifier, puisque le corps est toujours là.

– Mais pourquoi ? À quoi cela rimerait-il ? Vous n'êtes pas en train d'insinuer qu'il s'agit d'un suicide, monsieur Poirot ?

– Oh, que non ! J'avance l'hypothèse que le meurtrier portait des gants, ou une étoffe quelconque autour de la main. Après avoir porté le coup, il a pris la main de sa victime et l'a refermée sur le manche du poignard.

– Mais pourquoi ?

Une fois de plus, Poirot haussa les épaules.

– Pour rendre le problème encore plus problématique.

– Très bien, je vérifierai. Mais comment cette idée vous est-elle venue ?

– Grâce à vous, lorsque vous avez eu la gentillesse de me montrer l'arme et d'attirer mon attention sur les empreintes. Je ne connais pas grand-chose aux boucles ni aux volutes, je l'avoue franchement. Mais la position des empreintes m'a semblé un peu bizarre. Ce n'est pas ainsi que j'aurais tenu l'arme pour frapper. Mais cette position s'explique si le meurtrier a dû ramener la main droite de sa victime par-dessus son épaule.

L'inspecteur Raglan dévisagea le petit Belge. D'un air parfaitement détaché, Poirot chassa d'une pichenette un grain de poussière sur sa manche.

– Eh bien, c'est une idée, concéda l'inspecteur d'un ton qu'il voulait paternel et indulgent. Je vais vérifier tout de suite, mais ne soyez pas trop déçu si cela ne donne rien.

Poirot le suivit des yeux puis se tourna vers moi, le regard pétillant.

– La prochaine fois, observa-t-il, il me faudra ménager davantage son amour-propre. Et maintenant que nous en sommes réduits à nos propres moyens, que diriez-vous d'une petite réunion de famille, mon bon ami ?

La petite réunion, comme disait Poirot, eut lieu une demi-heure plus tard environ, dans la salle à manger de Fernly. Nous nous assîmes autour de la table comme pour un sinistre conseil de famille, Poirot occupant la place du président. Les domestiques n'y assistaient pas. Nous étions donc six en tout : Mrs Ackroyd, Flora, le major Blunt, le jeune Raymond, Poirot et moi. Quand tout le monde fut installé, Poirot se leva et s'inclina cérémonieusement.

– Mesdames, messieurs, je vous ai réunis dans une intention bien précise, commença-t-il. (Puis, après un court silence :) Mais d'abord, j'ai une requête toute spéciale à vous adresser, mademoiselle.

– À moi ? s'écria Flora.

– Mademoiselle, vous êtes fiancée au capitaine Ralph Paton et s'il a confiance en quelqu'un, c'est en vous. Avec la plus grande insistance, je vous supplie, si vous savez où il se trouve, de le persuader de se montrer.

Flora s'apprêtait à répondre mais Poirot l'arrêta :

– Une petite minute ! Ne dites rien avant d'avoir bien réfléchi. Mademoiselle, la situation du capitaine devient chaque jour plus dangereuse. S'il s'était manifesté tout de suite, il aurait sans doute pu se justifier, si lourdes soient les charges relevées contre lui. Mais ce silence, cette fuite… comment les expliquer, sinon par sa culpabilité ? Mademoiselle, si vraiment vous croyez à son innocence, persuadez-le de venir se présenter à la justice avant qu'il ne soit trop tard.

Flora était devenue toute pâle.

– Trop tard ! répéta-t-elle d'une voix presque inaudible.

Poirot se pencha vers elle et plongea son regard dans le sien.

– Écoutez-moi, mademoiselle, reprit-il doucement. C'est le vieux papa Poirot qui vous parle. Un vieux papa plein de sagesse et d'expérience. Je ne cherche pas à vous tendre un piège. Ne voulez-vous pas me faire confiance, et me dire où se cache Ralph Paton ?

La jeune fille se leva et lui fit face.

– Monsieur Poirot, dit-elle d'une voix claire, je vous jure… je vous jure solennellement que j'ignore totalement où peut se trouver Ralph. Que je ne l'ai pas vu et n'ai pas communiqué avec lui, ni le jour du… du meurtre, ni depuis.

Elle se rassit, et Poirot l'observa quelques instants en silence. Puis il abattit brusquement la main sur la table.

– Bien ! Puisque c'est ainsi, n'y revenons pas. Maintenant… (son visage se durcit) j'en appelle à toutes les personnes présentes. Mrs Ackroyd, major Blunt, Dr Sheppard, Mr Raymond, vous êtes tous les amis, sinon les amis intimes, de l'homme que nous recherchons. Si vous savez où se cache Ralph Paton, parlez.

Il y eut un long silence. Poirot nous regarda l'un après l'autre.

– Je vous en conjure, dit-il d'une voix grave. Parlez.

Mais le silence s'éternisait. Et ce fut la voix plaintive de Mrs Ackroyd qui y mit fin.

– Je dois avouer que l'absence de Ralph est assez singulière, oui, vraiment singulière. Disparaître en un moment pareil ! À mon avis, il y a du louche là-dessous.

Et je ne puis m'empêcher de penser, Flora chérie, que tu as eu beaucoup de chance : tes fiançailles n'étaient pas encore officielles.

– Maman ! protesta Flora, indignée.

– C'est la Providence, affirma Mrs Ackroyd, j'ai toujours cru en elle, aveuglément. C'est elle qui façonne nos destinées, c'est sa main divine qui modèle nos âmes et nos corps, comme l'a si bien dit Shakespeare.

Le rire juvénile de Geoffrey Raymond fusa presque en même temps que ses paroles :

– Vous ne prétendez tout de même pas que si quelqu'un a de grosses chevilles, c'est la faute du Tout-Puissant, Mrs Ackroyd ?

Je pense qu'il voulait détendre l'atmosphère, mais Mrs Ackroyd lui jeta un regard de reproche douloureux et brandit son mouchoir.

– Flora vient d'échapper à une publicité des plus fâcheuses. Non que j'aie jamais admis le moindre rapport entre ce cher Ralph et la mort de ce pauvre Roger. Non, pas le moindre. Mais je suis si confiante ! Enfant, j'étais déjà ainsi. Je répugne à voir le mauvais côté des gens. Cela dit, il ne faut pas oublier qu'étant petit, Ralph a subi l'épreuve de plusieurs bombardements aériens. Cela peut laisser des traces qui n'apparaissent que longtemps après, paraît-il. Les gens perdent le contrôle de leurs actes et deviennent irresponsables. Ils ne savent plus se dominer.

– Maman ! s'écria Flora, vous ne croyez pas Ralph coupable ?

– Poursuivez, Mrs Ackroyd, intervint le major.

– Je ne sais plus que penser. Tout cela est très

démoralisant. Que deviendrait l'héritage de Ralph, s'il était reconnu coupable ? Je me le demande.

Raymond repoussa brutalement sa chaise, mais Blunt resta impassible. Il observait pensivement Mrs Ackroyd.

– Vous savez, reprit-elle avec obstination, il a été traumatisé, et je dois avouer que Roger lui serrait les cordons de la bourse, avec les meilleures intentions du monde, bien entendu. Je vois bien que vous êtes tous contre moi, mais je n'en pense pas moins que l'absence de Ralph est très bizarre. Et je remercie le ciel que les fiançailles de Flora n'aient jamais été officielles.

– Elles le seront demain, dit Flora de sa voix claire.

– Flora !

Ignorant cette exclamation consternée, Flora s'adressa au secrétaire.

– Voulez-vous faire paraître l'annonce dans le *Morning Post* et le *Times,* je vous prie, Mr Raymond ?

– Si vous êtes certaine que ce soit la solution raisonnable, miss Ackroyd…, répondit gravement le secrétaire.

Dans un élan spontané, elle se tourna vers Blunt.

– Comprenez-moi, que puis-je faire d'autre ? La situation étant ce qu'elle est, je dois soutenir Ralph. Ne voyez-vous pas que j'y suis tenue ?

Elle l'observait avec une attention aiguë, et, après un long silence, le major fit un signe d'assentiment très bref. Mrs Ackroyd poussa les hauts cris, Flora resta inébranlable. Puis Raymond prit la parole :

– J'apprécie vos raisons d'agir, miss Ackroyd, mais tout cela n'est-il pas un peu précipité ? Attendez donc un jour ou deux.

– Demain, trancha résolument Flora. N'insistez pas, maman, c'est inutile. Je suis loin d'être parfaite, mais je suis incapable de trahir un ami.

– Dites quelque chose, monsieur Poirot ! larmoya Mrs Ackroyd.

– Il n'y a rien à dire, intervint Blunt. Elle fait ce qu'elle doit faire et je la soutiendrai envers et contre tout.

La jeune fille lui tendit la main.

– Merci, major Blunt.

– Mademoiselle, commença Poirot, permettez au vieux monsieur que je suis de vous féliciter pour votre courage et votre loyauté. Et ne vous méprenez pas sur mes intentions si je vous demande, solennellement, de reculer d'un jour ou deux l'annonce dont vous venez de parler.

Flora hésita.

– Je vous le demande dans l'intérêt de Ralph Paton aussi bien que dans le vôtre, mademoiselle. Vous froncez les sourcils. Vous ne voyez pas où je veux en venir. Mais je vous assure que c'est très sérieux. Vous m'avez confié cette affaire, ne me mettez pas de bâtons dans les roues.

Flora réfléchit quelques minutes avant de répondre :

– Ce conseil ne me plaît pas beaucoup, mais je le suivrai.

Sur ce, elle reprit sa place et Poirot enchaîna aussitôt :

– Et maintenant, mesdames, messieurs, j'irai jusqu'au bout de ma pensée. Comprenez ceci : j'ai l'intention de découvrir la vérité. Car si la vérité peut être hideuse en elle-même, elle sera toujours belle et fascinante aux yeux de celui qui la cherche. Je suis âgé, mes capacités ne sont peut-être plus ce qu'elles étaient…

Ici, je sentis qu'il attendait des protestations.

– … et il est très probable que cette affaire soit ma dernière investigation. Or, Hercule Poirot ne reste jamais sur un échec. Je vous le dis, mesdames, messieurs, je veux savoir et je saurai. Malgré vous tous.

Il énonça ces derniers mots d'un ton provocant, comme s'il nous les jetait à la figure. Je crois que nous eûmes tous un haut-le-corps, à l'exception de Geoffrey Raymond qui conserva son flegme et sa bonne humeur habituels.

– Qu'entendez-vous par : malgré vous tous ? demanda-t-il en haussant légèrement les sourcils.

– Mais… simplement cela, monsieur. Chacun de vous me dissimule quelque chose.

Un murmure de protestation s'éleva, qu'il fit taire d'un geste.

– Mais si, je sais ce que j'avance. Il s'agit peut-être d'un détail sans importance, anodin, et que vous croyez sans rapport avec l'enquête, mais c'est un fait. *Chacun de vous a quelque chose à cacher…* Eh bien, n'ai-je pas raison ?

Son regard fit le tour de la table, nous défiant et nous accusant tout à la fois. Et tous, nous baissâmes les yeux. Oui, tous. Moi comme les autres.

– J'ai ma réponse, observa Poirot avec un curieux petit rire.

Et là-dessus, il se leva.

– C'est à vous tous que je m'adresse, solennellement. Dites-moi la vérité. Toute la vérité.

Silence.

– Personne ne voudra donc parler ?

Il eut à nouveau son petit rire bref et dit en français :

– *C'est dommage.*

Sur quoi, il quitta la pièce.

13

Le tuyau de plume

Ce soir-là, comme il m'en avait prié, j'allai voir Poirot chez lui après le dîner. Caroline me regarda partir avec un manque d'enthousiasme évident. Je crois qu'elle aurait bien voulu m'accompagner.

Poirot m'accueillit en hôte attentionné. Sur une petite table, il avait disposé une bouteille de whisky irlandais – que je déteste –, un siphon d'eau gazeuse et un verre. Quant à lui, il était en train de préparer du chocolat. Une de ses boissons préférées, comme je devais le découvrir plus tard.

Il prit poliment des nouvelles de ma sœur, « une femme si intéressante ».

– Je crains que vous ne lui ayez un peu tourné la tête, dimanche. Au fait, pourquoi cette visite ?

Il rit, et ses yeux pétillèrent.

– J'aime avoir recours aux experts, dit-il d'un ton sibyllin.

Je dus me contenter de cette explication.

– Vous avez dû recueillir tous les potins du village, les vrais comme les faux.

– Ainsi qu'une foule d'informations précieuses, ajouta-t-il tranquillement.

– À savoir ?…

Il se contenta de me répondre par une autre question :

– Pourquoi ne pas m'avoir dit la vérité ? Dans un endroit comme celui-ci, aucun des faits et gestes de Ralph Paton ne pouvait passer inaperçu. Si votre sœur n'avait pas traversé le bois justement ce jour-là, c'eût été quelqu'un d'autre.

– Possible, grommelai-je. Mais pourquoi cet intérêt pour mes malades ?

À nouveau, le regard de Poirot pétilla :

– Pour un seul, docteur. Un seul.

– Le dernier ? hasardai-je.

Je n'obtins qu'une réponse évasive :

– Je trouve miss Russell très intéressante à étudier.

– Partagez-vous l'opinion de ma sœur et de Mrs Ackroyd, qui lui trouvent quelque chose de louche ?

– De… de louche, dites-vous ? Je ne vois pas très bien…

Je fis de mon mieux pour expliciter l'adjectif.

– Alors, c'est ce qu'elles en disent ?

– Ma sœur ne vous l'a donc pas laissé entendre ?

– C'est possible.

– Rien ne justifie cette opinion, d'ailleurs.

– *Ah, les femmes !* s'exclama Poirot en français. Elles sont fantastiques. Elles inventent, au hasard, et comme par miracle elles ont raison. Non, pas vraiment par

miracle. Elles observent, sans même en avoir conscience, une infinité de détails. Leur subconscient les
rapproche, en tire des conclusions qu'elles appellent
intuition. Moi, je connais ces choses, voyez-vous. Je suis
génial en psychologie.

Il bomba le torse d'un air si ridicule que j'eus bien du
mal à ne pas éclater de rire. Puis il lampa une gorgée de
chocolat et s'essuya délicatement la moustache.

– Mais que pensez-vous réellement de tout cela ?
m'écriai-je. J'aimerais vraiment le savoir.

Poirot reposa sa tasse.

– Vraiment, vous êtes sûr ?

– Tout à fait.

– Vous avez vu ce que j'ai vu : nos opinions devraient
concorder.

– J'ai l'impression que vous vous moquez de moi, dis-
je avec raideur. Je n'ai aucune expérience en la matière.

– Vous êtes comme les enfants, observa Poirot avec un
sourire indulgent. Ils veulent toujours savoir comment le
moteur fonctionne. Vous cherchez à voir cette affaire
non pas comme le verrait un médecin de famille, mais
avec un regard de détective. Eux n'ont personne à
ménager, aucun lien personnel avec qui que ce soit, et à
leurs yeux tout le monde est suspect.

– C'est tout à fait cela.

– Alors, laissez-moi vous donner une petite leçon.
Pour commencer, tâchons de résumer clairement ce qui
s'est passé ce soir-là, sans perdre de vue cette triste
réalité : la personne que vous interrogez peut très bien
mentir.

– Quelle méfiance ! fis-je, étonné.

– Méfiance nécessaire, je vous assure. Très nécessaire. Bon, commençons par le commencement : le Dr Sheppard quitte la maison à 9 heures moins 10. Or, cela, comment le sais-je ?

– Parce que je vous l'ai dit.

– Mais vous auriez pu mentir, ou ne pas avoir l'heure exacte. Mais Parker confirme cette déclaration, donc nous l'acceptons, et nous poursuivons. À 21 heures, et ici débute ce que nous appellerons « la légende du mystérieux inconnu », vous manquez vous heurter à un homme, juste en sortant du parc. Comment suis-je au courant ?

– Mais encore une fois, parce que je…

Poirot m'interrompit d'un geste impatient.

– Décidément, vous n'avez pas l'esprit très rapide, ce soir, mon ami. *Vous* savez ce qu'il en est, mais moi, comment puis-je en être sûr ? N'ayez crainte, je puis vous affirmer que ce mystérieux inconnu n'était pas une hallucination de votre part, car la bonne d'une certaine demoiselle Gannett l'a croisé quelques minutes plus tôt. Et à elle aussi, il a demandé le chemin de Fernly Park. Nous admettons donc son existence et pouvons tenir pour certains les deux faits suivants : primo, il ne connaissait pas la région. Secundo, il ne cherchait pas à se cacher, quelle que fût la raison de sa visite. Sinon il n'aurait pas demandé deux fois le chemin de Fernly.

– Je vous suis.

– Bien. Je me suis donc fait un devoir de me renseigner davantage sur notre inconnu. J'ai su qu'il avait pris un verre aux *Trois Marcassins,* et la serveuse m'a appris deux choses. Il parlait avec l'accent américain et racontait qu'il arrivait des États-Unis. Aviez-vous remarqué cet accent ?

Je réfléchis quelques instants, rassemblant mes souvenirs.

– Oui, il me semble. Mais il était si léger…

– Justement. Et il y a encore ceci, que j'ai ramassé dans le pavillon d'été, vous vous rappelez ?

Il me tendit le petit tuyau de plume d'oie, que j'examinai avec curiosité. Puis, le souvenir d'une ancienne lecture remonta dans ma mémoire. Poirot, qui m'observait attentivement, fit un petit signe de tête.

– C'est cela, de l'héroïne. De la « neige », comme disent les drogués. C'est ainsi qu'ils la portent sur eux et la reniflent : dans un tuyau de plume.

– Hydrochlorure de diamorphine, murmurai-je machinalement.

– Une façon d'absorber la drogue très répandue outre-Atlantique. Et une preuve de plus, s'il nous en fallait une, que l'homme venait des États-Unis ou du Canada.

– Mais qu'est-ce qui a bien pu attirer votre attention sur le pavillon d'été, pour commencer ?

– Mon ami l'inspecteur tenait pour acquis que le sentier servait uniquement de raccourci. Mais dès que j'ai aperçu le pavillon, j'ai compris ceci : si quelqu'un utilisait la petite maison comme lieu de rendez-vous, il devait aussi passer par là. Il semble établi que l'inconnu ne s'est présenté ni à l'entrée ni à la porte de service. Donc, quelqu'un de la maison a dû sortir pour le rejoindre. Et dans ce cas, quel meilleur endroit pour une rencontre que le pavillon ? En le fouillant, j'espérais y

169

trouver un indice, j'en ai trouvé deux : le lambeau de batiste et la plume.

– Et ce lambeau de batiste, qu'en faites-vous ?

Poirot haussa les sourcils.

– Servez-vous de vos petites cellules grises, rétorqua-t-il avec sécheresse. La signification de ce morceau d'étoffe amidonnée devrait sauter à l'esprit.

– Ce qui n'est pas le cas. De toute façon, dis-je pour changer de sujet, cet homme est bien allé au pavillon pour rencontrer quelqu'un. Alors qui ?

– C'est précisément ce que je me demande. Vous vous souvenez que Mrs Ackroyd et sa fille vivaient au Canada, avant de venir ici ?

– C'est cela que vous vouliez dire, quand vous les accusiez de vous cacher quelque chose ?

– Peut-être, mais ce n'est pas tout. Qu'avez-vous pensé de l'histoire de la femme de chambre ?

– Quelle histoire ?

– La version qu'elle nous a donnée de son renvoi. A-t-on besoin d'une demi-heure pour congédier une domestique ? Et ces papiers soi-disant si importants, cela vous paraît vraisemblable ? Et rappelez-vous… elle prétend être restée dans sa chambre entre 21 heures 30 et 22 heures, mais personne n'a pu confirmer ses déclarations.

– Vous m'embrouillez. Je ne sais plus où j'en suis.

– Et moi j'y vois de plus en plus clair. Mais donnez-moi plutôt votre opinion sur la question.

Assez confus, je tirai un feuillet de ma poche.

– Je me suis contenté de noter quelques idées…

– Excellent, cela. Vous avez de la méthode. Je vous écoute.

Je lus donc, d'une voix quelque peu hésitante :

– Pour commencer, envisager les choses avec logique…

– Tout à fait ce que disait mon pauvre Hastings, interrompit Poirot. Mais hélas ! il ne l'a jamais fait.

– Premier point : à 21 heures 30, on a entendu Mr Ackroyd parler à quelqu'un. Deuxième point : Ralph Paton a dû entrer par la fenêtre au cours de la soirée, comme le prouvent les empreintes de ses chaussures. Troisième point : ce soir-là, Mr Ackroyd était inquiet et n'a dû laisser entrer qu'une personne qu'il connaissait bien. Quatrième point : la personne qui se trouvait avec Mr Ackroyd à 21 heures 30 lui réclamait de l'argent. Et Ralph Paton *avait* des embarras d'argent.

» Ces quatre points semblent indiquer que la personne qui se trouvait avec Mr Ackroyd à 21 heures 30 était Ralph Paton. Mais nous savons que Mr Ackroyd était encore vivant à 10 heures moins le quart. Ce n'est donc pas Ralph qui l'a tué. Ralph a laissé la fenêtre ouverte. C'est par là que l'assassin est entré un peu plus tard.

– Et l'assassin, qui était-il ?

– L'Américain inconnu. Il devait être de mèche avec Parker, qui est sans doute le maître chanteur de Mrs Ferrars. Si c'est le cas, Parker a pu en entendre assez pour comprendre que tout était perdu et prévenir son complice. Ce dernier a commis le crime à l'aide du poignard que lui a remis Parker.

– La théorie se tient, admit Poirot. Finalement, vos

petites cellules fonctionnent bien. Toutefois, il subsiste quelques lacunes.

– Lesquelles ?

– Il reste à expliquer ce coup de téléphone, ce fauteuil déplacé…

– Ce fauteuil a-t-il tant d'importance ?

– Pas forcément, reconnut mon ami. Il a pu être déplacé par hasard. Et, sous le coup de l'émotion, Raymond ou Blunt ont pu le repousser machinalement. Mais n'oublions pas les quarante livres manquantes.

– Ackroyd a pu changer d'avis et les donner à Ralph ?

– Soit. Mais il reste toujours un point à éclairer.

– Lequel ?

– Pourquoi Blunt était-il si certain que la personne qui se trouvait avec Mr Ackroyd à 21 heures 30 était son secrétaire ?

– Il s'est expliqué là-dessus.

– Vous croyez ? Bon, passons. Dites-moi plutôt pour quelles raisons le capitaine Paton a disparu ?

– Voilà qui est un peu plus difficile, répondis-je pensivement. Je vais devoir adopter le point de vue du médecin. Je crois que les nerfs de Ralph ont lâché. Il venait d'avoir une entrevue avec son oncle. Orageuse sans doute. S'il a appris brutalement que celui-ci avait été assassiné quelques minutes à peine après qu'il l'eut quitté, il a très bien pu prévoir qu'on l'accuserait et s'enfuir. Il n'est pas rare de voir des gens se comporter en coupables alors qu'ils sont parfaitement innocents.

– Oui, c'est vrai, admit Poirot. Mais il y a une certaine chose qu'il ne faut pas perdre de vue.

– Je sais ce que vous allez dire : le mobile ! Ralph Paton hérite une énorme fortune de son beau-père.

– Ce pourrait être l'un des mobiles, en effet.

– *Des* mobiles ?

– Mais oui. Vous rendez-vous compte que nous avons le choix entre trois mobiles différents, évidents ? Quelqu'un a forcément volé l'enveloppe bleue et son contenu. Premier mobile : le chantage. Il se peut que le maître chanteur soit Ralph Paton. D'après Hammond, si vous vous souvenez, il y a un certain temps que le capitaine n'avait pas demandé d'argent à son beau-père. Ce qui semble indiquer qu'il s'en procurait ailleurs. Nous savons aussi qu'il était « au bout du rouleau ». Il devait redouter que son beau-père ne l'apprenne : second mobile ; le troisième étant celui que vous venez de signaler.

– Ciel ! m'exclamai-je, quelque peu désarçonné. Son cas me paraît bien désespéré.

– Ah vraiment ? dit Poirot. C'est là où mon opinion diffère de la vôtre. Trois mobiles… c'est presque trop. Je suis enclin à croire qu'après tout Ralph Paton est innocent.

14

Mrs Ackroyd

Après la soirée que je viens de relater, il me sembla que l'affaire entrait dans une nouvelle phase. Maintenant que je la vois dans son ensemble, je peux la diviser en deux parties bien distinctes. La première allant de la mort d'Ackroyd, le vendredi soir, au lundi soir suivant. En voici le compte rendu fidèle, tel que je l'ai soumis à Hercule Poirot. Tout au long de cette première phase, je l'ai suivi pas à pas. J'ai vu ce qu'il voyait, je me suis efforcé de déchiffrer ses pensées. Comme je le sais à présent, j'ai échoué dans cette dernière tâche. Bien que Poirot m'eût tenu au courant de toutes ses découvertes – celle de l'alliance en or, par exemple –, il gardait pour lui l'essentiel de ses déductions, à la fois si intuitives et si logiques. Cette extrême réserve, je l'appris par la suite, était tout à fait dans son caractère. Il lançait quelques allusions ou suggestions, mais n'allait jamais plus loin.

Ainsi donc, jusqu'au lundi soir, mon récit aurait pu être écrit par Poirot lui-même : je servais de Watson à ce Sherlock. Mais à partir de là, nos chemins divergèrent, et Poirot s'affaira de son côté, en solitaire. J'entendis parler de ses activités, car tout se sait à King's Abbot, mais il ne me prit plus pour confident.

Si je regarde en arrière, ce qui me frappa le plus dans cette période, c'est son côté brouillon. Tout le monde se mêlait d'élucider le mystère, et chacun apportait sa petite pièce au puzzle. Une idée, une trouvaille… mais cela n'allait pas plus loin. À Poirot seul revient l'honneur d'avoir su mettre chacune de ces pièces à sa place exacte.

Il y eut bien quelques incidents curieux et sans rapport apparent avec le crime, comme celui des chaussures noires par exemple... mais n'anticipons pas. Pour m'en tenir strictement à l'ordre chronologique, je reprendrai au moment où je fus appelé au chevet de Mrs Ackroyd.

Elle m'envoya chercher le mardi matin de très bonne heure. Comme l'appel était urgent, je m'empressai d'accourir, m'attendant à la trouver à la dernière extrémité.

Madame était au lit, la situation l'exigeait. Elle me tendit une main osseuse et me désigna un siège, tout près d'elle.

– De quoi souffrez-vous ? demandai-je avec cette amabilité feinte que tous les malades semblent attendre de leur médecin.

– Je suis à bout de nerfs, gémit-elle d'une voix faible. Absolument à bout. C'est le choc, vous comprenez ? Ce pauvre Roger... le contrecoup peut se produire avec retard, paraît-il. C'est la réaction.

À d'autres !... faillis-je rétorquer.

Malheureusement, un médecin est tenu par son éthique professionnelle de garder ses pensées pour lui. Enfin quelquefois. Je me bornai donc à suggérer un fortifiant, que Mrs Ackroyd accepta de prendre. Nous allions pouvoir entrer dans le vif du sujet. Je n'avais pas cru un seul instant à la version du choc nerveux causé par la mort d'Ackroyd. Dans quelque domaine que ce soit, Mrs Ackroyd est totalement incapable d'aller droit au but. Elle s'en approche toujours par la bande. Je me demandais vraiment pourquoi elle m'avait fait appeler.

– Et cette scène, hier…, reprit-elle alors.

Ma patiente se tut, attendant la réplique. Je la donnai.

– Quelle scène ?

– Docteur, comment *pouvez-vous* ? Auriez-vous oublié ? Cet affreux petit Français, ou Belge, ou tout ce que vous voulez… nous avoir malmenés ainsi ! J'étais bouleversée. Surtout après le choc que m'a causé la mort de ce pauvre Roger.

– Je suis vraiment navré, madame.

– Et nous parler sur ce ton ! Je ne vois pas ce qu'il voulait dire, d'ailleurs. J'espère connaître assez bien mon devoir pour ne pas songer un instant à dissimuler quoi que ce soit. J'ai fourni à la police toute l'aide dont j'étais capable.

– Mais certainement, glissai-je lorsqu'elle s'interrompit.

Je commençais à entrevoir où elle voulait en venir.

– Personne ne peut m'accuser d'avoir manqué à mon devoir, enchaîna-t-elle. Je suis sûre que l'inspecteur Raglan est entièrement satisfait. Pourquoi ce petit parvenu d'étranger fait-il tant d'embarras ? D'ailleurs il est grotesque. On dirait une caricature de Français dans une revue comique. Je ne vois vraiment pas pourquoi Flora a insisté pour le mêler à tout cela. Elle ne m'avait pas soufflé mot de ses intentions. Elle n'en a fait qu'à sa tête. Flora est trop indépendante. Moi qui connais la vie et qui suis sa mère… elle aurait quand même pu me demander mon avis !

Je la laissai s'épancher, sans mot dire.

– Et qu'est-ce qu'il s'imagine ? Je voudrais bien le

savoir. Croit-il que je lui cache quelque chose ? Il… il m'a pratiquement *accusée*, hier !

Je haussai les épaules.

– Ses remarques ne sauraient avoir la moindre importance, Mrs Ackroyd. Puisque vous ne dissimulez rien, elles ne s'appliquaient pas à vous.

Fidèle à elle-même, Mrs Ackroyd louvoya.

– Et ces domestiques, quelle plaie ! Ils bavardent entre eux, leurs cancans se répandent et qu'y a-t-il de vrai là-dedans ? Rien du tout, la plupart du temps.

– Les domestiques ont donc bavardé, Mrs Ackroyd ? Et à propos de quoi ?

Elle me lança un regard si aigu que je faillis perdre contenance.

– Je pensais que vous, au moins, vous seriez au courant, docteur ! N'êtes-vous pas toujours resté aux côtés de M. Poirot ?

– Mais si.

– Alors vous savez, pour cette fille… Ursula Bourne, c'est bien cela ? Bien entendu, elle s'en va. Il fallait qu'elle nous crée le plus d'ennuis possible, par pure malveillance. Ils sont tous pareils ! Mais vous qui étiez présent, docteur, vous devez savoir ce qu'elle a dit, au juste. Il serait si fâcheux que des faux bruits se répandent… Et la police n'a pas besoin de tout savoir, n'est-ce pas ? Quand certaines affaires de famille sont en jeu… rien à voir avec le crime, bien sûr. Mais si cette fille a mauvais esprit, qui sait ce qu'elle a pu raconter ?

J'étais assez perspicace pour me rendre compte que ce flot de paroles cachait une réelle inquiétude. Poirot ne s'était pas trompé. Parmi les six personnes qui avaient pris part à la réunion de la veille, une au moins avait quelque chose à cacher. Il me restait à découvrir quoi et je n'y allai pas par quatre chemins.

– À votre place, Mrs Ackroyd, je ferais des aveux complets.

Elle laissa échapper un petit cri.

– Oh, docteur ! Quelle brutalité ! Comment pouvez-vous me parler ainsi ? Cela fait tellement… tellement… alors que je puis tout expliquer si simplement.

– En ce cas, pourquoi ne pas le faire ?

Mrs Ackroyd exhiba un mouchoir de dentelle et commença à larmoyer.

– Je pensais, docteur, que vous pourriez amener M. Poirot à comprendre… c'est-à-dire… c'est si difficile pour un étranger de partager notre point de vue. Et vous ne savez pas, personne ne peut savoir ce qu'il m'a fallu endurer. Un martyre, un long martyre, voilà ce qu'a été ma vie. Je n'aime pas médire des morts, mais… Roger épluchait les moindres factures, comme s'il n'avait eu qu'un misérable revenu de quelques centaines de livres. Alors qu'il était, comme je l'ai appris hier par Mr Hammond, un des hommes les plus riches du pays.

Mrs Ackroyd s'interrompit pour se tamponner les yeux avec son mouchoir de dentelle.

– Continuez, dis-je d'un ton encourageant. Vous parliez de factures, je crois ?

– Ah, ces horribles factures ! Sans compter celles que je ne tenais pas à montrer à Roger. Il y a des choses qu'un homme ne comprendra jamais et il aurait dit que c'était du superflu. Alors forcément, elles s'accumulaient et il ne cessait d'en arriver, vous savez ce que c'est…

Elle me lança un regard suppliant, comme pour m'inviter à compatir à ce dernier malheur. Je compatis.

– Les factures ont en effet cette fâcheuse habitude.

La voix de Mrs Ackroyd s'altéra, se fit presque implorante.

– Croyez-moi, docteur, j'étais à bout de nerfs ! Je ne dormais plus, j'avais des palpitations épouvantables. C'est alors que j'ai reçu une lettre d'un monsieur écossais... ou plutôt deux lettres, il y avait deux messieurs écossais. Mr Bruce MacPherson et Mr Colin MacDonald. Quelle coïncidence, non ?

– Pas vraiment, commentai-je d'un ton sec. Ces messieurs vont souvent par paires, et je les soupçonne d'avoir une lointaine ascendance sémitique.

– Ils s'offraient à prêter entre dix et dix mille livres, sur simple signature, murmura pensivement Mrs Ackroyd. J'ai répondu à l'un d'eux, mais quelques difficultés surgirent, semble-t-il.

Elle se tut, m'indiquant par là que le terrain devenait glissant. Jamais, avec qui que ce soit, je n'avais eu autant de mal à en venir au fait.

– Vous comprenez, reprit-elle sur le même ton, tout est une question d'espérances, enfin... d'espérances d'héritage. Et moi, n'est-ce pas, j'espérais que Roger assurerait mon avenir, mais je n'avais aucune certitude à ce sujet. J'ai pensé que si je pouvais jeter un coup d'œil sur un exemplaire de son testament... sans me montrer indiscrète, non ! rien d'aussi vulgaire... mais seulement pour être en mesure de prendre mes dispositions personnelles.

Elle me regarda à la dérobée. La situation était

devenue très délicate. Par bonheur, certaines nuances de langage peuvent servir à voiler la hideuse nudité des faits.

– Je ne pouvais me confier qu'à vous, cher Dr Sheppard, enchaîna rapidement Mrs Ackroyd. Je sais que vous ne me jugerez pas mal et que vous saurez présenter les choses à M. Poirot sous leur véritable jour. Voilà. Vendredi après-midi…

Elle s'interrompit, hésita et avala sa salive.

– Eh bien, vendredi après-midi ?

– Tout le monde était sorti, ou du moins je le croyais. Je suis entrée dans le bureau de Roger… pas en cachette, j'avais vraiment une bonne raison d'y aller, et… c'est là que j'ai vu tous ces papiers entassés sur le bureau. Cela a fait comme un déclic dans mon esprit. Je me suis demandé : « Et si Roger rangeait son testament dans un de ces tiroirs ? » J'ai toujours été impulsive, j'agis sur l'inspiration du moment. Et Roger avait laissé ses clés sur le tiroir du haut, ce qui était très négligent de sa part d'ailleurs.

– Je vois, dis-je pour l'encourager, vous avez fouillé le bureau. Et avez-vous trouvé le testament ?

Une exclamation de Mrs Ackroyd m'avertit que j'avais manqué de diplomatie.

– Quelle horrible façon de voir les choses ! En fait, cela ne s'est pas passé tout à fait comme ça.

– Bien sûr que non ! Veuillez me pardonner si j'ai eu un mot malheureux.

– Les hommes sont vraiment bizarres. Moi, à la place de ce cher Roger, je n'aurais vu aucune objection à révéler mes dispositions testamentaires. Mais vous êtes si cachottiers… nous sommes bien forcées d'avoir recours à de petits subterfuges pour nous défendre.

– Et quel fut le résultat de votre petit subterfuge ?

– Justement, j'y arrive. Au moment où j'ouvrais le tiroir du bas, Bourne est entrée, ce qui était très embarrassant. Bien entendu, j'ai refermé le tiroir. Je me suis relevée et lui ai fait remarquer quelques traces de poussière sur le bureau, mais son attitude m'a profondément déplu. Très respectueuse en apparence, mais le regard mauvais… presque méprisant, si vous voyez ce que je veux dire. Je n'ai jamais beaucoup aimé cette fille. Elle travaille bien, s'exprime avec déférence et ne fait pas d'histoires pour porter la coiffe et le tablier, ce qui devient rare, soit dit en passant. Elle n'hésite pas à éconduire un visiteur, lorsqu'il lui arrive de remplacer Parker, et n'est pas affligée de ces curieux gargouillis d'estomac qui semblent si répandus chez les filles qui servent à table… mais où en étais-je ?

– Vous disiez que, malgré ses nombreuses et remarquables qualités, vous n'aimiez pas Bourne.

– C'est juste. Elle est… bizarre. Différente des autres domestiques et, à mon avis, trop bien élevée. De nos jours, on ne sait plus distinguer une dame de sa femme de chambre.

– Et ensuite, que s'est-il passé ?

– Rien. Enfin si. Roger est entré et m'a demandé ce que je faisais là. J'ai répondu que j'étais simplement venue chercher le *Punch*. J'ai donc pris le *Punch*, je suis sortie, mais pas Bourne. Je l'ai entendue demander à Roger un instant d'entretien et suis montée tout droit dans ma chambre pour m'étendre un peu. J'étais bouleversée.

Un silence plana.

– Vous expliquerez tout cela à M. Poirot, n'est-ce pas ? Vous voyez bien vous-même à quel point c'est insignifiant. Mais il avait l'air si sévère en parlant de ce que nous lui dissimulions, cela m'a tout de suite rappelé cet incident. Bourne a dû raconter je ne sais quelles histoires, mais vous arrangerez tout cela, n'est-ce pas ?

– M'avez-vous vraiment tout dit ? Sans rien omettre ?

– Ou…i, commença Mrs Ackroyd. Oui, c'est tout.

Elle avait repris de l'assurance, mais j'avais noté son hésitation passagère et deviné qu'elle me cachait quelque chose. Ce fut un véritable éclair d'intuition qui me poussa à lui demander :

– Mrs Ackroyd, est-ce vous qui avez laissé la vitrine ouverte ?

Aucune couche de fard ou de poudre n'aurait suffi à cacher la rougeur qui lui monta au visage. J'avais ma réponse.

– Comment avez-vous su ? chuchota-t-elle.

– Alors, c'était vous ?

– Oui… je… voyez-vous… il y avait là quelques vieux bibelots en argent très intéressants. Je venais de lire un article sur la question, illustré par une photographie. Celle d'un objet minuscule vendu aux enchères chez Christy pour une somme astronomique. Et il y en avait un presque pareil dans la vitrine. J'ai pensé que je pourrais le faire évaluer à Londres, la prochaine fois que j'irais. Si par hasard il avait eu une grande valeur, quelle bonne surprise pour Roger, non ?

J'acceptai l'histoire de Mrs Ackroyd pour ce qu'elle valait et m'abstins de tout commentaire. Je ne lui demandai même pas pourquoi elle s'était entourée de tant de précautions pour prendre l'objet qu'elle voulait emporter. Simplement, je m'étonnai :

– Mais pourquoi n'avez-vous pas refermé le couvercle ? Vous avez oublié ?

– C'est la surprise, quand j'ai entendu des pas sur la terrasse. Je suis sortie précipitamment et je venais d'arriver à l'étage quand Parker vous a ouvert.

– Ce devait être miss Russell, dis-je d'une voix songeuse.

Mrs Ackroyd venait de me révéler un détail du plus haut intérêt. Que ses vues sur l'argenterie d'Ackroyd fussent ou non des plus honorables m'importait peu. Ce qui éveillait mon intérêt était le fait que miss Russell avait dû entrer par la porte-fenêtre. Je ne m'étais donc pas trompé en supposant qu'elle était essoufflée d'avoir couru. Où était-elle allée ? Je pensai au pavillon d'été et au lambeau de batiste et m'exclamai sans réfléchir :

– Je me demande si miss Russell amidonne ses mouchoirs !

Mrs Ackroyd sursauta, ce qui me rappela à moi-même. Je me levai.

– Croyez-vous pouvoir expliquer tout cela à M. Poirot ? s'inquiéta-t-elle.

– Certainement. Et en détail.

Je réussis enfin à prendre congé, non sans avoir dû subir une nouvelle avalanche de justifications.

Ursula Bourne était dans le hall et ce fut elle qui m'aida à enfiler mon pardessus. Je l'observai, un peu plus attentivement que je ne l'avais fait jusqu'ici. Il était clair qu'elle venait de pleurer. Je l'interrogeai :

– Pourquoi nous avoir dit que Mr Ackroyd vous avait fait appeler, vendredi ? J'apprends que c'est vous qui avez sollicité cet entretien.

Pendant un instant, le regard de la jeune fille se déroba devant le mien, puis elle prit la parole d'un ton mal assuré.

– Je comptais m'en aller, de toute façon.

Je ne répondis rien et elle ouvrit la porte devant moi. J'allais sortir quand elle demanda soudain d'une voix sourde :

– Je vous prie de m'excuser, monsieur. A-t-on des nouvelles du capitaine Paton ?

Je secouai la tête et lui jetai un regard interrogateur.

– Il faudrait qu'il revienne, ajouta-t-elle. Oui, vraiment. Il devrait revenir.

Elle levait sur moi des yeux implorants.

– Personne ne sait donc où il est ?

– Et vous ? rétorquai-je vivement.

– Non, je n'en sais vraiment rien. Mais n'importe lequel de ses amis devrait le lui dire : il faut qu'il revienne.

Je m'attardai, espérant que la jeune fille ne s'en tiendrait pas là, mais la question qui vint ensuite me surprit.

– À quelle heure la police pense-t-elle que le meurtre a été commis ? Juste avant 22 heures ?

– À peu près. Entre 10 heures moins le quart et 10 heures.

– Pas plus tôt ? Pas avant moins le quart, par exemple ?

Je l'observai avec attention : il était si évident qu'elle désirait une réponse affirmative !

– Non, c'est hors de question. Miss Ackroyd a vu son oncle vivant à 10 heures moins le quart.

Elle se détourna et parut se tasser sur elle-même.

Jolie fille, me dis-je en m'en allant. Une vraie beauté !

Caroline était à la maison, transportée d'aise et gonflée d'importance : elle avait de nouveau reçu la visite de Poirot.

– Je l'aide à résoudre l'énigme, m'expliqua-t-elle.

Je ne me sentis pas rassuré. Caroline est déjà assez pénible comme ça. Mais si on encourage ses instincts de limier, où va-t-on ? Je m'informai :

– Seriez-vous en train d'explorer le voisinage pour retrouver la mystérieuse amie de Ralph ?

– Cela, je pourrais le faire toute seule. Non, c'est quelque chose de très spécial que M. Poirot m'a chargée de découvrir pour lui.

– Mais encore ?

Une note solennelle vibra dans la voix de Caroline.

– Il veut savoir si les bottines de Ralph étaient noires ou marron.

J'ouvris des yeux effarés. Je sais maintenant de quelle incroyable stupidité j'ai fait preuve, à propos de ces bottines. J'aurais dû comprendre tout de suite.

– C'étaient des souliers marron, je les ai vus.

– Pas des souliers, James : des bottines. M. Poirot veut savoir si la paire de bottines que Ralph avait dans ses affaires à l'hôtel était marron ou noire. C'est un détail capital.

Traitez-moi d'ahuri tant qu'il vous plaira. Je ne compris pas.

– Et comment comptes-tu t'y prendre ? demandai-je.

Caroline prétendit que cela ne présentait aucune difficulté. La meilleure amie de notre brave Annie était Clara, la bonne de miss Gannett. Et Clara fréquentait le garçon d'étage des *Trois Marcassins*. L'affaire était donc d'une simplicité enfantine, et miss Gannett coopéra loyalement. Elle accorda sur-le-champ un congé à Clara, et la question fut réglée tambour battant.

Nous nous mettions à table pour déjeuner lorsque Caroline laissa tomber d'un ton faussement détaché :

– Au fait, les bottines de Ralph Paton…

– Eh bien ? Qu'as-tu appris ?

– M. Poirot pensait qu'elles devaient être marron. Il se trompait : elles étaient noires.

Sur ce, Caroline hocha la tête à plusieurs reprises. De toute évidence, elle estimait qu'elle venait de marquer un point contre Poirot.

Je ne répondis pas : je réfléchissais. Je me demandais quel rapport la couleur des bottines de Ralph pouvait bien avoir avec le meurtre.

15

Geoffrey Raymond

Je devais, ce jour-là, avoir une nouvelle preuve du succès des méthodes de Poirot. Le défi qu'il nous avait lancé révélait sa finesse et sa connaissance innée de la nature humaine. Mrs Ackroyd avait été la première à réagir. La peur et le sentiment de sa culpabilité lui avaient arraché la vérité.

Dans l'après-midi, en revenant de ma tournée de visites, j'appris par Caroline que Geoffrey Raymond venait de partir.

– Est-ce qu'il voulait me voir ? demandai-je en accrochant mon pardessus dans le vestibule.

Caroline rôdait autour de moi comme une ombre.

– Non, il cherchait M. Poirot. Il revenait des Mélèzes mais M. Poirot n'était pas chez lui. Mr Raymond a pensé qu'il serait peut-être ici, ou que tu pourrais lui dire où le trouver.

– Je n'en ai pas la moindre idée.

– J'ai essayé de le retenir mais il m'a dit qu'il retournerait aux Mélèzes dans la demi-heure et il est descendu au village. Et c'est bien dommage car M. Poirot est arrivé juste après son départ.

– Ici ?

– Non, chez lui.

– Et comment le sais-tu ?

– Je l'ai vu par la petite fenêtre du couloir.

Je pensais que nous avions épuisé le sujet, mais Caroline était d'un autre avis.

– Tu ne vas pas y aller ?

– Aller où ?

– Aux Mélèzes, cela va de soi !

– Ma chère Caroline, qu'irais-je y faire ?

– Mr Raymond semblait si désireux de le voir… tu pourrais savoir de quoi il retourne.

Je haussai les sourcils et déclarai avec froideur :

– Je ne suis pas spécialement curieux. Et je peux très

bien vivre sans savoir tout ce qu'il se passe chez mes voisins, ni ce qu'ils ont dans la tête.

— Taratata ! Tu es tout aussi curieux que moi, James, mais tu n'es pas aussi franc, voilà tout. Il faut toujours que tu te donnes des airs.

— Vraiment, Caroline !

Sur cette exclamation indignée, je me retirai dans mon cabinet.

Dix minutes plus tard, Caroline frappait à la porte et entrait, tenant quelque chose à la main. Un pot de confiture, semblait-il.

— James, est-ce que cela t'ennuierait de porter ce pot de gelée de nèfles à M. Poirot ? Je le lui ai promis : il n'a jamais goûté de gelée de nèfles faite à la maison.

— Tu ne pourrais pas envoyer Annie ? demandai-je d'un ton peu aimable.

— Elle fait du raccommodage, et j'ai besoin d'elle.

Caroline et moi nous dévisageâmes.

— Très bien, dis-je en me levant, j'irai la porter, ta gelée de malheur ! Mais il n'est pas question que j'entre, c'est clair ? Je la remettrai à la bonne.

Ma sœur eut une mimique étonnée.

— Naturellement. Qui t'a demandé d'en faire plus ?

Caroline s'en tirait avec les honneurs de la guerre.

— Et si jamais tu vois M. Poirot, lança-t-elle comme j'ouvrais la porte, tu pourras toujours lui parler des bottines.

Cela, c'était le coup de Jarnac, et il fit mouche : je mourais d'envie de percer l'énigme des bottines. Quand la vieille Bretonne en coiffe vint m'ouvrir, je m'entendis demander si M. Poirot était chez lui.

Poirot se leva promptement pour m'accueillir et parut enchanté de me voir.

– Asseyez-vous, mon bon ami. Que préférez-vous ? Le fauteuil ou une chaise ? Il ne fait pas trop chaud, n'est-ce pas ?

À mon avis, on étouffait, mais je m'abstins d'en faire la remarque. Les fenêtres étaient fermées et un grand feu ronflait dans l'âtre.

– Les Anglais ont la manie d'aérer, déclara Poirot. Le grand air, ça va très bien dehors, c'est sa place, n'est-ce pas ? Pourquoi vouloir le faire entrer ? Mais laissons ces banalités : avez-vous quelque chose pour moi ?

– Deux choses. D'abord ceci, de la part de ma sœur.

Je lui tendis le pot de gelée de nèfles.

– Quelle charmante attention ! Miss Caroline s'est souvenue de sa promesse. Et l'autre chose, disiez-vous ?

– Appelons cela… une information.

Je lui racontai mon entretien avec Mrs Ackroyd et il l'écouta avec intérêt, mais sans plus.

– Voilà qui déblaie le terrain, observa-t-il pensivement. Et cela confirme la déposition de la gouvernante, ce qui n'est pas sans importance non plus. Rappelez-vous : elle a déclaré avoir trouvé la vitrine ouverte et rabattu le couvercle en passant.

– Et aussi qu'elle n'était entrée que pour vérifier la fraîcheur des bouquets… qu'en pensez-vous ?

– Nous n'avons jamais pris cela très au sérieux, n'est-ce pas, mon ami ? De toute évidence, c'était une excuse inventée à la hâte par une femme anxieuse de justifier sa présence, sur laquelle, d'ailleurs, personne n'aurait eu l'idée de s'interroger. J'avais supposé que son agitation pouvait venir de ce qu'elle avait… tripoté quelque chose dans la vitrine, mais j'ai changé d'avis. Nous devons chercher ailleurs.

– Oui. Qui a-t-elle rencontré dehors et pourquoi ?

– Vous croyez qu'elle est sortie pour rencontrer quelqu'un ?

– J'en suis sûr.

– Moi aussi, fit Poirot l'air songeur.

Nous restâmes quelques instants silencieux.

– Au fait, annonçai-je, j'ai un message à vous transmettre de la part de ma sœur. Les bottines de Ralph Paton n'étaient pas marron, mais noires.

Ce disant, je l'observai attentivement et, le temps d'un éclair, je crus voir vaciller son regard. Ce fut si fugitif que je n'en eus même pas la certitude.

– Elle est absolument sûre qu'elles n'étaient pas marron ?

– Absolument.

– Ah ! soupira Poirot, l'air navré. Quel dommage !

Il paraissait vraiment très abattu. Et, sans la moindre explication, il changea brusquement de sujet.

– Et miss Russell, la gouvernante, qui est venue vous consulter ce vendredi-là… est-il indiscret de vous demander de quoi vous avez parlé ? Je veux dire, sans violer le secret professionnel ?

– Pas du tout. La consultation proprement dite une fois terminée, nous avons bavardé quelques minutes. Sur les poisons, leur détection plus ou moins facile, la drogue, les drogués…

– Et la cocaïne en particulier ?

– Comment l'avez-vous deviné ? demandai-je, quelque peu surpris.

Pour toute réponse, le petit homme se leva et s'approcha d'un meuble où des journaux étaient soigneusement rangés. Il me tendit un numéro du *Daily Budget* daté du vendredi 16 septembre et m'indiqua un article relatif à la contrebande de cocaïne. Article haut en couleurs et qui n'épargnait pas les effets pittoresques.

– Et voilà où votre patiente est allée chercher ses histoires de cocaïne, mon ami ! commenta Poirot.

Peu convaincu, je l'aurais volontiers prié de s'expliquer davantage mais la porte s'ouvrit et la bonne annonça Geoffrey Raymond. Il entra, aimable et animé comme à son ordinaire, et nous salua tous deux.

– Comment allez-vous, docteur ? Monsieur Poirot, c'est la seconde fois aujourd'hui que je viens chez vous. J'avais hâte de vous joindre.

– En vérité ? dit poliment Poirot.

– Oh ! cela n'est pas très important à vrai dire, mais tout de même, ma conscience me tourmente, depuis hier après-midi. Vous nous avez tous accusés de vous cacher quelque chose, monsieur Poirot. Je plaide coupable. J'ai un aveu à vous faire.

– Et lequel, Mr Raymond ?

– Comme je vous le disais, c'est vraiment sans importance, enfin voilà… J'avais des dettes, et même assez lourdes, et ce legs est tombé à pic. Ces cinq cents livres vont me remettre à flot et me laisseront même un petit reliquat.

Il nous sourit avec cette désarmante franchise que tout le monde appréciait chez lui.

– Vous savez ce que c'est. Reconnaître devant des policiers soupçonneux que vous avez des ennuis d'argent, cela fait toujours mauvais effet, et je n'ai pas osé en parler. Ce qui était stupide de ma part, puisque j'étais dans la salle de billard avec Blunt depuis 10 heures moins le quart. Avec un pareil alibi, je n'avais rien à craindre. Pourtant, quand vous nous avez assené votre tirade sur la dissimulation, j'ai senti l'aiguillon du remords et j'ai préféré venir tout vous avouer.

Sur ce, Raymond se leva avec un grand sourire, et Poirot lui adressa un signe de tête approbateur.

– Ce fut très sage de votre part, jeune homme. Voyez-vous, quand je sens que quelqu'un me cache quelque chose, j'imagine toujours le pire. Vous avez très bien fait de venir.

– Je suis heureux d'être lavé de tout soupçon, répondit Raymond en riant. Et maintenant, il faut que je me sauve.

– Et voilà ! m'exclamai-je lorsque la porte se referma sur le jeune secrétaire. Ce n'était que cela.

– Oui, opina Poirot, une bagatelle. Mais s'il n'avait pas été dans la salle de billard ? Après tout, cinq cents livres… bien des crimes ont été commis pour moins que cela. Chaque homme a son prix, et c'est ce prix qui fait pencher la balance. Tout est relatif, n'est-ce pas, mon ami ? Avez-vous pensé que la mort de Mr Ackroyd profitait à de nombreuses personnes, dans cette maison ? Mrs Ackroyd, miss Flora, le jeune Mr Raymond et la gouvernante, miss Russell. Le seul qui n'y ait rien gagné, c'est le major Blunt.

Je le regardai, intrigué. Il avait prononcé ce dernier nom sur un ton si bizarre…

– Je ne vous comprends pas, avouai-je.

– Deux des personnes que j'ai accusées de dissimulation m'ont dit la vérité.

– Vous pensez que le major Blunt a lui aussi quelque chose à cacher ?

– À ce propos, remarqua nonchalamment Poirot, ne dit-on pas que les Anglais ne cachent qu'une seule chose : leurs amours ? Le major Blunt s'y prend d'ailleurs très mal.

– Je me demande parfois si nous n'avons pas été un peu trop pressés de nous faire une opinion, observai-je. Au moins sur un point.

– Et lequel ?

– Nous avons admis que le maître chanteur de Mrs Ferrars et le meurtrier d'Ackroyd n'étaient qu'une seule et même personne. Peut-être sommes-nous dans l'erreur ?

Poirot acquiesça avec énergie.

– Bien ! Vraiment très bien, je me demandais si vous y viendriez. Bien sûr que c'est possible, mais n'oublions pas ceci : la lettre a disparu. Mais comme vous le dites, cela ne signifie pas forcément que le meurtrier l'ait prise. Parker aurait pu le faire à votre insu quand vous avez découvert le corps.

– Parker ?

– Oui, Parker, j'en reviens toujours à lui. Pas comme assassin, non : il n'a pas commis le crime. Mais il pourrait fort bien être le mystérieux coquin qui terrorisait Mrs Ferrars. Personne n'était mieux placé que lui pour cela. Il a pu obtenir des informations sur la mort de Mr Ferrars par un des domestiques de King's Paddock. En tout cas, il avait plus de chances de découvrir ce genre de détails qu'un hôte de passage comme le major Blunt, par exemple.

– Oui, Parker peut très bien avoir pris la lettre. Je n'ai remarqué sa disparition que plus tard.

– Combien de temps plus tard ? Après l'arrivée de Blunt et de Raymond, ou avant ?

– Je ne m'en souviens pas, dis-je en pesant mes mots. Je crois que c'était avant. Non, après. Oui, je suis presque sûr que c'était après.

– Ce qui porte à trois le nombre des suspects, observa pensivement Poirot. Mais Parker est le plus vraisemblable. Et j'ai envie d'expérimenter quelque chose avec lui. Que diriez-vous de m'accompagner à Fernly, mon ami ?

J'acceptai, et nous partîmes sur-le-champ. Poirot demanda à voir miss Ackroyd, et Flora ne se fit pas attendre.

– Chère mademoiselle, dit mon compagnon, j'ai un petit secret à vous confier. Je ne suis pas très persuadé de l'innocence de Parker, et je me propose une petite expérience, avec votre aide. Je voudrais reconstituer certains de ses faits et gestes, le soir du meurtre. Nous devrons bien sûr lui fournir un prétexte… ah ! voilà. Il s'agit de vérifier si, de la terrasse, on entend la voix de quelqu'un qui parle dans le petit couloir. Et maintenant, auriez-vous la bonté de sonner Parker ?

Je m'en chargeai et le maître d'hôtel se montra instantanément, la mine aussi doucereuse qu'à l'ordinaire.

– Monsieur a sonné ?

– Oui, mon bon Parker. Je souhaite faire une petite expérience et, pour cela, j'ai demandé au major Blunt d'aller sur la terrasse, près de la fenêtre du cabinet de travail. Je veux savoir si, le soir du meurtre, une personne se tenant à cet endroit a pu vous entendre parler avec miss Ackroyd dans le petit couloir. J'aimerais donc que vous me… me répétiez la scène. Voudriez-vous aller chercher votre plateau, ou ce que vous portiez à ce moment-là ?

Parker s'éclipsa et nous allâmes nous placer devant la porte du cabinet de travail, dans le petit corridor. Presque aussitôt, un léger tintement se fit entendre dans le hall et Parker apparut à la porte de communication. Il portait un plateau chargé d'un siphon d'eau gazeuse, d'une carafe de whisky et de deux verres. Poirot semblait en proie à une agitation fébrile.

– Un instant ! s'écria-t-il en levant la main. Procédons avec rigueur. Il s'agit de refaire les moindres gestes dans l'ordre, exactement comme cela s'est passé. C'est une de mes fameuses méthodes.

– C'est une coutume étrangère, si je comprends bien, monsieur, commenta Parker. Ce qu'on appelle la reconstitution du crime, n'est-ce pas ?

Et, imperturbable, il attendit les ordres du détective.

– Ah ! s'écria Poirot, ce brave Parker en connaît, des choses ! On voit qu'il a beaucoup lu. Et maintenant, je vous prie, tâchons d'être aussi précis que possible. Vous arriviez du grand hall, comme ceci. Et Mademoiselle se trouvait… où exactement ?

– Ici, dit Flora, en venant se placer devant la porte du cabinet de travail.

– C'est tout à fait cela, monsieur, confirma Parker.

– Je venais de refermer la porte, reprit Flora.

– En effet, mademoiselle. Votre main était encore sur la poignée, comme elle l'est en ce moment.

– Allez-y, dit Poirot. Jouez-moi cette saynète.

Flora demeura au même endroit, la main sur la poignée, et Parker refit son entrée, son plateau devant lui. Il s'arrêta dans l'embrasure de la porte, et Flora prit la parole :

– Oh ! Parker. Mr Ackroyd désire ne plus être dérangé, ce soir. (Elle changea de ton et chuchota :) Est-ce que c'est bien ça ?

– Oui, miss Flora, autant que je m'en souvienne. Mais il me semble que vous avez dit « à présent », et non « ce soir ».

Et Parker éleva la voix de façon un peu théâtrale pour ajouter :

– Très bien, mademoiselle. Dois-je fermer les portes, comme d'habitude ?

– Oui, s'il vous plaît.

Parker retourna dans le hall où Flora le suivit, puis elle s'engagea dans l'escalier central.

– Est-ce suffisant ? demanda-t-elle par-dessus son épaule.

– Superbe, dit le petit homme en se frottant les mains. Au fait, Parker, êtes-vous sûr qu'il y avait bien deux verres sur le plateau ? Pourquoi deux ?

– J'apportais toujours deux verres, monsieur. Y a-t-il autre chose que je puisse faire ?

196

– Ce sera tout, je vous remercie.

Parker se retira, drapé dans sa dignité, et Poirot s'attarda au milieu du hall, les sourcils froncés. Flora descendit nous rejoindre.

– L'expérience a-t-elle réussi ? Voyez-vous, je ne comprends pas très bien…

Poirot, qui la contemplait d'un air admiratif, l'interrompit en souriant.

– Cela n'est pas nécessaire. Mais dites-moi, y avait-il bien deux verres sur le plateau de Parker, ce soir-là ?

Flora réfléchit un instant.

– Je ne me souviens vraiment pas. Il me semble que oui. Était-ce… le véritable objet de l'expérience ?

Poirot lui prit la main et la tapota doucement.

– Si vous voulez. Je suis toujours curieux de voir si les gens vont dire la vérité.

– Et Parker a dit la vérité ?

– Je suis tenté de le croire, répondit Poirot, tout pensif.

Quelques minutes plus tard, nous étions sur le chemin du retour.

– Pourquoi avoir posé cette question sur les verres ? demandai-je, intrigué.

Poirot haussa les épaules :

– Il faut bien dire quelque chose ! Cette question en valait une autre.

Je le regardai sans comprendre.

– En tout cas, mon ami, reprit-il avec gravité, je sais maintenant une chose que je voulais savoir. Ne m'en demandez pas plus.

16

Une soirée de mah-jong

Ce soir-là, nous eûmes une de ces petites réunions où l'on joue au mah-jong, distraction très en faveur à King's Abbot. Les invités arrivent après le dîner, en manteau de pluie et caoutchoucs, juste à temps pour prendre le café. Un thé est servi un peu plus tard, avec un gâteau et des sandwiches.

Pour cette petite réception, nous avions invité miss Gannett et le colonel Carter, qui habite à côté de l'église. Les langues vont bon train dans ce genre de soirées, ce qui parfois perturbe sérieusement la partie en cours. Avant, nous jouions au bridge, jeu tout à fait incompatible avec le papotage. Le résultat était désastreux, et nous trouvons le mah-jong infiniment plus pacifique. Le temps des joutes verbales entre partenaires, à propos d'une carte mal jouée par exemple, est définitivement révolu. Si nous exprimons toujours nos critiques avec franchise, elles ont perdu leur venin.

– Quel froid, ce soir, Sheppard ! s'exclama le colonel Carter. Cela me rappelle les défilés d'Afghanistan.

Il était debout devant la cheminée, le dos aux flammes. Caroline avait emmené miss Gannett dans sa chambre, où elle l'aidait à se désemmitoufler.

– Vraiment ? rétorquai-je poliment.

– Et ce pauvre Ackroyd, reprit le colonel en acceptant une tasse de café. Bien mystérieuse, son affaire. À mon avis, cela cache pas mal de turpitudes, soyez-en sûr. Tout à fait entre nous, Sheppard, j'ai entendu prononcer le mot « chantage ».

Le colonel m'adressa ce qu'il est convenu d'appeler un « regard entendu » et ajouta :

– Il y a une femme là-dessous, vous pouvez me croire. Oui, une femme, et je n'en démordrai pas.

Ce fut à cet instant précis que Caroline et miss Gannett nous rejoignirent. Miss Gannett but son café, pendant que Caroline allait chercher la boîte de mah-jong et répandait les tuiles sur la table.

– Astiquons nos parquets, dit le colonel d'un ton facétieux[1]. C'est vrai, c'est ce que nous disions au club de Shangaï pour brasser les tuiles : astiquons nos parquets.

Notre opinion personnelle, à Caroline et à moi, c'est que le colonel n'a jamais mis les pieds au club de Shangaï. Et même qu'il n'est jamais allé plus loin que l'Inde, où, pendant la Grande Guerre, il ne s'est battu qu'avec des boîtes de bœuf ou de gelée de prunes et pommes. Mais le colonel a la fibre militaire et, à King's Abbot, nous nous montrons particulièrement tolérants pour les petites manies de chacun.

– Si nous commencions ? proposa Caroline.

Nous prîmes place autour de la table et, pendant près de cinq minutes, le silence régna. Nous construisions fébrilement nos murs, exercice qui prend toujours forme de compétition inavouée. C'est à qui finira le premier.

---

1. *Washing the tiles* : le mot *tiles* désigne en anglais aussi bien les tuiles du toit que les carreaux du sol et les dominos du mah-jong, dont « tuiles » est la traduction correcte. Les vents (les joueurs) détachent les tuiles des quatre murs. C'est le vent d'Est qui commence la partie.

– À toi de jouer, James, dit enfin Caroline. Tu es le vent d'Est.

J'écartai une tuile et nous jouâmes un ou deux tours en silence, mis à part quelques annonces laconiques comme « trois bambous », « deux cercles » ou « Pong ». Sans compter les fréquents « non, pas-Pong » de miss Gannett, justifiés par son habitude enracinée de réclamer des tuiles auxquelles elle n'avait pas droit.

– J'ai aperçu Flora Ackroyd, ce matin, dit-elle tout à coup. Pong, non, pas-Pong. Je me suis trompée.

– Et où cela ? demanda Caroline. Quatre cercles.

– En revanche, déclara miss Gannett sur ce ton hautement significatif dont les petits villages ont l'exclusivité, *elle* ne m'a pas vue.

– Ah ! fit Caroline, intéressée. Tcho.

Miss Gannett en oublia son sujet pour un instant.

– Je crois qu'on ne prononce plus « Tcho », maintenant, mais « Tchao ».

– Sornettes ! J'ai toujours dit « Tcho ».

– Au club de Shangaï, trancha le colonel Carter, nous disions « Tcho ».

Domptée, miss Gannett capitula et Caroline s'absorba dans son jeu, pour s'en arracher quelques instants plus tard.

– Que disiez-vous au sujet de Flora Ackroyd ? Était-elle seule ?

– Oh, que non !

Ces demoiselles échangèrent un regard qui en disait long. L'intérêt de Caroline s'accrut considérablement.

– Tiens donc ! Eh bien… cela ne me surprend pas du tout.

– Nous attendons que vous écartiez, miss Caroline.

Le colonel se donne volontiers l'air de mépriser les ragots et de ne songer qu'à son jeu. Attitude éminemment virile, mais dont personne n'est dupe.

– Si vous voulez mon avis…, commença miss Gannett. Est-ce un bambou que vous avez joué, ma chère ? Ah non ! un cercle. Donc, à mon avis, Flora a eu beaucoup de chance. Oui, vraiment beaucoup de chance.

– Comment cela, miss Gannett ? voulut savoir le colonel. Je prends ce dragon vert pour faire un Pong. Certes, miss Flora est une jeune fille charmante et pleine de qualités, mais qu'est-ce qui vous fait dire qu'elle a de la chance ?

– Je ne suis peut-être pas très au courant des questions criminelles, déclara miss Gannett sur un ton qui démentait ses paroles, mais je peux vous dire une bonne chose. Dans ce genre d'affaire, on cherche d'abord à savoir qui a vu la victime en vie pour la dernière fois. Et c'est toujours cette personne qu'on soupçonne. Or, Flora Ackroyd *est* cette dernière personne, dans le cas présent, et les choses auraient pu très mal tourner pour elle. Oui, vraiment très mal. Mon opinion – je vous la donne pour ce qu'elle vaut – est que Ralph Paton se cache pour la protéger, en attirant les soupçons sur lui.

– Allons, la repris-je avec douceur, vous ne voudriez pas nous faire croire qu'une jeune fille comme Flora Ackroyd a pu poignarder son oncle de sang-froid ?

– Ma foi… je viens d'emprunter un livre à la bibliothèque, où on décrit les bas-fonds de Paris. Il paraît que les plus dangereuses criminelles sont toujours des jeunes filles au visage angélique.

– Mais cela se passe en France ! s'écria Caroline.

– Forcément, dit le colonel. Mais laissez-moi vous raconter une histoire assez curieuse, qui courait les bazars au temps où j'étais aux Indes.

L'histoire du colonel était interminable, et sa seule curiosité résidait dans son manque total d'intérêt. Un événement qui s'est produit aux Indes et vieux de plusieurs années ne saurait être comparé à ce qui s'est passé à King's Abbot l'avant-veille. Caroline eut le bonheur de faire Mah-Jong, ce qui mit fin au récit du colonel. Après le moment toujours un peu embarrassant où je me vois forcé de rectifier les calculs approximatifs de ma sœur, nous entreprîmes une nouvelle partie.

– Le vent d'est passe, annonça Caroline. J'ai ma petite idée au sujet de Ralph Paton, trois caractères. Mais pour le moment je la garde pour moi.

– Vraiment, ma chère ? plaida miss Gannett. Tcho, pardon, Pong.

– Oui, maintint fermement Caroline.

– Et pour les bottines, était-ce la bonne réponse ? Le fait qu'elles soient noires, je veux dire ?

– La réponse exacte, oui.

– Mais qu'est-ce que cela signifie, d'après vous ?

Caroline pinça les lèvres et secoua la tête, d'un air sagace et bien renseigné.

– Pong, dit miss Gannett. Non, pas-Pong. Et maintenant que le docteur est dans les petits papiers de M. Poirot, je suppose qu'il connaît les dessous de l'affaire ?

– J'en suis loin ! me récriai-je.

– James est trop modeste, affirma Caroline. Ah ! un Kong caché.

Le colonel siffla entre ses dents et, pour un moment, les potins furent oubliés.

– Et vous êtes vent dominant, me dit-il. Avec deux Pongs de dragons, par-dessus le marché. Soyons vigilants, miss Caroline nous prépare un gros coup.

Pendant quelques minutes, nous ne parlâmes plus que pour annoncer, jusqu'à ce que le colonel demande :

– Et ce M. Poirot, est-il aussi bon détective qu'on le dit ?

– C'est le plus remarquable qui soit, dit pompeusement Caroline. Et il a dû se réfugier ici incognito pour fuir la publicité qui l'importune.

– Tcho, annonça miss Gannett. Un grand honneur pour notre petit village, bien sûr. Au fait, Clara… vous savez bien, ma bonne ? Clara est très liée avec Elsie, la femme de chambre de Fernly, et devinez ce qu'Elsie lui a dit ? Qu'on a volé une grosse somme d'argent, et qu'à son avis – celui d'Elsie –, une autre femme de chambre pourrait bien être impliquée dans l'affaire. Une certaine Ursula Bourne, qui part à la fin du mois et qui pleure beaucoup la nuit. Si vous voulez mon avis, cette Bourne est en cheville avec un gang. Une drôle de fille, d'ailleurs. Elle ne s'est pas fait d'amies et sort toujours toute seule les jours de congé, ce qui est anormal, et même franchement suspect. Une fois, je l'ai invitée à une de nos soirées de l'Amicale des Jeunes Filles, et elle a refusé de venir. Je lui ai alors posé quelques questions sur sa maison, sa famille… enfin tout cela, et je dois avouer que j'ai trouvé son attitude plus qu'impertinente. Avec toutes les apparences du respect, elle m'a carrément obligée à me taire.

Miss Gannett s'interrompit pour reprendre haleine et le colonel, qui se souciait fort peu de ces problèmes ancillaires, fit observer qu'au club de Shangaï la règle était de jouer à vive allure.

Nous fîmes une partie à vive allure.

– Et cette miss Russell, dit subitement Caroline. Elle est venue ici vendredi matin, soi-disant pour consulter James. Pour moi, elle voulait savoir où il rangeait ses poisons. Cinq caractères.

– Tcho ! fit miss Gannett. Quelle idée surprenante ! Je me demande si vous n'auriez pas raison.

– À propos de poisons…, commença le colonel. Pardon ? Je n'ai pas joué ? Oh ! huit bambous.

– Mah-Jong, annonça miss Gannett.

Au grand dépit de Caroline, qui annonça avec regret :

– Avec un dragon rouge, j'avais une main de trois doubles.

– J'ai eu deux dragons rouges servis, déclarai-je.

– C'est bien de toi, James ! s'écria ma sœur d'un ton réprobateur. Tu ignores le véritable esprit du jeu.

Il me semblait plutôt que j'avais assez bien joué. Le Mah-Jong de Caroline m'aurait coûté un grand nombre de points, tandis que celui de miss Gannett était on ne peut plus maigrelet, ce que ma sœur se fit un devoir de lui signaler.

Le vent d'est passa, et nous commençâmes en silence une nouvelle partie.

– Ce que j'allais vous dire, reprit Caroline, c'est ceci…

– Oui ? fit miss Gannett d'une voix encourageante.

– Je parlais de mon idée, à propos de Ralph Paton.

– Oui, ma chère ? insista miss Gannett, de plus en plus encourageante. Tcho.

– C'est avouer sa faiblesse que d'annoncer Tcho aussi vite, observa sévèrement Caroline. Vous feriez mieux d'attendre d'avoir une bonne main.

– Je sais. Mais vous parliez de Ralph, je crois ?

– Oui. Et je crois bien que je sais où il est.

Nous abandonnâmes tous notre jeu pour la regarder.

– C'est très intéressant, miss Caroline, dit le colonel. Et vous avez trouvé cela toute seule ?

– Eh bien, pas exactement. Voilà. Vous voyez cette grande carte du comté qui est accrochée dans le vestibule ?

Nous acquiesçâmes d'une seule voix.

– L'autre jour, au moment de partir, M. Poirot s'est arrêté pour la regarder et a fait je ne sais plus quelle remarque… Je ne me rappelle plus très bien mais il était question de Cranchester, la seule grande ville du voisinage a-t-il dit. Ce qui est vrai, cela va de soi. Mais c'est seulement après son départ que j'ai compris.

– Compris quoi ?

– Ce qu'il voulait dire, cela va de soi ! Ralph est à Cranchester.

Ce fut à ce moment précis que je renversai ma réglette avec toutes ses tuiles. Ce qui me valut une réprimande immédiate de ma sœur, mais pas trop sévère malgré tout. Elle était bien trop occupée à échafauder sa théorie.

– À Cranchester, miss Caroline ? s'étonna le colonel Carter. Sûrement pas, c'est trop près d'ici !

– Mais justement ! triompha ma sœur. Il semble maintenant prouvé qu'il n'a pas pris le train. Il a très bien pu aller à Cranchester à pied, tout simplement. Et à mon avis il y est encore. Qui aurait jamais l'idée de le chercher si près ?

J'opposai plusieurs arguments à cette hypothèse, mais lorsque ma sœur s'est mis une idée en tête, rien ne pourrait l'en déloger.

— Et vous supposez que M. Poirot est du même avis ? demanda pensivement miss Gannett. C'est une curieuse coïncidence, mais cet après-midi justement, je me promenais sur la route de Cranchester et je l'ai aperçu dans une voiture, qui en revenait.

Nous échangeâmes des regards significatifs.

— Ça, par exemple ! s'exclama soudain miss Gannett. Je pouvais faire Mah-Jong depuis le début et je ne l'avais pas remarqué.

Caroline en oublia ses passionnantes déductions et revint sur terre. Elle fit observer à miss Gannett qu'une main aussi disparate, surtout avec tant de Tchos, ne valait pas la peine qu'on s'en serve pour faire Mah-Jong. Miss Gannett l'écouta sans se troubler, rassembla ses marques et rétorqua :

— Mais oui, ma chère, je vois ce que vous voulez dire. Mais tout dépend de ce que vous aviez en main au départ, n'est-il pas vrai ?

— Vous n'aurez jamais une bonne main si vous ne savez pas attendre.

— Chacun joue comme il l'entend, n'est-ce pas ? rétorqua miss Gannett en comptant ses points. Après tout, je ne m'en tire pas si mal.

Caroline, qui ne pouvait pas en dire autant, se retrancha dans le mutisme.

Le vent d'est souffla, une nouvelle partie commença, Annie apporta le thé. Les deux demoiselles étaient un peu hérissées, ce qui leur arrivait souvent au cours de ces soirées récréatives.

– Si seulement vous vouliez jouer un tantinet plus vite, ma chère, dit Caroline à miss Gannett qui hésitait entre deux tuiles. Les Chinois posent leurs tuiles si rapidement que l'on croit entendre le pépiement des oiseaux.

Pendant quelques minutes, nous jouâmes comme les Chinois, puis le colonel observa d'un ton bonhomme :

– Vous ne nous avez pas beaucoup aidés dans nos déductions, Sheppard. Quel cachottier vous faites ! Vous partagez les secrets du grand détective et vous ne daignez même pas éclairer notre lanterne.

– James est inouï, dit Caroline en me lançant un regard de reproche. Il est tout bonnement incapable de vous donner le moindre renseignement.

– Je vous assure que je ne sais rien, protestai-je. Poirot garde ses pensées pour lui.

– C'est un sage, gloussa le colonel, il ne se compromet pas. Mais quand même, ces détectives étrangers sont vraiment forts. Ils doivent en connaître, des ficelles !

– Pong, annonça miss Gannett, sur un ton de triomphe paisible. Et Mah-Jong.

L'atmosphère se tendit. Et le dépit de voir miss Gannett faire Mah-Jong pour la troisième fois poussa Caroline à déclarer, pendant que nous construisions un nouveau mur :

– Tu es assommant, James ! Tu restes là, comme une borne, sans rien dire !

– Mais, ma chère, c'est que je n'ai vraiment rien à dire. En tout cas pas sur le sujet qui t'intéresse.

– Ridicule ! répliqua ma sœur en rangeant ses tuiles. Tu sais *certainement* quelque chose d'intéressant.

Sur le moment, je ne répondis rien : la surprise et la joie me montaient à la tête. J'avais lu qu'il existait une main servie : Tin-Ho, le Mah-Jong d'entrée de jeu, également appelée je crois « le favori de la fortune ». Je n'avais jamais espéré l'avoir. J'eus le triomphe modeste et étalai mes tuiles, faces visibles, en annonçant :

– Tin-Ho ! Le favori de la fortune, comme on dit au club de Shangaï.

Les yeux du colonel faillirent lui sortir de la tête.

– Juste ciel ! Quel coup fantastique, je n'avais jamais vu ça.

Ce fut alors que, piqué par le persiflage de Caroline et enhardi par mon succès, je crus bon d'ajouter :

– En fait de détails intéressants, que penseriez-vous d'une alliance en or, portant une initiale gravée à l'intérieur : le R ?

Je ne décrirai pas la scène qui s'ensuivit. Je dus préciser le lieu de la découverte et la date gravée sur l'anneau.

– Le 13 mars, commenta Caroline. Il y a tout juste six mois. Ah !

Suivit un véritable tourbillon de suggestions et suppositions audacieuses, d'où émergèrent les trois théories suivantes :

1 – Celle du colonel Carter : Ralph avait secrètement épousé Flora. La solution la plus évidente et la plus simple.

2 – Celle de miss Gannett : Roger Ackroyd avait secrètement épousé Mrs Ferrars.

3 – Celle de ma sœur : Roger Ackroyd avait épousé sa gouvernante, miss Russell.

Une quatrième proposition, de loin la plus audacieuse, me fut soumise un peu plus tard par Caroline tandis que nous montions nous coucher.

– Retiens bien ceci, déclara-t-elle tout à coup. Je ne serais pas du tout étonnée d'apprendre que Geoffrey Raymond et Flora sont mariés.

– Mais si c'était le cas, l'initiale serait G et non R.

– Va savoir ! Certaines jeunes filles appellent leurs amis par leur nom de famille. Et tu as entendu ce qu'a dit miss Gannett ce soir sur la conduite de Flora.

Pour être franc, je n'avais rien entendu de désobligeant sur ce sujet de la part de cette demoiselle, mais je m'inclinai devant cette science innée des allusions.

– Et que fais-tu d'Hector Blunt ? insinuai-je. S'il y a quelqu'un…

– Absurde, trancha Caroline. Il admire Flora, je te l'accorde, il est même possible qu'il en soit amoureux, mais tu peux me croire. Aucune fille n'ira s'éprendre d'un homme assez âgé pour être son père quand un charmant secrétaire rôde dans les parages. Et si elle a encouragé le major Blunt, ce n'était qu'une feinte : les filles sont tellement fines mouches ! Mais il y a une chose que je peux t'affirmer, James Sheppard : Flora Ackroyd se soucie comme d'une guigne de Ralph Paton, et ne s'en est jamais souciée. Mets-toi bien ça dans la tête.

Docilement, je me mis cela dans la tête.

17

Parker

Le lendemain matin, l'idée me vint que, grisé par les faveurs de la fortune, j'avais pu commettre une indiscrétion. Certes, Poirot ne m'avait pas demandé de garder le secret sur la découverte de la bague. Mais d'autre part, il n'en avait pas soufflé mot au cours de notre visite à Fernly, et j'étais probablement la seule personne qui fût au courant de sa trouvaille. Je me sentais vraiment coupable. La nouvelle devait être en train de se propager à une rapidité fulgurante, et je m'attendais à tout moment à une mercuriale de Poirot.

Les funérailles de Mrs Ferrars et de Roger Ackroyd devaient avoir lieu à 11 heures, en un seul et même service funèbre. Ce fut une cérémonie émouvante. L'entière maisonnée de Fernly était là. Hercule Poirot aussi. Quand tout fut terminé, il me prit par le bras et m'invita à le raccompagner aux Mélèzes. Je lui trouvai l'air sévère et craignis que mon indiscrétion de la veille ne lui soit revenue aux oreilles. Mais il apparut bientôt que ses préoccupations étaient de nature tout à fait différente.

– Voyez-vous, commença-t-il, il nous faut agir, et j'aurai besoin de votre aide. Je me propose de questionner un témoin. Nous lui ferons subir un véritable interrogatoire. Et il aura tellement peur qu'il sera forcé de nous dire la vérité.

J'en restai tout pantois.

– Mais de quel témoin parlez-vous ?

– De Parker ! annonça Poirot. Je lui ai demandé d'être chez moi à midi. Il devrait déjà nous attendre.

Je lui jetai un regard de côté.

– Qu'avez-vous au juste en tête ?

– Je ne sais qu'une chose : je ne suis pas satisfait.

– Vous croyez qu'il pourrait être notre maître chanteur ?

– Possible, ou alors…

– Eh bien ? le pressai-je, comme le silence se prolongeait.

– Mon ami, je ne vous dirai qu'une chose : j'espère que c'est bien lui.

La gravité de son attitude, que nuançait un je ne sais quoi d'indéfinissable, me réduisit au silence.

En arrivant aux Mélèzes, nous fûmes informés que Parker nous attendait. Il se leva respectueusement à notre entrée.

– Bonjour, Parker, dit Poirot d'un ton affable. Veuillez m'accorder un instant, je vous prie.

Il se défit de son pardessus et de ses gants, et Parker se précipita pour l'aider.

– Que Monsieur me permette…

Sous le regard approbateur de Poirot, le maître d'hôtel déposa soigneusement les vêtements sur une chaise, près de la porte.

– Merci, mon bon Parker. Asseyez-vous, je vous prie, ce que j'ai à vous dire risque de prendre un certain temps.

Parker s'exécuta, courbant l'échine en manière d'excuse.

– À votre avis, pourquoi vous ai-je prié de venir ici ce matin ?

Le maître d'hôtel toussota.

– J'ai cru comprendre que Monsieur souhaitait me poser… disons discrètement, quelques questions sur mon défunt maître.

– Précisément, s'égaya Poirot. Avez-vous beaucoup d'expérience en matière de chantage ?

Le maître d'hôtel bondit sur ses pieds.

– Monsieur !

– Allons, du calme, dit Poirot d'un ton placide. Ne prenez pas ces airs d'honnête homme offensé. Vous n'êtes pas un novice dans ce domaine, si je ne me trompe ?

– Monsieur, je n'ai jamais été… jamais été…

– Insulté de la sorte ? suggéra Poirot. Alors, mon excellent Parker, pourquoi teniez-vous tellement à écouter à la porte du cabinet de travail de Mr Ackroyd, l'autre soir, après avoir surpris par hasard le mot « chantage ».

– Je ne… je n'ai pas…

– Qui était votre précédent maître ? fit brutalement Poirot.

– Mon… mon précédent maître ?

– Oui. Celui chez qui vous serviez avant d'entrer chez Mr Ackroyd.

– Le major Ellerby, monsieur…

Poirot devait lui arracher les mots de la bouche.

– Exact, le major Ellerby. Et le major Ellerby s'adonnait aux stupéfiants, non ? Vous avez voyagé avec lui. Il se trouvait aux Bermudes au moment où un homme a été tué, ce qui lui a causé quelques problèmes. Il a été reconnu partiellement responsable. On a étouffé l'affaire mais vous, vous saviez. Combien le major Ellerby a-t-il payé votre silence ?

Silence de Parker. Il flageolait, anéanti, joues tremblotantes.

– Moi aussi je sais me renseigner, plaisanta Poirot. Et je suis sûr de ce que j'avance. Vous avez extorqué de jolies sommes au major Ellerby, et il a payé jusqu'à sa mort. Maintenant, parlez-nous un peu de vos derniers exploits.

Le regard fixe, Parker continuait à se taire.

– Inutile de nier, Hercule Poirot *sait*. C'est bien ainsi que tout s'est passé avec le major Ellerby, n'est-ce pas ?

De mauvaise grâce, et comme s'il obéissait à une autre volonté que la sienne, Parker hocha la tête. Son visage avait pris une couleur cendreuse. Il gémit :

– Mais je n'ai pas touché à un seul cheveu de la tête de Mr Ackroyd, je le jure devant Dieu, monsieur. J'ai toujours redouté qu'il découvre la vérité sur… sur tout ça. Et je vous assure que je ne… je ne l'ai pas tué.

Sa voix avait grimpé dans les aigus. Il criait presque.

– Je suis tenté de vous croire, mon ami, vous n'en auriez pas eu le courage. Mais il me faut la vérité.

– Je vais tout vous dire, monsieur. Tout ce que vous voulez savoir. C'est vrai que j'ai essayé d'écouter à la porte, ce soir-là. J'avais surpris quelques mots qui m'avaient rendu curieux. Et il y avait aussi le fait que Mr Ackroyd s'était enfermé avec le docteur après avoir dit qu'il ne voulait pas être dérangé. Ce que j'ai raconté à la police est la vérité du bon Dieu, monsieur. J'avais surpris le mot chantage, et…

Parker s'interrompit tout net.

– Et vous avez pensé qu'il y avait là matière à profit ? suggéra suavement Poirot.

– Eh bien… heu… en fait, oui, monsieur. Je me suis dit que si l'on faisait chanter Mr Ackroyd, je pourrais avoir moi aussi ma part du gâteau.

Une expression des plus étranges passa dans le regard de Poirot. Il se pencha en avant.

– Jusqu'à ce soir-là, aviez-vous jamais eu la moindre raison de supposer que Mr Ackroyd subissait un chantage ?

– Jamais, monsieur. Ce fut une grande surprise pour moi. Un gentleman si régulier dans ses habitudes !

– Et qu'avez-vous réussi à découvrir ?

– Pas grand-chose, monsieur. À croire qu'il y avait un sort contre moi. D'abord, j'avais mon service à faire à l'office. Et quand j'ai trouvé l'occasion, une fois ou deux, de me faufiler jusqu'au cabinet de travail, cela ne m'a servi à rien. La première fois, le Dr Sheppard a failli me bousculer en sortant, et la deuxième, Mr Raymond m'a dépassé dans le grand hall en allant vers le cabinet de travail. Ce n'était plus la peine que j'y retourne. Et quand je suis arrivé avec le plateau, miss Flora m'a dit de me retirer.

Poirot dévisagea longuement Parker, comme pour juger de sa sincérité. Le maître d'hôtel soutint fermement son regard.

– J'espère que Monsieur me croit. Depuis le début, j'ai peur que la police n'aille déterrer cette vieille histoire du major Ellerby et me soupçonne à cause de cela.

– Eh bien, dit finalement Poirot, je suis tout prêt à vous croire, mais j'ai encore une chose à vous demander.

Je voudrais voir votre livret de relevés bancaires. Vous en avez bien un, je suppose ?

– Oui, monsieur, et je l'ai justement sur moi.

Sans le moindre signe de gêne, Parker tira de sa poche un mince carnet vert. Poirot s'en empara et le parcourut attentivement.

– Ah ! Je vois que vous avez acheté pour cinq cents livres de bons du Trésor, cette année.

– En effet, monsieur. J'ai déjà plus de mille livres d'économies, grâce à mes… hum !… mes relations avec mon ancien maître, le major Ellerby. J'ai aussi eu pas mal de chance aux courses, cette année. Oui, beaucoup de chance. Si Monsieur se rappelle, c'est un outsider qui a gagné le Jubilé. Et j'avais été assez heureux pour miser vingt livres sur lui.

Poirot lui rendit le livret.

– Alors, bonne journée, mon ami. Je crois que vous m'avez dit la vérité. Sinon… tant pis pour vous.

Quand Parker eut pris congé, Poirot remit son pardessus.

– Vous comptez ressortir ? m'étonnai-je.

– Oui. Nous allons rendre une petite visite à ce bon Mr Hammond.

– Vous croyez à l'histoire de Parker ?

– Elle me paraît plausible. Il semble évident – à moins qu'il ne soit un excellent acteur – que pour lui c'était Mr Ackroyd la victime du chantage. Il le croyait dur comme fer. Donc il ignorait tout des problèmes de Mrs Ferrars.

– Mais dans ce cas, qui…

– Précisément ! s'exclama Poirot. Qui ? Notre visite à

Mr Hammond nous éclairera sur un point. Ou Parker n'a pas trempé dans cette affaire, ou alors…

– Ou alors ?

– Décidément, je prends la mauvaise habitude de laisser mes phrases en suspens, ce matin, dit mon ami comme pour s'excuser. Veuillez me le pardonner.

– Au fait, annonçai-je d'un ton penaud, j'ai un aveu à vous faire. J'ai, par inadvertance, laissé échapper quelques mots au sujet de la bague.

– Quelle bague ?

– Celle que vous avez trouvée dans le bassin.

– Ah oui ! fit Poirot en souriant jusqu'aux oreilles.

– Quelle légèreté de ma part ! Vous n'êtes pas fâché, au moins ?

– Pas du tout, mon bon ami, pas du tout. Je ne vous avais pas recommandé le silence, vous étiez libre de divulguer la nouvelle. A-t-elle intéressé votre sœur ?

– Énormément, elle a fait sensation. Toutes sortes de théories circulent à ce sujet.

– Ah oui ? C'est pourtant si simple. L'explication saute aux yeux, n'est-ce pas ?

– Vraiment ? demandai-je sur un ton plutôt sec.

Poirot se mit à rire.

– Le sage évite de se compromettre, ne dit-on pas ? Mais nous voici arrivés.

L'avoué était dans son cabinet, où nous fûmes introduits sans délai. Il se leva et nous souhaita la bienvenue en quelques mots secs et précis, à sa manière habituelle. Poirot en vint directement au fait.

– Monsieur, je désire de vous certaines informations, si vous voulez être assez bon pour me les communiquer.

Vous étiez bien l'homme de loi de feu Mrs Ferrars, de King's Paddock ?

J'eus le temps de remarquer un bref éclair de surprise dans les yeux de l'avoué, puis il reprit son masque de neutralité professionnelle.

– En effet. Tous ses intérêts étaient entre mes mains.

– Parfait. Et maintenant, avant de vous demander quoi que ce soit, je souhaite que vous entendiez le Dr Sheppard. Vous ne voyez aucune objection à raconter votre entretien de vendredi soir avec Mr Ackroyd, n'est-ce pas, mon ami ?

– Pas la moindre, affirmai-je.

Et j'entamai aussitôt le compte rendu de cette étrange soirée. Hammond m'écouta avec une extrême attention.

– Voilà, dis-je enfin, c'est tout.

– Un chantage…, commenta l'avoué, pensif.

– Cela vous étonne ? demanda Poirot.

Hammond ôta son pince-nez et le frotta avec son mouchoir.

– Non, pas vraiment. Il y a déjà un certain temps que je soupçonnais quelque chose de ce genre.

– Ce qui nous amène à l'information que j'attends de vous, déclara Poirot. Si quelqu'un peut nous donner une idée de la somme extorquée à Mrs Ferrars, c'est bien vous, monsieur.

– Je ne vois aucune raison de ne pas vous le révéler, dit l'avoué après quelques instants de réflexion. Au cours de l'année écoulée, Mrs Ferrars a vendu divers titres et valeurs, et encaissé l'argent sans le réinvestir. Comme elle avait d'importants revenus et vivait très modestement depuis la mort de son mari, on peut affirmer que ces sommes étaient destinées à des dépenses sortant de l'ordinaire. J'ai risqué une fois une allusion à ce sujet, et elle m'a répondu qu'elle avait dû prendre à sa charge certains parents pauvres de son mari. Naturellement, je n'ai pas insisté. J'ai cru, en tout cas jusqu'ici, qu'il s'agissait d'une femme ayant des droits sur Ashley Ferrars. Je n'aurais jamais pensé que Mrs Ferrars avait besoin de ces pareilles sommes pour elle-même.

– Quelles sommes ? voulut savoir Poirot.

– En tout ? Voyons… environ vingt mille livres.

– Vingt mille livres ! m'exclamai-je. En une année !

– Mrs Ferrars était extrêmement riche, observa sèchement Poirot. Et la peine encourue pour meurtre n'est pas des plus agréables.

– Puis-je vous être encore utile en quoi que ce soit ? s'enquit Mr Hammond.

– Non, je vous remercie, conclut Poirot en se levant. Veuillez m'excuser de vous avoir perturbé.

– Mais pas du tout, pas du tout.

– Le mot « perturbé » n'était pas tout à fait approprié, dis-je à Poirot quand nous nous retrouvâmes dehors. Il ne s'applique qu'au désordre mental.

– Ah ! s'écria mon compagnon, je ne maîtriserai jamais l'anglais. Curieux langage.

– Le mot que vous aviez en tête est « dérangé ».

– Merci, mon ami. Quel souci du terme exact ! Et maintenant, qu'allons-nous faire de Parker ? Avec vingt mille livres en banque, serait-il resté maître d'hôtel ? Je ne pense pas. Bien entendu, il est possible qu'il ait placé cet argent sous un autre nom, mais j'ai tendance à croire qu'il a dit la vérité. C'est un gredin, mais un gredin sans envergure. Il ne voit pas grand. Ce qui nous laisse donc deux possibilités. Raymond… ou le major Blunt.

– Raymond, certainement pas ! Il était très endetté et ces cinq cents livres sont arrivées à point nommé.

– C'est en effet ce qu'il prétend.

– Et quant à Hector Blunt…

– Laissez-moi vous dire quelque chose à propos de ce brave major Blunt, coupa Poirot. C'est mon métier d'enquêter, j'enquête. Eh bien, ce fameux legs dont il nous a parlé, j'ai découvert qu'il se montait à près de vingt mille livres. Que pensez-vous de cela ?

J'en restai quelques instants sans voix.

– C'est impossible, finis-je par dire. Un homme aussi connu qu'Hector Blunt !

– Et alors ? Lui, au moins, c'est un homme d'envergure. J'avoue que je le vois mal en maître chanteur, mais il reste une éventualité qui vous a totalement échappé.

– Et laquelle ?

– Le feu, mon ami. Ackroyd lui-même a très bien pu brûler le tout, lettre et enveloppe bleue, après votre départ.

– Cela me semble peu probable, dis-je lentement, et pourtant… non, ce n'est pas impossible. Il aurait pu changer d'avis.

Nous arrivions devant chez moi et, sous l'impulsion du moment, j'invitai Poirot à partager notre repas, à la fortune du pot. Je croyais plaire à Caroline, mais les femmes sont décidément difficiles à contenter. Il se trouva que nous avions des côtelettes pour déjeuner, et le personnel des tripes aux oignons. Et servir deux côtelettes à trois convives risque de créer une situation délicate.

Mais Caroline a toujours su retomber sur ses pieds. Avec une admirable mauvaise foi, elle expliqua à Poirot que, bien que James la taquinât sur ce point, elle suivait un régime végétarien. Elle s'étendit complaisamment sur les délices des grillades de noix (auxquelles, j'en jurerais, elle n'a jamais goûté), et se régala ostensiblement d'un *Welsh rarebit,* assaisonné de remarques sur les dangers de l'alimentation carnée. Puis, lorsque nous nous installâmes pour fumer devant la cheminée, elle attaqua Poirot sans y aller par quatre chemins.

– Vous n'avez pas encore retrouvé Ralph Paton ?

– Et où pourrais-je bien le trouver, mademoiselle ?

– Eh bien, fit Caroline sur un ton lourd de sens, je ne sais pas, moi… à Cranchester, peut-être ?

Poirot parut tomber des nues.

– À Cranchester ? Mais pourquoi Cranchester ?

Je pris un malin plaisir à le mettre au fait :

– Il se trouve qu'un des nombreux membres de notre service de renseignements vous a aperçu hier sur la route de Cranchester, en voiture.

La surprise de Poirot fit place à un franc éclat de rire :

– Ah, c'est donc ça ! Une simple visite chez le dentiste, rien de plus. Une rage de dent, voyez-vous. Je l'ai fait arracher, elle ne me tracassera donc plus.

Déconfiture de Caroline. Elle me fit penser à un ballon piqué par une épingle. Nous en revînmes à Ralph Paton et j'affirmai une fois de plus :

– C'est un faible, peut-être. Mais il a un bon fond.

– Ah ! s'exclama Poirot, mais jusqu'où peut aller la faiblesse ?

– Très juste, opina Caroline. Tenez, James, par

exemple. Il n'y a pas plus faible que lui. Heureusement que je suis là !

– Ma chère Caroline, protestai-je avec humeur, es-tu vraiment obligée de donner des exemples personnels ?

– Mais tu *es* faible, James, insista Caroline sans s'émouvoir. J'ai huit ans de plus que toi et… – Oh ! cela ne me gêne pas que M. Poirot le sache…

– Je ne m'en serais jamais douté, mademoiselle, dit le Belge en s'inclinant galamment.

– … Huit ans de plus que toi, et je me suis toujours fait un devoir de veiller sur toi. Avec une mauvaise éducation, Dieu sait ce que tu aurais déjà commis comme sottises.

Je levai les yeux au plafond et soufflai quelques ronds de fumée.

– J'aurais peut-être épousé une belle aventurière, qui sait ?

– Une aventurière ! ricana Caroline. Parlons-en…

Elle laissa sa phrase en suspens, ce qui piqua ma curiosité.

– Eh bien ? Que veux-tu dire ?

– Rien. Mais je pense qu'il n'est pas nécessaire de faire cent kilomètres pour en trouver une, d'aventurière !

Sur ce, Caroline se tourna brusquement vers Poirot :

– James soutient que, pour vous, c'est un habitant de la maison qui a commis le crime. Tout ce que je puis vous dire c'est que vous vous trompez.

– J'aimerais mieux que ce ne soit pas le cas. N'est-ce pas mon métier d'avoir raison ?

Ignorant cette remarque, Caroline s'entêta :

– À travers James et tous les autres, j'ai réussi à me forger une opinion précise des faits. Et, à ma connaissance, seules deux personnes de la maison *auraient eu* une chance de commettre le crime : Ralph Paton et Flora Ackroyd.

– Ma chère Caroline…

– Non, James, ne m'interromps pas, je sais de quoi je parle. Parker a rencontré Flora devant la porte, non ? Il n'a pas entendu son oncle lui dire bonsoir. Elle pouvait très bien l'avoir déjà tué.

– Caroline !

– Je ne dis pas qu'elle l'a tué, James. Je dis qu'elle *aurait pu* le faire. En fait, bien que Flora soit comme toutes les filles d'aujourd'hui, persuadées de tout savoir mieux que tout le monde et sans le moindre respect pour leurs aînés, je la crois incapable de tuer ne serait-ce qu'un poulet. Mais les faits demeurent. Mr Raymond et le major Blunt ont des alibis, Mrs Ackroyd a un alibi. Même cette Russell semble en avoir un, et c'est tant mieux pour elle. Alors, qui reste-t-il ? Flora et Ralph, simplement. Et tu pourras dire ce que tu veux, je ne croirai jamais que Ralph soit un meurtrier. Un garçon que nous avons vu grandir !

Poirot demeura un long moment silencieux, contemplant les volutes de fumée qui montaient de sa cigarette. Quand il se décida à parler, ce fut d'une voix douce et lointaine qui nous laissa une impression curieuse. Cela ne lui ressemblait pas du tout.

– Imaginons un homme, un homme tout à fait comme les autres, qui n'a jamais été effleuré par la moindre pensée de meurtre. Il y a en lui une trace de faiblesse,

222

profondément enfouie, qui n'a jamais eu l'occasion de se manifester. Peut-être ne l'aura-t-elle jamais, et notre homme finira sa vie honoré et respecté de tous. Mais supposons qu'un incident se produise, un problème d'argent par exemple, ou moins encore. Il peut, par accident, surprendre un secret qu'il serait de son devoir de révéler, celui d'un crime, disons. Son premier mouvement sera d'agir en honnête citoyen, et de parler. Et c'est là que cette trace de faiblesse se révèle, voyez-vous. Il entrevoit une chance d'obtenir de l'argent sans effort. Beaucoup d'argent. Il veut cet argent, il le convoite… et ce serait si facile. Il n'a rien à faire pour cela, sinon se taire. Le premier pas est fait. Puis son appétit grandit. Il lui faut sans cesse plus d'argent, encore plus ! Il éprouve un véritable vertige devant la mine d'or qui s'est ouverte à ses pieds. Il devient gourmand, et son avidité le perd. On peut faire indéfiniment pression sur un homme, pas sur une femme. Car les femmes gardent au cœur un grand désir de vérité. Combien d'époux infidèles emportent tranquillement leur secret dans la tombe ! Mais combien de femmes infidèles ruinent leurs vies en avouant tout à ces hommes-là, leur jetant la vérité à la figure ? Le poids était trop lourd. Dans un moment d'insouciance téméraire – qu'elles regretteront après coup, bien entendu –, elles oublient toute prudence et proclament la vérité. Ce qui, sur le moment, leur procure une immense satisfaction. Je pense que, dans notre affaire, les choses ont dû se passer ainsi, n'est-ce pas ? La tension est devenue trop forte pour la victime, et ce fut, comme dit le proverbe, la fin de la poule aux œufs d'or. Mais pas la fin de l'histoire. L'homme dont nous parlons a peur d'être découvert. Ce n'est plus le même homme que… que seulement un an plus tôt, peut-être. Son sens moral s'est émoussé, c'est bien le mot ? Il est désespéré, prêt à tout, car s'il est découvert, il est perdu. Et alors… le poignard frappe.

Poirot laissa s'installer un silence, et ce fut comme s'il nous tenait sous un charme. Tout s'était figé dans la pièce et je n'essaierai pas de décrire l'impression qu'avaient produite sur nous ses paroles. Il y avait quelque chose d'impitoyable dans son analyse, et sa puissance de perception nous frappait de crainte, ma sœur et moi.

– Et puis, reprit-il doucement, le danger passé, l'homme redevient lui-même, normal et bon. Mais si à nouveau le besoin s'en fait sentir, alors il frappera encore.

Caroline se reprit enfin.

– Vous parlez de Ralph Paton, et peut-être avez-vous raison, peut-être pas. Mais vous n'avez pas le droit de condamner un homme sans l'entendre.

La sonnerie aiguë du téléphone retentit. Je passai dans le vestibule et décrochai le combiné.

– Pardon ? Oui, c'est le Dr Sheppard à l'appareil.

J'écoutai pendant un instant, répondis brièvement et reposai le récepteur. Puis je revins dans le salon.

– Poirot, annonçai-je, on a arrêté un homme à Liverpool, un certain Charles Kent. Ce serait l'inconnu qui s'est rendu à Fernly le soir du meurtre. On me demande d'aller immédiatement à Liverpool pour l'identifier.

18

Charles Kent

Une demi-heure plus tard le train nous emmenait vers Liverpool, l'inspecteur Raglan, Poirot et moi. L'inspecteur ne tenait plus en place.

– Enfin, nous allons y voir clair dans cette histoire de chantage ! jubila-t-il. Ce sera toujours ça ! Une vraie tête brûlée, notre client, d'après ce qu'on m'a dit au téléphone. Et un drogué par-dessus le marché. Ça ne devrait pas être trop difficile de le faire parler. Si seulement il avait un mobile, même insignifiant ! Il y a gros à parier qu'il est coupable, mais dans ce cas, pourquoi le jeune Paton ne se montre-t-il pas ? Décidément, cette affaire est un vrai casse-tête. Au fait, monsieur Poirot, vous aviez raison pour les empreintes, ce sont bien celles de Mr Ackroyd. Je l'avais envisagé, mais cela me semblait tellement incroyable…

Ces efforts pour sauver la face m'arrachèrent un sourire.

– Et cet homme, s'enquit Poirot, vous l'avez arrêté ?

– Mis en détention provisoire, simplement.

– Et que dit-il pour sa défense ?

– Pas grand-chose, à part des injures en veux-tu en voilà. Il est malin, notre oiseau ! Il se méfie.

L'accueil enthousiaste que reçut Poirot à Liverpool ne laissa pas de me surprendre. Le commissaire Hayes, qui nous souhaita la bienvenue, avait jadis travaillé avec lui et s'était fait une opinion manifestement bien trop flatteuse de ses capacités.

– Maintenant que M. Poirot est là, l'affaire ne va plus traîner ! s'exclama-t-il avec chaleur. Mais je croyais que vous aviez pris votre retraite, monsieur ?

– C'est exact, mon cher Hayes, c'est exact. Mais la retraite est si ennuyeuse et d'une telle monotonie, vous n'imaginez pas ce que cela représente !

– Oh, que si ! Alors, vous êtes venu jeter un coup d'œil sur notre prise ? Et Monsieur doit être le Dr Sheppard… Croyez-vous pouvoir identifier notre homme, monsieur ?

– Je n'en suis pas très sûr, répondis-je avec prudence.

– Et comment avez-vous mis la main dessus ? s'enquit Poirot.

– Nous avions diffusé son signalement, dans la presse et dans nos services. Il était un peu sommaire, mais le suspect a un accent américain et ne se cache pas d'être allé du côté de King's Abbot ce soir-là. Il ne nous envoie pas dire que ce n'est pas notre affaire et qu'il aimerait mieux être pendu que de répondre à nos questions.

– Serait-il possible de le voir ?

Le commissaire eut un clin d'œil entendu.

– Nous sommes heureux de vous avoir à nos côtés, monsieur, et vous avez carte blanche. L'inspecteur Japp, de Scotland Yard, demandait justement de vos nouvelles, l'autre jour. Il paraît que vous vous occupez officieusement de cette affaire. Puis-je savoir où se cache le capitaine Paton, monsieur ?

– Je crains que ce ne soit pas le moment de le révéler, répondit Poirot d'un ton pincé.

Je me mordis la lèvre pour ne pas sourire : le petit homme s'en tirait vraiment très bien. Il fallut ensuite accomplir quelques formalités et nous fûmes introduits auprès du prisonnier.

L'homme était jeune, dans les vingt-deux ou vingt-trois ans, grand et mince. Ses mains tremblaient légèrement et l'on devinait qu'il avait dû posséder une grande force physique même s'il n'en restait pas grand-chose. Des cheveux bruns, des yeux bleus, un regard vacillant qui fuyait le vôtre… non, décidément, je m'étais trompé en croyant qu'il me rappelait quelqu'un. Il n'en était rien. Le commissaire l'apostropha :

– Allons, Kent, levez-vous. Ces messieurs sont venus pour vous voir. Reconnaissez-vous l'un d'entre eux ?

Kent nous jeta un coup d'œil morne mais ne répondit rien. Je vis son regard glisser sur nous trois, revenir et finalement s'arrêter sur moi.

– Alors, monsieur ? me demanda le commissaire. Qu'en dites-vous ?

– Cet homme a la même taille que celui que j'ai aperçu, la même silhouette, mais c'est à peu près tout.

– Et à quoi ça rime, tout ça ? s'écria Kent. Qu'est-ce que vous avez contre moi ? Eh bien, allez-y, qu'est-ce qu'on me reproche ?

– C'est bien le même homme, fis-je en appuyant ma déclaration d'un hochement de tête. Je reconnais sa voix.

– Ah oui ! vous reconnaissez ma voix ? Et où vous l'avez entendue, vous croyez ? Et quand, d'abord ?

– Vendredi soir, à la grille du parc de Fernly. Vous m'avez demandé le chemin.

– Puisque vous le dites !

– Reconnaissez-vous le fait ? demanda l'inspecteur.

– Je reconnais rien du tout. Pas tant que je sais pas ce qu'on me reproche.

Poirot prit la parole pour la première fois.

– Vous n'avez donc pas lu les journaux, ces jours-ci ?

Les yeux de l'homme s'étrécirent.

– Alors c'est ça ? On a repassé un vieux singe à Fernly, et vous voulez me coller ça sur le dos ?

– Vous étiez sur les lieux ce soir-là, observa tranquillement Poirot.

– Et comment vous le savez, vous ?

– Grâce à ceci, dit le détective en tirant de sa poche un objet qu'il tendit à Kent.

C'était le tuyau de plume qu'il avait trouvé dans le pavillon. À sa vue, le visage de l'homme changea. Il tendit la main comme pour s'en emparer.

– De la neige, dit pensivement Poirot. Non, mon ami, il est vide. Je l'ai trouvé dans le pavillon d'été, là où vous l'avez laissé tomber ce soir-là.

L'autre leva sur lui un regard hésitant.

– Vous en savez des choses, espèce de petit morveux d'étranger ! Alors vous vous rappelez peut-être ce qu'il y avait dans les journaux : que le vieux a été rectifié entre moins le quart et 22 heures ?

– En effet.

– Ouais. Mais est-ce que c'est vrai ? C'est ça que je voudrais bien savoir.

– Ce monsieur pourra vous le dire, affirma Poirot en désignant l'inspecteur Raglan.

Celui-ci hésita, consulta du regard le commissaire Hayes, puis Poirot lui-même et, comme s'il avait reçu leur approbation, déclara :

– C'est exact : entre moins le quart et 22 heures.

Alors je vois pas pourquoi vous me gardez ici, vu qu'à 21 heures 25 j'étais déjà loin. Demandez donc au *Chien qui siffle,* sur la route de Cranchester. C'est presque à deux kilomètres de Fernly et j'ai fait pas mal de bruit dans c't'auberge, vers 10 heures moins le quart je me rappelle. Alors, qu'est-ce que vous dites de ça ?

L'inspecteur Raglan nota quelque chose dans son carnet.

– Alors ? répéta Kent.

– Nous vérifierons, rétorqua l'inspecteur. Si vous avez dit la vérité, tout s'arrangera pour vous. Au fait, qu'alliez-vous faire à Fernly ?

– Voir quelqu'un.

– Qui ?

– C'est pas vos oignons.

– Tâchez d'être un peu plus poli, mon garçon, conseilla vertement le commissaire.

– Poli si je veux ! Ce que je suis allé faire là-bas, c'est mon problème. Puisque j'étais déjà loin au moment du crime, le reste, ça regarde pas la police. Qu'elle se débrouille.

– Vous vous appelez Charles Kent, observa Poirot. Où êtes-vous né ?

L'homme parut un instant déconcerté, puis sourit largement.

– Je suis un vrai Britannique, cent pour cent.

– Certes, fit Poirot d'une voix lente, je pense que vous l'êtes. J'imagine même que vous êtes né dans le Kent.

L'homme ouvrit des yeux ronds.

– Vous… quoi ? Et pourquoi, d'abord ? À cause de

229

mon nom ? C'est pas parce qu'on s'appelle Kent qu'on est forcément né dans ce coin-là !

– Dans certains cas particuliers, cela peut se produire, rétorqua Poirot d'un air désinvolte. Je dis bien : dans certains cas particuliers, vous me suivez ?

Son intonation particulièrement insistante emplit d'étonnement les deux policiers. Quant à Charles Kent, son teint vira au rouge brique et je crus un moment qu'il allait se jeter sur Poirot. Puis il se ravisa, émit ce qui pouvait passer pour un rire et se détourna.

Poirot eut un hochement de tête satisfait et sortit, suivi de près par les deux policiers. Raglan déclara :

– Nous vérifierons tout cela, mais je ne crois pas qu'il mente. Par contre, il faudra qu'il justifie sa présence à Fernly, et je crois que nous tenons notre maître chanteur. D'autre part, s'il a bien dit la vérité, il ne peut pas être l'assassin. Reste le problème des quarante livres… il avait dix livres sur lui quand on l'a arrêté, somme plutôt rondelette, mais les numéros ne correspondent pas à ceux des billets manquants. Il se sera empressé de les changer. Mr Ackroyd a dû lui donner lui-même l'argent, qui n'aura d'ailleurs pas fait long feu. Et cette histoire de Kent, où vouliez-vous en venir ?

– Oh ! ce n'est pas important, dit Poirot d'un ton bonhomme. Juste une petite idée à moi. Et je suis fameux pour mes petites idées, savez-vous ?

– Vraiment ? fit Raglan en le dévisageant d'un air intrigué.

Le commissaire éclata d'un rire tonitruant.

– Je crois entendre l'inspecteur Japp ! « M. Poirot et ses petites idées, me disait-il souvent. Elles sont un peu

230

trop fantaisistes pour moi, mais elles mènent toujours quelque part. »

— Vous vous moquez, dit Poirot en souriant, mais il n'importe. C'est dans les vieux pots qu'on fait la bonne soupe, et rira bien qui rira le dernier.

Sur ce, avec un hochement de tête sagace, il sortit dans la rue.

Lui et moi déjeunâmes ensemble dans un hôtel. Je sais maintenant que tout était déjà clair dans son esprit. Il tenait enfin le seul fil qui lui manquait pour remonter jusqu'à la vérité. Mais à ce moment-là, j'étais loin de m'en douter. Je croyais qu'il surestimait ses talents, et que ce qui m'intriguait devait l'intriguer tout autant.

Et ce qui m'intriguait le plus, c'était cette visite de Charles Kent à Fernly. Que diable était-il venu y faire ? Je retournais sans arrêt la question dans ma tête, sans y trouver de réponse satisfaisante. Enfin, je me risquai à demander à Poirot ce qu'il en pensait.

— Mon ami, je ne pense pas : je sais.

— Vraiment ? dis-je d'un ton sceptique.

— Oui, vraiment. Et j'imagine que cela n'aura pas grand sens pour vous si je vous dis que notre homme s'est rendu à Fernly Park ce soir-là parce qu'il est né dans le Kent ?

Je le dévisageai sans comprendre.

— Aucun sens, en effet, répliquai-je d'un ton cassant.

— Ah ! s'écria Poirot d'un air apitoyé, alors tant pis. Moi, j'ai toujours ma petite idée.

19

Flora Ackroyd

Je rentrais en voiture de ma tournée de visites, le lendemain matin, lorsque je m'entendis héler par l'inspecteur Raglan. Je m'arrêtai à sa hauteur et il monta sur le marchepied.

– Bonjour, Dr Sheppard. Nous avons vérifié cet alibi : il tient.

– Celui de Charles Kent ?

– En personne. La serveuse du *Chien qui siffle* se souvient très bien de lui : elle a reconnu sans hésiter sa photographie parmi cinq autres. Il est arrivé au bar à 10 heures moins le quart et il y a presque deux kilomètres de Fernly à l'auberge. Il était en fonds, semble-t-il. Cette fille l'a vu sortir une poignée de billets de sa poche, ce qui l'a plutôt étonnée, vu son allure minable : ses bottines ne tenaient plus que par les lacets. Et voilà où sont passées les quarante livres !

– Et il refuse toujours de s'expliquer sur sa visite à Fernly ?

– Absolument, une vraie tête de mule. J'en parlais avec Hayes ce matin, il m'a appelé de Liverpool.

– Hercule Poirot prétend connaître la raison de cette visite.

– Vraiment ? s'écria avidement l'inspecteur.

– Vraiment, ironisai-je. Il paraît qu'il y est allé parce qu'il est né dans le Kent.

Je ne vis pas sans plaisir les traits de l'inspecteur refléter ma propre déconfiture. Pendant un moment, il me regarda sans comprendre. Puis un sourire passa sur son visage de fouine et il se frappa le front d'un air significatif.

– Il doit lui manquer une case, ça fait un moment que je me le dis. Le pauvre vieux, voilà pourquoi il est venu planter ses choux par ici. Cela tient sûrement de famille, il a un neveu qui ne tourne pas très rond non plus.

– Poirot ? m'écriai-je, au comble de la surprise. Un neveu fou ?

– Oui, il ne vous en a jamais parlé ? Il n'est pas dangereux, remarquez, et même très doux, mais complètement dérangé, le pauvre garçon.

– Et qui vous a dit ça ?

Je vis reparaître le sourire de l'inspecteur.

– Mais votre sœur, miss Sheppard. Elle m'a tout raconté.

Caroline est vraiment surprenante. Il faut qu'elle aille déterrer tous les secrets de famille, dans les moindres détails. C'est plus fort qu'elle. Malheureusement, je n'ai jamais pu lui faire comprendre la nécessité de se montrer discrète, ne serait-ce que par décence.

– Montez, inspecteur, dis-je en ouvrant la portière, je vous emmène aux Mélèzes. Nous allons mettre notre ami belge au courant des dernières nouvelles.

– Bonne idée. Il est peut-être un peu timbré, mais il m'a aiguillé sur la bonne voie, dans cette histoire d'empreintes. En ce qui concerne Kent, il divague sans doute un peu, mais qui sait ? Il en sortira peut-être quelque chose.

Poirot nous reçut avec son affabilité coutumière. Il nous écouta en souriant, avec des hochements de tête de temps à autre.

233

– Voilà qui règle la question, semble-t-il, conclut l'inspecteur, visiblement déçu. Un homme ne peut pas assassiner quelqu'un dans un endroit et prendre un verre dans un autre à deux kilomètres de là.

– Avez-vous l'intention de le relâcher ?

– Il faudra bien. Nous ne pouvons pas le garder pour extorsion de fonds si le fait n'est pas prouvé. Et allez donc prouver cela !

D'un air dégoûté, l'inspecteur jeta une allumette dans l'âtre. Poirot la ramassa, la déposa soigneusement dans un petit récipient prévu pour cet usage, tout cela de façon parfaitement machinale. Je compris que ses pensées étaient ailleurs.

– À votre place, déclara-t-il enfin, je ne relâcherais pas encore le dénommé Charles Kent.

Raglan ouvrit des yeux ronds.

– Que voulez-vous dire ?

– Rien de plus que ceci : je ne le relâcherais pas encore.

– Vous ne croyez tout de même pas qu'il puisse être mêlé au crime ?

– Probablement pas, mais sait-on jamais ?

– Mais je viens de vous expliquer…, commença l'inspecteur.

Poirot l'interrompit d'un geste de la main.

– Mais oui, mais oui, j'ai entendu. Je ne suis pas sourd, ni complètement idiot, Dieu merci. Seulement, vous prenez la chose par le… le mauvais bout.

L'inspecteur le dévisagea d'un œil éteint.

– Je ne vois pas ce qui vous fait dire ça. Récapitulons : Mr Ackroyd était encore vivant à 10 heures moins le quart. Vous êtes d'accord ?

Poirot le regarda pendant quelques instants, puis eut un sourire furtif et secoua la tête.

– Je n'admets rien qui ne soit… prouvé.

– Sur ce point, ce ne sont pas les preuves qui nous manquent. À commencer par le témoignage de miss Ackroyd.

– Selon lequel elle est allée dire bonsoir à son oncle ? Mais moi, je ne me fie pas toujours à la parole d'une jeune personne. Si belle et si charmante soit-elle.

– Mais enfin, bon sang ! Parker l'a vue sortir !

– Non, trancha Poirot, la voix soudain plus sèche. C'est justement ce qu'il *n'a pas* vu. J'ai pu m'en assurer l'autre jour, grâce à ma petite expérience. Vous vous rappelez, docteur ? Parker a vu Mademoiselle *devant* la porte, la main sur la poignée. Il ne l'a pas vue sortir de la pièce.

– Mais… d'où pouvait-elle venir, alors ?

– De l'escalier, peut-être.

– De l'escalier ?

– Oui. Encore une petite idée à moi.

– Mais cet escalier ne conduit qu'à la chambre de Mr Ackroyd !

– Précisément.

Et l'inspecteur d'écarquiller les yeux de plus belle.

– D'après vous, elle serait montée dans la chambre de son oncle ? Admettons. Mais pourquoi mentir à ce sujet ?

– Ah ! là est la question. Tout dépend de ce qu'elle allait y faire, n'est-ce pas ?

– Vous pensez… à l'argent ? Hé, une minute ! Vous n'insinuez tout de même pas que miss Ackroyd a pris ces quarante livres ?

– Je n'insinue rien, mais je vous rappellerai ceci : la vie n'était pas très facile pour cette fille et sa mère. Toujours des factures en retard, des histoires pour la moindre dépense… Roger Ackroyd avait une conception assez spéciale de l'économie. Miss Ackroyd a pu avoir un terrible besoin de trouver de l'argent, même une faible somme, et je vous laisse vous représenter la scène. La demoiselle a pris ladite somme, elle descend le petit escalier, elle est encore à mi-chemin quand elle entend un tintement de verres dans le hall. Elle comprend tout de suite : c'est Parker qui va vers le cabinet de travail. Il ne faut pas qu'il la voie descendre, il trouverait cela bizarre et ne l'oublierait pas. Elle a tout juste le temps de se précipiter jusqu'à la porte et de poser la main sur la poignée avant que Parker passe le seuil du couloir. Elle fait la première chose qui lui vient à l'esprit : elle répète la consigne que son oncle a donnée un peu plus tôt dans la soirée et monte se coucher.

– Soit, admit l'inspecteur, mais après coup, elle a dû prendre conscience de l'importance vitale de la vérité ? Voyons, c'est sur cette question d'heure que repose toute l'affaire !

– Après coup, rétorqua sèchement Poirot, les choses sont devenues plus difficiles pour miss Flora. On lui annonce que la police est là pour un cambriolage. Naturellement, elle pense tout de suite que le vol de l'argent est découvert et n'a plus qu'une idée : s'en tenir à son histoire, n'est-ce pas ? Puis elle apprend la mort de son oncle, et c'est la panique. Il en faut beaucoup pour qu'une jeune fille perde connaissance, de nos jours. Eh bien, c'est le cas : elle s'évanouit. Elle n'avait pas le choix. Il lui fallait ou s'en tenir à son récit ou avouer. Et une jeune et jolie demoiselle n'avoue pas de bon cœur qu'elle est une voleuse, surtout devant ceux dont elle désire garder l'estime.

Raglan abattit son poing sur la table.

– C'est inouï ! Je n'arrive pas à le croire… et vous saviez cela depuis le début ?

– Je reconnais que l'idée m'en était venue. J'ai toujours pensé que miss Flora nous cachait quelque chose. Et pour m'en assurer, j'ai fait avec le Dr Sheppard la petite expérience dont je vous ai parlé.

– Un moyen d'éprouver Parker, soi-disant ! m'exclamai-je avec amertume.

– Mon ami, s'excusa Poirot d'un air confus, comme je vous l'ai dit alors, il fallait bien trouver quelque chose !

– Il n'y a qu'une solution, annonça l'inspecteur en se levant. Interroger immédiatement la jeune personne. M'accompagnerez-vous à Fernly, monsieur Poirot ?

– Certainement. Le Dr Sheppard pourra nous y conduire en voiture.

J'acceptai sans me faire prier.

Nous demandâmes à être reçus par miss Ackroyd et fûmes introduits dans la salle de billard. Flora et le major Hector Blunt étaient assis sur la banquette qui s'encadrait dans l'embrasure de la fenêtre.

– Bonjour, miss Ackroyd, dit l'inspecteur. Pourrions-nous vous dire quelques mots en particulier ?

Blunt se leva aussitôt et marcha vers la porte.

– Que se passe-t-il ? demanda Flora qui paraissait nerveuse. Non, ne partez pas, major Blunt… Il peut rester, n'est-ce pas ? ajouta-t-elle à l'intention de l'inspecteur.

– Si vous y tenez, répondit-il d'un ton bref. Mon devoir m'oblige à vous poser quelques questions, mademoiselle, mais j'aimerais mieux que cet entretien reste privé. D'ailleurs vous aussi, je suppose.

Flora lui jeta un regard aigu et je la vis pâlir. Puis elle se tourna vers Blunt.

– Je désire que vous restiez, s'il vous plaît, j'y tiens. Quoi que l'inspecteur ait à me dire, je préfère que vous l'entendiez.

Raglan haussa les épaules.

– Si c'est ce que vous voulez, alors allons-y. Voilà de quoi il s'agit, miss Ackroyd. M. Poirot ici présent m'a soumis une hypothèse personnelle. Il prétend que vous n'êtes pas entrée dans le cabinet de votre oncle vendredi soir, que vous n'avez pas vu Mr Ackroyd et ne lui avez donc pas dit bonsoir. Mais qu'au contraire, vous descendiez de sa chambre lorsque vous avez entendu Parker s'approcher, venant du hall.

Flora chercha le regard de Poirot, qui lui répondit par un signe d'assentiment.

– Mademoiselle, pendant notre petit conseil, l'autre jour, je vous ai suppliée de me parler franchement. Ce que l'on ne dit pas au vieux papa Poirot, il finit toujours par le découvrir. Et je l'ai découvert. Je vais vous faciliter les choses : vous avez pris l'argent, n'est-il pas vrai ?

– Pris l'argent ? s'écria vivement le major Blunt.

Un silence s'établit, se prolongea. Près d'une minute s'écoula avant que Flora ne se lève.

– M. Poirot a raison, j'ai pris cet argent. Oui, j'ai volé. Je suis une voleuse, une vulgaire petite voleuse ! Maintenant, vous le savez, et j'en suis heureuse. Ces derniers jours ont été pour moi un cauchemar.

Elle se laissa brusquement retomber sur son siège, cacha son visage entre ses mains et reprit d'une voix enrouée par l'émotion :

– Vous ne savez pas ce que j'ai vécu depuis mon arrivée ici. Désirer toutes sortes de choses, faire mille calculs pour les obtenir, tricher, mentir, signer des factures, promettre de payer… oh ! Je me déteste quand j'y pense. C'est cela qui nous a rapprochés, Ralph et moi : notre faiblesse. Je le comprenais et je le plaignais, parce que au fond, nous sommes pareils. Ni lui ni moi n'avons la force de nous en tirer seuls. Nous sommes faibles, malheureux… et méprisables.

Flora leva les yeux vers Blunt et, soudain, tapa du pied.

– Pourquoi me regardez-vous avec cet air incrédule ? Je suis une voleuse, soit, mais au moins je suis franche, maintenant. Je ne mens plus. Je ne prétends pas être le genre de fille que vous aimez, innocente et simple. Et si vous ne voulez plus me voir après ça, tant pis ! Je me hais, je me méprise, mais il y a une chose que vous devez croire. Si j'avais pu aider Ralph en disant la vérité, je l'aurais fait. Mais j'ai toujours su que cela ne changerait rien, bien au contraire. Je n'aurais fait qu'aggraver son cas. En maintenant ma version de l'histoire, je ne lui faisais aucun tort.

– Je vois, dit Blunt. Ralph… toujours Ralph.

– Vous ne comprenez pas, gémit Flora avec désespoir, vous ne comprendrez jamais.

Elle se tourna vers l'inspecteur.

– J'avoue tout. J'étais aux abois. Ce soir-là, je n'ai pas revu mon oncle depuis la fin du dîner. Quant à l'argent… agissez comme bon vous semblera. Les choses ne sauraient être pires que ce qu'elles sont.

À nouveau, Flora enfouit son visage dans ses mains, puis elle se rua hors de la pièce.

– Eh bien ! s'exclama l'inspecteur d'un ton morne, nous sommes fixés !

Il paraissait ne plus savoir à quel saint se vouer.

Blunt s'avança et déclara de sa voix tranquille :

– Inspecteur Raglan, cet argent m'a été remis par Mr Ackroyd dans un dessein précis. Miss Ackroyd n'y a jamais touché : elle ment en s'imaginant protéger le capitaine Paton. C'est la vérité, et je suis prêt à en témoigner sous serment devant un tribunal.

Le major s'inclina en un bref salut, tourna les talons et quitta la pièce à son tour. Vif comme l'éclair, Poirot s'élança derrière lui – moi sur ses talons – et le rattrapa dans le hall.

– Monsieur, ayez la bonté de m'accorder un instant.

Sourcils froncés, Blunt toisa sévèrement le détective sans cacher son impatience.

– Eh bien, monsieur ? Qu'y a-t-il ?

– Il y a, débita rapidement Poirot, que je ne suis pas abusé par votre petite invention. Pas du tout. C'est bel et bien miss Flora qui a dérobé les quarante livres. Par ailleurs, votre histoire est bien imaginée et elle me plaît. C'est beau, ce que vous venez de faire là. Vous pensez vite et agissez comme il convient.

– Merci, répondit Blunt avec froideur, mais je ne me soucie aucunement de votre opinion.

Il allait s'éloigner mais Poirot le retint par le bras, sans paraître offensé le moins du monde.

– Ah ! mais je n'ai pas fini, il vous faut m'écouter. J'ai parlé de dissimulation, l'autre jour, et j'ai toujours su ce que vous voulez cacher. Vous aimez miss Flora, de tout votre cœur et depuis le premier jour, n'est-il pas vrai ? Allons, n'ayons pas peur de parler de ces choses-là. Pourquoi les Anglais les regardent-elles comme des secrets inavouables ? Vous aimez miss Flora et vous cherchez à le cacher à tout le monde. Très bien, c'est votre manière. Mais acceptez le conseil d'Hercule Poirot : ne le cachez pas à la jeune personne elle-même.

Blunt avait montré de nombreux signes d'agacement pendant ce discours, mais la conclusion parut retenir son attention.

– Qu'entendez-vous par là ? demanda-t-il d'un ton bref.

– Vous pensez qu'elle aime le capitaine Paton, mais moi, Hercule Poirot, je vous dis que cela n'est pas. Miss Flora a accepté d'épouser le capitaine Paton pour complaire à son oncle, et pour échapper à une vie qui lui devenait franchement insupportable. Elle l'aimait bien, ils sympathisaient et se comprenaient, mais l'amour… c'est autre chose ! Ce n'est pas le capitaine Paton qu'aime cette jeune personne.

Je vis Blunt rougir sous son hâle quand il demanda :

– Que diable voulez-vous dire ?

– Que vous avez été aveugle, monsieur. Oui, aveugle. Elle est loyale, cette enfant. Ralph Paton étant suspect, elle se fait un point d'honneur de le soutenir.

J'estimai que le moment était venu de m'associer à cette bonne action et déclarai d'un ton encourageant :

– Ma sœur me disait encore l'autre jour que Flora ne s'était jamais souciée de Ralph Paton, et croyez-moi : dans ce domaine, elle ne se trompe jamais.

Ignorant cette intervention généreuse, Blunt s'adressa à Poirot :

– Vous pensez vraiment…

Sa phrase tourna court. Certains hommes sont pratiquement incapables d'exprimer ce qui leur tient à cœur.

Mais Hercule Poirot ne souffre pas de cette infirmité :

– Si vous doutez de mes paroles, monsieur, questionnez la jeune fille vous-même. Mais peut-être ne le souhaitez-vous plus… depuis cette histoire d'argent…

Le rire de Blunt ressembla à un grognement de colère :

– Et vous croyez que je vais lui en vouloir pour cela ? Roger a toujours été bizarre, en matière d'argent. Elle s'est retrouvée dans une situation impossible et n'a pas osé lui en parler. Pauvre petite ! Pauvre petite fille solitaire !

Poirot jeta un regard pensif vers la porte latérale.

– Je crois que miss Flora est allée dans le jardin, murmura-t-il.

– Et moi qui n'avais rien compris ! s'écria Blunt. Rien à rien. Quel idiot j'ai été, et quelle drôle de conversation ! On dirait du théâtre d'avant-garde. Mais vous êtes un chic type, monsieur Poirot. Merci.

Il accompagna ces paroles d'une poignée de main si vigoureuse que mon ami en grimaça de douleur, puis gagna à grands pas la porte du jardin.

– Mais non, murmura Poirot en massant doucement sa main endolorie, pas idiot… amoureux, voilà tout.

20

Miss Russell

Pour l'inspecteur Raglan, la secousse était rude. Le généreux mensonge de Blunt ne le trompait pas plus que nous, et notre trajet de retour fut ponctué par ses doléances.

– Voilà qui change tout, monsieur Poirot, absolument tout. Je me demande si vous vous en rendez bien compte ?

– Je pense que oui. J'en suis même sûr. Mais voyez-vous, l'idée n'est pas tout à fait nouvelle pour moi.

Raglan, à qui cette même idée n'était apparue qu'une demi-heure plus tôt – à peine –, regarda Poirot d'un air malheureux et reprit le fil de ses découvertes :

– Et ces alibis… ils ne valent plus rien, maintenant. Absolument rien ! Il faut repartir de zéro. Savoir qui était où à 21 heures 30. Oui, 21 heures 30, c'est de là qu'il faut partir. Vous aviez raison pour ce Kent, plus question de le relâcher. Voyons… 10 heures moins le quart au *Chien qui siffle,* un quart d'heure pour couvrir… mettons un kilomètre et demi, oui, c'est faisable en courant. Il est tout à fait possible que ce soit sa voix que Mr Raymond ait entendue, et donc lui qui demandait de l'argent que Mr Ackroyd lui a refusé. En tout cas, une chose est claire : ce n'est pas lui qui a appelé de la gare. Elle est située à huit cents mètres au moins dans la direction opposée, donc à… presque deux kilomètres et demi du *Chien qui siffle.* Où il se trouvait lui-même à

22 heures 10 environ. Satané coup de téléphone ! Nous butons toujours dessus.

– Précisément, souligna Poirot. C'est curieux.

– Supposons que le capitaine Paton se soit introduit chez son oncle et l'ait trouvé mort. Craignant d'être accusé du crime, il aura pris la fuite. C'est peut-être lui qui a appelé.

– Et pourquoi l'aurait-il fait ?

– Parce qu'il n'était pas certain que son vieil oncle soit mort. Il souhaitait qu'un médecin vienne le plus tôt possible, mais ne voulait pas trahir son identité. Eh bien, que pensez-vous de ça ? Cela se tient, non ?

L'inspecteur bomba le torse d'un air important. Il était si manifestement enchanté de lui-même que tout commentaire de notre part eût été superflu. D'ailleurs, nous arrivions chez moi. Laissant Poirot accompagner l'inspecteur au poste de police, je gagnai sans plus tarder mon cabinet où mes patients ne m'avaient que trop attendu.

Quand j'en eus terminé avec mon dernier client, je me rendis dans la petite pièce du fond que j'appelle mon atelier. J'y ai monté moi-même un poste de T.S.F. dont je ne suis pas peu fier, mais Caroline déteste ce cagibi. J'y range mes outils et il n'est pas question qu'Annie vienne tout mettre sens dessus dessous avec un chiffon ou un plumeau. J'étais en train de réparer la mécanique d'un réveil soi-disant irréparable, quand la porte s'ouvrit, juste assez pour laisser passer la tête de Caroline.

– Oh, tu es là, James ! lança-t-elle d'un ton nettement réprobateur. M. Poirot aimerait te voir.

Surpris par cette intrusion, je sursautai, laissai tomber un minuscule rouage et m'écriai avec irritation :

– Eh bien, il n'a qu'à venir ici !

– Ici ? répéta Caroline.

– Parfaitement : ici.

Avec un reniflement qui en disait long, Caroline s'en fut. Elle ne tarda pas à reparaître, introduisit Poirot et ressortit en claquant la porte. Le Belge s'avança en se frottant les mains.

– Comme vous voyez, mon ami, on ne se débarrasse pas de moi si facilement.

Alors, vous en avez fini avec l'inspecteur ?

– Pour le moment, oui. Et votre consultation ?

– Terminée.

Poirot prit un siège et me regarda, son crâne ovoïde incliné de côté, avec la mine de celui qui savoure une plaisanterie des plus délectables.

– Erreur, dit-il enfin. Il vous reste encore un malade à voir.

– Pas vous, tout de même ?

– Moi ? Non, bien entendu. J'ai une santé magnifique. Non, pour vous dire le vrai, il s'agit d'un petit complot, une idée à moi. Il y a une personne que je désire voir sans que tout le village soit au courant, vous comprenez. Si la dame venait chez moi, les gens échafauderaient toutes sortes d'hypothèses. Car c'est une dame. Et comme elle est déjà venue vous consulter…

– Miss Russell ! m'exclamai-je.

– Précisément. Je désire vivement lui parler. C'est pourquoi je me suis permis de lui envoyer un billet lui donnant rendez-vous ici, à la consultation. Vous n'êtes pas fâché contre moi ?

– Au contraire, surtout s'il m'est permis d'assister à cet entretien.

– Mais naturellement ! Puisqu'il aura lieu dans votre cabinet !

– Vous comprenez, dis-je en reposant mes pinces, toute cette affaire m'intrigue au plus haut point. Chaque fait nouveau en bouleverse complètement la perspective, comme lorsqu'on tourne un kaléidoscope. Mais pourquoi êtes-vous si désireux de parler à miss Russell ?

Poirot haussa les sourcils et murmura :

– Voyons, n'est-ce pas évident ?

– Je vous reconnais bien là ! grommelai-je. Selon vous, tout est évident, mais vous me laissez naviguer dans le brouillard.

Poirot secoua la tête d'un air bonhomme.

– Allons, vous vous moquez de moi. Tenez, prenons ce petit incident avec miss Flora. L'inspecteur a été surpris, mais pas vous.

– Mais je ne l'ai jamais soupçonnée d'être une voleuse !

– Cela, sans doute pas. Mais je vous observais, et vous n'avez eu l'air ni surpris ni incrédule, comme l'inspecteur Raglan.

– Vous avez peut-être raison, dis-je après quelques instants de réflexion. Depuis le début, j'ai eu le sentiment que Flora nous cachait quelque chose. Inconsciemment, j'attendais la vérité, aussi ne m'a-t-elle pas réellement surpris. Pauvre inspecteur, il était vraiment démoralisé !

– Ah, pour ça oui ! s'exclama Poirot. Le malheureux va devoir remettre de l'ordre dans ses idées. J'ai profité de son désarroi pour lui demander une faveur.

– Ah oui ?

Poirot tira de sa poche un feuillet où étaient griffonnées quelques notes et lut à haute voix :

Depuis quelques jours, la police recherchait le capitaine Paton, le neveu de Mr Ackroyd, de Fernly Park, décédé vendredi dernier dans de si tragiques circonstances. Le capitaine Paton a été retrouvé à Liverpool, alors qu'il s'apprêtait à s'embarquer pour l'Amérique.

Sur ce, il replia sa feuille de papier.

– Ceci, mon ami, paraîtra demain dans la presse du matin.

Je le dévisageai, abasourdi.

– Mais… mais c'est faux ! Il n'est pas à Liverpool !

Poirot sourit jusqu'aux oreilles.

– Quelle vivacité d'esprit ! Non, on ne l'a pas retrouvé à Liverpool. L'inspecteur Raglan a beaucoup objecté pour me laisser communiquer cette note à la presse, d'autant plus que je ne pouvais pas lui donner mes raisons. Mais je lui ai promis, solennellement, que cela produirait des résultats très intéressants. Il a fini par accepter, après avoir bien stipulé qu'il n'en porterait pas la responsabilité.

Je dévisageai à nouveau Poirot, et eus droit à un nouveau sourire.

– Cela me dépasse, finis-je par avouer. Quel résultat attendez-vous de cette démarche ?

– Faites travailler vos petites cellules grises, répondit-il avec gravité.

Puis il se leva et s'approcha de l'établi jonché de rouages.

– Vous êtes vraiment un passionné de mécanique,

constata-t-il après avoir examiné les fruits de mes travaux.

Chaque homme a son violon d'Ingres, et je me mis en
devoir d'expliquer à Poirot les mérites de mon poste de
radio. Trouvant en lui un auditeur bienveillant, j'en vins
à quelques petites inventions personnelles, sans grande
valeur, certes, mais fort utiles dans la maison.

– Décidément, observa-t-il, vous devriez exploiter des
brevets, au lieu d'exercer la médecine. Ah ! j'entends
sonner, voici votre cliente. Passons dans votre cabinet.

Il m'était déjà arrivé une fois de remarquer dans les
traits de la gouvernante les traces d'une beauté passée.
Ce matin-là aussi, cela me frappa. En la voyant ainsi,
sobrement vêtue de noir, grande, le port aussi fier que
jamais, avec ses grands yeux sombres et son teint pâle
avivé par une rougeur inhabituelle, je compris qu'elle
avait dû être remarquablement belle.

– Bonjour, mademoiselle, dit Poirot, veuillez vous
asseoir. Le Dr Sheppard a eu la bonté de me permettre
de vous recevoir chez lui, car je suis très désireux de vous
parler.

Miss Russell s'assit, sans rien perdre de son calme
habituel. Si elle ressentait quelque émotion, elle n'en
montra rien et se contenta d'observer :

– Quel étrange procédé, si j'ose m'exprimer ainsi.

– Miss Russell, j'ai des nouvelles pour vous.

– Vraiment ?

– Charles Kent a été arrêté à Liverpool.

Pas un muscle de son visage ne tressaillit. Simplement, ses yeux s'agrandirent imperceptiblement et sa
voix se nuança de méfiance :

– Et alors ?

À cet instant précis, la lumière se fit dans mon esprit. Cette ressemblance qui me hantait, ce je ne sais quoi de familier dans l'attitude méfiante de Charles Kent… Ces deux voix, l'une rude et vulgaire, l'autre si distinguée… elles avaient le même timbre. C'était miss Russell que m'avait rappelée l'inconnu rencontré ce soir-là devant les grilles de Fernly Park.

Je regardai Poirot, tout ému par ma découverte, et il m'adressa un léger signe affirmatif. Puis, avec un geste de la main typiquement français, il répondit d'un ton benoît à miss Russell :

– Je pensais que cela pourrait vous intéresser, voilà tout.

– Eh bien, pas tellement, voyez-vous. Et d'ailleurs, qui est ce Charles Kent ?

– Un homme qui se trouvait à Fernly le soir du crime, mademoiselle.

– Ah oui ?

– Heureusement, il a un alibi. À 10 heures moins le quart, il a été vu dans un bar à plus d'un kilomètre de là.

– Une chance pour lui, commenta la gouvernante.

– Mais nous ne savons toujours pas ce qu'il venait faire à Fernly, ni qui il venait y voir, par exemple.

– Je crains de ne pouvoir vous éclairer sur ce point, dit poliment miss Russell. Je n'ai entendu parler de rien. Si c'est vraiment tout…

Elle esquissa un geste de retraite, mais Poirot la retint.

– Ce n'est pas tout, observa-t-il avec douceur. Depuis ce matin, nous sommes en possession de faits nouveaux. Il semble que le crime n'ait pas eu lieu à 10 heures moins le quart, mais plus tôt. Entre le départ du Dr Sheppard, à 9 heures moins 10, et 10 heures moins le quart.

Je vis se décolorer le visage de la gouvernante. Blanche comme un linge, elle vacilla et se pencha en avant.

– Mais miss Ackroyd a dit… miss Ackroyd a dit…

– Miss Ackroyd a reconnu qu'elle avait menti. Elle n'est pas entrée dans le cabinet de travail ce soir-là.

– Alors…

– Alors il semble que Charles Kent soit l'homme que nous recherchons. Il est venu à Fernly et ne peut fournir aucune explication à sa présence sur les lieux.

– Moi, je peux ! Il n'a jamais touché un cheveu de la tête de Mr Ackroyd, il ne s'est jamais approché du bureau, jamais, vous pouvez me croire.

Elle se penchait en avant, le visage empreint de terreur et de désespoir. Ses nerfs d'acier avaient enfin cédé, elle ne se contrôlait plus.

– Monsieur Poirot, monsieur Poirot, il *faut* me croire !

Le détective se leva et s'approcha d'elle.

– Mais oui, la rassura-t-il en lui tapotant l'épaule, mais oui, je vous crois. Seulement, je devais vous faire parler, voyez-vous.

Elle retrouva soudain toute sa méfiance.

– Ce que vous m'avez dit…, est-ce vrai ?

– Que Charles Kent est soupçonné d'avoir commis le crime ? Oui, c'est vrai. Vous seule pouvez le sauver… en nous disant ce qu'il venait faire à Fernly.

– Me voir, répondit-elle précipitamment en baissant la voix. Je suis sortie pour le retrouver…

– Dans le pavillon d'été, je le sais.

– Comment le savez-vous ?

– Mademoiselle, c'est le métier d'Hercule Poirot de tout savoir. Et je sais que vous êtes sortie un peu plus tôt dans la soirée. Vous avez laissé un message dans le pavillon pour fixer l'heure du rendez-vous.

– Oui, c'est vrai. Il m'avait annoncé son arrivée, et je n'osais pas le recevoir à la maison. J'ai écrit à l'adresse qu'il m'avait indiquée en lui décrivant le pavillon et en lui expliquant comment s'y rendre. Puis, j'ai eu peur qu'il n'ait pas la patience de m'attendre et je suis allée porter un billet au pavillon pour lui dire que je serais là aux environs de 21 heures 10. Je suis sortie par la porte-fenêtre pour que les domestiques ne me voient pas. En revenant, j'ai rencontré le Dr Sheppard et je me suis doutée qu'il trouverait cela bizarre : j'avais couru et j'étais hors d'haleine. J'ignorais qu'il était attendu à dîner ce soir-là.

Elle s'interrompit et Poirot dut l'encourager à poursuivre.

– Continuez. Vous êtes sortie le rejoindre à 21 heures 10. De quoi avez-vous parlé ?

– C'est très délicat. Vous comprenez…

– Mademoiselle, il me faut l'entière vérité, et ce que vous nous direz ne sortira pas d'ici. Le Dr Sheppard sera discret, et moi de même. Allons, je vais vous aider. Ce Charles Kent, c'est votre fils, n'est-il pas vrai ?

Le feu aux joues, la gouvernante hocha la tête.

– Personne n'en a jamais rien su. C'était il y a très longtemps, dans le Kent. Oui, très longtemps. Je n'étais pas mariée…

– Et vous lui avez donné le nom du comté. Je comprends.

– J'ai trouvé du travail et réussi à payer ses frais de pension et d'éducation, mais je ne lui ai jamais dit que j'étais sa mère. Et il a mal tourné. Il buvait, puis il s'est drogué. Je me suis arrangée pour payer son passage au Canada, et pendant un an ou deux je n'ai plus entendu parler de lui. Puis il a appris, je ne sais comment, que j'étais sa mère et m'a écrit pour me demander de l'argent. Et un beau jour, il m'a annoncé son retour au pays. Il voulait venir me voir à Fernly, disait-il. Je n'osais pas le recevoir à la maison, moi qui ai toujours été considérée comme une femme si… si comme il faut. Que quelqu'un ait seulement soupçonné la vérité, et c'en était fini de ma situation. Je lui ai donc écrit… ce que je viens de vous expliquer.

– Et le lendemain matin, vous êtes allée consulter le Dr Sheppard ?

– Oui, je voulais savoir si on pouvait faire quelque chose pour lui. Ce n'était pas un mauvais garçon avant de commencer à se droguer.

– Je vois. Bon, venons-en au fait. Il est donc allé au pavillon d'été, ce soir-là ?

– Oui. Quand je suis arrivée, il m'attendait. Il s'est montré brutal et très grossier. J'avais apporté tout l'argent dont je disposais et je le lui ai donné. Nous avons bavardé un moment, puis il est parti.

– À quelle heure ?

– Vingt et une heures… entre 20 et 25, à peu près. Il n'était pas encore la demie quand je suis rentrée à la maison.

– Quel chemin a-t-il pris ?

– Exactement le même que pour venir, le sentier qui rejoint l'allée juste avant le pavillon du gardien.

Poirot enregistra le fait d'un signe de tête.

– Et vous, qu'avez-vous fait ?

– Je suis rentrée. Le major Blunt fumait sur la terrasse, aussi ai-je dû faire un détour pour rejoindre la porte latérale. Il était tout juste la demie, comme je viens de vous le dire.

À nouveau, Poirot hocha la tête, puis il écrivit quelques mots dans un minuscule carnet de notes.

– Je crois que ce sera tout, déclara-t-il d'un ton pensif.

– Devrai-je… devrai-je parler de tout cela à l'inspecteur Raglan ? demanda la gouvernante d'une voix hésitante.

– Peut-être, mais ne précipitons rien. Agissons lentement, avec ordre et méthode. Charles Kent n'est pas encore accusé officiellement d'être l'auteur du crime, et il peut survenir des faits nouveaux.

Miss Russell se leva.

– Merci beaucoup, monsieur Poirot. Vous avez été très bon, oui, vraiment très bon pour moi. Vous… vous me croyez, n'est-ce pas ? Vous savez que Charles n'est pour rien dans cet horrible meurtre ?

– En tout cas, je puis dire ceci : l'homme qui parlait avec Mr Ackroyd à 21 heures 30 dans le cabinet n'était certainement pas votre fils. Courage, mademoiselle. Tout n'est pas perdu.

Miss Russell se retira, me laissant seul avec Poirot.

– Et voilà ! m'écriai-je, nous en revenons toujours à Ralph Paton. Mais comment avez-vous établi le rapport entre miss Russell et Charles Kent ? Vous aviez remarqué leur ressemblance ?

– J'ai fait le lien entre elle et notre inconnu bien avant de rencontrer celui-ci – dès que j'ai trouvé cette plume. Ce tuyau creux m'a immédiatement fait penser à la drogue, et à cette consultation de la gouvernante dont vous m'aviez parlé. Puis j'ai lu cet article sur le trafic de cocaïne dans le journal du matin et j'ai élucidé la chose. Elle venait de recevoir des nouvelles de quelqu'un qui se droguait, avait lu elle aussi l'article et cherché à se renseigner auprès de vous. Elle a mentionné la cocaïne parce que c'était le sujet de l'article. Mais en voyant votre intérêt pour la question, elle a aussitôt détourné la conversation sur les romans policiers et les poisons indécelables… Je pensais bien qu'il y avait un frère ou un fils dans les parages, ou une relation masculine indésirable, en tout cas. Mais il faut que je me sauve, il est temps d'aller déjeuner.

– Pourquoi ne pas déjeuner avec nous ?

Poirot secoua la tête et son regard pétilla.

– Non, pas cette fois-ci. Je ne voudrais pas obliger miss Caroline à suivre un régime végétarien deux jours de suite.

Je me surpris à penser que bien peu de chose échappait à l'attention d'Hercule Poirot.

21

Un communiqué à la presse

Comme il fallait s'y attendre, Caroline avait vu arriver miss Russell. Dans cette éventualité, j'avais préparé un exposé convaincant sur l'état du genou de ma patiente, mais Caroline n'était pas d'humeur questionneuse. À l'en croire, elle savait très bien ce que voulait miss Russell, tandis que moi, je l'ignorais.

– Elle est venue te tirer les vers du nez, James, et elle n'a pas dû se gêner. Inutile de protester, je suis sûre que tu ne t'en es même pas rendu compte : les hommes sont si naïfs... Elle cherche à savoir quelque chose, cela va de soi, et comme tu as la confiance de M. Poirot... Tu sais ce que je pense, James ?

– Je n'essaierai même pas de deviner : tu penses tellement de choses extraordinaires !

– Épargne-moi tes sarcasmes, veux-tu ? Je pense que miss Russell en sait plus sur la mort de Mr Ackroyd qu'elle ne veut bien l'admettre.

Caroline se renversa dans son fauteuil d'un air triomphant.

– Ah, tu crois ? dis-je, l'esprit ailleurs.

– Tu es vraiment obtus, aujourd'hui, James. Et même complètement éteint, ce doit être ton foie.

Après cela, notre conversation prit un tour plus personnel.

Le communiqué suggéré par Poirot parut le lendemain matin dans la gazette locale. Je voyais mal à quoi il pouvait servir, mais il produisit sur Caroline un effet prodigieux. Pour commencer, elle annonça avec la plus insigne mauvaise foi « qu'elle l'avait toujours dit ». Je me contentai de hausser les sourcils et elle dut éprouver un remords de conscience car elle enchaîna :

– Il se peut que je n'aie pas précisé que Ralph était à Liverpool, mais je savais qu'il essaierait de s'embarquer pour l'Amérique. C'est ce qu'ont fait beaucoup d'autres malfaiteurs.

– Pas toujours avec succès.

– Ralph, lui, s'est fait prendre, le pauvre garçon ! J'estime, James, qu'il est de ton devoir de tout faire pour éviter qu'il ne soit pendu.

– Et qu'entends-tu par là ?

– Enfin, tu es médecin, non ? Et tu as connu Ralph tout enfant. Le déclarer mentalement irresponsable, voilà ce qu'il faut faire, c'est évident. Il y a quelques jours, je lisais justement un article sur l'institution de Broadmoor. C'est un endroit très sélect, paraît-il, où les malades sont très heureux. On le comparait à un club.

Un souvenir s'éveilla dans ma mémoire.

– Au fait, Poirot aurait un neveu fou ? Première nouvelle. Tu l'ignorais ? Moi, il m'a tout raconté. Le pauvre petit, quelle affliction pour la famille ! Ils l'ont gardé chez eux le plus longtemps possible, mais son état empire au point qu'ils songent à l'interner.

– Et je suppose que toi, tu n'ignores plus rien des petits secrets de famille de Poirot ! m'écriai-je, exaspéré.

– En effet, souligna complaisamment Caroline, plus

rien. C'est un grand soulagement de pouvoir confier ses ennuis à quelqu'un.

– Les confier, peut-être. Mais se les voir arracher de force, c'est différent.

Ma sœur me lança un regard de martyr chrétien qui se réjouit dans les supplices.

– Tu es tellement renfermé, James ! Tu gardes tout pour toi, tu détestes informer les autres de ce que tu sais, et tu t'imagines que tout le monde te ressemble ! J'ose espérer que je n'ai jamais forcé personne à me faire ses confidences. Tiens, par exemple : M. Poirot a dit qu'il viendrait me voir, cet après-midi. Eh bien, ce n'est pas moi qui irai lui demander qui est arrivé chez lui, ce matin de bonne heure.

– Ce matin de bonne heure ?

– De très bonne heure, même. Avant que le laitier ne soit passé. Il se trouve que je regardais par la fenêtre – le store battait – et que je l'ai vu. Un homme. Il est arrivé dans une voiture fermée, complètement emmitouflé, je ne sais même pas à quoi il ressemble. Mais j'ai mon idée, tu verras.

– Et qui est-ce… à ton idée ?

Caroline baissa la voix et prit un ton mystérieux :

– Un expert du ministère de l'Intérieur.

– Un expert du ministère ! m'exclamai-je avec effarement. Enfin, Caroline !

– Retiens bien ce que je te dis, James, et tu verras que j'ai raison. C'est bien de poisons que cette miss Russell est venue te parler ce matin-là, non ? Et Roger Ackroyd a très bien pu être empoisonné pendant le dîner, le soir même.

257

J'éclatai de rire.

– Mais ça ne tient pas debout ! Il a été tué d'un coup de poignard dans le cou, tu le sais aussi bien que moi.

– On l'a poignardé *après* sa mort, James, pour égarer les soupçons.

– Ma chère Caroline, j'ai moi-même examiné le corps et je sais de quoi je parle. Le coup n'a pas été porté après la mort, il est la cause de la mort. Inutile de te monter la tête.

Ma sœur ne renonça pas pour autant à ses airs omniscients, ce qui finit par m'agacer au point que j'ajoutai :

– Tu admettras quand même que j'ai mon diplôme de médecine ?

– Peut-être, James, enfin je veux dire, bien sûr que tu l'as. Mais ce qui t'a toujours manqué, c'est l'imagination.

– Et toi tu en as pour trois ! répliquai-je avec sécheresse. Il n'en restait donc plus pour moi.

Cet après-midi-là, lorsque Poirot arriva, comme convenu, je m'amusai à observer les manœuvres de ma sœur. Sans jamais poser une question directe sur l'hôte mystérieux de notre ami, elle s'évertua à aborder le sujet de toutes les façons possibles. Le regard pétillant de Poirot m'apprit qu'il n'était pas dupe de son manège. Mais il demeura impénétrable et se déroba si adroitement à ces travaux d'approche que ma sœur en perdit son latin.

Après avoir, me sembla-t-il, pris un certain plaisir à ce petit jeu, il se leva et proposa une promenade.

– J'ai besoin de maigrir un peu, expliqua-t-il. M'accompagnerez-vous, docteur ? Ensuite, miss Caroline aura sans doute l'obligeance de nous offrir du thé ?

– J'en serai ravie, répondit celle-ci. Et... hum !...
votre ami sera-t-il des nôtres ?

– Comme c'est délicat d'y avoir pensé, seulement...
mon ami se repose, pour l'instant. Mais vous ferez
bientôt sa connaissance.

Caroline fit une ultime et héroïque tentative.

– C'est un très vieil ami à vous, paraît-il ?

– Ah ! c'est ce qu'on dit ? murmura Poirot. Eh bien,
en route.

Et notre route, comme par hasard, nous mena du côté
de Fernly, ce qui ne fut pas une surprise pour moi. Je
commençais à comprendre les méthodes d'Hercule
Poirot. Pour lui, le fait le plus anodin ne l'était qu'en
apparence, il faisait partie d'un tout. Et toute sa conduite
s'inspirait de ce principe.

– Mon ami, dit-il après un silence, j'ai un service à
vous demander. Ce soir, je désire tenir une petite conférence, chez moi. Puis-je compter sur votre présence ?

– Certes.

– Bien. Je souhaite aussi celle des gens de Fernly.
C'est-à-dire : Mrs Ackroyd, miss Flora, le major Blunt et
Mr Raymond. Voulez-vous être mon ambassadeur
auprès d'eux ? La petite réunion aura lieu à 21 heures
précises. Ferez-vous l'invitation ?

– Avec plaisir, mais pourquoi ne pas la faire vous-
même ?

– Parce qu'ils poseraient trop de questions : pourquoi,
à quel sujet, dans quel but... Et comme vous le savez,
mon ami, je déteste expliquer mes petites idées avant
l'heure.

Je ne pus m'empêcher de sourire.

– Mon ami Hastings, voyez-vous, celui dont je vous ai parlé… il disait toujours que je n'étais pas un homme mais une huître. C'était injuste, je ne cache jamais ce que je sais. Mais chacun interprète mes paroles à sa façon.

– Et quand souhaitez-vous que je transmette cette invitation ?

– Maintenant, si vous le voulez bien. Nous sommes tout près de la maison.

– Et vous, vous n'entrerez pas ?

– Non, je préfère me promener un peu. Je vous retrouverai près de la grille, dans un quart d'heure.

J'acquiesçai d'un signe et m'en fus m'acquitter de ma tâche. Je ne trouvai que Mrs Ackroyd qui, bien qu'il fût un peu tôt pour cela, sirotait une tasse de thé. Son accueil fut des plus suaves.

– Je vous suis si reconnaissante d'avoir dissipé ce petit malentendu avec M. Poirot, docteur, susurra-t-elle. Mais décidément, la vie n'est qu'une longue suite d'épreuves. Naturellement, vous êtes au courant, pour Flora ?

– Heu… en quelque sorte, hasardai-je avec précaution.

– Je veux parler de ses nouvelles fiançailles, avec Hector Blunt. Il est loin d'être un aussi bon parti que Ralph, bien sûr, mais le bonheur passe avant tout, n'est-ce pas ? Ce qu'il faut à cette chère Flora, c'est un homme plus âgé qu'elle, sérieux et solide. D'ailleurs Hector est un homme remarquable, à sa manière… Vous avez lu la nouvelle, dans les journaux du matin ? Ralph a été arrêté.

– Oui, j'ai lu les journaux.

Mrs Ackroyd ferma les yeux et frissonna.

– C'est horrible ! Geoffrey Raymond était dans tous ses états. Il a appelé Liverpool mais on n'a rien voulu lui dire. La police prétend même que Ralph n'a jamais été arrêté. Mr Raymond affirme qu'il s'agit d'une fausse nouvelle, ce qu'on appelle un canard, je crois ? J'ai interdit qu'on en parle devant les domestiques. Quelle honte ! Et dire que Flora et lui pourraient être mariés !

Mrs Ackroyd abaissa à nouveau les paupières, l'air tragique. Je commençais à me demander quand je pourrais glisser un mot au sujet de l'invitation. Avant que j'aie ouvert la bouche, Mrs Ackroyd avait repris le fil de son discours :

– Vous étiez bien ici avec cet abominable inspecteur, hier, n'est-ce pas ? Quelle brute, cet homme ! Il a terrorisé Flora en l'accusant d'avoir volé de l'argent dans la chambre de ce pauvre Roger, alors qu'il s'agissait d'une chose si simple. La chère enfant ne voulait qu'emprunter quelques livres sans déranger son oncle, puisqu'il avait donné des ordres stricts sur ce point. Et comme elle savait où il rangeait son argent, elle est allée chercher ce dont elle avait besoin.

– Est-ce la version que Flora donne des faits ?

– Mon cher docteur, vous connaissez les jeunes filles d'aujourd'hui, et le pouvoir que la suggestion a sur elles. Et naturellement, vous connaissez aussi l'hypnotisme et toutes ces diableries. L'inspecteur criait et répétait sans arrêt le mot « voler », et cette pauvre petite a fini par en faire une inhibition – ou bien est-ce un complexe ? Je confonds toujours – et s'imaginer qu'elle avait réellement volé cet argent. J'ai compris ça tout de suite, mais je remercie le ciel pour ce malentendu, dans un sens. C'est ce qui les a rapprochés, Hector et Flora veux-je dire. Et croyez-moi, je me suis fait beaucoup de souci pour Flora, jusqu'ici. J'ai même cru un moment qu'il y avait quelque chose entre elle et le jeune Raymond. Vous vous rendez compte !

La voix de Mrs Ackroyd monta pour mieux exprimer son horreur :

– Un secrétaire particulier, pratiquement sans le sou !

– Ce qui vous eût porté un coup terrible, certes. Hum !… Mrs Ackroyd, j'ai un message pour vous, de la part de M. Hercule Poirot.

– Pour moi ? répéta-t-elle, manifestement alarmée.

Je m'empressai de la rassurer et de l'informer des désirs de Poirot.

– Mais certainement, répondit-elle d'un ton perplexe, je suppose que nous devons y aller, puisque M. Poirot le dit. Mais de quoi s'agit-il ? J'aimerais savoir à quoi m'attendre.

Je pus lui affirmer sans mentir que je n'en savais pas plus qu'elle.

– Très bien, concéda-t-elle enfin, sans enthousiasme, je préviendrai les autres. Nous serons là-bas à 21 heures.

Sur quoi je pris congé et rejoignis Poirot à l'endroit fixé pour notre rendez-vous.

– Je crains d'être resté un peu plus qu'un quart d'heure, m'excusai-je. Mais quand cette chère Mrs Ackroyd est lancée, il n'est pas facile de lui échapper.

– C'est sans importance, affirma Poirot. Moi, j'ai mis votre absence à profit : ce parc est magnifique.

Nous prîmes le chemin du retour. À notre grande surprise, Caroline, qui guettait manifestement notre arrivée, vint elle-même nous ouvrir. Surexcitée et pleine d'importance, elle posa un doigt sur les lèvres et chuchota :

– Ursula Bourne, la femme de chambre de Fernly… elle est ici ! Je l'ai fait entrer dans la salle à manger, la pauvre. Elle est dans un état ! Elle veut absolument voir M. Poirot tout de suite. J'ai fait ce que j'ai pu, c'est-à-dire que je lui ai donné une bonne tasse de thé bien chaud. Quelle pitié de voir quelqu'un dans un état pareil !

– Dans la salle à manger ? répéta Poirot, indécis.

– Par ici, dis-je en ouvrant la porte à la volée.

La femme de chambre était assise près de la table, les bras à demi repliés devant elle comme si elle venait de relever la tête, et les yeux rouges d'avoir pleuré.

– Ursula Bourne, murmurai-je.

Mais Poirot passa devant moi, les mains tendues vers la jeune femme.

– Non, je crois que ce n'est pas tout à fait cela. Vous n'êtes pas Ursula Bourne, n'est-ce pas mon petit ? mais Ursula Paton. Mrs Ralph Paton.

22

L'histoire d'Ursula

Pendant quelques instants, la jeune femme dévisagea Poirot sans répondre. Puis, sa réserve l'abandonnant, elle acquiesça et éclata en sanglots.

Caroline me bouscula pour se précipiter vers elle, l'entoura de son bras et se mit à lui tapoter l'épaule.

– Allons, allons, ma chère, dit-elle d'une voix apaisante, tout va s'arranger, vous verrez. Tout va s'arranger.

Sous sa curiosité et son goût des potins, Caroline cache des trésors de bonté. Et en cet instant, devant la détresse de la jeune femme, la passionnante révélation de Poirot perdait tout intérêt pour elle. Mais déjà, Ursula se redressait en s'essuyant les yeux.

– Quelle faiblesse de ma part, c'est vraiment stupide.

– Mais non, mon enfant, dit Poirot avec bonté. Nous comprenons tous à quel point cette semaine a dû être difficile pour vous.

– Cela a dû être une épreuve terrible, ajoutai-je.

– Et tout ça pour découvrir que vous connaissez notre secret, reprit Ursula. Comment l'avez-vous su ? Par Ralph ?

Poirot secoua la tête.

– Vous savez ce qui m'a poussée à venir vous voir ? Ceci…

Elle tendit au détective un fragment de journal chiffonné et je reconnus le fameux entrefilet.

– On annonce l'arrestation de Ralph, alors pourquoi mentir plus longtemps ? Tout est inutile, maintenant.

Poirot eut le bon goût de paraître confus.

– Il ne faut pas croire tout ce que disent les journaux, mademoiselle. Quant à vous, je crois qu'il est temps de tout nous dire, sans rien dissimuler. Car nous avons maintenant grand besoin de la vérité.

Et comme la jeune femme hésitait, peu convaincue, le détective ajouta avec douceur :

– Vous n'avez pas confiance en moi, et pourtant vous êtes venue me voir… pourquoi ?

– Parce que je ne crois pas que Ralph soit coupable, répondit-elle d'une voix presque inaudible. Parce que je vous crois assez adroit pour découvrir la vérité. Et parce que je pense…

– Oui ?

– Je pense que vous êtes… que vous êtes bon.

Poirot hocha la tête à plusieurs reprises.

– Bien, très bien cela, oui vraiment. Alors écoutez, je crois très sincèrement que votre mari est innocent, mais l'affaire est mal partie. Pour le sauver, je dois tout savoir, même les choses qui peuvent paraître aggraver son cas.

– Comme vous êtes compréhensif ! s'exclama Ursula.

– Alors vous me raconterez tout, n'est-ce pas ? Toute l'histoire, depuis le début.

Caroline s'installa confortablement dans un fauteuil.

– Vous n'allez pas me demander de sortir, j'espère ? Et d'abord, je veux savoir pourquoi cette enfant se déguisait en femme de chambre.

– Se déguisait ? répétai-je, incrédule.

– Tu as bien entendu. Pourquoi avoir fait cela, mon petit ? Pour tenir un pari ?

– Pour vivre, répondit brièvement Ursula.

Et, reprenant courage, elle entama le récit que je relate ici à ma façon.

À l'en croire, Ursula Bourne appartenait à une famille irlandaise de sept enfants, noble et ruinée. À la mort de leur père, la plupart des filles avaient été envoyées de par le vaste monde pour gagner leur pain. La sœur aînée d'Ursula avait épousé un certain capitaine Folliott.

C'était elle que j'avais vue ce dimanche-là, et je m'expliquais enfin son embarras. Décidée à gagner sa vie, mais n'ayant que fort peu de goût pour l'emploi de préceptrice, le seul qui s'offrît à une jeune fille sans profession, Ursula avait préféré devenir femme de chambre. Elle avait refusé avec dédain de se donner le titre flatteur de « dame de compagnie ». Elle serait une authentique femme de chambre, avec des références fournies par sa sœur. Vive, capable et consciencieuse, elle avait su se faire apprécier à Fernly, malgré une certaine réserve qui, nous l'avons vu, provoquait parfois des commentaires.

– J'aimais ce travail, expliqua-t-elle, et j'avais beaucoup de temps libre.

Puis elle avait rencontré Ralph Paton et ç'avait été le début de l'idylle qui devait aboutir à un mariage secret. Solution qui ne la tentait guère, mais Ralph l'avait convaincue d'agir ainsi. Son beau-père, disait-il, ne voudrait jamais entendre parler d'un mariage avec une fille sans fortune. Mieux valait garder le silence et attendre le moment favorable pour lui révéler la vérité. Et c'est ainsi qu'Ursula Bourne était devenue Ursula Paton. Ralph lui avait promis de rembourser ses dettes, de trouver un travail qui les ferait vivre tous les deux et, devenu matériellement indépendant, d'annoncer enfin la nouvelle à son père adoptif.

Mais, pour les natures comme celle de Ralph, changer de vie est plus facile à dire qu'à faire. Il espérait que son beau-père, encore dans l'ignorance de son mariage, lui rendrait ce nouveau départ facile en payant ses dettes. Mais quand Roger Ackroyd en avait appris le montant, il était entré dans une colère noire et avait opposé à Ralph un refus catégorique. Plusieurs mois avaient passé, jusqu'au jour où le jeune homme avait été instamment prié de revenir à Fernly. Roger Ackroyd n'y était pas allé par quatre chemins : son plus cher désir était que Ralph épousât Flora, rien de moins.

C'est alors que la faiblesse de Ralph s'était révélée dans toute son étendue : comme toujours, il avait choisi la solution la plus facile, sans chercher plus loin. Pour autant que j'ai cru le comprendre, ni lui ni Flora n'avaient joué la comédie de l'amour. L'un comme l'autre, ils n'avaient vu là qu'une transaction où chacun trouvait son compte. Flora y gagnerait la liberté, une belle aisance et verrait s'élargir son horizon. Pour Ralph, les perspectives s'annonçaient sous des couleurs moins riantes, mais il n'avait pas le choix. Couvert de dettes, il avait saisi aux cheveux cette occasion de les payer et de repartir du bon pied. Il n'était pas de ceux qui réfléchissent à leur avenir, mais je pense qu'il avait dû entrevoir la possibilité d'une rupture – après un délai convenable, naturellement. En tout cas, Flora et lui avaient insisté pour que leurs fiançailles soient tenues secrètes, du moins dans l'immédiat. Ralph voulait à tout prix cacher le fait à Ursula, si droite, si forte, et à qui la duplicité faisait horreur. Son instinct l'avertissait qu'elle aurait hautement désapprouvé cette ligne de conduite.

Puis était venu le moment fatidique où Roger Ackroyd avait décidé, avec son autorité habituelle, d'annoncer officiellement les fiançailles, sans même en avertir son beau-fils. Flora seule en avait été prévenue, et était demeurée sans réaction. Mais la nouvelle avait foudroyé

Ursula, qui avait sommé Ralph de venir sans délai. Ce qu'il avait fait, et tous deux s'étaient retrouvés dans le bois, où ma sœur avait surpris quelques bribes de leur conversation. Tandis que Ralph suppliait sa femme de patienter encore un peu, Ursula s'était montrée bien résolue à en finir avec tous ces mensonges : elle allait tout révéler à Mr Ackroyd, et sans tarder. C'est sur cette note aigre que les jeunes époux s'étaient séparés.

Fermement ancrée dans sa décision, Ursula avait sollicité le jour même un entretien avec Mr Ackroyd. Entretien des plus orageux et qui l'eût sans doute été davantage si Roger Ackroyd n'avait été à ce point absorbé par ses ennuis personnels. L'entrevue n'en avait pas moins été fort désagréable, Ackroyd n'étant pas homme à pardonner une duperie. Son ressentiment était surtout dirigé contre Ralph, mais Ursula en avait eu sa part. Il l'avait accusée d'avoir « attiré ce garçon dans ses filets » parce que son beau-père était riche. Des propos impardonnables avaient été échangés.

Ursula et Ralph avaient rendez-vous le soir même dans le pavillon d'été, et elle s'était éclipsée par la porte latérale pour l'y rejoindre. Leur conversation n'avait été qu'un tissu de reproches, Ralph accusant Ursula d'avoir ruiné son avenir en parlant trop tôt, tandis qu'elle lui faisait grief de sa duplicité.

Ils avaient fini par se séparer et, à peine une heure et demie plus tard, on avait découvert Roger Ackroyd assassiné. Depuis ce soir-là, la jeune femme n'avait plus revu son mari ni reçu de lui la moindre nouvelle.

Plus elle avançait dans son récit, et plus je percevais l'enchaînement diabolique des circonstances. Si Ackroyd avait vécu, il n'aurait pas manqué de changer ses dispositions testamentaires. Tel que je le connaissais, c'est même la première chose qu'il aurait faite. Pour le jeune couple, sa mort arrivait au bon moment. Il ne fallait donc pas s'étonner si la jeune femme avait tenu sa langue et si bien joué son rôle.

L'intervention de Poirot m'arracha à mes réflexions. À la gravité de sa voix, je devinai qu'il était, lui aussi, pleinement conscient du sérieux de la situation.

— Madame, je dois vous poser une question, et il faudra me répondre avec franchise car tout peut en dépendre : à quelle heure avez-vous quitté le capitaine Paton, au pavillon ? Prenez votre temps, je veux la réponse exacte.

La jeune femme eut un petit rire, à vrai dire plutôt amer.

— Si vous croyez que j'ai pu cesser un instant de ressasser tout cela ! Je suis sortie pour aller le rejoindre à 21 heures 30 précises. Le major Blunt arpentait la terrasse, ce qui m'a obligée à faire un détour en me cachant derrière les buissons. J'ai dû arriver au pavillon environ... trois minutes plus tard. Ralph m'attendait. Nous avons passé dix minutes ensemble, pas plus, car il était exactement 10 heures moins le quart lorsque je suis rentrée à la maison.

Voilà donc pourquoi elle avait tant insisté pour savoir si le meurtre n'avait pu avoir lieu avant 10 heures moins le quart. Poirot dut se tenir le même raisonnement car il demanda :

— Lequel de vous deux est parti le premier ?

— Moi.

269

– En laissant Ralph Paton seul dans le pavillon ?

– Oui, mais n'allez pas croire…

– Peu importe ce que je crois, madame. Et en rentrant, qu'avez-vous fait ?

– Je suis montée dans ma chambre.

– Où vous êtes restée jusqu'à… ?

– Vingt-deux heures environ.

– Quelqu'un peut-il… le confirmer ?

– Confirmer quoi ? Que j'étais dans ma chambre ? Non, mais vous ne… oh, je vois ! On pourrait croire… on pourrait croire…

Je vis les yeux de la jeune femme s'agrandir d'horreur. Elle n'acheva pas sa phrase, mais Poirot s'en chargea pour elle.

– Que c'est vous qui êtes entrée par la fenêtre et avez poignardé Mr Ackroyd dans son fauteuil ? Oui, on pourrait le croire, en effet.

– Il faudrait vraiment être borné pour s'imaginer une chose pareille ! s'indigna Caroline en tapotant l'épaule d'Ursula.

– C'est horrible, murmura celle-ci en se cachant le visage dans ses mains. C'est horrible !

Caroline lui serra le bras d'un geste affectueux.

– Ne vous inquiétez pas, ma chère, M. Poirot n'en pense pas un mot. Quant à votre mari, il devrait avoir honte. Pardonnez-moi ma franchise, mais prendre la fuite en vous laissant affronter seule une situation pareille… c'est du joli !

Ursula secoua la tête avec énergie.

– Non, ne croyez pas cela ! Ralph ne s'est pas sauvé, et je comprends maintenant ce qui l'a poussé à agir ainsi.

En apprenant le meurtre, il a dû penser que c'était moi, la coupable !

– Il n'aurait jamais pensé une chose pareille, voyons !

– Mais je me suis montrée si cruelle envers lui, ce soir-là. Si dure, si amère ! Je ne voulais pas écouter ce qu'il essayait de me dire, ni croire qu'il s'inquiétait pour moi, qu'il tenait à moi. Je lui ai lancé à la figure tout ce que je pensais de lui, les mots les plus méchants qui me venaient à l'esprit, dans le seul but de le blesser.

– Ce qui ne lui aura pas fait de mal, décréta Caroline. Il ne faut jamais craindre de dire aux hommes leurs quatre vérités : ils sont tellement vaniteux qu'ils ne vous croient jamais, si le portrait n'est pas flatteur.

Fébrile, Ursula reprit en se tordant les mains :

– Quand on a découvert le crime et l'absence inexplicable de Ralph, j'ai été bouleversée. Je me suis même demandé – tout en sachant que c'était impossible – s'il n'avait pas… s'il se pouvait que… et j'aurais tellement voulu qu'il revienne proclamer son innocence. Comme je n'ignorais pas qu'il aimait beaucoup le Dr Sheppard, je me suis imaginé que le docteur savait où il se cachait.

Elle se tourna vers moi et ajouta :

– Voilà pourquoi je vous ai parlé ainsi, l'autre jour. Je pensais que, sachant où il se trouvait, vous pourriez lui transmettre un message de ma part.

– Moi ?

– Et comment James aurait-il pu le savoir ? s'écria Caroline.

– Je reconnais que c'était peu vraisemblable, admit Ursula, mais Ralph m'avait souvent parlé du Dr Sheppard, qu'il considérait comme son meilleur ami à King's Abbot.

– Ma chère petite, déclarai-je, je n'ai pas la moindre idée de l'endroit où Ralph Paton peut bien se trouver en ce moment.

– C'est la pure vérité, commenta Poirot.

Perplexe, Ursula brandit la coupure de journal.

– Mais alors… ?

– Ah ! cela ? fit Poirot, un tantinet confus. Ce n'est rien du tout, madame. Une bagatelle, comme on dit en français. Je mettrais ma main au feu que Ralph Paton est en liberté.

– Dans ce cas…, commença la jeune femme avec hésitation.

Poirot s'empressa d'enchaîner :

– Il y a une chose que j'aimerais savoir. Ce soir-là, le capitaine Paton portait-il des bottines ou des souliers bas ?

Ursula secoua la tête.

– Je n'arrive pas à m'en souvenir.

– Quel dommage ! Mais comment pourriez-vous vous en souvenir ? Et maintenant, madame…

Le détective la regarda en souriant, la tête penchée sur le côté et l'index tendu en un geste éloquent.

– Plus de questions, s'il vous plaît, et cessez de vous tourmenter. Courage, et accordez votre confiance à Hercule Poirot.

23

Petite réunion chez Poirot

– Et maintenant, annonça Caroline en se levant, cette enfant va monter se reposer. Ne vous inquiétez pas, ma chère. M. Poirot fera tout ce qu'il pourra pour vous, soyez-en sûre.

– Je devrais rentrer à Fernly, protesta faiblement Ursula.

Caroline lui imposa le silence.

– Ne dites donc pas de sottises. Pour l'instant, vous êtes sous ma garde et vous restez ici, n'est-ce pas, monsieur Poirot ?

– C'est la meilleure chose à faire, appuya le petit Belge. Ce soir, je tiens à ce que Mademoiselle – pardon, Madame – assiste à ma petite réunion. Je l'attends chez moi à 21 heures précises : sa présence m'est très nécessaire.

Caroline hocha la tête, emmena Ursula et la porte se referma derrière elles. Poirot se laissa tomber dans un fauteuil et constata :

– Jusqu'ici, tout va bien. Les choses ont l'air de vouloir s'arranger.

– Mais elles vont de plus en plus mal pour Ralph Paton, observai-je d'un ton lugubre.

– Oui, c'est vrai. Mais il fallait s'y attendre, non ?

Un peu intrigué par cette remarque, je regardai le détective. Il s'était renversé dans son fauteuil, les yeux mi-clos, les mains jointes par le bout des doigts. Soudain, il secoua la tête et soupira.

– Qu'y a-t-il ? demandai-je.

– Il y a qu'à certains moments, je regrette terriblement mon ami Hastings. Vous savez, celui dont je vous ai parlé, et qui vit maintenant en Argentine ? Dans les affaires difficiles, il était toujours à mes côtés et il m'a bien souvent aidé, oui, bien souvent. Il avait le chic pour découvrir la vérité comme par hasard, et sans même s'en rendre compte, bien entendu. Il laissait échapper une remarque saugrenue… et c'était justement cette remarque qui me mettait sur la voie. J'appréciais aussi beaucoup l'habitude qu'il avait prise de rédiger un compte rendu des enquêtes intéressantes.

Je me raclai la gorge avec un peu d'embarras.

– Sur ce point…, commençai-je, sans aller plus loin.

Poirot se redressa dans son fauteuil, le regard brillant.

– Eh bien ? Qu'alliez-vous dire ?

– Voilà, il se trouve que j'ai lu quelques-uns des récits du capitaine Hastings, et je me suis dit : pourquoi ne pas m'essayer au même genre d'exercice ? Après tout, c'est une occasion unique, la seule fois de ma vie où je serai mêlé à une affaire pareille et ce serait dommage de la manquer.

Je débitai ma tirade en rougissant de plus en plus, et conscient de devenir de plus en plus incohérent. En voyant Poirot bondir de son fauteuil, je connus un instant de terreur à la pensée qu'il allait me donner l'accolade, à la française. Mais grâce à Dieu, il résista à la tentation.

– Magnifique ! s'écria-t-il. Alors, vous avez noté toutes vos impressions, depuis le début ?

J'acquiesçai d'un signe de tête.

– Épatant ! s'exclama-t-il en français. Montrez-moi cela tout de suite.

Je ne m'attendais pas à une réaction aussi prompte et, tout en m'efforçant de me rappeler certains détails de mon récit, je bégayai :

– J'espère que vous ne m'en voudrez pas si... si j'ai pu me montrer un peu... hum... subjectif, par-ci par-là ?

– Rassurez-vous, je suis compréhensif. Vous m'avez éclairé sous un jour comique, ridicule même ? Aucune importance. Hastings n'était pas toujours très poli, lui non plus. Je suis au-dessus de ces bagatelles, moi !

Rien moins que rassuré, je fourrageai dans les tiroirs de mon bureau et en tirai une pile de feuillets manuscrits que je tendis à Poirot. En vue d'une éventuelle publication, j'avais divisé mon ouvrage en chapitres et l'avais mis à jour la veille au soir en y consignant la visite de miss Russell. Ce qui faisait en tout vingt chapitres, que je remis à Poirot avant de sortir.

J'avais une visite à faire assez loin de chez moi et il était plus de 20 heures quand je rentrai à la maison où Caroline m'avait préparé un repas chaud sur un plateau. Elle m'apprit qu'elle avait dîné à 7 heures et demie avec Poirot, et que celui-ci s'était ensuite rendu dans mon atelier pour y achever la lecture de mon manuscrit.

– Et j'espère, James, que tu as fait preuve de tact en parlant de moi ?

Ma mine s'allongea. Je n'avais rien fait de tel. Caroline ne s'y trompa guère.

– Aucune importance, après tout, M. Poirot comprendra. Il me comprend beaucoup mieux que toi.

J'allai rejoindre Poirot dans l'atelier. Il était assis près de la fenêtre, le manuscrit soigneusement rangé sur une chaise, à côté de lui, et posa la main sur la pile de feuilles.

– Eh bien, toutes mes congratulations pour votre… votre modestie.

– Oh ! m'exclamai-je, quelque peu surpris.

– Et pour votre réserve, ajouta-t-il.

– Oh ! me ré-exclamai-je.

– Hastings, lui, n'écrivait pas ainsi. À chaque page, et presque à chaque ligne, on retrouvait le mot : Je. Ce qu'*il* pensait, ce qu'*il* disait, mais vous… votre personnalité reste à l'arrière-plan. Elle n'interfère que par-ci par-là, dans quelques scènes domestiques, pour ainsi dire.

Devant son regard pétillant, une légère rougeur me monta au visage et je demandai, non sans quelque inquiétude :

– Sans façons, que pensez-vous de ce travail ?

– C'est mon opinion sincère que vous voulez ?

Poirot abandonna son ton facétieux.

– C'est un récit très minutieux et très fidèle, dit-il avec bienveillance. Vous avez relaté les faits avec exactitude et précision, malgré une certaine tendance à vous montrer trop discret sur la part que vous y avez prise.

– Et cela vous a-t-il aidé ?

– Oui, et même grandement, je puis dire. Et maintenant, allons chez moi. Je dois préparer la scène pour ma petite… représentation.

En trouvant Caroline dans le hall, je devinai qu'elle espérait être invitée à nous accompagner. Avec tact, Poirot sauva la situation en déclarant d'un air désolé :

– J'aurais vraiment voulu que vous soyez des nôtres, mademoiselle, mais vu les circonstances, ce ne serait pas très sagace. Voyez-vous, toutes les personnes ce soir seront suspectes. Parmi elles, je vais découvrir le meurtrier de Mr Ackroyd.

– Vous en êtes si sûr que cela ? demandai-je, plutôt sceptique.

– Je vois que ce n'est pas votre cas, rétorqua sèchement le détective. Vous ne savez pas encore de quoi est capable Hercule Poirot.

Et, comme Ursula descendait l'escalier, il ajouta à son intention :

– Vous êtes prête, mon enfant ? Très bien, alors partons. Croyez-moi, miss Caroline, c'est pour votre bien que j'agis de la sorte. Je vous souhaite une bonne soirée.

Nous partîmes donc, sous le regard envieux de Caroline qui s'attarda sur le seuil pour nous suivre des yeux. On aurait dit un chien qui vient de se voir privé de sa promenade.

Tout était déjà prêt dans le salon des Mélèzes. Verres et sirops attendaient sur la table à côté d'une assiette de biscuits, et on avait apporté de la pièce voisine quelques chaises supplémentaires.

Poirot s'affaira à quelques modifications de dernière minute, avançant une chaise, déplaçant une lampe et se baissant parfois pour rectifier la position d'une des nombreuses carpettes. Il apporta un soin tout particulier à l'éclairage, qu'il dirigea du côté où étaient groupés les sièges, laissant dans une quasi-pénombre l'autre partie de la pièce où, supposai-je, il avait l'intention de s'asseoir.

Nous l'observions, Ursula et moi, quand un coup de sonnette retentit.

– Les voilà, constata-t-il. Bon, tout est prêt.

La porte s'ouvrit devant les invités, et Poirot s'avança pour accueillir Mrs Ackroyd et Flora.

– C'est si aimable à vous d'être venues… et à vous aussi, major Blunt et Mr Raymond.

Le secrétaire affichait sa bonne humeur coutumière.

– Alors, commença-t-il en riant, quelle surprise nous réservez-vous ? S'agit-il d'une invention scientifique ? Allez-vous nous fixer des bandes enregistreuses aux poignets pour détecter les battements de cœur coupables ? Ce genre de machine existe bien, non ?

– J'ai lu quelque chose à ce sujet, admit Poirot, mais moi, je suis vieux jeu, et adepte des méthodes éprouvées. Je ne me sers que de mes petites cellules grises. Et maintenant, commençons, mais d'abord… j'ai une annonce à vous faire. À vous tous.

Il fit avancer Ursula en la prenant par la main.

– Je vous présente Mrs Ralph Paton. Le capitaine Paton et elle se sont mariés au mois de mars.

Mrs Ackroyd laissa échapper un petit cri.

– Ralph, marié ! En mars dernier ! Oh ! Mais c'est absurde ! Comment serait-ce possible ?

Elle dévisagea Ursula comme si elle ne l'avait jamais vue.

– Et marié avec Bourne ? Vraiment, monsieur Poirot, je ne puis vous croire !

Ursula rougit et voulut parler, mais Flora la devança. Elle s'approcha rapidement d'elle et dit en lui prenant le bras :

– Ne vous méprenez pas sur notre surprise, surtout. Mais Ralph et vous avez si bien gardé votre secret que nous ne nous doutions de rien. Cette nouvelle… me fait le plus grand plaisir.

– Vous êtes vraiment bonne, miss Ackroyd, répondit Ursula à voix basse, et j'aurais compris que vous soyez très fâchée. Ralph a très mal agi, surtout envers vous.

Flora lui tapota le bras d'un geste réconfortant.

– Ne vous inquiétez pas pour cela. Ralph était aux abois et c'était pour lui la seule échappatoire possible, j'aurais sans doute fait la même chose à sa place. Mais je trouve qu'il aurait pu me mettre dans le secret, je l'aurais épaulé de mon mieux.

Poirot tapa légèrement sur la table et se racla la gorge.

– La conférence va commencer, chuchota Flora, M. Poirot réclame le silence. Dites-moi au moins une chose : où est Ralph ? Si quelqu'un doit le savoir, c'est bien vous.

– Mais non, justement ! s'écria Ursula, au bord des larmes. Je n'en sais rien !

– N'est-il pas aux mains de la police de Liverpool ? demanda Raymond. C'est ce que j'ai lu dans le journal.

– Il n'est pas à Liverpool, déclara Poirot d'un ton bref.

– En fait, observai-je, personne ne sait où il est.

– Sauf Hercule Poirot, bien sûr ! lança Raymond.

Le Belge prit la boutade au sérieux.

– Moi, je sais tout : n'oubliez pas cela.

Geoffrey Raymond haussa les sourcils et siffla entre ses dents.

– Tout ? Cela fait beaucoup, non ?

– Faut-il comprendre que vous pouvez réellement

deviner où se cache Ralph ? demandai-je, plutôt sceptique.

– Qui vous parle de deviner, mon ami ? Je sais.

– Il est à Cranchester ?

– Non, pas à Cranchester, répondit gravement Poirot.

Il n'ajouta rien mais, sur un geste de lui, tout le monde prit un siège. Ce fut à cet instant que deux nouveaux arrivants firent leur entrée et prirent place près de la porte : Parker et la gouvernante.

– Nous voici au complet, déclara Poirot, une nuance de satisfaction dans la voix. Tout le monde est là.

La nuance n'échappa à personne et, sur tous les visages groupés à l'autre extrémité de la pièce, je pus lire la même fugitive expression de malaise. Comme si chacun des assistants avait le sentiment d'être tombé dans un piège et venait de l'entendre se refermer.

Poirot consulta une liste et lut d'une voix pleine d'importance :

– Mrs Ackroyd, miss Flora Ackroyd, le major Blunt, Mr Geoffrey Raymond, Mrs Ralph Paton, John Parker, Elizabeth Russell.

Puis il reposa le papier sur la table.

– Que signifie tout ceci ? s'enquit Raymond.

– Ce que je viens de vous lire est la liste des suspects. Chacun d'entre vous avait l'occasion de tuer Mr Ackroyd…

Mrs Ackroyd poussa un cri étranglé et bondit sur ses pieds.

– Je n'aime pas cela, geignit-elle. Je n'aime pas cela du tout. J'aimerais vraiment mieux rentrer.

– Il n'est pas question que vous partiez, madame, dit sévèrement Poirot. Pas avant d'avoir entendu ce que j'ai à dire.

Il se tut un instant et, à nouveau, s'éclaircit la gorge.

– Je vais tout reprendre du début. Lorsque miss Ackroyd m'a demandé de suivre cette affaire, je me suis rendu à Fernly Park, avec ce bon Dr Sheppard. Nous avons longé la terrasse et l'on m'a montré les empreintes laissées sur l'appui de fenêtre. De là, l'inspecteur Raglan m'a fait suivre le sentier qui rejoint l'allée centrale. Mon regard a été attiré par un petit pavillon d'été que je suis allé explorer avec soin. J'y ai trouvé deux choses : un lambeau de batiste empesée et un tuyau de plume creux. Le morceau de batiste m'a immédiatement fait penser à un tablier de femme de chambre. Et quand l'inspecteur Raglan m'a montré sa liste, j'ai tout de suite remarqué que l'une des femmes de chambre, Ursula Bourne, n'avait pas vraiment d'alibi. À l'en croire, elle se trouvait dans sa chambre entre 21 heures 30 et 22 heures. Mais supposons qu'elle se soit trouvée dans le pavillon ? Si c'était bien le cas, elle avait pu s'y rendre pour y rencontrer quelqu'un. Et nous savons, par le Dr Sheppard, que quelqu'un est effectivement venu de l'extérieur ce soir-là : l'inconnu qu'il a croisé devant la grille. Au premier abord le problème était résolu : l'inconnu venait voir Ursula Bourne. Ce tuyau de plume était la preuve de son passage au pavillon et je l'ai instantanément associé à l'usage de la drogue, et particulièrement à la « neige », nom que l'on donne à l'héroïne de l'autre côté de l'Atlantique, où sa consommation est beaucoup plus répandue qu'en Angleterre. De surcroît, l'homme qu'a rencontré le Dr Sheppard avait l'accent américain, ce qui me confortait dans mon hypothèse.

» À un détail près : *les heures* ne concordaient pas. Ursula Bourne n'avait pas pu se rendre au pavillon avant 21 heures 30, alors que l'homme avait dû y arriver quelques minutes après 21 heures. Naturellement, je pouvais supposer qu'il avait attendu une demi-heure. Ou alors qu'il y avait eu deux rendez-vous de suite dans le pavillon ce soir-là : c'était la seule autre possibilité. Et dès qu'elle me fut venue à l'esprit, je fis plusieurs découvertes. D'abord, miss Russell, la gouvernante, était allée consulter le Dr Sheppard ce matin-là, et avait paru s'intéresser beaucoup aux moyens de guérir les intoxiqués. J'établis aussitôt le rapport entre cette visite et le tuyau de plume d'oie, et en conclus que l'homme en question était venu à Fernly pour y rencontrer la gouvernante, et non Ursula Bourne. Mais alors, avec qui cette dernière avait-elle rendez-vous ?

» Je ne fus pas long à l'apprendre. Pour commencer, je trouvai une bague – une alliance – portant gravées une date et l'initiale "R". Puis j'appris qu'on avait aperçu Ralph Paton sur le chemin du pavillon à 21 heures 25, et j'entendis parler de certaine conversation qui avait eu lieu dans les bois, près du village – les interlocuteurs étant le capitaine Paton et une inconnue. Je disposais donc d'une série de faits qui s'enchaînaient dans un ordre rigoureux : un mariage secret, des fiançailles annoncées le jour du meurtre, l'entretien orageux surpris dans les bois et le rendez-vous au pavillon d'été, le même soir.

» Incidemment, ceci me prouvait une chose : à savoir

que Ralph Paton et Ursula Bourne – ou encore Ursula Paton – avaient de bonnes raisons de souhaiter la disparition de Mr Ackroyd. Mais une autre chose devenait ainsi parfaitement évidente : la personne qui se trouvait en compagnie de Mr Ackroyd à 21 heures 30 ne pouvait pas être Ralph Paton. Et nous arrivons à un nouvel et fort intéressant aspect de cette affaire : qui était dans la pièce avec Mr Ackroyd à 21 heures 30 ? Pas Ralph Paton : il était au pavillon d'été avec sa femme. Ni Charles Kent : il était déjà parti. Alors qui ? Ce fut à ce moment-là que je me posai la plus audacieuse, la plus lumineuse de toutes les questions : *y avait-il quelqu'un avec lui ?*

Penché en avant, Poirot lança ces derniers mots avec un accent de triomphe, puis il se redressa avec la mine d'un homme qui vient de frapper un grand coup.

Nullement impressionné, Raymond protesta poliment :

– Je ne sais pas si vous cherchez à me faire passer pour un menteur, monsieur Poirot, mais le fait est prouvé par un second témoignage, la seule incertitude concernant les mots eux-mêmes. Le major Blunt a lui aussi entendu Mr Ackroyd parler à quelqu'un, rappelez-vous. Il était sur la terrasse et, s'il n'a pu distinguer les paroles, il a parfaitement entendu des voix.

Poirot hocha la tête et répondit très calmement :

– Je n'ai pas oublié, mais le major Blunt a eu l'impression que c'était *à vous* que s'adressait Mr Ackroyd.

Raymond parut un instant désarçonné, puis se reprit.

– Blunt sait désormais qu'il s'était trompé.

– C'est exact, reconnut ce dernier.

– Il doit pourtant y avoir une raison pour qu'il ait

pensé que c'était vous, observa Poirot d'une voix songeuse. Oh non ! s'écria-t-il en levant la main, ne protestez pas, je devine quelle raison vous allez me fournir, mais elle ne me suffit pas. Il nous en faut une autre et j'ai mon idée là-dessus. Une chose m'a frappé dès le début : la tournure de la phrase surprise par Mr Raymond. Elle me semblait bizarre et je m'étonne que personne ne l'ait fait remarquer.

Il réfléchit quelques instants et cita lentement, de mémoire :

– *Vos emprunts se sont répétés si fréquemment ces temps-ci que je crains de ne pouvoir accéder à votre requête.* Eh bien, cette façon de s'exprimer ne vous semble pas bizarre, à vous ?

– Pas à moi, dit Raymond. Il m'a souvent dicté des lettres pratiquement dans les mêmes termes.

– Précisément ! Et c'est là où je voulais en venir. Se serait-il exprimé ainsi au cours d'une conversation ? Il ne parlait pas à quelqu'un : il dictait une lettre.

– Alors… il la lisait à haute voix ? fit observer Raymond d'un ton pensif. Mais il devait bien la lire à quelqu'un, tout de même ?

– Pourquoi ça ? Nous n'avons aucune preuve de la présence de qui que ce soit. On n'a pas entendu d'autre voix que la sienne, rappelez-vous.

– Mais personne ne lirait ce genre de lettre tout haut, à moins de… d'être un peu dérangé !

– Vous avez tous oublié un détail, observa doucement Poirot : la visite de ce représentant, le mercredi d'avant.

Tous les regards convergèrent sur lui. Avec un signe de tête encourageant, il reprit aussitôt :

– Mais oui, ce mercredi-là. Ce n'est pas le jeune homme lui-même qui a retenu mon attention, mais la firme qu'il représentait.

Raymond laissa échapper une exclamation de surprise.

– J'y suis ! La Compagnie du Dictaphone ! Alors, c'est à un dictaphone que vous pensez ?

Le détective fit un signe affirmatif.

– Mr Ackroyd s'était promis d'en acquérir un, rappelez-vous. J'ai eu moi-même la curiosité d'enquêter auprès de la compagnie et on m'a répondu que Mr Ackroyd avait effectivement acheté un appareil à leur représentant. Pourquoi il ne vous en a rien dit, je l'ignore.

– Il a dû vouloir me faire une surprise, murmura Raymond. Il prenait un plaisir presque puéril à surprendre les gens. Il aura voulu garder son secret un jour ou deux, tout en s'amusant avec son appareil comme un enfant avec un jouet neuf. Oui, cela se tient, et vous aviez tout à fait raison. Personne n'emploierait de phrases pareilles dans une conversation.

– Cela explique aussi l'erreur du major Blunt. Il a saisi des fragments de conversation enregistrée, et son subconscient en a déduit que c'était à vous que parlait Mr Ackroyd. Il avait l'esprit ailleurs et ne pensait qu'à la silhouette blanche qu'il avait entrevue, persuadé qu'il s'agissait de miss Ackroyd. Alors que cette chose blanche, c'était le tablier d'Ursula Bourne qui se faufilait vers le pavillon.

Revenu de sa première surprise, Raymond fit observer :

– Brillante idée, je vous l'accorde, et qui ne me serait certainement jamais venue. Mais si brillante soit-elle…

elle ne change rien à rien. Mr Ackroyd était toujours vivant à 21 heures 30 puisqu'il enregistrait au dictaphone. Il semble évident que Charles Kent était déjà loin. Quant à Ralph Paton… ?

Le secrétaire hésita et jeta un coup d'œil furtif à Ursula, qui rougit violemment. Elle n'en répondit pas moins fermement :

– Ralph et moi nous sommes séparés juste avant 10 heures moins le quart. Il ne s'est pas approché de la maison, j'en suis certaine, et il n'en a jamais eu l'intention – au contraire. Il avait bien trop peur de se trouver face à face avec son beau-père.

– Je ne mets pas votre parole en doute, se défendit Raymond. J'ai toujours été convaincu de l'innocence du capitaine Paton. Mais nous devons penser qu'il comparaîtra devant la justice, et prévoir les questions qui lui seront posées. Il s'est mis dans un très mauvais cas, mais s'il donnait signe de vie…

– C'est votre avis ? l'interrompit Poirot. Le capitaine devrait se montrer ?

– Certainement. Si vous savez où il est…

– Je perçois que vous en doutez, et pourtant je viens de vous dire que je sais tout. La vérité sur l'appel téléphonique, les empreintes laissées sur l'appui de fenêtre, la cachette de Ralph Paton…

– Où est-il ? s'écria le major Blunt.

Hercule Poirot sourit.

– Pas bien loin.

– À Cranchester ? demandai-je.

Le détective se tourna vers moi.

– Vous me posez toujours la même question, c'est

286

vraiment une idée fixe. Non, il n'est pas à Cranchester. Il est… ici !

Poirot tendit le bras d'un geste théâtral, index pointé, et nous nous retournâmes tous d'un même mouvement.

Ralph Paton se tenait debout sur le seuil.

24

Ralph Paton

Quant à moi, j'aurais bien voulu être ailleurs. Et c'est à peine si j'eus conscience de ce qui se passa ensuite, sinon des exclamations et des cris de surprise. Quand j'eus repris assez de contrôle sur moi-même pour me rendre compte de ce qui arrivait, Ralph Paton était aux côtés de sa femme et lui tenait la main, en me souriant.

Poirot souriait, lui aussi, et me montrait le doigt d'un geste éloquent :

— Ne vous ai-je pas répété trente-six fois qu'il ne sert à rien de vouloir cacher quelque chose à Hercule Poirot ? Ce qu'on lui cache, il le trouve toujours.

Sur quoi, il se tourna vers les autres :

— Un jour, souvenez-vous, nous avons tenu un petit conseil autour d'une table, juste nous six. Et j'ai accusé les cinq autres de me dissimuler quelque chose. Quatre m'ont livré leur secret, mais pas le Dr Sheppard. Pourtant, depuis le début, j'avais des soupçons. Le Dr Sheppard est allé aux *Trois Marcassins* le soir du meurtre, en espérant y rencontrer Ralph. Il ne l'y a pas trouvé. Mais supposons, me suis-je dit, supposons qu'en rentrant chez lui il l'ait rencontré dans la rue ? Le Dr Sheppard était un ami du capitaine, n'est-ce pas ? et il arrivait tout droit du théâtre du crime. Il devait savoir que les choses se présentaient très mal pour son ami. Peut-être en savait-il plus que les autres…

– En effet, dis-je d'un ton morne, et je crois que je ferais mieux de passer aux aveux. Je suis allé voir Ralph, cet après-midi-là, et il a commencé par refuser de me faire ses confidences. Mais finalement il m'a tout révélé, son mariage et sa situation désastreuse. Dès que le meurtre a été découvert, j'ai compris que si cette situation venait à être connue, les soupçons ne pourraient que se porter sur lui, ou sur celle qu'il aimait. Et je l'ai mis en face des faits. L'idée qu'il pourrait être appelé à déposer et, ce faisant, à compromettre sa femme, l'a fait se résoudre à… à…

– À prendre la poudre d'escampette, acheva plaisamment Ralph, profitant de mon hésitation. Vous comprenez, Ursula m'avait quitté pour rentrer à la maison. J'ai pensé qu'elle avait très bien pu essayer d'obtenir une nouvelle entrevue avec mon beau-père. Il s'était déjà conduit si grossièrement envers elle, cet après-midi-là, que j'ai cru… j'ai cru qu'il s'était montré encore plus insultant, et même d'une façon impardonnable si bien que, sans plus savoir ce qu'elle faisait…

Il se tut, et Ursula dégagea sa main de la sienne.

– Tu as cru cela, Ralph ! s'exclama-t-elle en reculant d'un pas. Tu as vraiment cru que j'aurais pu faire une chose pareille ?

– Revenons-en au Dr Sheppard et à sa coupable conduite dans cette affaire, intervint sèchement Poirot. Le docteur a accepté d'aider Ralph dans la mesure de ses moyens, et réussi à le cacher là où la police ne pourrait pas le trouver.

– Où cela ? demanda Raymond. Chez lui ?

– Ah ! mais non, pas du tout, Posez-vous plutôt la question que je me suis posée moi-même. Si ce bon docteur veut cacher le jeune homme, quel endroit va-t-il choisir ? Quelque part tout près de chez lui, forcément. Je pense à Cranchester. Un hôtel ? Non. Un… un meublé, dit-on ? Encore moins. Alors quoi ? Et je trouve : une maison de santé ! Une clinique psychiatrique. Et je veux vérifier ma théorie. J'invente un neveu un peu… un peu dérangé. Je consulte miss Sheppard sur les maisons les plus convenables. Elle m'en indique deux, près de Cranchester, auxquelles son frère a déjà adressé des malades. Je fais mon enquête et… et oui. J'en trouve une où le docteur a amené lui-même un patient le samedi matin. Ce patient, bien qu'il soit inscrit sous un autre nom, je le reconnais pour le capitaine Paton. J'acquitte les petites formalités d'usage et je suis autorisé à l'emmener. Il est arrivé chez moi hier matin de très bonne heure.

Je lançai à Poirot un regard sombre et murmurai :

– Le fameux expert de Caroline… L'homme du ministère de l'Intérieur… Et moi qui n'ai rien deviné !

– Vous voyez maintenant, mon ami, pourquoi je trouvais votre manuscrit si… si réticent. Tout ce que vous disiez était vrai, mais vous ne disiez pas tout.

J'étais bien trop démonté pour discuter.

– Le Dr Sheppard s'est conduit en ami loyal, dit Ralph, il m'a soutenu tout au long de cette épreuve et n'a agi que pour mon bien. Je comprends maintenant, grâce à M. Poirot, que c'était une erreur. J'aurais dû me montrer tout de suite et faire face à la situation. Mais voyez-vous, là-bas, nous ne lisions pas les journaux et j'ignorais la tournure des événements.

– Le Dr Sheppard a fait preuve d'une discrétion exemplaire, observa sèchement Poirot. Mais les petits secrets, moi, je les découvre tous. C'est mon métier.

– Et maintenant, intervint Raymond avec impatience, racontez-nous tout, Ralph. Tout ce qui s'est passé ce soir-là.

– Vous le savez déjà, et je n'ai vraiment pas grand-chose à ajouter. J'ai quitté le pavillon vers 10 heures moins le quart et j'ai flâné dans les petits chemins, me demandant quel parti prendre. Je reconnais que je n'ai pas l'ombre d'un alibi, mais je vous donne ma parole d'honneur que je n'ai pas mis les pieds dans le cabinet de travail et que je n'ai pas revu mon beau-père, ni vivant ni mort. Peu m'importe ce qu'on en pensera, mais j'aimerais que vous, au moins, vous me croyiez.

– Pas d'alibi, répéta Raymond à voix basse. Dommage ! Je vous crois, bien sûr, mais… c'est très fâcheux.

– Bien au contraire, dit Poirot d'un ton réjoui, cela rend les choses plus simples. Oui, bien plus simples.

Nous le regardâmes tous sans comprendre.

– Vous suivez ma pensée, non ? Alors je m'explique : pour sauver le capitaine Paton, le vrai coupable doit tout avouer.

Il sourit à la cantonade.

– Mais oui, je sais ce que je dis. Voyez-vous, si je n'ai pas demandé à l'inspecteur Raglan d'être des nôtres, c'est pour une bonne raison. Je ne voulais pas lui révéler tout ce que je savais… en tout cas pas ce soir.

Il se pencha en avant et sa voix, son attitude, tout en lui parut soudain différent. Dangereux.

– Moi qui vous parle, je sais que le meurtrier de Mr Ackroyd est en ce moment dans cette pièce, et c'est à lui que je m'adresse. *Demain, l'inspecteur Raglan apprendra la vérité.*

Un silence tendu s'installa, et il durait encore quand la vieille Bretonne entra, avec un télégramme sur un plateau. Poirot s'empara du pli, le déchira, et la voix sonore de Blunt s'éleva tout à coup.

– Le meurtrier est l'un d'entre nous, dites-vous ? Et… vous savez qui ?

Poirot avait lu le message. Il froissa la dépêche dans sa main et tapota la petite boulette de papier.

– Je le sais, oui… maintenant.

– Qu'avez-vous là ? demanda vivement Raymond.

– Un, message radio, provenant d'un paquebot en route pour les États-Unis.

Cette fois, Poirot obtint un silence de mort. Mais il se leva et annonça en s'inclinant :

– Mesdames, messieurs, notre petite réunion va s'achever. Et rappelez-vous : *l'inspecteur Raglan apprendra la vérité demain matin.*

25

Toute la vérité

Un geste discret de Poirot m'enjoignit de rester après le départ des autres. J'obéis, m'approchai de la cheminée et me mis à remuer les bûches du bout du pied.

J'étais on ne peut plus intrigué par les déclarations de Poirot et, pour la première fois, je donnais ma langue au chat. Pendant un instant, j'avais été tenté de croire que la scène à laquelle je venais d'assister n'était qu'une gigantesque fanfaronnade. Et que le Belge, pour reprendre une expression française dont il usait souvent, nous avait « joué la comédie » dans le seul but de se rendre intéressant. Et pourtant, je ne pouvais m'empêcher de penser qu'il y avait du vrai là-dessous. J'avais perçu une véritable menace dans cet avertissement, et une non moins réelle sincérité. Mais je persistais à croire que le détective s'était fourvoyé.

Quand la porte se fut refermée sur le dernier de ses invités, il vint me rejoindre près de la cheminée et s'informa d'une voix tranquille :

– Alors, mon ami, que pensez-vous de tout cela ?

– Je n'en sais rien moi-même, répondis-je en toute franchise. Où vouliez-vous en venir ? Pourquoi n'avoir pas révélé immédiatement la vérité à l'inspecteur Raglan, au lieu d'adresser au coupable cet avertissement byzantin ?

Poirot s'assit, tira un étui de sa poche, y prit une minuscule cigarette russe et fuma quelques instants en silence.

– Servez-vous de vos petites cellules grises, dit-il enfin. Je ne fais jamais rien sans raison.

J'hésitai un moment, puis risquai avec précaution :

– À première vue, je serais tenté de croire que vous ignoriez vous-même l'identité du coupable, tout en étant convaincu qu'il se trouvait parmi les personnes présentes. Et vos paroles ne visaient qu'à le forcer à faire des aveux complets.

Poirot eut un hochement de tête approbateur.

– Brillante idée… mais pas la bonne.

– Je pensais que vous auriez pu vouloir l'obliger à se découvrir, non en passant aux aveux mais en essayant de vous réduire au silence, comme il l'a fait pour Mr Ackroyd. Et avant que vous puissiez le dénoncer demain matin.

– Un piège dont je serais moi-même l'appât ? Merci, mon ami, mais je ne suis pas assez héroïque pour cela.

– Alors je ne comprends plus. Vous prenez sciemment le risque de voir le criminel s'échapper en le mettant sur ses gardes ?

– Il ne peut pas s'échapper, déclara Poirot avec gravité. Il n'a qu'une issue… et elle ne le mènera pas à la liberté.

– Vous croyez vraiment que l'une des personnes qui se trouvaient ici ce soir est l'auteur du crime ? demandai-je, sceptique.

– Oui, mon ami.

– Et laquelle ?

Un silence plana pendant quelques minutes. Puis, Poirot lança son mégot dans la cheminée et prit la parole d'une voix calme et réfléchie.

– Je vais refaire avec vous le chemin que j'ai moi-même suivi. Vous ferez chaque pas avec moi, et vous verrez vous-même que tous les indices convergent vers une seule personne, indiscutablement. Pour commencer, deux faits et un petit désaccord sur l'heure ont particulièrement attiré mon attention. Premier fait : le coup de téléphone. Si Ralph Paton était bien le meurtrier, cet appel était inutile et absurde. Donc, ai-je pensé, Ralph Paton n'est pas le coupable.

» J'ai vérifié que l'appel ne provenait pas d'une personne de la maison, et pourtant je restais convaincu d'une chose : c'est parmi les personnes présentes à Fernly ce soir-là que je trouverais mon criminel. J'en déduisis que le message avait été envoyé par un comparse… ou, en bon anglais, devrais-je dire un complice ? Cette conclusion ne me satisfaisait guère, mais je m'en contentai pour le moment.

» Je m'interrogeai ensuite sur la raison de cet appel : question difficile. Je la posai donc autrement : quel résultat avait-il produit ? Réponse : la découverte du crime le soir même, au lieu du lendemain matin, ce qui aurait probablement eu lieu sans cela. Vous êtes d'accord ?

– Ou-oui… oui. Mr Ackroyd ayant donné des ordres pour ne plus être dérangé, il est en effet probable que personne ne serait entré dans son cabinet ce soir-là.

– Très bien, nous avançons, semble-t-il. Mais moi, j'étais toujours dans le noir. À quoi bon amener la découverte du crime le soir même, plutôt que le lendemain matin ? La seule idée qui me vint à l'esprit fut la suivante : s'il connaissait l'heure de la découverte du crime, le meurtrier pouvait s'arranger pour se trouver sur les lieux quand on forcerait la porte, ou au moins tout de suite après. Et nous en arrivons à mon deuxième fait : le déplacement du fauteuil.

» L'inspecteur Raglan a écarté ce détail, qu'il a jugé sans importance. Moi, au contraire, je l'ai toujours trouvé d'une importance extrême. Vous avez joint à votre manuscrit un petit plan très clair du cabinet de travail. Si vous l'aviez sur vous, vous pourriez constater que, placé là où Parker l'a trouvé, ce fauteuil s'interpose exactement entre la porte et la fenêtre.

– La fenêtre ! m'écriai-je.

– Je vois que vous avez saisi ma première idée. J'ai d'abord supposé que le siège avait été déplacé pour cacher à un arrivant éventuel un indice quelconque en rapport avec la fenêtre. Mais je renonçai vite à cette supposition car, bien que ce fauteuil fût une vieille bergère à dossier haut, il ne cachait qu'une partie du vitrage, la moitié inférieure. Non, mon ami… mais rappelez-vous : il y avait une petite table, juste en face de cette fenêtre. Elle était couverte de journaux et de revues, et *invisible* quand la bergère était éloignée du mur. C'est alors que j'eus ma première intuition de la vérité, de façon encore très floue, mais instantanée.

» Supposons qu'il y ait eu sur cette table un objet qu'on voulût cacher ? Quelque chose que le meurtrier lui-même avait placé là ? À ce moment-là, je ne voyais pas du tout ce que cet objet pouvait bien être mais j'avais quelques petites idées intéressantes sur le sujet. Par exemple, il s'agissait d'un objet que le meurtrier n'avait pas pu emporter après avoir commis son crime. Mais qu'il devait à tout prix reprendre après la découverte du corps, et cela le plus tôt possible. D'où cet appel téléphonique, qui lui permettait de se trouver sur les lieux au moment opportun.

» Voyons maintenant qui se trouvait sur les lieux avant l'arrivée de la police. Quatre personnes : vous, Parker, le major Blunt et Mr Raymond. J'éliminai aussitôt Parker, qui était assuré de se trouver sur place à n'importe quel moment, et d'ailleurs c'était lui qui m'avait signalé ce fauteuil déplacé. Il était donc hors de cause, ou en tout cas disculpé du crime. Mais je croyais encore qu'il pouvait être le maître chanteur de Mrs Ferrars. Par contre, Raymond et Blunt restaient des suspects possibles. Car si le meurtre avait été découvert le matin de bonne heure, ils auraient très bien pu arriver trop tard pour faire disparaître l'objet posé sur la table ronde.

» Mais quel était cet objet ? Tout à l'heure, je vous ai exposé ma théorie sur ces fragments de conversation plus ou moins bien saisis par deux témoins. Dès que j'appris la visite du représentant, cette idée de dictaphone s'implanta dans mon esprit. Vous avez entendu ce que j'ai dit dans cette même pièce il y a moins d'une demi-heure ? Ils ont tous accepté mon hypothèse, mais un point capital semble leur avoir échappé. Si, comme nous le supposons, Mr Ackroyd se servait bien d'un dictaphone ce soir-là, pourquoi ne l'a-t-on pas retrouvé ?

– J'avoue n'avoir jamais pensé à cela.

– J'y reviens. Nous savons qu'un appareil de ce type a été livré à Mr Ackroyd, mais on ne l'a pas retrouvé parmi ses objets personnels. Donc, si on a enlevé quelque chose qui se trouvait sur la table, pourquoi ne s'agirait-il pas du dictaphone, précisément ? Cela n'a toutefois pas dû être facile. Certes, l'attention de tous devait se concentrer sur le corps de la victime et n'importe qui, sans doute, pouvait s'approcher de la table sans être vu. Mais on ne glisse pas discrètement un dictaphone dans sa poche, c'est un objet encombrant. Il fallait donc disposer d'un… comment dirais-je… d'un réceptacle.

» Vous voyez où je veux en venir ? La silhouette de notre meurtrier prend forme. Il s'agit d'une personne qui s'est trouvée immédiatement sur les lieux quand on a découvert le crime, mais qui aurait pu ne pas s'y trouver si cette découverte avait eu lieu le lendemain matin. Et de plus, d'une personne qui transportait le… le réceptacle nécessaire et donc…

J'interrompis cet exposé en m'écriant :

– Mais pourquoi enlever ce dictaphone ? Dans quel but ?

– Vous réagissez comme Mr Raymond. Vous tenez pour acquis que la voix reconnue par les deux témoins à 21 heures 30 était celle de Mr Ackroyd en train de parler dans son dictaphone. Mais réfléchissez aux possibilités qu'offre cette invention si pratique. On s'en sert pour dicter, n'est-ce pas ? Après quoi, un secrétaire ou une dactylo le remet en marche et la même voix se fait entendre à nouveau.

J'en eus le souffle coupé.

– Vous voulez dire… ?

– Oui, confirma Poirot en hochant la tête, c'est bien ce que je veux dire. *À 21 heures 30 Mr Ackroyd était déjà mort.* Ce n'était pas l'homme qui parlait, mais la machine.

– Et c'est le meurtrier qui l'a mise en marche. Mais alors… il était dans la pièce ?

– C'est possible, mais n'oublions pas qu'il existe certains systèmes de déclenchement faciles à brancher, sur le principe de la minuterie, par exemple, ou encore du réveille-matin. Si notre criminel en a fait usage, cela nous donne deux précisions supplémentaires pour notre portrait imaginaire. La personne en question savait que Mr Ackroyd venait d'acheter un dictaphone et elle possédait les notions de mécanique nécessaires.

» J'avais déjà trouvé tout cela quand nous découvrîmes les empreintes sur l'appui de fenêtre. À partir de là, j'envisageai trois hypothèses. 1 – Les empreintes étaient bien celles de Ralph Paton. Il était donc venu à Fernly ce soir-là et avait pu entrer dans le cabinet de son beau-père par la fenêtre et trouver le cadavre de celui-ci. Première hypothèse. 2 – Les empreintes avaient été laissées par une autre personne qui portait justement des chaussures à semelle en caoutchouc. Mais les habitants de la maison portaient tous des chaussures à semelle de crêpe, et il eût fallu que celles de l'inconnu présentent exactement le même dessin que celles de Ralph Paton. J'écartai d'emblée l'idée d'une telle coïncidence. D'ailleurs, d'après la serveuse du *Chien qui siffle,* Charles Kent était chaussé de bottines « qui ne tenaient plus que par les lacets ». 3 – Ces empreintes avaient été faites dans l'intention délibérée de détourner les soupçons sur Ralph Paton. Conclusion qui rendait nécessaire la vérification de certains faits.

» La police s'était procuré aux *Trois Marcassins* une paire de souliers bas appartenant à Ralph. Mais ceux-là, ni lui ni personne n'avait pu les porter ce soir-là, puisque le garçon d'étage les avait descendus pour les cirer. La police en avait déduit qu'il en portait de semblables, et je pus m'assurer qu'il en avait bien apporté deux paires. Mais si mon raisonnement était juste, le meurtrier avait aux pieds les chaussures de Ralph, ce qui signifiait que celui-ci s'était muni de *trois* paires de souliers bas identiques : cela me parut fort peu probable. Cette troisième paire de chaussures ne pouvait donc être qu'une paire de bottines. Je priai votre sœur de se renseigner sur ce point, en insistant sur l'importance de la couleur ; dans le seul but, je l'avoue, de lui masquer mes véritables intentions. Vous connaissez le résultat de son enquête : Ralph Paton avait bien emporté une paire de bottines.

» La première question que je lui posai quand il arriva chez moi hier matin fut celle-ci : quelles chaussures avait-il aux pieds ce fameux soir ? Il répondit sans hésiter que c'étaient des bottines, et d'ailleurs il les portait toujours, n'ayant rien d'autre à se mettre.

» Ainsi, notre portrait du meurtrier se précise. Il s'agit d'une personne qui a eu l'occasion, ce jour-là, de dérober ses chaussures au capitaine Paton, aux *Trois Marcassins*.

Ici, Poirot s'interrompit pour reprendre bientôt en haussant légèrement le ton :

– Mais il y a plus : il fallait aussi que le meurtrier ait eu l'occasion de prendre le poignard dans la vitrine. Vous me répondrez que n'importe quelle personne de la maison aurait pu le faire, mais rappelez-vous : Flora Ackroyd a bien précisé que le poignard n'était plus dans la vitrine quand elle a examiné les objets qui s'y trouvaient.

Poirot fit une nouvelle pause avant de poursuivre :

– Et maintenant que tout est clair, récapitulons. Notre meurtrier est donc une personne qui est allée aux *Trois Marcassins* dans la journée, et qui était assez liée avec Mr Ackroyd pour savoir qu'il venait d'acheter un dictaphone. Une personne qui s'intéressait à la mécanique, qui a eu l'occasion de prendre le poignard dans la vitrine avant l'arrivée de miss Flora et qui disposait de... du réceptacle nécessaire pour cacher le dictaphone, une sacoche noire par exemple. Enfin une personne qui est restée seule dans le cabinet de travail pendant quelques minutes après la découverte du crime, au moment où Parker téléphonait à la police... Je n'en vois qu'une : le Dr Sheppard !

26

Rien que la vérité

Un silence de mort régna pendant une longue minute. Puis je me mis à rire :

– Vous êtes fou !

– Non, dit tranquillement Poirot, je ne suis pas fou. C'est le petit désaccord sur l'heure qui a tout de suite attiré mon attention sur vous, dès le début.

– Un petit désaccord ? questionnai-je, intrigué.

– Mais oui, rappelez-vous. Tout le monde a déclaré – vous aussi d'ailleurs – qu'il fallait cinq minutes pour aller de la maison à la grille, et encore moins par le raccourci qui mène à la terrasse. Or, selon votre propre témoignage et celui de Parker, vous avez quitté la maison à 9 heures moins 10. Mais il était 21 heures quand vous êtes arrivé à la grille. Et il faisait froid, personne n'a envie de flâner par ce temps-là. Alors, pourquoi le trajet vous avait-il pris dix minutes au lieu de cinq ? J'ai tout de suite remarqué aussi que rien ne nous prouvait que la fenêtre était fermée au moment de votre départ, sauf votre parole. Ackroyd vous avait demandé de vérifier la fermeture de cette fenêtre, il n'a pas vérifié lui-même.

» Mais supposons que le loquet n'ait pas été mis ? Ces dix minutes vous auraient-elles suffi pour contourner la maison, changer de chaussures, escalader la fenêtre, tuer Ackroyd et gagner la grille, où vous étiez à 21 heures ? J'écartai cette hypothèse, car un homme aussi nerveux que l'était Mr Ackroyd ce soir-là vous aurait entendu pénétrer chez lui et se serait défendu.

» Mais si vous l'aviez tué avant de partir, pendant que vous vous teniez derrière son fauteuil ? Je vois les choses ainsi : vous sortez par la grand-porte, courez au pavillon, chaussez les souliers de Ralph que vous aviez apportés dans votre sacoche, marchez dans la boue, imprimez vos empreintes sur l'appui de fenêtre, entrez dans le cabinet de travail, fermez la porte de l'intérieur, retournez en hâte au pavillon pour remettre vos propres chaussures et courez jusqu'à la grille. (J'ai fait tout cela moi-même l'autre jour pendant votre visite à Mrs Ackroyd. Cela m'a pris exactement dix minutes.) Puis vous rentrez chez vous, ce qui vous donne un alibi puisque vous avez programmé le déclenchement du dictaphone pour 21 heures 30.

– Mon cher Poirot, dis-je d'une voix qui me parut à moi-même étrange et quelque peu forcée, vous avez trop ruminé cette affaire. Pourquoi diable aurais-je tué Ackroyd ? Qu'avais-je à y gagner ?

– La sécurité. C'est vous qui faisiez chanter Mrs Ferrars. En tant que médecin de son mari, personne n'était mieux placé que vous pour savoir de quoi il était mort. Quand nous avons causé dans le jardin, le premier jour, vous m'avez parlé d'un héritage que vous aviez fait un an plus tôt. Je me suis renseigné et n'en ai pas trouvé trace. Vous l'avez inventé, pour expliquer vos rentrées d'argent, les vingt mille livres de Mrs Ferrars. Vous n'en avez pas tiré grand profit, d'ailleurs. Presque tout a été englouti en spéculations, puis vous vous êtes montré trop gourmand et Mrs Ferrars a trouvé une issue que vous n'aviez pas prévue. Si Ackroyd avait su la vérité, il se serait montré sans pitié pour vous : vous étiez perdu.

– Et le coup de téléphone ? demandai-je, refusant de m'avouer battu. Vous avez une bonne explication pour cela aussi, j'imagine ?

– Je vous avouerai que ce fut là ma pierre d'achoppement. Surtout quand j'eus appris qu'on vous avait réellement appelé de la gare, car j'avais d'abord cru à une invention de votre part. Cela, ce fut une vraie trouvaille ! L'excuse qu'il vous fallait pour retourner à Fernly, découvrir le corps et être en mesure de reprendre le dictaphone, dont dépendait votre alibi. Je n'avais qu'une idée très floue de la façon dont vous aviez pu vous y prendre le jour où je suis venu voir votre sœur pour la première fois. Quand je lui ai demandé qui était venu à votre consultation du vendredi, je ne pensais pas à miss

Russell. Sa visite fut une heureuse coïncidence, puisqu'elle vous a trompé sur l'objet de mes recherches, n'est-ce pas ? Et je trouvai ce que je cherchais. L'un de vos malades était steward sur un paquebot américain. N'avait-il pas toutes les chances d'avoir pris ce soir-là l'express de Liverpool ? Et une fois notre homme en mer, plus de danger. Je pris note que *l'Orion* appareillait le samedi, obtins le nom du steward et lui fis parvenir un message radio, pour lui poser une question bien précise. C'est la réponse que l'on m'a remise tout à l'heure devant vous.

Poirot me tendit la dépêche, et j'y lus ce qui suit :

« Exact. Le Dr Sheppard m'avait demandé de déposer un pli chez un de ses patients. Je devais l'appeler de la gare pour lui transmettre la réponse. La commission dont on m'a chargé était : pas de réponse. »

– Brillante idée, observa Poirot. L'appel était bien réel et votre sœur en est témoin. Mais nous n'avions aucun moyen d'en connaître le contenu, sauf votre parole.

Je bâillai.

– Tout ceci est très intéressant, mais cela ne nous mène pas à grand-chose.

– Vous croyez ? Rappelez-vous ce que je vous ai dit : l'inspecteur Raglan saura la vérité demain matin. Mais, par amitié pour votre excellente sœur, je veux bien vous laisser une autre issue. Une trop forte dose de somnifères, par exemple. Vous saisissez ? Mais le capitaine Paton devra être disculpé, cela va de soi. Et je vous suggère de terminer votre si intéressant manuscrit... sans rien omettre, cette fois.

– Vous me semblez très fertile en suggestions, observai-je à mon tour. Est-ce tout ?

– Maintenant que vous m'y faites penser, j'ai encore une suggestion, en effet. Il serait très déraisonnable de votre part d'essayer de me réduire au silence, comme Mr Ackroyd. Comprenez-moi bien : avec Hercule Poirot, ce genre de méthodes ne mène à rien.

Je m'arrachai un semblant de sourire.

– Mon cher Poirot, je suis tout ce que vous voudrez, mais pas idiot.

Sur quoi, je me levai et étouffai un bâillement.

– Eh bien, il est temps de rentrer chez moi. Merci pour cette soirée si intéressante et si instructive.

Comme j'allais sortir, Poirot se leva à son tour et s'inclina devant moi avec sa politesse accoutumée.

27

Rendons à César...

Cinq heures du matin. Je suis très fatigué, mais j'ai fini ma tâche. La main me fait mal d'avoir tant écrit.

Curieuse fin, pour mon manuscrit. Et moi qui envisageais de le publier, en tant qu'histoire d'un échec de Poirot. Le sort a d'étranges caprices.

Dès le début, depuis le moment où j'ai aperçu Ralph Paton et Mrs Ferrars en tête-à-tête, j'ai pressenti le désastre. J'ai cru alors qu'elle se confiait à lui, en quoi je me trompais. Mais l'idée persista en moi-même après que j'eus suivi Ackroyd dans son cabinet… et, jusqu'à ce qu'il m'eût dit la vérité.

Pauvre vieil Ackroyd ! Il me reste la satisfaction de lui avoir donné sa chance : j'ai insisté pour qu'il lise cette lettre avant qu'il ne soit trop tard. Mais soyons honnête. Ne savais-je pas, au fond de moi-même, qu'avec une pareille tête de mule, mon insistance obtiendrait l'effet inverse ? D'un point de vue psychologique, sa nervosité de ce soir-là me parut très intéressante. Il flairait le danger et pourtant il ne m'a jamais soupçonné.

L'idée du poignard ne me vint qu'au dernier moment. Je m'étais muni d'une petite arme personnelle très maniable, mais changeai mes plans en apercevant celle-ci dans la vitrine. Elle, au moins, ne permettrait pas de remonter jusqu'à moi.

Je crois que j'ai toujours su que je finirais par tuer Ackroyd. Dès que j'avais appris la mort de Mrs Ferrars, j'avais eu la conviction qu'elle lui avait tout dit avant de mourir. Quand je le rencontrai et le vis si troublé, je m'imaginai qu'il devait connaître la vérité tout en se refusant à y croire… et qu'il voulait me donner une chance de me défendre. Je rentrai donc chez moi prendre les précautions nécessaires.

Si l'agitation d'Ackroyd n'avait eu pour cause que les fredaines de Ralph, rien ne serait arrivé. Deux jours plus tôt, il m'avait confié le dictaphone pour une vérification. L'appareil présentait un défaut de fonctionnement et je l'avais décidé à me laisser y jeter un coup d'œil plutôt que de le rendre. Je le modifiai à ma convenance et l'emportai ce soir-là dans ma sacoche.

Je suis assez content de mes talents d'écrivain, et en particulier du paragraphe suivant :

La lettre lui avait été remise à 9 heures moins 20. Il ne l'avait toujours pas lue quand je le quittai, à 9 heures moins 10 exactement. J'hésitai un instant sur le seuil, la main sur la poignée, et me retournai en me demandant si je n'oubliais rien.

On ne pouvait mieux dire et, comme vous voyez, tout est vrai. Mais imaginez que j'aie fait suivre la première phrase d'une ligne de points de suspension. Quelqu'un aurait-il seulement cherché à savoir ce qui avait pu se passer pendant ces dix minutes ?

Quand je me retournai sur le seuil, j'eus tout lieu d'être satisfait. Je n'avais rien oublié. Le dictaphone était posé sur la table, près de la fenêtre, programmé pour 21 heures 30 – un petit réglage ingénieux basé sur le principe du réveille-matin –, et invisible de la porte car j'avais déplacé la bergère.

Je reconnais que ma rencontre inopinée avec Parker, en sortant de la pièce, me causa un choc. J'ai fidèlement rapporté l'incident.

Et ce passage où je relate ce qui s'est produit un peu plus tard, après la découverte du corps et lorsque j'eus envoyé Parker téléphoner à la police ! J'estime avoir choisi mes mots de façon on ne peut plus judicieuse : *je fis le peu qu'il y avait à faire !* Bien peu de chose, en effet. Simplement glisser le dictaphone dans ma sacoche et remettre la bergère à sa place, contre le mur. Je n'aurais jamais pensé que Parker s'aviserait de ce détail. Logiquement, il aurait dû, dans son trouble, se précipiter sur le corps sans rien voir d'autre. J'avais compté sans cette espèce de sixième sens des domestiques bien stylés : rien ne leur échappe.

Si seulement j'avais pu prévoir que Flora prétendrait avoir vu son oncle en vie à 10 heures moins le quart ! Cela m'a intrigué plus que je ne saurais le dire. D'ailleurs, tout au long de cette affaire, quantité de choses m'ont intrigué au plus haut point. À croire que tout le monde y mettait du sien.

Mais j'avais surtout peur de Caroline : je m'étais mis en tête qu'elle finirait par deviner. Cette allusion qu'elle avait faite un jour à ma faiblesse de caractère n'était-elle pas étrange ?

Mais elle ne saura jamais la vérité. Comme le dit Poirot, il me reste une issue…

Je peux lui faire confiance, il s'arrangera avec l'inspecteur Raglan. Je n'aimerais pas que Caroline sache. Elle m'est très attachée, et elle est si fière… Ma mort lui fera de la peine, mais aucune peine ne dure…

Quand j'aurai terminé ce manuscrit, je le mettrai sous enveloppe et l'adresserai à Poirot.

Et ensuite, que choisirai-je ? Le véronal ? Il y aurait là une sorte de justice poétique. Non que je me sente en rien responsable de la mort de Mrs Ferrars : cette mort fut la conséquence directe de sa conduite. Elle ne m'inspire aucune pitié.

Et je n'en éprouve pas davantage pour moi-même.

Soit, ce sera le véronal.

Ah ! si seulement Hercule Poirot n'avait pas pris sa retraite, et n'était pas venu chez nous cultiver des courges !…

Les travaux d'Hercule

À Edmund Cork,
dont j'apprécie tant
les travaux pour le compte
d'Hercule Poirot,
je dédie affectueusement ce livre.

Prologue

Pour son appartement, Hercule Poirot avait fait le choix d'un mobilier ultramoderne. Le chrome y étincelait partout. Quoique confortablement rembourrés, les fauteuils imposaient sans compromis la rigueur de leurs lignes anguleuses.

Impeccable comme à l'accoutumée, Hercule Poirot était piqué, bien droit, sur l'extrême bord de l'un des fauteuils en question. En face de lui, plus vautré qu'assis, le Pr Burton, titulaire de la chaire de littérature grecque et latine au collège d'All Souls, dégustait en connaisseur, à petites gorgées gourmandes, le Mouton-Rothschild de son hôte.

Rien d'impeccable chez le Pr Burton. Grassouillet, débraillé, il arborait sous une crinière argentée un visage aussi bienveillant que rubicond. Il émaillait sa conversation de gloussements d'asthmatique et avait la déplorable habitude de couvrir de cendres de cigarette sa propre personne et tout ce qui avait le malheur de l'entourer. C'était en vain que Poirot l'avait cerné de cendriers.

Pour l'heure, le Pr Burton posait une question fondamentale :

– Dites-moi, très cher, pourquoi Hercule ?

– Vous parlez de mon nom de baptême ?

– En fait de nom de baptême, reconnaissez qu'il n'a rien de très catholique. Il vous aurait plutôt un petit côté *païen,* non ? Mais, encore une fois, pourquoi ? C'est ça, ce que je voudrais bien savoir. Lubie de votre père ? Caprice de votre mère ? Tradition familiale ? Si je me rappelle bien – mais ma mémoire n'est plus, hélas ! ce qu'elle était –, vous aviez un frère prénommé Achille, n'est-ce pas ?

En un éclair, Poirot revit mentalement les péripéties de l'existence d'Achille Poirot. Tout cela était-il vraiment arrivé ?

– Cela n'a duré que bien peu de temps, se borna-t-il à répondre.

Avec tact, le Pr Burton abandonna ce sujet délicat.

– Les parents, grommela-t-il, devraient prêter davantage d'attention aux prénoms qu'ils donnent à leurs enfants. J'ai quelques filleules. Je sais de quoi je parle. Il y en a une qui s'appelle Blanche : elle est noire comme un pruneau ! À côté de ça il y a Deirdre, Deirdre des douleurs : elle, elle est gaie comme un pinson. Quant à la jeune Patience, on eût été mieux avisé de la baptiser Impatience ! Et pour ce qui est de Diana...

Le vieil universitaire frémit :

– Diana frise déjà les quatre-vingts kilos... or, elle n'a que quinze ans ! On me rétorque qu'il faut qu'adolescence se passe, mais j'ai bien peur que le problème soit ailleurs. *Diana* ! Ils auraient voulu l'appeler Hélène, mais, là, j'avais mis les pieds dans le plat. Quand on sait à quoi ressemblent ses père et mère ! Sans parler de sa grand-mère ! Moi, j'avais bataillé pour un prénom comme Martha, ou Dorcas… quelque chose de cohérent dans ce goût-là. Peine perdue. J'aurais aussi bien pu économiser ma salive. Drôle de race que celle des géniteurs…

Sur ce, le Pr Burton entama une série de gloussements qui plissèrent sa bonne bouille réjouie.

Poirot le fixa, interloqué.

– Je pensais à une rencontre imaginaire entre Madame votre mère et la défunte Mrs Holmes, expliqua le vieux savant. Je les vois bien, tricotant toutes deux des layettes et égrenant : « Achille, Hercule, Sherlock, Mycroft… »

Poirot ne parvenait pas à partager l'humour de son ami :

– Si je comprends bien, baragouina-t-il dans son anglais à la syntaxe toujours très personnelle, vous êtes en train de me dire que je n'ai pas exactement l'apparence *physique* d'Hercule ?

Le Pr Burton laissa son regard errer sur le détective, tiré comme toujours à quatre épingles avec ses bottines vernies, son pantalon rayé, son veston noir et son nœud papillon noué de main de maître, s'arrêta au passage à la tête en forme d'œuf et salua la moustache superlative qui faisait la gloire de la lèvre supérieure.

– Non, Poirot, franchement, vous n'avez rien d'un Hercule ! sourit-il. Je présume que vous n'avez jamais pris le temps de vous plonger dans les Classiques ?

– C'est bien le cas.

– Dommage ! Dommage ! Il vous manque et vous manquera toujours quelque chose. S'il ne tenait qu'à moi, tout le monde serait astreint à l'étude des Classiques.

Poirot haussa les épaules :

– J'ai très bien réussi sans eux.

– Réussi ! *Réussi !* Il s'agit bien de réussir ! Vous ne comprenez rien au problème ! L'étude des Classiques n'a rien à voir avec un cours accéléré de correspondance commerciale ! Ce n'est pas un raccourci sur le chemin du succès ! Dans la vie de tout un chacun, ce ne sont pas les heures de travail qui comptent – ce sont celles qu'il peut consacrer à ses loisirs. C'est l'erreur que nous commettons tous. Prenez votre cas, si vous le voulez bien : vous avez réussi, vous voulez peu à peu prendre du recul et vous donner quartier libre… Mais qu'allez-vous *faire* de votre liberté ?

Poirot tenait sa réponse toute prête :

– Je vais me consacrer, très sérieusement, à la culture des courges.

Le Pr Burton fut pris au dépourvu :

– Des courges ? Qu'entendez-vous par là ? Ces grosses choses verdâtres autant que rebondies et qui ont un goût d'eau ?

– Eh oui ! s'enthousiasma Poirot. Vous touchez au cœur même de la question ! Les courges peuvent très bien *ne pas* avoir un goût d'eau !

– Oh, je sais, nappées de fromage, d'oignon émincé, ou de sauce blanche…

– Non, non ! Vous n'y êtes pas ! J'ai dans l'idée que c'est le goût lui-même des courges qu'il est possible d'améliorer. Qu'on peut lui donner…

Poirot plissa les yeux :

– Un certain bouquet…

– Sapristi, mon tout bon, une courge n'est pas un bordeaux !

Le mot *bouquet* venait de rappeler au Pr Burton qu'il avait un verre à la main. Il savoura quelques gorgées :

– Excellent, ce vin. Pas un défaut.

Hochant la tête pour marquer son approbation, il reprit :

– Cette histoire de courges, ce n'est pas *sérieux* ? Vous n'allez tout de même pas passer vos journées plié en deux, à pousser de pleines brouettées de crottin, à abreuver ces *machins* en leur entourant amoureusement le pied de chiffons de laine imbibés d'eau et tout ce qui s'ensuit ?

Le gémissement du Pr Burton exprimait toute l'horreur que lui inspirait pareil avenir, et sa main libre se crispait sur son estomac replet.

– Vous me semblez très bien connaître, lui fit remarquer Poirot, l'art et la manière de cultiver les courges…

– Il m'est arrivé d'observer des jardiniers à l'œuvre lors de séjours à la campagne. Non mais, Poirot, sérieusement, quel passe-temps ! Pouvez-vous comparer cela au confort d'un bon fauteuil (la voix du Pr Burton commença de ressembler à un ronronnement de plaisir), devant une cheminée où brûle un feu de bois, dans une pièce longue et basse où s'alignent les livres – il faut que ce soit une pièce toute en longueur… à aucun prix carrée. Des livres tout autour. Un verre de porto. À la main un bouquin qui vous est cher. Par la lecture, vous remontez le temps…

Et de citer, d'une voix sonore :

Μντ ο αυτε κυβερνητηζ ενι οινοπι ποντω
νηα θοην ιθυνει ερεχθομενην ανεμοισι

– « Et par sa seule habileté, traduisit-il, le timonier amène le frêle esquif bousculé par les vents à reprendre son cap sur la mer démontée. »

» Naturellement, s'empressa-t-il d'enchaîner, la meilleure interprétation ne saurait retrouver totalement l'esprit du texte original…

Pendant un instant, emporté par son lyrisme, il en avait oublié Poirot. Et Poirot, qui l'observait, fut soudain saisi d'un doute – d'une douleur intime, d'une sorte de sourd remords. Y avait-il là quelque chose qu'il avait manqué ? Une certaine richesse de l'esprit ? Une tristesse diffuse s'empara de lui. Oui, il aurait dû découvrir les Classiques. Et depuis bien longtemps. Maintenant, hélas, il était trop tard…

Le Pr Burton mit fin à ce soudain accès de mélancolie :

– Tenteriez-vous de me laisser entendre que vous songez réellement à prendre votre retraite ?

– Oui.

– Vous n'en ferez rien ! gloussa l'autre.

– Mais je vous assure bien que…

– Mon tout bon, je vous en crois parfaitement incapable. Votre métier vous intéresse beaucoup trop.

– Certes, mais je pourrais… prendre certaines dispositions. Ne plus accepter que quelques enquêtes triées sur le volet. Pas question de continuer avec le tout-venant. Seuls les problèmes qui présenteraient pour moi un attrait particulier…

– Je vous vois venir, sourit le Pr Burton. Une ou deux affaires seulement. Puis encore une ou deux. Et ainsi de suite… Mon cher Poirot, le jour où la *prima donna* que vous êtes donnera son gala d'adieux n'est pas pour demain !

Il eut un petit rire et s'extirpa non sans mal de son fauteuil, délicieux petit gnome aux cheveux blancs :

– Ce ne sont pas les Travaux d'Hercule que vous accomplissez, chuinta-t-il, car votre travail est votre passion. Vous verrez que j'ai raison. Je vous parie que, dans un an, vous serez toujours ici, et que les courges (il frissonna d'horreur) ne seront jamais rien mieux que des courges.

Prenant congé de son hôte, le Pr Burton quitta l'austère salon rectangulaire.

Il quitta du même coup les pages de ce récit, mais il avait fait à Poirot un legs précieux : une grande idée.

Et, de fait, après le départ du vieil universitaire, Poirot se rassit avec lenteur, comme un homme en plein rêve, et murmura pour lui-même :

– Les Travaux d'Hercule… Mais oui, c'est une idée, ça !

Le lendemain, Poirot passa la journée à consulter un grand in-quarto relié de maroquin, ainsi que quelques volumes de moindre ampleur. De temps en temps, il jetait un coup d'œil à divers feuillets tapés à la machine.

Sa secrétaire, miss Lemon, avait reçu pour mission de rassembler le maximum de documentation sur l'Hercule de la mythologie et de la lui communiquer toutes affaires cessantes.

Sans curiosité particulière – elle n'était pas de celles qui tiennent à connaître le pourquoi du comment –, mais avec l'efficacité qui la caractérisait, miss Lemon s'était acquittée de sa tâche à la perfection.

Hercule Poirot avait donc plongé tête baissée dans un monstrueux océan de légendes antiques dont émergeait la figure d'Hercule, « le plus fameux des Héros, qui fut, après sa mort, élevé au rang des dieux et reçut les honneurs divins ».

Jusque-là, pas de problème. Ce n'est qu'après que les choses se gâtaient. Poirot consacra de longues heures à une lecture attentive, prit des notes, fronça les sourcils, se reporta aux feuillets de miss Lemon et chercha son chemin dans d'autres ouvrages de référence.

À la fin, il se renversa dans son fauteuil et secoua la tête. La dépression qui l'avait un instant frappé la veille était bien dissipée. La mythologie, quel panier de crabes !

Prenez cet Hercule, ce héros ! Drôle de héros ! Qu'était-il, sinon un malabar au front bas animé de tendances criminelles ? À Poirot, cet Hercule rappelait un certain Adolphe Durand, boucher de son état, fort comme un bœuf et qui avait été jugé à Lyon en 1895 pour le meurtre d'une ribambelle d'enfants. L'argument principal de ses défenseurs avait reposé sur le fait que le boucher souffrait d'épilepsie, et l'on avait débattu pendant plusieurs audiences sans parvenir à déterminer s'il s'agissait du haut mal ou du petit mal. Cet Hercule des temps anciens était sans doute, lui aussi, victime du haut mal. Non, pensait Poirot en secouant violemment la tête, si c'était *ça* l'idée que les Grecs se faisaient d'un héros, elle ne correspondait plus aux critères du monde moderne. D'ailleurs, l'ensemble du canevas mythologique le heurtait. Ces dieux et ces déesses !... Ils s'affublaient d'autant d'identités qu'un criminel d'aujourd'hui ! Et, alcoolisme, débauche, inceste, viol, brigandage, meurtre et captation d'héritage, ils se comportaient, d'évidence, comme des délinquants. Il y avait là de quoi occuper un juge d'instruction à plein temps ! Même dans le cadre de leur vie de famille ces gens-là se conduisaient comme des malfrats ! Et avec ça pas d'ordre ! Pas de méthode ! Jusqu'à leurs crimes et délits, qui fleuraient l'amateurisme et trahissaient une absence totale d'esprit de synthèse !

– Hercule, mon œil ! grinça Poirot, privé de ses illusions, en abandonnant ses grimoires.

Il jeta autour de lui un regard satisfait. L'ordonnancement de la pièce ne laissait rien au hasard. Le mobilier, luxueux, faisait triompher la symétrie d'une géométrie parfaite. Dans un coin trônait une sculpture moderne : un cube posé sur un autre cube, couronnés tous deux d'une figure octaédrique à base de fil de cuivre. Et, au beau milieu de ce chef-d'œuvre de rigueur, *lui-même*, Hercule Poirot ! Il s'admira dans un miroir : voilà, décréta-t-il, un Hercule *moderne* ! Rien à voir avec cette caricature d'être humain à moitié nu, aux muscles noueux, brandissant une massue ! Au lieu d'un bateleur de foire, on avait là un homme de taille… euh… *ramassée*, un élégant citadin arborant moustache – une moustache telle que jamais cet autre Hercule n'aurait imaginé en posséder. Une moustache luxuriante et cependant tirée au cordeau.

Hercule Poirot et l'Hercule des légendes antiques partageaient néanmoins un point commun : tous deux avaient indubitablement joué un rôle essentiel en débarrassant le monde d'une kyrielle de fléaux. Et on pouvait à bon droit les qualifier de bienfaiteurs des sociétés dans lesquelles ils vivaient.

Qu'avait donc dit le Pr Burton en partant ? Ah oui : « Ce ne sont pas les Travaux d'Hercule que vous accomplissez… »

Oh, mais il se trompait, le vieux fossile ! Le monde, encore une fois, allait applaudir aux Travaux d'Hercule – de l'Hercule des temps modernes. C'était d'une ingéniosité renversante, cette idée ! Et d'un humour de bon, de parfait aloi ! Avant de prendre sa retraite, il n'accepterait plus que douze affaires, ni plus ni moins. Et il les choisirait en fonction de leur parenté avec les Travaux de l'Hercule de l'Antiquité. Oui, vraiment, ce ne serait pas seulement amusant, ce serait aussi raffiné et *spirituel*.

Saisissant un dictionnaire, Poirot relut encore une fois ce qui concernait les légendes antiques. Il n'avait pas l'intention de suivre son modèle à la lettre. Il n'y aurait pas de femme, pas de tunique de Nessus. Les Travaux, et les Travaux seulement…

Et, par conséquent, la première de ses missions s'inspirerait de l'histoire du Lion de Némée.

– Le Lion de Némée, articula-t-il à haute voix, comme pour mieux apprécier la sonorité de ces syllabes magiques.

Bien entendu, Poirot n'imaginait pas que l'affaire puisse impliquer un véritable lion tout droit sorti de la savane. Et il aurait fallu une séquence inconcevable de coïncidences pour que les responsables d'un jardin zoologique fassent appel à ses services pour résoudre une énigme dont un lion de chair et d'os serait l'un des protagonistes.

Non, mieux valait avoir recours à la symbolique. Le premier des travaux d'Hercule devrait toucher une personnalité en vue, ce devrait être une affaire à sensation, et de toute première importance ! Un maître ès crimes, peut-être ? Ou encore un des puissants de ce monde, que le grand public compare volontiers à des lions ? Un écrivain renommé ? Un homme politique ? Un peintre illustrissime ? Ou, pourquoi pas, l'un des membres de la famille royale ?

L'idée de la famille royale n'était pas pour lui déplaire…

De toute façon, il n'était pas pressé. Il attendrait. Il attendrait que se présente l'affaire qui serait le premier des douze Travaux qu'il avait choisi d'accomplir.

1

Le lion de Némée

(The Nemean Lion)

– Du neuf et de l'intéressant, ce matin, miss Lemon ?
demanda Poirot en pénétrant dans son bureau le lendemain.

Il avait en miss Lemon une confiance aveugle.
Dépourvue d'imagination, elle possédait en revanche un
instinct très sûr. Ce qu'elle jugeait digne d'attention
méritait, en général, qu'on l'examinât de près. C'était
une secrétaire née.

– Pas grand-chose, monsieur Poirot, répondit-elle.
Juste une lettre, peut-être, qui pourrait vous intéresser.
Je l'ai mise sur le dessus de la pile.

– Tiens, tiens ! De quoi s'agit-il ?

– D'un homme qui souhaiterait que vous enquêtiez
sur la disparition du pékinois de sa femme.

Poirot qui, tout émoustillé, se dirigeait vers sa corbeille
de courrier, en resta le pied en l'air. Le regard qu'il adressa
à miss Lemon était lourd de reproches. Mais elle avait
recommencé à taper et ne s'en aperçut pas. Sa frappe avait
la vitesse et la précision d'une arme à tir rapide.

L'accablement, mais aussi l'amertume s'emparèrent de Poirot : miss Lemon, la compétente miss Lemon, l'abandonnait ! Un pékinois ! *Un pékinois !* Alors qu'il avait, la nuit même, fait un si beau rêve. À l'instant où son valet l'avait éveillé en lui portant son chocolat du matin, il se voyait quittant Buckingham Palace où *On* avait tenu à lui exprimer personnellement *Sa* gratitude…

Il faillit se répandre en propos sarcastiques, mais s'en abstint. Ils auraient été couverts par le vacarme de la machine à écrire.

Avec un grognement de dégoût, il s'empara cependant de la lettre qui se trouvait au sommet de la pile.

Il s'agissait bien de ce qu'avait annoncé miss Lemon. Une adresse dans les beaux quartiers. Une demande sèche et très impersonnelle. Sujet : l'enlèvement d'un pékinois. Encore un de ces chien-chiens aux yeux globuleux, outrageusement gâté par une femme riche. Hercule Poirot fit la moue.

Rien d'inhabituel dans la lettre. Rien qui sortît de l'ordinaire. À part, peut-être, oui… un unique petit détail. Miss Lemon avait raison : il y avait bel et bien un petit détail qui dépassait la banalité.

Poirot s'assit et relut la lettre lentement, avec le plus grand soin. Il ne s'agissait pas de la sorte d'affaires qu'il souhaitait traiter et qu'il s'était promises à lui-même. Ce n'était en rien une affaire importante, c'était le type même de l'affaire sans intérêt. Et puis, surtout, c'était une affaire – objection majeure – qui ne relevait pas des Travaux d'Hercule.

Las, Poirot avait toujours été tenté par le démon de la curiosité.

Une curiosité qui, là encore, le tenaillait.

Il haussa le ton pour être entendu de miss Lemon :

– Appelez donc ce sir Joseph Hoggin, et fixez un rendez-vous pour moi à son bureau comme il le propose.

Comme de coutume, miss Lemon avait vu juste.

– Je suis un homme tout ce qu'il y a d'ordinaire, monsieur Poirot, déclara sir Joseph Hoggin.

Le détective éleva la main droite dans un geste ambigu, qui pouvait exprimer son admiration pour la réussite de sir Joseph et son approbation pour la modestie qu'il employait quand il parlait de lui. Ou, tout aussi bien, la désapprouver courtoisement. Il ne pouvait en aucun cas révéler la pensée de Poirot en cet instant même : s'il avait une manière bien à lui d'utiliser la langue de Shakespeare, il en saisissait toutes les subtilités. Et l'expression anglaise que sir Joseph avait employée à son propre sujet pouvait, aussi, signifier qu'il était en effet un homme ordinaire. *Très* ordinaire. Le regard d'Hercule Poirot détailla successivement les bajoues bouffies, les petits yeux porcins, le nez camard et la bouche en cul-de-poule. Le résultat d'ensemble lui rappelait quelque chose, ou quelqu'un… Mais, comme ça, sur le moment, il ne parvenait pas à se souvenir précisément de quoi ni de qui il retournait. Cela remontait à bien des années, en Belgique… Ça avait un rapport, en tout cas, avec du *savon*…

– Faire des chichis n'est pas mon genre, poursuivait sir Joseph. J'ai l'habitude d'aller droit au but. La plupart des gens, monsieur Poirot, laisseraient tomber et considéreraient tout ça comme une créance irrecouvrable.

Mais Joseph Hoggin n'est pas comme ça. Je suis un homme riche. Et 200 livres de plus ou de moins ne me font ni chaud ni froid…

– Je vous en félicite, intervint Poirot.

– Hein ?

Sir Joseph marqua un temps d'arrêt. Ses petits yeux s'étrécirent davantage encore.

– Ce qui ne veut pas dire que j'aime jeter mon argent par les fenêtres ! siffla-t-il. Ce que je veux, je le paie. Mais je le paie au prix du marché – pas un sou de plus.

– Vous savez, sans aucun doute, que mes honoraires sont élevés ? fit observer Poirot.

Une lueur matoise alourdit le regard de sir Joseph :

– Oui, oui… Mais il s'agit ici d'une affaire de peu d'importance, d'une broutille…

– Je ne marchande jamais, coupa Poirot en haussant les épaules. Je suis un expert. Et les services d'un expert se paient.

– Je sais que, dans votre branche, vous êtes un as, reconnut sir Joseph avec franchise. J'ai pris mes renseignements, et on m'a dit que vous êtes ce que l'on peut trouver de mieux. Mon intention est d'aller jusqu'au bout de cette affaire, et je ne regarderai pas à la dépense. C'est pourquoi je vous ai demandé de venir.

– Vous avez eu de la chance, sourit Poirot.

– Hein ?

– Oui, une chance inouïe. Je suis, j'ose le dire sans fausse modestie, au zénith de ma carrière. Je compte prendre très bientôt ma retraite, m'installer à la campagne, voyager et visiter enfin le vaste monde… et peut-être bien cultiver mon jardin, en accordant une attention toute particulière à l'amélioration des courges. De magnifiques légumes, mais qui manquent un peu de saveur. Enfin, là n'est pas la question. Je voulais seulement vous expliquer que je me suis fixé une règle avant de me retirer : j'ai décidé de n'accepter que douze affaires. Pas une de plus, pas une de moins. Une manière de « Travaux d'Hercule » que je m'impose, en quelque sorte. Votre affaire, sir Joseph, sera la première des douze. Ce qui m'a intéressé, soupira-t-il, c'est sa complète futilité…

– Son utilité ? s'étonna sir Joseph.

– J'ai dit *futilité*. Voyez-vous, on a fait appel à moi pour des cas de toutes sortes. Pour enquêter sur des meurtres, des morts suspectes, des cambriolages, des vols de bijoux. Mais c'est bien la première fois que l'on me prie d'élucider l'enlèvement d'un pékinois.

– Vous m'étonnez ! grommela sir Joseph. J'aurais juré que les femmes faisaient la queue devant chez vous pour que vous retrouviez leurs toutous chéris.

– Bien sûr, cela va de soi. *Mais c'est la première fois que c'est le mari qui me demande d'intervenir.*

Les petits yeux de sir Joseph pétillèrent :

– Je commence à comprendre pourquoi on vous a recommandé à moi. Vous êtes un petit malin, monsieur Poirot.

– Si vous vouliez bien maintenant m'exposer les faits, murmura Poirot. Le chien a disparu. Quand cela ?

– Il y a une semaine exactement.

– Et je suppose que votre épouse est maintenant dans tous ses états ?

– Vous n'avez pas compris, monsieur Poirot ! Le chien nous a été restitué !

– Restitué ? Puis-je me permettre de vous demander en ce cas ce que je viens faire ici ?

Le visage rougeaud de sir Joseph vira au cramoisi :

– Que je sois pendu si on arrive à m'estamper ! Monsieur Poirot, je vais vous raconter toute cette affaire. Le chien a été volé il y a une semaine. Barboté à Kensington Gardens, où la demoiselle de compagnie de ma femme le promenait. Le lendemain, ma femme a reçu une demande de rançon de 200 livres. Je vous demande un peu ! 200 livres ! Pour un roquet qui passe son temps à vous casser les oreilles et à se fourrer dans vos pieds !

– Naturellement, vous n'étiez pas d'accord avec le paiement d'une somme pareille ? insinua Poirot.

– Bien sûr que non ! Enfin, je n'aurais pas été d'accord si j'avais été au courant ! Milly – c'est ma femme – le savait très bien. Elle ne m'a rien dit à *moi*. Elle s'est contentée d'envoyer l'argent, en billets d'une livre comme il était précisé, à l'adresse indiquée.

– Et le chien a été rendu ?

– Oui. Le soir même, on a sonné à la porte, et la sale bête nous attendait sur le paillasson. Pas âme qui vive à l'horizon, comme de bien entendu…

– Parfait. Poursuivez.

– Alors, ça va de soi, Milly m'a tout avoué et je me suis mis en rogne. Après, je me suis calmé. N'importe comment, le mal était fait et, de toute façon, on ne peut pas s'attendre à voir une femme agir de façon rationnelle. Je dois cependant avouer que j'aurais laissé tomber si je n'avais pas rencontré à mon club ce vieux grigou de Samuelson.

– Oui ?…

– Bon Dieu de bois, ce truc doit être un vrai racket ! Il lui était arrivé rigoureusement la même chose – sauf que, lui, c'est *300* livres qu'on avait extorquées à *sa* femme ! Là, j'ai trouvé que ça passait les bornes ! J'ai décidé qu'il fallait arrêter ce petit jeu tout de suite ! C'est pour ça que je vous ai fait venir.

– Mais enfin, sir Joseph, la meilleure conduite à tenir – et, de très loin, la moins coûteuse – n'aurait-elle pas été de faire appel à la police ?

Dubitatif, sir Joseph se massa le nez :

– Vous êtes marié, monsieur Poirot ?

– Hélas, je n'ai pas ce bonheur.

– Hum… Pour ce qui est du bonheur, je ne sais pas trop. Mais si vous étiez marié, vous sauriez que les femmes sont des créatures bizarres. Quand j'ai prononcé le mot de police, ma femme a piqué une crise de nerfs. Elle avait l'air de croire que, si je portais plainte, il arriverait malheur à son Shan Tung chéri ! Elle ne voulait rien savoir. Et autant vous dire qu'elle n'était pas chaude non plus en ce qui *vous* concerne. J'ai tenu bon, et elle a fini par céder. Mais je vous préviens : elle est furibarde.

– Je mesure à quel point la marge de manœuvre est étroite, murmura Poirot. Le mieux serait que je pose quelques questions à Madame votre épouse afin de recueillir certaines informations complémentaires bien précises tout en la rassurant sur la sécurité future de son chien.

Sir Joseph approuva de la tête et se leva :

– Je vous y conduis de ce pas en voiture.

*

331

Dans un vaste salon surchauffé et au mobilier aussi prétentieux que tarabiscoté, deux femmes les attendaient.

Sir Joseph et Hercule Poirot n'en eurent pas plus tôt franchi le seuil qu'un petit pékinois s'élança en aboyant avec fureur et en menaçant de faire un sort aux chevilles du détective.

– Shan… Shan, viens ici… Viens voir ta maman, mon petit amour… Attrapez-le, miss Carnaby !

Miss Carnaby se précipita tandis que Poirot marmonnait :

– C'est un véritable lion, en effet.

Un brin haletante, et quelque peu balbutiante, la dompteuse de Shan Tung approuva :

– Oh oui, c'est un si *bon* chien de garde ! Il n'a peur de rien, ni de personne ! Oh, qu'il est mignon le grand garçon à sa maman !

Sir Joseph fit les présentations, puis :

– Eh bien, monsieur Poirot, je vous laisse vous débrouiller.

Et, sur un bref salut de la tête, il s'empressa de quitter les lieux.

Lady Hoggin était une opulente matrone à la mine irascible et dont les cheveux carotte devaient tout au henné. Sa demoiselle de compagnie, la fébrile et trémolante miss Carnaby, affichait d'aimables rondeurs et se situait dans la tranche des quarante à cinquante ans. Elle traitait lady Hoggin avec une infinie déférence et semblait en avoir une frousse bleue.

– Détaillez-moi par le menu, lady Hoggin, préluda Poirot, les circonstances de cet abominable crime.

Les traits de lady Hoggin se colorèrent dangereusement :

– Je suis heureuse de vous l'entendre dire, monsieur Poirot. Car c'était bel et bien un *crime* ! Les pékinois sont terriblement émotifs – aussi fragiles que des enfants. Ce pauvre Shan Tung aurait pu mourir de frayeur.

– Oh oui, haleta plaintivement miss Carnaby, c'était ignoble ! C'était… c'était *honteux* !

– Si vous vouliez bien m'indiquer les faits…

– Eh bien, voilà comment ça s'est passé. Miss Carnaby avait emmené Shan Tung faire sa petite promenade dans le parc et…

– Seigneur Jésus ! piaula à nouveau la demoiselle de compagnie dans un râle, tout est de ma faute ! Comment ai-je pu me montrer aussi stupide… aussi négligente ?

– Loin de moi l'idée de vous reprocher quoi que ce soit, miss Carnaby, coupa aigrement lady Hoggin, mais j'estime que vous auriez dû être davantage *sur vos gardes*.

Poirot se tourna vers la demoiselle de compagnie :

– Qu'est-ce qui est arrivé ?

Miss Carnaby se lança à corps perdu dans un récit un tantinet échevelé :

– Ç'a été purement et simplement i-ni-ma-gi-nable ! Nous venions tout juste de remonter l'allée aux fleurs… Shan Tung était en laisse, bien sûr… il avait fait son petit pipi sur le gazon… et j'allais faire demi-tour pour rentrer quand mon attention a été attirée par un bébé dans son landau… un bébé mignon à croquer… il m'a fait risette… ah ! ses petites joues roses… et ses *bouclettes* !… Je n'ai pas pu m'empêcher de parler à la nurse pour lui demander quel âge il avait… dix-sept mois, m'a-t-elle dit… et je suis prête à jurer que notre causette n'a pas duré plus d'une minute ou deux… et puis tout d'un coup j'ai regardé derrière moi et Shan Tung n'était plus là. La laisse avait été coupée net et…

— Si vous aviez été suffisamment attentive à ce que vous faisiez, vitupéra lady Hoggin, personne n'aurait jamais pu se faufiler derrière vous et couper cette laisse !

Miss Carnaby parut sur le point de fondre en larmes. Poirot s'empressa de reprendre :

— Et que s'est-il passé ensuite ?

— J'ai bien évidemment été regarder *partout*. Et puis j'ai *appelé* ! Et j'ai demandé au gardien du parc s'il avait vu passer un homme avec un pékinois, mais il n'avait rien remarqué… Et je ne savais plus quoi faire, pauvre de moi… alors j'ai continué à chercher… mais au bout d'un moment, il a bien fallu que je retourne à la maison…

Miss Carnaby s'interrompit brusquement. Hercule Poirot imagina sans peine la scène qui avait suivi.

— Et c'est le lendemain que vous avez reçu une lettre ? demanda-t-il à lady Hoggin.

— Le lendemain matin à la première heure, enchaîna-t-elle aussitôt, trop heureuse de réoccuper le devant de la scène. Il y était dit que, si je voulais revoir Shan Tung vivant, je devais expédier par pli postal 200 livres en petites coupures au capitaine Curtis, 38 Bloomsbury Road Square. Il y était dit aussi que si les billets étaient marqués ou la police prévenue, on… *on couperait les oreilles et la queue de Shan Tung* !

Miss Carnaby se mit à renifler :

– C'est trop *affreux* ! s'étrangla-t-elle. Comment les gens peuvent-ils être aussi *monstrueux* ?

– Il y était encore précisé, reprit lady Hoggin, que si j'envoyais l'argent tout de suite, Shan Tung me serait rendu sain et sauf le soir même, mais que si… que si, après coup, j'avertissais la police, ce serait Shan Tung qui en subirait les conséquences…

– Seigneur ! gémit miss Carnaby d'une voix étouffée par les sanglots, j'ai tellement peur que, même maintenant… Oh ! bien sûr, M. Poirot n'appartient pas *vraiment* à la police, mais…

– Vous voyez bien, monsieur Poirot, surenchérit lady Hoggin aux abois, qu'il va falloir que vous soyez très… *très* prudent.

Hercule Poirot s'empressa d'apaiser ses alarmes :

– Je n'appartiens pas *du tout* à la police. Mon enquête sera menée avec doigté, célérité et la plus parfaite discrétion. Soyez assurée, lady Hoggin, que Shan Tung ne court plus aucun risque. Je vous en donne ma *garantie.*

Le mot parut avoir un effet magique sur les deux femmes, dont le soulagement fut immédiatement perceptible.

– Cette lettre, vous l'avez ici ? demanda Poirot.

Lady Hoggin secoua la tête :

– Non, j'avais pour instruction de la renvoyer sous enveloppe en même temps que l'argent.

– Et c'est ce que vous avez fait ?

– Oui.

– Mmm… c'est bien dommage.

– Moi, j'ai encore la laisse du chien ! s'interposa miss Carnaby avec pétulance. Voulez-vous que j'aille la chercher ?

Elle quitta la pièce. Poirot mit à profit son absence pour poser quelques questions la concernant.

– Amy Carnaby ? Oh, de son côté à elle, aucun problème. C'est une très brave fille, bête comme ses pieds, bien entendu. J'ai eu bon nombre de dames ou demoiselles de compagnie, et *toutes* étaient bêtes à manger du foin. Mais Amy adore Shan Tung, et elle ne se remettra jamais de tout ça – ce qui est après tout bien normal… aller fourrer son nez dans des landaus et en oublier mon petit amour chéri ! Ces vieilles filles sont toutes les mêmes : elles gâtifient dès qu'elles voient un nourrisson ! Non, je suis persuadée qu'elle n'a rien à voir là-dedans.

– Cela semble en effet peu probable, concéda Poirot. Mais, dans la mesure où le chien a disparu pendant qu'elle en avait la charge, il nous faut être absolument certains de son honnêteté. Depuis combien de temps est-elle à votre service ?

– Près d'un an. Elle avait d'excellentes références. Elle est restée auprès de lady Hartingfield jusqu'à sa mort… plus de dix ans, je crois. Après ça, elle s'est longtemps occupée d'une de ses sœurs handicapée… Non, c'est la crème des filles, mais, comme je vous l'ai dit, elle est irrémédiablement idiote.

Amy Carnaby revint à ce moment précis, encore plus hors d'haleine – si faire se pouvait – et brandissant la laisse coupée que, le regard plein d'espoir, elle tendit à Poirot non sans une certaine solennité.

Poirot procéda à un examen attentif de l'objet.

– *Hé oui !* finit-il par conclure. Elle a incontestablement été coupée.

Les deux femmes paraissaient attendre une suite.

– Je vais conserver par-devers moi cette preuve, décréta-t-il donc.

Et, d'un geste impérial, il glissa la laisse dans sa poche. Lady Hoggin et miss Carnaby émirent un soupir de soulagement : à l'évidence, Poirot venait de faire ce qu'on attendait de lui.

*

Hercule Poirot avait pour habitude de ne rien laisser dans l'ombre.

Bien qu'il lui ait semblé *a priori* fort peu probable que la bêtifiante miss Carnaby soit autre chose que la vieille fille passablement stupide qu'elle donnait l'impression d'être, il ne s'en arrangea pas moins pour rencontrer une créature à la mine quelque peu rébarbative, nièce de feu lady Hartingfield.

– Amy Carnaby ? dit miss Maltravers. Il va de soi que je m'en souviens très bien. Une très brave fille, exactement ce qu'il fallait à tante Julia. Elle adorait les chiens et faisait très bien la lecture à haute voix. Et puis pleine de tact, avec ça ; jamais elle n'aurait contredit une impotente. Qu'est-elle devenue ? Elle n'a pas d'ennuis, j'espère. Il y a de cela un an à peu près, je lui ai donné une lettre de recommandation pour je ne sais plus trop qui… une femme dont le nom commençait par un *H*…

Poirot s'empressa d'expliquer que miss Carnaby était

toujours fidèle au poste. Tout au plus avait-elle connu quelques difficultés consécutives à une histoire de chien perdu.

– Amy Carnaby adore les chiens. Ma tante avait un pékinois. Elle l'a légué en mourant à miss Carnaby, qui en raffolait et qui, je crois, a été terriblement secouée quand l'animal est mort à son tour. Oh oui, c'est une très brave fille. Mais, bien évidemment, pas ce qu'il est convenu d'appeler une… *intellectuelle.*

Hercule Poirot convint bien volontiers qu'intellectuelle n'était probablement pas le qualificatif adéquat dès lors qu'il s'agissait de miss Carnaby.

Il se mit ensuite en quête du gardien de parc auquel miss Carnaby s'était adressée lors de l'enlèvement de Shan Tung. Il y parvint sans trop de peine. L'homme avait gardé de l'incident un souvenir précis :

– Entre deux âges, la mémé… et du genre rondouillarde de partout… Elle avait paumé son pékinois et elle était dans un de ces états ! Oh, j'la connaissais de vue : elle trimballe son chien-chien tous les après-midi ou presque… J'l'avais vue arriver avec. Quand c'est qu'elle l'a perdu, j'vous raconte pas ! Même qu'elle s'est jetée sur moi pour savoir si j'aurais des fois pas vu un homme avec un pékinois ! J'vous demande un peu ! Des chiens, n'y a quasiment que ça, dans c'jardin… et d'toutes les sortes… des fox-terriers, des pékinois, de ces espèces de saucisses de Francfort à pattes – des teckels, je crois bien que ça s'appelle – et puis même des barzoïs ! Toutes les races, quoi, c'est pas pour dire. Alors j'vois pas comment que j'aurais remarqué un pékinois plus qu'un autre !

338

Hercule Poirot se contenta de hocher pensivement la tête.

Ses pas le conduisirent enfin au 38 de Bloomsbury Road Square.

Les numéros 38, 39 et 40, réunis, correspondaient à la pension Balaklava. Poirot grimpa les marches du perron et poussa la porte. Le hall était sombre et il y fut accueilli par une saisissante odeur de choux en fin de cuisson à laquelle se mêlaient les relents tenaces des harengs saurs du petit déjeuner. À main gauche, un chrysanthème chlorotique s'efforçait de survivre sur une table d'acajou. La table servait également de support à un casier à courrier recouvert de feutrine. Quelques lettres y étaient encore entreposées et retinrent un petit moment son attention. Il ouvrit une porte à main droite. Elle donnait sur une sorte de petit salon, meublé de guéridons branlants et de fauteuils prétendument « relax » recouverts d'une cretonne à donner des idées suicidaires. Trois vieilles dames et un vieux monsieur à la mine féroce le foudroyèrent d'un œil venimeux. Poirot rougit et battit en retraite.

Il reprit sa progression vers le fond du hall et parvint au pied d'un escalier.

À droite, un corridor bifurquait vers ce qui devait être la salle à manger.

À gauche, une porte affichait la mention : « Direction ».

Poirot frappa poliment. N'obtenant pas de réponse, il poussa le battant afin de jeter un œil. Au centre de la pièce trônait un grand bureau couvert de paperasses. À

339

part ça, pas un chat. Refermant derrière lui, il gagna la salle à manger.

Corbeille à couverts sous le bras, une souillon souffreteuse disposait couteaux et fourchettes en traînant les pieds.

Poirot opta pour la contrition :

– Pardonnez-moi, pourrais-je voir la directrice ?

La fille lui jeta un regard désabusé :

– P'têt' bien… j'en sais trop rien.

– Il n'y a personne au bureau, précisa Poirot.

– P'têt' bien… mais pour c'qui est d'savoir où s'qu'elle est…

Poirot savait être aussi patient que tenace :

– Peut-être pourriez-vous en avoir le cœur net ?

Elle soupira. Comme si les corvées de la journée ne suffisaient pas, voilà encore un enquiquineur qui lui tombait dessus.

– J'vais voir c'que j'peux faire, lâcha-t-elle d'un ton morne.

Poirot la remercia chaudement et, ne se sentant pas le courage d'affronter les occupants du petit salon, s'en retourna dans le hall. Il se consacrait à nouveau à l'examen du casier à courrier quand le frou-frou de jupons multiples et la fragrance excessive d'un parfum à la violette signalèrent l'arrivée de la directrice.

Mrs Harte se répandit en afféteries :

– Je suis tellement navrée que vous ne m'ayez pas trouvée dans mon bureau ! Vous souhaitiez une chambre ?

– Pas précisément, murmura Poirot. En fait, je me demandais si l'un de mes amis, le capitaine Curtis, n'a pas séjourné chez vous ces temps derniers…

340

– Curtis ! s'exclama Mrs Harte. Le capitaine Curtis ? Voyons, voyons, où ai-je bien pu entendre ce nom ?

Poirot ne la seconda pas dans ses recherches. Elle secoua la tête, déçue.

– Si je comprends bien, dit-il enfin, vous n'avez pas eu de capitaine Curtis chez vous ?

– Eh bien, pas récemment, en tout cas. C'est pourtant, voyez-vous, un nom qui me dit quelque chose. Comment est votre ami ?

– Vous le décrire me poserait quelques problèmes, confia Poirot. Mais j'imagine qu'il vous arrive parfois du courrier pour des gens dont, en fait, vous ignorez tout ?

– Cela peut se produire, bien entendu.

– Qu'en faites-vous ?

– Nous le gardons un certain temps. Vous comprenez, cela peut signifier que le destinataire en question risque d'arriver d'une minute à l'autre. Mais il va de soi que si, au bout de quelques jours, personne n'a réclamé lettres ou paquets, nous les réexpédions à la poste.

Hercule Poirot hocha pensivement la tête.

– Rien que de très normal, fit-il. C'est ce qui a dû se passer dans le cas présent. Voyez-vous, cet ami dont je vous ai parlé, je lui avais effectivement adressé une lettre ici.

Mrs Harte sourit d'une oreille à l'autre :

– Mais voilà qui explique tout ! J'ai sûrement remarqué son nom sur l'enveloppe. Mais nous avons, vous savez, un tel va-et-vient d'officiers à la retraite… Voyons voir…

Elle se lança dans un examen approfondi du casier à courrier.

– Ma lettre n'est plus là, la prévint Poirot.

– Elle aura été rendue au facteur, j'imagine. Je suis *tellement* navrée. Rien d'*important*, j'espère ?

– Non, non, rien que de très banal.

Hercule Poirot se dirigea vers la sortie. Mrs Harte, qui sentait de plus en plus la violette, ne semblait pas s'avouer vaincue :

– Si votre ami venait à arriver…

– J'en serais le premier surpris. Je crains de m'être trompé…

– Nos tarifs, plaida Mrs Harte, sont plus que raisonnables. Jusqu'au café d'après dîner qui est compris. J'aimerais tant que vous jetiez un coup d'œil à nos chambres…

Non sans difficulté, Poirot parvint à s'échapper.

*

Le boudoir de Mrs Samuelson était plus grand, plus surchauffé et meublé de manière plus voyante encore que le salon de lady Hoggin. Hercule Poirot dut s'y frayer un chemin entre un bataillon de consoles trop dorées et un déploiement d'encombrantes sculptures.

Mrs Samuelson était plus imposante que lady Hoggin, et si la nuance de ses cheveux ne devait rien au henné, c'est tout bonnement qu'elle les oxygénait. Son pékinois, qui répondait au nom de Nanki Poo, dardait de ses yeux globuleux un regard plein d'arrogance sur Hercule Poirot. Miss Keble, la demoiselle de compagnie de Mrs Samuelson, était mince, et même squelettique, mais elle se montrait tout aussi volubile que miss Carnaby dont elle partageait, sinon la corpulence, du moins l'essoufflement. Et, elle aussi, s'était vu reprocher l'enlèvement de Nanki Poo :

– Ç'a été purement et simplement in-vrai-sem-bla-ble, monsieur Poirot... L'affaire d'une seconde... Devant chez Harrod's... Une nurse m'a demandé l'heure...

– Une nurse ? coupa Poirot.

– Oui... Avec un bébé mignon à croquer !... Un adorable petit bout de chou !... Des fossettes !... Et puis des petites joues d'un rose !... On prétend qu'à Londres, les enfants sont pâlots, mais là, vraiment...

– Ellen ! intervint sévèrement Mrs Samuelson.

Miss Keble rougit, bredouilla quelques mots inintelligibles et se réfugia dans le silence.

– Et tandis que miss Keble bêtifiait devant un landau dont elle n'avait que faire, grinça Mrs Samuelson, acerbe, un gredin doté de tous les culots tranchait la laisse de ce pauvre Nanki Poo et disparaissait avec lui !

– Ç'a été l'affaire d'une seconde ! hoqueta miss Keble, la voix mouillée. Le temps que je tourne la tête... et notre chéri n'était plus là ! Il n'y avait plus... plus que la laisse qui me pendait bêtement dans la main. Cette laisse, peut-être souhaiteriez-vous la voir, monsieur Poirot ?

– En aucun cas ! s'empressa de se récrier ce dernier, peu désireux de se constituer une collection de laisses coupées. Mais j'ai cru comprendre, enchaîna-t-il aussitôt, que, très peu après, vous avez reçu une lettre...

L'histoire était bâtie selon le même schéma : la lettre... les menaces visant les oreilles et la queue du chien-chien à sa mémère... à ceci près que, cette fois, la

343

somme exigée se montait à 300 livres et qu'il fallait la faire parvenir au capitaine de corvette Blackleigh, à l'hôtel *Harrington*, 76, Clonmel Gardens, à Kensington.

– Quand Nanki Poo m'a été restitué sain et sauf, poursuivit Mrs Samuelson, je suis allée là-bas *personnellement*, monsieur Poirot. Après tout, 300 livres, c'est quand même 300 livres.

– Je ne vous le fais pas dire.

– La première chose que j'ai vue, c'était ma lettre à moi, dans un casier à courrier. Et, pendant que j'attendais la directrice, je l'ai glissée dans mon sac. Malheureusement…

– Malheureusement, la coupa Poirot, quand vous avez ouvert l'enveloppe, elle ne contenait que des feuilles de papier blanc.

– Comment le savez-vous ? demanda Mrs Samuelson, éberluée.

Poirot haussa les épaules :

– Il allait de soi, très chère petite madame, que notre voleur prendrait soin de s'assurer de la rançon avant de rendre le chien. Il a remplacé les billets par des feuilles de papier et a remis l'enveloppe dans le casier avant que sa disparition n'ait été remarquée.

– Aucun capitaine de corvette Blackleigh n'est jamais descendu dans cet établissement.

Poirot sourit.

– Et, comme bien vous vous en doutez, mon mari a pris tout ça très mal. Il ne l'a pas digéré… pas digéré *du tout*.

– Vous ne lui en aviez pas soufflé mot avant de… d'envoyer l'argent ? s'enquit Poirot, conscient de marcher sur des œufs.

– Bien évidemment non ! tonna Mrs Samuelson.

Poirot parut intrigué. La digne personne s'expliqua :

– Vous n'imaginez tout de même pas que j'allais m'y risquer ? Dès qu'il s'agit d'*argent,* les hommes sont incroyables. Jacob se serait obstiné à appeler la police. Pas question ! Mon pauvre Nanki Poo ! *Le pire* aurait pu lui arriver ! Évidemment, il a bien fallu que je lui en parle *après,* parce qu'il aurait pu se demander pourquoi j'avais un découvert en banque.

– Hé oui… hé oui, marmotta Poirot.

– Et je vous assure que je ne l'avais jamais vu aussi furibond. Les hommes, conclut Mrs Samuelson en remettant en place son époustouflant bracelet de diamants et en faisant tourner ses bagues autour de ses doigts, ne pensent qu'à l'argent.

*

Un ascenseur conduisit Poirot jusqu'à l'étage des bureaux de sir Joseph Hoggin. Au vu de sa carte de visite, on lui certifia que sir Joseph était présentement en conférence, mais qu'il ne tarderait pas à le recevoir.

Une blonde altière finit par sortir, les mains encombrées de dossiers, du bureau du maître de céans. Au passage, elle posa sur ce drôle de petit bonhomme un regard écrasant de mépris.

Sir Joseph siégeait derrière son immense bureau d'acajou. Un rien de rouge à lèvres lui barbouillait le menton.

– Eh bien, monsieur Poirot ? Mais asseyez-vous donc ! Quelles nouvelles m'apportez-vous ?

– Cette affaire dans son entier est d'une bien rafraî-chissante simplicité, dit Poirot. Dans chaque cas, l'argent devait être envoyé dans l'un de ces hôtels garnis qui n'ont ni portier ni concierge et où des tas de gens – dont un fort pourcentage de militaires à la retraite – vont et viennent sans discontinuer. Rien de plus simple, par conséquent, que d'entrer dans ce genre d'établissement, d'y subtiliser une lettre du casier à courrier et de la fourrer dans sa poche ou encore d'y sortir de l'argent d'une enveloppe pour le remplacer par du papier blanc. Dans tous les cas de figure, le client récalcitrant, l'éventuel mauvais coucheur désireux de remonter la piste se retrouvera le bec dans l'eau.

– Ce qui revient à dire que vous n'avez aucune idée de qui gère ce trafic ?

– Bien sûr que si. Des idées, il m'en est même venu plusieurs. Les exploiter n'est plus que l'affaire de quelques jours.

Sir Joseph le regarda d'un drôle d'air :

– Félicitations. Eh bien, quand vous aurez des éléments d'enquête à me transmettre…

– J'irai vous en parler à domicile.

Sir Joseph ne tiqua pas :

– Si vous trouvez le fin mot de l'histoire, vous aurez accompli un exploit.

– Il ne saurait en être autrement, déclara Poirot sans forfanterie aucune. Hercule Poirot n'échoue jamais, un point c'est tout.

Sir Joseph toisa le petit homme et s'offrit le luxe d'un sourire sarcastique :

– Vous êtes très sûr de vous, pas vrai ?

– J'ai toutes raisons de l'être.

– Bah ! marmonna sir Joseph Hoggin en se carrant dans son fauteuil. Tant va la cruche à l'eau qu'un beau jour elle se casse, comme dit l'autre.

*

Tendant les mains à la chaleur de son radiateur électrique dont les lignes strictement géométriques lui procuraient de surcroît mille et une satisfactions intimes, Hercule Poirot achevait de donner ses instructions à Georges, son valet de chambre et homme à toutes mains :

– Vous avez bien compris, Georges ?

– J'ai compris Monsieur à la perfection, monsieur.

– Un petit appartement, voire la moitié d'un. Et dans un périmètre bien défini : au sud de Hyde Park, à l'est de Kensington Church, à l'ouest des Knightsbridge Barracks et au nord de Fulham Road…

– J'ai parfaitement saisi, monsieur.

– Singulière petite affaire, murmura Poirot. Fruit d'un vrai talent d'organisation. Sans bien évidemment compter la surprenante invisibilité de l'acteur principal – le lion de Némée en personne, si je puis le nommer ainsi. Oui, intéressante petite affaire. Oh, je préférerais éprouver davantage de sympathie pour mon client… mais il a le défaut de me rappeler par trop ce fabricant de savon de Liège qui avait empoisonné sa femme pour pouvoir épouser sa blonde secrétaire. Un de mes tout premiers triomphes.

Georges secoua la tête avec commisération.

– Ces blondes, monsieur, énonça-t-il doctement, sont souvent cause de bien des maux.

*

Il ne fallut guère que trois jours au précieux Georges avant de pouvoir annoncer :

– Voici l'adresse que Monsieur m'a demandée, monsieur.

Hercule Poirot prit la feuille de papier qui lui était tendue :

– Je vous félicite, mon bon Georges. Quel jour de la semaine ?

– Le jeudi, monsieur.

– Le jeudi… Et, comme par un fait exprès, nous sommes précisément aujourd'hui jeudi. Nous n'aurons donc pas à attendre.

Vingt minutes plus tard, Poirot, suant et soufflant, gravissait les étages de Rosholm Mansions, meublé de piètre apparence qui dressait sa morne façade au détour d'une impasse débouchant dans une avenue autrement élégante. L'appartement n° 10 était niché au troisième et dernier étage sans ascenseur, l'escalier était en colimaçon et Poirot, hors d'haleine, grimpait marche après marche à en avoir le tournis.

Parvenu au palier supérieur, il marqua une pause pour reprendre sa respiration. C'est alors qu'un nouveau bruit, derrière la porte du n° 10, vint se substituer à celui des battements de son cœur : l'aboiement aigu d'un petit chien.

Hercule Poirot hocha la tête en esquissant un sourire. Puis il actionna la sonnette du n° 10.

Les aboiements redoublèrent… des pas se firent entendre… et le battant pivota sur ses gonds…

Miss Amy Carnaby eut un geste de recul et porta la main à sa vaste poitrine.

– Vous me permettrez bien d'entrer ? fit Poirot qui, sans attendre la réponse, franchit le seuil.

Sur sa droite s'ouvrait la porte d'un salon. Il y pénétra d'autorité, suivi d'une miss Carnaby dans un état somnambulique.

La pièce était minuscule et surencombrée. Au cœur de cet amoncellement de meubles, sur un sofa tiré près du radiateur à gaz, une femme d'un certain âge était allongée. Voyant entrer Poirot, un pékinois sauta du sofa dans un concert de jappements soupçonneux.

– Tiens, tiens ! s'écria Poirot. Le voici enfin, mon acteur principal ! Je te salue bien bas, mon jeune ami !

Il se pencha, main tendue. Le chien renifla la main en question sans que ses yeux intelligents quittent un instant le visage de cet individu à l'étrange système pileux.

– *Ainsi, vous savez,* souffla miss Carnaby comme en un râle.

Poirot hocha la tête :

– Bien évidemment, je sais.

Puis, désignant l'impotente allongée sur le sofa :

– Votre sœur, j'imagine ?

– Oui, fit miss Carnaby. Emily, ajouta-t-elle machinalement, je te présente M… M. Poirot.

Emily Carnaby ne put exhaler qu'un hoquet :

– Oh !

– Augustus…, préluda Amy Carnaby.

Le pékinois la regarda en remuant la queue. Puis il acheva paisiblement son examen des effluves olfactifs de la main de Poirot. Et sa queue recommença de remuer.

Poirot souleva délicatement le chien et s'assit, Augustus sur les genoux.

– Et hop ! sourit-il. J'ai capturé le lion de Némée. Ma tâche est accomplie.

– Vous savez vraiment tout ? interrogea Amy Carnaby d'un ton âpre.

– Je pense que oui. Vous avez monté cette vaste combine… grâce au concours d'Augustus. Vous avez emmené le chien de votre patronne faire sa promenade habituelle, mais vous avez commencé par venir ici, et c'est avec Augustus que vous êtes repartie pour le parc. Le gardien vous a aperçue avec un pékinois, comme d'habitude. Et la nurse, si jamais nous la retrouvions, affirmerait, elle aussi, que vous aviez un pékinois en laisse quand vous lui avez parlé. Vous, pendant la conversation, vous avez coupé la laisse, et Augustus, que vous avez fort bien dressé, a pris la poudre d'escampette pour rentrer tout droit à la maison.

Il y eut un silence.

Avec une dignité frisant le pathétique, miss Carnaby se leva :

– Oui. C'est exact. Parfaitement exact. Je… je n'ai rien à ajouter.

L'infirme, sur le sofa, se mit à pleurer à petit bruit.

– Rien du tout, mademoiselle ? interrogea Poirot.

– Rien. Je me suis mal conduite… et je me suis fait prendre, c'est tout.

– Vous n'avez rien à dire… pour votre défense ? insista Poirot.

Une rougeur subite envahit les joues blafardes d'Amy Carnaby :

– Je… je ne regrette pas ce que j'ai fait. Je crois que vous êtes un brave homme, monsieur Poirot, et que vous n'êtes peut-être pas totalement incapable de comprendre. J'avais tellement *peur*, voyez-vous.

– Peur ?

– Oui. Pour un monsieur aisé comme vous, ça ne doit pas être facile de s'en rendre compte. Mais, voyez-vous, je ne suis pas très intelligente, je n'ai pas ce qu'il est convenu d'appeler un métier, et je vieillis… ce qui fait que j'ai peur du lendemain. Je n'ai jamais eu de quoi mettre un sou de côté – comment l'aurais-je pu, avec Emily à ma charge ? – et, plus je vieillirai, moins je serai capable de me débrouiller et moins je trouverai de gens qui accepteront de m'embaucher. Ce qu'ils veulent, ce sont des gamines, actives, dégourdies. J'ai… j'en ai connu beaucoup, des femmes dans mon cas : plus personne ne veut de vous, vous en êtes réduite à vivre de rogatons dans une chambre de bonne sans eau, sans gaz et sans électricité – et puis, un beau jour, vous ne pouvez même plus le payer, votre loyer de misère… Oh, je sais bien, il y a des maisons de retraite, des hospices. Mais, à moins d'avoir des amis influents – et je n'en ai pas –, ce n'est pas facile d'y être admise. Elles sont légions, les créatures dans mon cas : ex-dames de compagnie qu'on fuit désormais comme la peste, femmes sans qualifications ni emplois qui n'ont plus, les malheureuses, que la terreur pour horizon…

Sa voix se brisa. Puis elle se reprit :

– C'est ce qui nous a incitées, du moins certaines d'entre nous, à… à faire front commun. Et c'est comme ça que… que l'idée m'est venue. Plus exactement, c'est le fait d'avoir Augustus qui me l'a donnée. Vous comprenez, la plupart des gens ne distinguent pas un pékinois d'un autre. (Exactement comme ils font pour les Chinois.) Ce qui, au fond, est grotesque. Aucun être sensé n'irait jamais confondre Augustus avec Nanki Poo, ni avec Shan Tung, ni avec le premier pékinois venu ! Il est *beaucoup* plus intelligent, et il est *bien* plus beau, mais, comme je vous le disais, pour le commun des mortels, un pékinois, c'est un pékinois. Bref, c'est comme ça qu'Augustus a en quelque sorte été le catalyseur… Augustus et aussi le fait que des tas de femmes riches ont un pékinois.

Hercule Poirot esquissa un mince sourire :

– Ç'a dû être très rentable, dites-moi, votre petit… racket ! Combien de membres actifs dans le gang ? À moins qu'il ne soit plus simple de vous demander combien de vos coups de main ont été couronnés de succès ?

– Shan Tung était le seizième, avoua sobrement miss Carnaby.

Les sourcils de Poirot grimpèrent d'un cran :

– Félicitations. Vous avez dû bénéficier d'une organisation remarquable.

– Le sens de l'organisation, Amy l'a toujours eu, intervint Emily Carnaby. Notre père, qui était vicaire à Kellington, en Essex, répétait toujours à qui voulait l'entendre qu'Amy avait le génie de la planification.

Ventes de charité, réunions des dames patronnesses, c'était elle qui gérait tout ça.

Poirot se fendit d'une courbette :

– J'abonde dans le sens de monsieur votre père, mademoiselle. Dans le domaine des crimes et délits, vous atteignez au niveau des champions.

– Criminelle, moi ! s'émut Amy Carnaby en écrasant une larme. Oh, Seigneur, c'est vrai que j'ai commis des actes que la morale réprouve. Mais… mais il n'est pas moins véridique que je n'avais jamais envisagé les choses sous cet angle.

– Vous les aviez envisagées comment ?

– C'est vrai, vous avez mille fois raison. C'était parfaitement illégal. Mais voyez-vous… comment vous dire ? Les trois quarts des femmes qui nous emploient se montrent tellement grossières et mal embouchées envers nous. Lady Hoggin, par exemple, ne sait plus quoi inventer pour être désagréable. L'autre jour, ne la voilà-t-il pas qui me dit que son fortifiant était devenu infect – amer, ou je ne sais trop quoi – et qui m'accuse pratiquement de l'avoir *tripatouillé* ! Et le tout à l'avenant !

Elle devint très rouge :

– C'est pénible, je vous prie de croire. D'autant qu'on ne peut rien dire, rien répliquer. Ce qui fait qu'on remâche sa rancœur dans son coin, si vous me suivez.

– Je vous suis, admit Poirot.

– Et puis voir l'argent gaspillé, jeté par les fenêtres… il y a de quoi ne plus très bien savoir où on en est. Sans compter que, de temps en temps, sir Joseph nous racontait un des *coups* qu'il venait de réussir en Bourse… Oh, je ne suis qu'une femme, bien sûr, et je ne comprends

353

rien à la Finance, mais j'ai quand même eu souvent le sentiment que ses opérations frisaient le… la *carambouille*… Enfin, voyez-vous, monsieur Poirot, la conjugaison de tout cela m'a… m'a tourneboulé l'esprit. Ce qui fait que j'en suis venue à me dire que soutirer un peu d'argent à des gens qui en avaient à ne savoir qu'en faire et qui n'étaient pas très regardants sur la manière de se le procurer… eh bien, ma foi, que cela n'avait rien de bien répréhensible.

– *Une* Robin des Bois des temps modernes ! sourit Poirot. Dites-moi, miss Carnaby, vous est-il jamais arrivé de mettre à exécution les menaces formulées dans vos lettres ?

– Les menaces ?

– Oui. Avez-vous parfois été contrainte de mutiler ces pauvres bêtes ainsi que vous menaciez de le faire ?

Miss Carnaby le regarda, horrifiée :

– Jamais pareille idée ne m'a effleurée ! Ça n'était rien qu'une clause de style, que le détail qui sonne juste.

– Qui sonne on ne peut plus juste. Et ça a marché.

– Que ça marcherait, j'en étais sûre et certaine. Parce que je savais comment j'aurais réagi s'il s'était agi d'Augustus. Évidemment, il me fallait la certitude que ces femmes n'en parleraient à leurs maris qu'*après*. Mais notre plan s'est chaque fois idéalement déroulé. Neuf fois sur dix, c'est à la demoiselle de compagnie qu'on demandait de poster le pli contenant l'argent de la rançon. Ouvrir l'enveloppe à la vapeur, prendre les billets et les remplacer par du papier blanc était donc enfantin. À une ou deux reprises, la « victime » a tenu à poster la lettre elle-même. Dans ces cas-là, il fallait que la demoiselle de compagnie aille subtiliser la lettre dans le casier à courrier de l'hôtel. Mais, ça non plus, ce n'était pas sorcier…

— Et le truc de la nurse ? Est-ce qu'il y avait toujours une nurse dans l'histoire ?

— Eh bien, voyez-vous, monsieur Poirot, tout le monde sait que les vieilles filles gâtisent dès qu'il est question de bébés. Il semblait donc parfaitement *naturel* qu'elles se soient intéressées à un bébé au point d'en oublier tout le reste.

— Vous êtes une fine psychologue, une organisatrice hors du commun et qui plus est une comédienne de tout premier plan, se laissa aller à soupirer Poirot. Votre performance d'actrice, l'autre jour, quand je suis venu interroger lady Hoggin, méritait une ovation. Miss Carnaby, ne vous dénigrez pas, ne vous sous-estimez jamais plus. Sans doute êtes-vous effectivement ce qu'il est convenu d'appeler une femme sans qualification professionnelle définie, mais, croyez-moi, sur le chapitre du cran et de l'inventivité, vous dameriez le pion à plus d'un.

Miss Carnaby s'arracha un pauvre sourire :

— J'ai pourtant été percée à jour, monsieur Poirot.

— Par nul autre que moi. Il ne pouvait en être autrement ! Dès que j'ai parlé à Mrs Samuelson, j'ai compris que l'enlèvement de Shan Tung faisait partie d'une série déjà longue. Je savais qu'on vous avait légué un pékinois, et que vous aviez une sœur impotente… Il ne me restait plus qu'à demander à mon incomparable valet de chambre de découvrir, dans un périmètre bien précis, un petit appartement occupé par une infirme qui aurait un pékinois et à laquelle sa sœur rendrait visite une fois par semaine, pour son jour de congé… C'était l'enfance de l'art.

Amy Carnaby se redressa :

– Vous avez été très bon… Et cela m'enhardit à solliciter une grâce… Je sais que je ne peux échapper au châtiment que je mérite… Je suppose que je vais aller en prison… Mais vous serait-il possible d'obtenir, monsieur Poirot, que cela se passe *dans la discrétion* ? Cela ferait une telle peine à Emily… et à tous ceux qui nous ont connues autrefois. Ne serait-il pas envisageable que j'aille en prison sous un *faux nom* ? Ou bien suis-je *vraiment* un monstre de poser une telle question ?

– Je crois pouvoir faire davantage, dit Poirot. Mais entendons-nous bien. Ce manège doit *cesser* ! Je ne veux plus entendre parler de chiens qui disparaissent ! Tout ça, c'est fini !

– Oui ! Oh, bien sûr !

– Et il faut que lady Hoggin puisse recouvrer l'argent que vous lui avez extorqué.

Amy Carnaby ouvrit le tiroir d'un secrétaire et en sortit une liasse de billets qu'elle tendit à Poirot :

– Je m'apprêtais à le verser aujourd'hui même à notre fonds commun.

Poirot prit la liasse et la compta avec soin :

– Miss Carnaby, dit-il, je n'exclus pas de parvenir à persuader sir Joseph de ne pas vous traîner en Justice…

– Oh, monsieur Poirot !

Amy Carnaby joignit les mains. Emily Carnaby répandit des larmes de joie. Augustus se mit à aboyer avec enthousiasme en remuant frénétiquement la queue.

– Quant à toi, mon bon ami, lui déclara Poirot, il y a

quelque chose que je souhaiterais vivement que tu me donnes. C'est ton voile d'invisibilité qu'il me faudrait. D'un bout à l'autre de cette histoire, personne n'a jamais soupçonné qu'il y avait un *second* chien. Augustus, comme le lion de la mythologie, possédait le don de se rendre invisible.

– S'il faut en croire la légende, monsieur Poirot, les pékinois, à l'origine, *étaient* des lions. Et, aujourd'hui encore, ils ont le *cœur* d'un lion !

– J'imagine qu'Augustus est le chien qui vous avait été légué par lady Hartingfield et que l'on disait mort ? Cela ne vous a jamais inquiétée de savoir qu'il rentrait tout seul, au milieu de la circulation ?

– Oh non, monsieur Poirot ! Augustus se débrouille très bien avec les voitures. Je l'ai dressé très soigneusement. Il a même compris ce qu'est une rue à sens unique.

– Si c'est vrai, conclut Poirot, il est plus doué que bien des humains !

*

Sir Joseph accueillit Poirot dans son cabinet de travail.

– Eh bien, Mr Poirot, demanda-t-il, avez-vous réussi aussi bien que vous vous vantiez de le faire ?

– Avant toute chose, il faut que je vous pose une question, répondit Poirot en s'asseyant. Je sais qui est le malfaiteur, et j'ai accumulé assez de preuves pour le faire inculper. Mais, je doute fort, dans ce cas, que vous rentriez jamais dans vos fonds.

– Ne pas rentrer dans *mes fonds* ?

Sir Joseph s'en étranglait de fureur.

– Cependant je n'appartiens pas à la police, poursuivit Hercule Poirot. Dans cette affaire, je ne suis chargé que de vos intérêts. Au cas où vous ne porteriez pas plainte, je me ferais fort de récupérer l'intégralité de la somme versée.

– Tiens donc ! ricana sir Joseph. Voilà qui mérite sérieuse réflexion.

– La décision ne dépend que de vous. Rigoureusement parlant, le souci de l'intérêt général exigerait que vous entamiez des poursuites. C'est ce que vous diront la plupart des gens.

– Et comment ! s'écria aigrement sir Joseph. Mais ce n'est pas *leurs* picaillons qui se sont fait la malle ! S'il y a une chose que je ne supporte pas, c'est bien de me faire estamper. Personne ne peut se vanter de l'avoir jamais fait sans y laisser des plumes.

– Dans ce cas… que décidez-vous ?

Sir Joseph écrasa son poing sur la table :

– Je veux mes sous ! Personne n'ira jamais dire qu'il a pris la tangente avec deux cents livres qui sont sorties de ma poche !

Poirot se leva, se dirigea vers la table et rédigea un chèque d'un montant de deux cents livres qu'il tendit à son interlocuteur.

– Sacré nom d'un chien ! jura sir Joseph d'une voix tremblante. Qui diable peut bien *être* ce type ?

Poirot secoua la tête :

– Si vous acceptez cet argent, il faudra ne poser aucune question.

Sir Joseph plia le chèque et le glissa dans la poche de son veston.

– Dommage, dit-il. Mais c'est l'argent qui compte. À propos que vous dois-je, monsieur Poirot ?

– Mes honoraires seront tout à fait modérés. Il s'agissait, comme vous l'avez dit vous-même d'entrée de jeu, d'une *broutille*.

Il s'interrompit un instant, puis ajouta :

– Désormais, presque toutes les affaires dont je suis amené à m'occuper sont des affaires de meurtre...

Sir Joseph eut un léger haut-le-corps :

– Ça doit être intéressant, non ? souffla-t-il.

– Parfois. Or, bizarrement, vous me remettez en mémoire une des premières affaires criminelles que je me sois vu confier, il y a des années, en Belgique. Le personnage principal vous ressemblait énormément. C'était un très prospère fabricant de savon. Il avait empoisonné sa femme pour pouvoir épouser sa secrétaire... Oui... la ressemblance est extraordinairement frappante...

Un faible son tomba des lèvres de sir Joseph Hoggin qui n'étaient plus que deux lignes d'une étrange tonalité bleuâtre. Ses bajoues avaient perdu toute couleur. Ses yeux, exorbités, fixaient Poirot sans le voir. Il se laissa aller dans son fauteuil.

Puis, d'une main qui tremblait, il fourragea dans sa poche, en sortit le chèque et le déchira en mille morceaux.

– On efface l'ardoise et on n'en parle plus, d'accord ? murmura-t-il. Considérez que je vous ai versé vos honoraires...

– Mais, sir Joseph, ils auraient été bien moins élevés que cela…

– Ça va comme ça. Gardez tout.

– J'en ferai don à une œuvre charitable qui en a bien besoin.

– Mettez-vous-le où je pense si vous voulez.

Poirot se pencha un peu :

– Est-il besoin de souligner, sir Joseph, que, dans votre situation, vous ne sauriez vous montrer trop prudent ?

La voix de sir Joseph n'était plus qu'un souffle quasi inaudible :

– Ne vous en faites pas. Et comment, que je vais me montrer prudent !

Hercule Poirot s'en fut. Et, tandis qu'il descendait les marches du perron, on aurait pu l'entendre se confier à lui-même :

– Hé, oui… *j'avais raison.*

*

– Bizarre, ce que mon fortifiant a changé de goût, confia lady Hoggin à son mari. Il n'est plus amer pour deux sous. Je me demande ce qui a bien pu se passer.

– Ces pharmaciens ! grommela sir Joseph. Toujours la tête ailleurs ! Pas capables de respecter deux fois de suite la même ordonnance…

– Ça doit être ça, acquiesça lady Hoggin non sans un certain scepticisme.

– Bien sûr, que c'est ça. Qu'est-ce que ça pourrait être d'autre ?

– Cet homme, il a découvert quelque chose au sujet de Shan Tung ?

– Oui. Il m'a rapporté mon argent.

– Qui était-ce ?

– Il ne me l'a pas dit. Pas très causant, cet Hercule Poirot. Mais ne te fais pas de bile.

– C'est un drôle d'oiseau, tu ne trouves pas ?

Sir Joseph frissonna et jeta un coup d'œil par-dessus son épaule, comme s'il y avait détecté la présence invisible d'Hercule Poirot. Il avait l'impression que rien ne viendrait plus jamais l'en délivrer.

– C'est surtout un type qui est beaucoup trop malin ! grinça-t-il.

Et il pensa par-devers lui :

– Que Greta aille se faire voir ailleurs ! Je ne vais quand même pas risquer ma tête pour la première blonde platinée venue !

*

– Oh !…

Amy Carnaby fixait sans le voir le chèque de deux cents livres qu'elle avait entre les mains :

– Emily ! *Emily !* Écoute ça !

Chère miss Carnaby,
Permettez-moi, avant qu'elle ne mette un terme à ses activités, d'apporter ma contribution à l'œuvre méritoire que vous avez si bien su patronner.

Fidèlement vôtre,
Hercule Poirot

– Amy, commenta Emily Carnaby, tu as bénéficié d'une chance insolente ! Tu sais où tu pourrais moisir, à l'heure qu'il est ?

– Dans un cul-de-basse-fosse… à Holloway. Mais tout ça, c'est bien fini, n'est-ce pas, Augustus ? Plus de promenades dans le parc avec ta maman – ou avec des amies de ta maman – et une jolie paire de ciseaux…

Une vague de nostalgie embruma un instant le regard d'Amy Carnaby.

– Cher Augustus ! soupira-t-elle. C'est quand même du gâchis ! Il est tellement intelligent ! On pourrait lui apprendre n'importe quoi…

2

L'hydre de Lerne
(The Lernean Hydra)

Hercule Poirot gratifia son vis-à-vis d'un regard encourageant.

Le Dr Charles Oldfield ne devait sans doute pas être très éloigné de la quarantaine. Ses cheveux blonds commençaient de grisonner aux tempes et l'expression de son regard bleu trahissait l'inquiétude. Son dos se voûtait. Une certaine hésitation était perceptible dans tout son comportement. Plus encore, il paraissait incapable d'en venir au fait.

– Si je me suis présenté à vous, préluda-t-il non sans

un léger bégaiement, c'était avec l'idée de vous adresser une requête d'un genre assez particulier. Mais maintenant que j'ai entamé ma démarche, l'envie me prend d'y renoncer. Parce que – je m'en rends bien compte à présent – il s'agit de quelque chose à quoi personne ne peut rien…

– Cela, vous voudrez bien m'en laisser juge, dit doucement Poirot.

– Je ne sais pas pourquoi j'avais pensé que, peut-être…

Poirot termina la phrase à sa place :

– Que, peut-être je pourrais vous aider ? Eh bien mais… peut-être en effet le puis-je. Dites-moi votre problème..

Oldfield se ressaisit. Poirot remarqua une nouvelle fois la mine défaite de son interlocuteur, dont l'évidente désespérance assourdissait la voix :

– Vous comprenez, aller trouver la police ne servirait à rien… Ils ne pourront rien faire… Et pourtant… de jour en jour, ça enfle… ça enfle – ça ne fait que croître et embellir… Je ne sais plus à quel saint me vouer…

– Qu'est-ce qui *enfle* ?

– La rumeur… Oh, c'est bien simple, monsieur Poirot. Il y a de ça tout juste un peu plus d'un an, ma femme est morte. Elle était malade depuis plusieurs années. Et on répète partout… tout le monde répète partout… *que je l'ai assassinée*… que je l'ai empoisonnée !

– Tiens, tiens ! Et vous l'avez empoisonnée ?

– Monsieur Poirot ! bondit le Dr Oldfield.

– Calmez-vous, l'apaisa Poirot, et rasseyez-vous, je vous en prie. Nous prendrons comme hypothèse d'école que vous n'avez *pas* empoisonné votre femme. Vous exercez, j'imagine, en milieu rural…

– Oui, à Market Loughborough – dans le Berkshire. J'ai toujours su que c'était le genre d'endroit où les gens cancanent volontiers à tout-va, mais je n'aurais jamais imaginé que cela puisse prendre de telles proportions.

Il avança un peu sa chaise :

– Vous ne pouvez concevoir, monsieur Poirot, les épreuves que j'ai subies. Au début, je ne m'étais pas vraiment rendu compte de ce qui se passait. J'avais seulement remarqué que les gens étaient moins aimables, qu'ils avaient tendance à s'écarter de moi – mais j'avais mis ça sur le compte d'une réserve de bon aloi, d'une forme de respect pour mon deuil récent. Et puis c'est devenu de plus en plus ostentatoire. En ville, on change désormais de trottoir pour m'éviter. Ma clientèle fond comme neige au soleil. Où que j'aille, on baisse la voix, on me lance des regards hostiles, et je crois entendre toutes ces bouches distiller leur venin. J'ai même reçu une ou deux lettres anonymes… ignobles.

Il se tut un instant avant de poursuivre :

– Et… et je ne sais pas quoi y faire. Je ne vois aucun moyen de me rebiffer, de réduire à néant ce tissu de mensonges et de soupçons. Comment réfuter ce qu'on ne vous dit jamais en face ? Je me sens impuissant… piégé. Et j'ai l'impression d'assister à ma propre mise à mort… lente, féroce, inexorable.

Pensif, Poirot hocha la tête :

– Oui. La rumeur, c'est comme l'hydre de Lerne, qu'on ne peut exterminer parce que, si vif soit-on pour trancher l'une de ses neuf têtes, deux autres ont déjà repoussé à la place.

– C'est exactement cela, approuva le Dr Oldfield. Il n'est rien que je puisse faire – *rien* ! Je suis venu à vous en désespoir de cause, tout en n'imaginant pas une minute que vous non plus puissiez faire quoi que ce soit.

Hercule Poirot resta silencieux un instant.

– Je n'en suis pas aussi sûr que vous, déclara-t-il enfin. Votre problème m'intéresse, docteur Oldfield. Je voudrais, si j'ose dire, voir si mon bras est assez fort pour détruire ce dragon multicéphale... Avant tout, apprenez-m'en davantage sur les circonstances qui ont donné naissance à ces calomnies. Votre épouse, m'avez-vous indiqué, est morte il y a un peu plus d'un an. Quelle a été la cause de la mort ?

– Ulcère de l'estomac.

– A-t-on pratiqué une autopsie ?

– Non. Elle souffrait de troubles gastriques depuis longtemps déjà.

Poirot hocha la tête :

– Or, les symptômes d'une dégénérescence inflammatoire de la paroi gastrique et ceux d'un empoisonnement à l'arsenic se ressemblent étrangement – tout le monde sait ça de nos jours. Nous avons connu, au cours des dix dernières années, au moins quatre affaires criminelles à sensation, pour lesquelles le permis d'inhumer portait la mention « affection gastrique ». Votre femme était plus jeune ou plus âgée que vous ?

– Elle avait cinq ans de plus que moi.

– Et vous étiez mariés depuis longtemps ?

– Quinze ans.

– Elle a laissé des biens importants ?

– Oui. Elle disposait d'une assez jolie fortune personnelle. Sa succession se montait, en gros, à quelque trente mille livres.

– Voilà une somme qui peut ouvrir de vastes horizons… C'est à vous qu'elle l'a léguée ?

– Oui.

– Votre épouse et vous-même étiez en bons termes ?

– Absolument.

– Pas de disputes ? Pas de scènes ?

– Euh…, hésita Charles Oldfield. Ma femme avait ce qu'on qualifie volontiers de caractère difficile. C'était une malade, que sa santé préoccupait beaucoup et qui avait donc tendance à se montrer exigeante, à n'être jamais satisfaite. Il y avait des jours où rien de ce que je pouvais dire ou faire ne trouvait grâce à ses yeux.

Poirot hocha la tête :

– Je vois le genre. Elle se plaignait sans doute d'être négligée, délaissée… et de ce que son mari se soit lassé d'elle et ne rêve que de sa mort prochaine.

Le changement qui affecta les traits du Dr Oldfield démontra que Poirot avait vu juste.

– Vous avez tapé dans le mille, grinça le médecin avec un sourire contraint.

Poirot continuait son interrogatoire :

– Avait-elle, pour la soigner, une infirmière ? Ou bien une dame de compagnie ? Ou encore une domestique dévouée ?

– Une garde-malade. Une femme extrêmement compétente, bourrée de bon sens. Je la vois mal se répandre en ragots.

Le Bon Dieu, voyez-vous, a donné une langue même aux gens les plus compétents et les mieux dotés de bon sens – sans pour autant qu'ils en fassent toujours le meilleur usage. J'ai la conviction que la garde-malade a cancané, que vos domestiques ont cancané, que tout le monde a cancané ! Il faut avouer que tous les ingrédients étaient réunis pour concocter un merveilleux scandale de village. Maintenant, il faut que je vous pose encore une question : *qui est la femme* ?

Le rouge de l'indignation monta au front du Dr Oldfield :

– Je ne saisis pas bien !

– Je crois que si, docteur, répliqua Poirot avec douceur. Ce que je vous demande, c'est qui est la personne dont le nom a été associé au vôtre.

Une fois de plus le Dr Oldfield sauta sur ses pieds. Visage fermé, il se dirigea vers la porte :

– Il n'y a pas de « cherchez la femme » dans cette affaire ! Je regrette, monsieur Poirot, de vous avoir fait perdre votre temps.

– Je le regrette aussi, repartit Poirot. Votre problème m'intéresse, et j'aimerais beaucoup vous aider. Mais je ne peux rien entreprendre si vous vous refusez à me confier la vérité pleine et entière.

– La vérité, je vous l'ai dite !

– Non.

Le Dr Oldfield revint sur ses pas.

– Mais enfin pourquoi voulez-vous qu'il y ait une femme dans cette histoire ? cria-t-il presque.

– Mon cher docteur ! Me croyez-vous à ce point ignorant de la mentalité féminine ? Les ragots de village se fondent toujours sur des histoires de sexe. Qu'un individu assassine sa femme pour partir explorer en paix le pôle Nord ou jouir tranquillement d'une vie de célibataire, cela n'intéressera pas le moins du monde ses concitoyens ! C'est lorsqu'ils ont la conviction que le meurtre a été commis *pour que l'individu en question puisse en épouser une autre* que la rumeur gonfle et s'étend. Il s'agit là d'une notion de psychologie élémentaire.

– Je ne suis quand même pas responsable des insanités que peuvent inventer une meute de cancaneuses en folie !

– Bien sûr que non. C'est pourquoi vous feriez mieux de vous rasseoir et de me donner la réponse à la question que je viens de vous poser.

Lentement, comme à regret, le Dr Oldfield revint à son fauteuil.

– J'imagine qu'il n'est pas exclu que l'on ait jasé à propos de miss Moncrieffe, finit-il par grommeler en rougissant jusqu'aux oreilles. Joan Moncrieffe est ma laborantine, une jeune femme tout ce qu'il y a de remarquable.

– Depuis quand est-elle votre collaboratrice ?

– Depuis trois ans.

– Votre femme la trouvait sympathique ?

– Euh… non, pas précisément.

– Elle en était jalouse ?

– C'était grotesque !

Poirot sourit :

– Les épouses sont d'une jalousie proverbiale. Mais je dois cependant attirer votre attention sur un fait : selon

368

mon expérience, la jalousie, si outrée ou grotesque qu'elle puisse sembler, repose toujours sur un élément de *réalité*. On clame haut et fort, n'est-il pas vrai ? que le client a toujours raison. Eh bien, il en va de même pour les jaloux : si discutables que puissent être leurs motifs, ils ont quand même *toujours* raison.

– Absurde ! trancha le Dr Oldfield. Je n'ai jamais rien dit à Joan Moncrieffe que ma femme ne puisse entendre !

– Ça, peut-être bien. Mais cela ne change rien à la profonde vérité de ce que je viens de vous dire.

Poirot se pencha en avant.

– Docteur Oldfield, reprit-il d'une voix pressante, je suis prêt à tout mettre en œuvre pour résoudre votre problème. Mais j'ai, en revanche, besoin de votre franchise la plus absolue – quitte à vous voir piétiner les conventions bourgeoises et jusqu'à vos sentiments les plus intimes. Il est exact, nous en sommes bien d'accord, que vous aviez cessé d'aimer votre femme depuis un bon moment déjà avant qu'elle ne meure ?

Le Dr Oldfield en resta d'abord muet.

– J'en ai ma claque, décréta-t-il enfin. Il faut que je me raccroche à un espoir, si ténu soit-il. Je sens obscurément que, Dieu sait comment, vous pouvez me venir en aide. Je vais être franc avec vous, monsieur Poirot : je n'ai jamais éprouvé de sentiment très profond pour ma femme. Je crois avoir été pour elle un bon mari, mais je ne l'ai jamais vraiment aimée.

– Et cette jeune femme ? cette Joan ?

La sueur perla au front du médecin :

– Je… Il y a belle lurette que je lui aurais demandé de

369

m'épouser s'il n'y avait pas ce scandale et tous ces racontars.

Poirot se carra dans son fauteuil :

– Nous y voilà ! Eh bien, docteur Oldfield, je vais
m'occuper de votre cas. Mais rappelez-vous bien ceci :
moi, c'est la *vérité* que je recherche.

– Ce n'est pas la vérité qui risque de me blesser ! maugréa le médecin, amer.

Il hésita, puis :

– Vous savez, j'ai été jusqu'à envisager de porter
plainte pour diffamation ! Si seulement je pouvais en
faire épingler un – ou une –, je me sentirais en quelque
sorte vengé. Enfin, c'est ce que je me plais parfois à imaginer… Et puis, à d'autres moments, je me dis que cela
ne ferait qu'empirer les choses, qu'attirer encore un peu
plus l'attention sur moi, qu'inciter les gens à chuchoter :
« Preuves ou pas preuves, il n'y a jamais de fumée sans
feu. »

Il leva les yeux vers Poirot :

– Dites-moi, en toute honnêteté, s'il y a une échappatoire quelconque à ce cauchemar ?

– Il y a toujours une échappatoire, répondit Hercule
Poirot.

*

– Georges, annonça Hercule Poirot à son valet de
chambre, nous partons pour la campagne.

– Pour la campagne, monsieur ? s'étonna Georges
sans pour autant se départir de son calme.

– Notre voyage a pour but l'extermination d'un monstre à neuf têtes.

– Vraiment, monsieur ? Monsieur ferait-il allusion au monstre du Loch Ness ?

– Notre monstre à nous est plus immatériel, Georges. Je ne parle pas d'un animal de chair et de sang.

– Que Monsieur me pardonne, mais j'ai de la peine à comprendre Monsieur.

– Ma tâche serait plus simple si nous avions affaire à un monstre palpable. Mais rien n'est plus fuyant, plus difficile à cerner, que l'origine d'une rumeur.

– J'entrevois ce que Monsieur veut dire. Il peut parfois se révéler complexe de découvrir comment une chose a commencé.

– Exactement.

Hercule Poirot préféra ne pas s'installer chez le Dr Oldfield et choisit plutôt d'établir ses pénates à l'hostellerie du village. Le matin même de son arrivée, il fit la connaissance de Joan Moncrieffe.

C'était une grande jeune femme à la chevelure cuivrée et aux yeux bleus limpides. Tout dans son expression trahissait cependant la prudence. On la sentait attentive, sur ses gardes.

– Ainsi le Dr Oldfield a fini par aller vous voir, fit-elle sur un ton dont le moins qu'on puisse dire est qu'il manquait cruellement d'enthousiasme. Je savais qu'il y pensait.

– Et vous n'étiez pas d'accord ? hasarda Poirot.

Elle le toisa sans ciller.

– En quoi pourrez-vous bien être utile ? interrogea-t-elle avec froideur.

371

Poirot n'était pas homme à se laisser démonter :

– Il doit y avoir un moyen de se sortir de cette situation.

– Un moyen ! ricana-t-elle. Vous avez l'intention d'aller voir toutes ces mégères et de leur susurrer : « *Je vous en conjure, cessez de déblatérer comme vous le faites. Ce n'est pas gentil du tout pour ce pauvre Dr Oldfield.* » Elles vous répondront toutes en chœur : « *Moi ?* mais je n'en ai jamais cru un traître mot, de toute cette histoire ! » C'est bien ça, le drame. Personne n'ose risquer un : « Il ne vous est jamais venu à l'idée, très chère, que la mort de Mrs Oldfield n'avait peut-être pas grand-chose à voir avec la version de la famille ? » Non, on préfère : « Il va de soi, très chère, que je n'ai personnellement *jamais* cru un mot à ces histoires sur le Dr Oldfield et sa femme. Je suis *sûre* que le pauvre homme est parfaitement incapable d'une chose pareille… même s'il faut bien reconnaître qu'il la *négligeait* sans doute un peu et si j'estime que ce n'était vraiment pas – mais alors ce qui s'appelle vraiment pas – *raisonnable* de prendre une fille aussi jeune pour l'aider… non pas, encore une fois, que je croie *un instant* qu'ils aient jamais *pensé à mal*… Non, non, je suis convaincue qu'ils ont toujours *su se tenir*… »

Elle se tut soudain, rougissante. À sa tempe, une veine battait.

– Vous me paraissez fort bien informée de ce qui se colporte, fit observer Hercule Poirot.

– Oui. Je suis on ne peut plus au courant ! lança-t-elle avec amertume.

– Et quelle est la solution que vous préconisez ?

– Le mieux serait qu'il vende son cabinet, décréta Joan Moncrieffe, et qu'il s'en aille recommencer quelque part ailleurs.

– Vous ne craignez pas que cette histoire le poursuive ?

Elle haussa les épaules :

– C'est un risque qu'il doit prendre en compte.

Poirot s'accorda quelques secondes de réflexion. Puis :

– Miss Moncrieffe, avez-vous l'intention d'épouser le Dr Oldfield ?

Elle ne parut ni choquée ni surprise.

– Il ne m'a pas demandé de l'épouser, se contenta-t-elle de préciser.

– Pourquoi ça ?

Son beau regard d'azur vacilla un instant :

– Parce que j'ai fait en sorte que cela ne se produise pas.

– Quelle bénédiction que de trouver quelqu'un qui sache parler franc !

– Je saurai faire étalage de toute la franchise qu'il vous faudra. Quand je me suis rendu compte que les gens racontaient que Charles s'était débarrassé de sa femme pour m'épouser, j'ai aussitôt estimé que, si nous convolions bel et bien en justes noces, ça ne ferait que confirmer les ragots. Ce que j'avais en tête, c'est que s'il apparaissait clairement qu'un mariage entre nous était hors de question, ce scandale imbécile s'éteindrait de lui-même.

– Mais vos vœux n'ont pas été exaucés ?

– Non.

– Mais enfin, s'étonna Poirot, c'est quand même bizarre, non ?

– Bah ! fit-elle avec fatalisme, dans un trou pareil, on n'a pas grand-chose pour se distraire.

Poirot la regarda bien en face :

– Dites-moi, vous *voulez* épouser Charles Oldfield ?

– Oui, fit-elle avec une tranquille assurance. Je l'ai voulu dès que j'ai fait sa connaissance, ou presque.

– Alors la mort de sa femme ne pouvait pas mieux tomber ?

Joan Moncrieffe n'hésita pas une seconde :

– Mrs Oldfield était une femme singulièrement déplaisante. Très franchement, j'ai été enchantée de sa mort.

– Vous avez tout à l'heure eu le mot juste, sourit Poirot. Vous faites étalage de franchise !

Elle se contenta d'un sourire hautain.

– Je voudrais vous faire une suggestion, continua Poirot.

– Oui ?

– Aux grands maux les grands remèdes. Je pense qu'il serait bon que quelqu'un – vous-même, par exemple – écrive au Home Office.

– Qu'est-ce que vous me chantez là ?

– Je veux dire, expliqua Poirot, que la seule et unique façon d'en finir une bonne fois pour toutes avec cette histoire sordide est d'obtenir une décision ministérielle ordonnant d'exhumer le corps et de faire pratiquer une autopsie…

Elle recula d'un pas. Elle ouvrit la bouche, comme pour commencer une phrase, mais se tut. Poirot ne la quittait pas des yeux :

– Eh bien, mademoiselle ?

– Je ne suis pas d'accord avec vous, fit-elle avec tout le sang-froid du monde.

– Pourquoi ça ? Un verdict de mort naturelle ferait taire toutes ces méchantes langues, non ?

– *Si* vous l'obteniez, ce verdict.

– Comprenez-vous ce que sous-entendent vos paroles, mademoiselle ?

Joan Moncrieffe ne chercha pas à dissimuler son exaspération :

– Je sais de quoi je parle. Vous avez en tête un empoisonnement à l'arsenic… auquel cas vous pourriez prouver qu'elle *n'a pas* été empoisonnée à l'arsenic. Mais il existe d'autres poisons – je pense aux alcaloïdes. Après plus d'un an, et en admettant qu'on en ait usé, je doute fort qu'on puisse en déceler la moindre trace. Or, les experts officiels, je les connais. Histoire de ne pas se mouiller, ils seraient parfaitement capables de déclarer en guise de conclusion qu'ils n'ont rien trouvé qui puisse être considéré comme la cause du décès… sur quoi la calomnie reprendrait de plus belle !

Une fois encore, Hercule Poirot s'accorda le temps de la réflexion.

– À votre avis, demanda-t-il enfin, quelle est la langue de vipère la plus invétérée du village ?

La jeune femme réfléchit deux secondes :

– Je crois vraiment que la vieille miss Leatheran est la plus garce du lot.

– Hum ! Serait-il envisageable que vous me présentiez à cette miss Leatheran – de la manière la plus naturelle et banale que possible ?

– Rien de plus simple. À cette heure-ci, toutes ces vieilles harpies vaquent à leurs courses matinales. Il nous suffira de descendre la Grand-Rue.

Joan Moncrieffe connaissait bien son monde. Devant la poste, elle s'arrêta pour saluer une grande femme desséchée, entre deux âges et qui se signalait par un long nez et des yeux pleins de curiosité :

– Bonjour, miss Leatheran…

– Tiens ! bonjour, Joan. Bien belle journée, n'est-ce pas ?

Les yeux de la vipère en chef ne quittaient pas l'homme qui accompagnait Joan Moncrieffe.

– Permettez-moi, dit la jeune femme, de vous présenter M. Poirot, qui compte passer quelques jours ici.

*

Mordillant prudemment un *scone* tout en maintenant, sur son genou, une tasse de liquide tiédasse en équilibre instable, Hercule Poirot se laissait aller à faire des confidences à son hôtesse. Miss Leatheran avait en effet poussé le sens de l'hospitalité jusqu'à le convier pour le thé et s'était aussitôt employée à découvrir les raisons pour lesquelles ce petit étranger auquel elle trouvait des allures de métèque s'en était venu rôder dans les parages.

Il avait un long moment paré les estocades de la vieille fille avec brio – ne faisant par là qu'aiguiser sa curiosité. Puis, lorsqu'il avait enfin jugé l'instant propice et le fruit mûr à point, il s'était penché en avant :

– Ah, miss Leatheran ! Il me faut rendre les armes :

vous êtes trop forte pour moi ! Vous avez percé mon secret. Je suis ici en mission, à la demande du Home Office. Mais, je vous en conjure, l'avait-il suppliée, *que tout cela reste entre nous* !

– Mais comment donc ! Mais bien sûr… bien sûr…

Le frémissement, dans la voix de miss Leatheran, trahissait l'émoi qui agitait la vieillarde jusqu'au tréfonds :

– Le Home Office ? trémola-t-elle. Ne me dites pas que c'est au sujet de… oh ! pas de cette pauvre Mrs Oldfield, tout de même ?

Poirot dodelina silencieusement de la tête à plusieurs reprises, confirmant ainsi l'ineffable.

– *Alors là !…*

Dans ces trois syllabes murmurées, miss Leatheran était parvenue à faire passer un monde.

– Vous comprenez bien qu'il s'agit d'une affaire extrêmement délicate, reprit Poirot. Je suis chargé de déterminer si, oui ou non, les faits justifient une exhumation.

Miss Leatheran poussa un cri :

– Vous allez déterrer cette malheureuse ? Mais c'est épouvantable !

Se serait-elle exclamée « mais c'est formidable » au lieu de « mais c'est épouvantable » que son ton eût mieux convenu.

– Quelle est votre opinion sur la question, miss Leatheran ?

– Oh, bien évidemment, monsieur Poirot, on a beaucoup *jasé*. Mais je n'écoute jamais les *ragots*. Il circule *tant* de racontars auxquels on ne saurait se fier. Ce qui est en revanche certain, c'est que le Dr Oldfield se comporte de manière extrêmement *bizarre* depuis la mort de sa femme… mais, comme je ne cesse de le répéter : rien ne nous permet d'attribuer ça aux *remords.* Il ne s'agit peut-être que de chagrin. Encore que sa femme et lui ne se soient jamais manifesté beaucoup de tendresse. Ça, je suis *on ne peut mieux* placée pour le savoir, et c'est un renseignement *de première main.* Miss Harrison, notre infirmière, qui soignait Mrs Oldfield depuis trois ou quatre ans et qui l'a suivie jusqu'à la fin, l'a admis devant moi sans détour. J'ai d'ailleurs toujours pensé que miss Harrison *avait des soupçons…* qu'elle *savait à quoi s'en tenir* – non qu'elle ait jamais *dit* quoi que ce soit, bien sûr… mais, rien qu'à leur façon d'être, il n'est pas sorcier de se forger une idée de ce que les gens ont dans la tête, n'est-ce pas ?

– On a si peu à quoi se raccrocher, gémit Poirot.

– Oui, ça n'est que trop vrai… Mais, monsieur Poirot, si exhumation il y a, vous, au moins, vous *saurez.*

– Oui, à ce moment-là, nous saurons.

– Ce genre d'affaires, ce n'est pas la première fois que ça se présente, tint à rappeler miss Leatheran dont les narines frémissaient d'une délicieuse excitation. Prenez le cas Armstrong, par exemple, et puis celui de cet autre individu… ah ! je n'arrive pas à me rappeler son nom… Et puis il y a eu le cas Crippen, bien sûr… Je me suis d'ailleurs toujours demandé si Ethel Le Neve était dans le coup ou non. Oh, bien évidemment, Joan Moncrieffe est une fille tout ce qu'il y a de bien, j'en mettrais ma main à couper… Ce n'est pas moi qui irais jusqu'à dire que c'est elle qui l'a poussé à faire ça… Mais les hommes sont capables de tels *égarements* pour peu qu'un jupon vienne à passer, n'est-ce pas ? Or, ces deux-là, par la force des choses et pour ne rien arranger, ils étaient comme qui dirait perpétuellement fourrés ensemble.

Poirot s'abstint de répondre. Il portait sur miss Leatheran un regard naïvement interrogateur qui ne pouvait que la pousser à s'avancer davantage. Et il s'amusait mentalement à compter le nombre de fois où l'expression « bien sûr » et sa variante « bien évidemment » revenaient dans ses propos.

– Et, bien sûr, avec une autopsie et tout ça, prophétisa miss Leatheran, les langues vont se délier, on va en apprendre des vertes et des pas mûres, vous allez voir. Rien que les domestiques, tenez. Les domestiques, ça sait toujours tout un tas de choses, non ? Et, bien évidemment, il n'est pas possible de les empêcher de cancaner, n'est-ce pas ? Les Oldfield avaient une Beatrice à leur service. Eh bien elle a eu droit à ses huit jours quasiment le lendemain de l'enterrement… ce que j'ai toujours estimé *suspect*… surtout quand on songe à la difficulté de trouver une bonne par les temps qui courent. De là à se dire que le Dr Oldfield avait peur qu'elle *sache* quelque chose…

– De tout cela il appert que l'ouverture d'une enquête est pleinement justifiée, énonça Poirot d'un ton officiel autant que guindé.

Miss Leatheran ne put retenir un élégant frisson de dégoût :

– Quelle abominable perspective ! Notre petit village si tranquille… à la une des journaux… tout cet étalage de linge sale en *public* !

– Cela vous horrifie ?

– Un peu, oui. Je suis vieux jeu, voyez-vous.

– Et puis, comme vous me le disiez si bien, il ne s'agit probablement que de ragots !

– Alors là… je n'oserais l'affirmer en conscience. Pour parler franchement, je crois beaucoup à la vérité de l'adage… selon lequel il n'y a pas de fumée sans feu.

– J'allais précisément vous confier que j'en fais autant.

Ayant dit, Poirot se leva :

– Puis-je compter sur votre discrétion, mademoiselle ?

– Oh, *bien sûr* ! Je ne soufflerai mot à *âme qui vive* !

Hercule Poirot sourit et prit congé.

Dans le vestibule, il confia à Gladys, la jeune femme de chambre qui lui tendait son manteau et son chapeau :

– Je suis venu enquêter sur les circonstances exactes de la mort de Mrs Oldfield, mais je vous serais infiniment obligé de bien vouloir garder cela pour vous.

Gladys faillit en choir dans le porte-parapluies.

– Oh, monsieur ! s'étrangla-t-elle. Alors, comme ça, c'est bien le docteur qui lui a fait son affaire ?

– C'est ce que vous vous disiez depuis un petit bout de temps déjà, n'est-ce pas ?

– Ben, m'sieur, c'était pas moi. C'est Beatrice. Elle était là-bas quand c'est que Mrs Oldfield est morte.

– Et elle s'est dit que…

Poirot choisit délibérément une formule quelque peu mélodramatique :

– … qu'il y avait eu là intervention d'une main criminelle ?

– Ben oui ! s'exclama Gladys, au comble de l'excitation. Même qu'elle m'a dit comme ça que miss Harrison, l'infirmière qui soignait Mrs Oldfield, en avait fait autant.

Elle avait toujours bien aimé Mrs Oldfield, miss Harrison, alors vous imaginez : inconsolable, qu'elle était ! Et Beatrice, elle a toujours dit comme ça que miss Harrison, eh bien sûrement qu'elle savait quelque chose, parce que, sinon, elle se serait pas montée contre le docteur s'il y avait pas eu quelque chose de pas clair, pas vrai ?

– Qu'est devenue miss Harrison ?

– Elle s'occupe de la vieille miss Bristow. La maison tout au bout du village. Vous pouvez pas vous tromper. Y a un auvent avec des colonnes...

*

Hercule Poirot ne tarda pas à se trouver face à face avec la femme qui, à n'en pas douter, en savait plus que quiconque sur les circonstances qui avaient donné naissance aux rumeurs.

À l'approche de la quarantaine, miss Harrison, infirmière de son état, restait séduisante. Ses traits, illuminés par le regard souriant de ses yeux noirs, avaient la douceur d'une madone. Elle écouta Poirot avec infiniment de patience et d'attention. Puis elle déclara en pesant ses mots :

– Je sais, en effet, qu'on a colporté des histoires assez déplaisantes. J'ai fait ce que j'ai pu pour stopper le processus, mais c'est un cas désespéré. Que voulez-vous, il faut aux gens leur ration de sensationnel.

– Mais enfin, fit observer Poirot, il a bien dû y avoir *quelque chose* pour que la rumeur prenne son envol ?

381

Il nota qu'elle avait l'air désemparée. Mais elle se contenta de hausser les épaules.

– Peut-être, proposa Poirot, que le Dr Oldfield et sa femme ne s'entendaient plus, et que c'est cela qui a donné aux gens l'occasion de cancaner ?

Miss Harrison secoua vigoureusement la tête :

– Pas du tout. Le Dr Oldfield a toujours été très gentil et très patient avec sa femme.

– Il était très amoureux d'elle ?

Elle hésita :

– Non… ce serait aller un peu loin. Mrs Oldfield avait très mauvais caractère, était difficile à satisfaire et exigeait de son entourage une attention et une compassion constantes que rien ne justifiait vraiment.

– Vous voulez dire qu'elle exagérait la gravité de son état ?

L'infirmière acquiesça d'un hochement de tête :

– Oui… Sa maladie, pour une large part, était imaginaire.

– Et cependant, fit Poirot d'un ton grave, *elle est morte.*

– Oh, je sais… je sais…

Il la dévisagea un instant, jaugeant son trouble manifeste, mesurant son évidente perplexité :

– Je pressens – j'en suis même sûr – que vous *savez* ce qui a donné naissance à tous ces racontars.

L'infirmière rougit. Puis :

– Eh bien… le mieux que je puisse faire, c'est de me livrer à des suppositions. Je crois que c'est Beatrice, la bonne, qui a lancé la rumeur, et je pense savoir ce qui lui a mis cette idée-là dans la tête.

– Oui ?

– Vous comprenez, ce sont des choses que j'ai surprises par hasard, préluda miss Harrison sans grand souci de cohérence. Des bribes de conversation entre le Dr Oldfield et miss Moncrieffe… Et je suis certaine que Beatrice les a entendues elle aussi, mais j'imagine qu'elle ne voudra jamais le reconnaître.

Elle marqua un temps, comme si elle n'était pas absolument convaincue de la justesse de ses souvenirs. Puis :

– C'était à peu près trois semaines avant la dernière crise qui a emporté Mrs Oldfield. Ils étaient à la salle à manger. Je descendais l'escalier quand j'ai entendu Joan Moncrieffe dire : « Combien de temps cette situation va-t-elle encore durer ? Je ne crois pas pouvoir supporter d'attendre beaucoup plus longtemps. » Et le docteur lui a répondu : « Ça ne va plus s'éterniser, ma chérie, je vous le jure. » Sur quoi, elle a répété : « Cette attente est au-dessus de mes forces. Vous êtes sûr que tout va bien se passer, au moins ? » Et lui, il a répondu : « Sûr et certain, Tout ira très bien. Dans un an, nous serons mariés. »

Pour la seconde fois, miss Harrison fit une pause.

– C'était la première fois, monsieur Poirot, que je me rendais compte qu'il y avait quelque chose entre le docteur et miss Moncrieffe, reprit-elle bientôt. Je savais, bien sûr, qu'il l'admirait beaucoup et qu'ils étaient très bons amis, sans plus. J'ai remonté les marches – j'étais sous le choc, ça va de soi – mais j'avais quand même eu le temps de remarquer que la porte de la cuisine était ouverte et, depuis, je n'arrive pas à m'ôter de l'idée que Beatrice avait dû écouter. Et, ce qu'ils avaient dit, il y avait deux façons de l'interpréter, pas vrai ? Ça pouvait tout bonnement signifier que le docteur savait que sa femme était très malade et qu'elle ne passerait pas l'année – et je suis convaincue que c'était là le fond de sa pensée –, mais, pour quelqu'un comme Beatrice, ça pouvait avoir un tout autre sens... Ça pouvait donner à penser que le docteur et Joan Moncrieffe avaient décidé de se débarrasser de Mrs Oldfield...

– Mais, *vous,* ce n'est pas ce que vous croyez ?

– Non... non, bien sûr que non...

Il scruta chaque trait de son visage :

– Miss Harrison, est-il encore autre chose que vous sachiez ? Quelque chose que vous n'auriez pas osé me dire ?

Elle rougit, puis :

– Non ! non ! s'écria-t-elle avec une violence contenue. Absolument pas ! De quoi pourrait-il bien s'agir ?

– Je vous le demande. Car enfin... Mais n'y a-t-il vraiment *rien* ?

Elle secoua la tête. Son trouble était à nouveau manifeste.

– Il n'est pas impossible, annonça Poirot, que le Home Office ordonne une exhumation du corps de Mrs Oldfield !

– Oh, non ! s'exclama-t-elle, horrifiée. Quelle horreur !

– Vous estimez que ce serait dommageable ?

– J'estime que ce serait *abominable* ! Pensez un peu à tous les racontars que cela susciterait ! Ce serait atroce... atroce pour ce pauvre Dr Oldfield.

– Vous ne croyez pas que cela pourrait, au contraire, lui être particulièrement salutaire ?

– Que voulez-vous dire par là ?

– S'il est innocent... son innocence pourra être démontrée.

Poirot se tut, le temps d'observer les réactions de l'infirmière tandis que l'idée faisait son chemin dans sa tête. Elle commença par plisser le front, puis ses traits redevinrent sereins.

Elle respira à fond, puis le fixa :

– Je n'avais pas pensé à ça… Bien sûr, c'est la seule chose à faire.

Une série de coups sourds ébranlèrent soudain le plafond. Miss Harrison sauta sur ses pieds :

– C'est la vieille miss Bristow, expliqua-t-elle. Elle vient de se réveiller de sa sieste. Il faut que j'aille lui arranger ses oreillers avant qu'on lui apporte son thé et que je puisse sortir faire un tour. Oui, monsieur Poirot, je crois que vous avez entièrement raison. Une autopsie réglera la question une bonne fois pour toutes. Ça fera taire la rumeur, et la campagne de dénigrement à l'encontre de ce pauvre Dr Oldfield cessera d'elle-même.

Elle lui serra la main, et se hâta vers l'escalier.

*

Hercule Poirot se rendit à la poste et appela Londres au téléphone.

À l'autre bout du fil, son interlocuteur ne mâcha pas ses mots :

– Faut-il *vraiment* que vous fourriez votre nez dans des histoires pareilles, Poirot, mon très cher ? Êtes-vous *bien sûr* que cette affaire puisse nous concerner ? Vous savez pourtant que, derrière ces ragots de village, il n'y a généralement… que du vent !

– Dans le cas particulier, dit Poirot, il en va tout autrement.

– Oh et puis, après tout, si c'est vous qui le dites… Vous avez l'exécrable habitude d'avoir toujours raison. Seulement si vous vous êtes pour une fois fourré le doigt dans l'œil, nous le prendrons assez mal, autant vous en prévenir tout de suite.

Poirot se dédia un sourire d'autosatisfaction :

– Mais *moi,* je le prendrai fort bien.

– Allô ! Quoi ? Que dites-vous ? Je ne vous entends pas !

– Oh, rien… Rien du tout.

Et il raccrocha.

Sortant de la cabine téléphonique, il gagna le guichet et interrogea la préposée de son ton le plus aimable :

– Pourriez-vous par le plus grand des hasards me dire, très chère madame, où l'ancienne domestique du Dr Oldfield – une certaine Beatrice, de son prénom – habite désormais ?

– Beatrice King ? Elle est déjà passée par deux places depuis. Elle travaille maintenant chez Mrs Marley, juste après la banque.

Poirot la remercia, lui acheta deux cartes postales, un carnet de timbres et une quelconque faïence locale. Il profita de ces emplettes pour amener la conversation sur la mort de Mrs Oldfield et ne manqua pas de noter l'expression un peu particulière qu'arbora aussitôt le visage de la postière :

– Ç'a été très soudain, pas vrai ? dit-elle. On a beaucoup jasé, comme vous devez déjà le savoir.

Une lueur de curiosité s'alluma dans son regard :

– Peut-être bien que c'est pour ça que vous voudriez la voir, Beatrice King ? On a tous trouvé bizarre qu'elle se fasse mettre aussi brusquement à la porte. Il y en a qui ont pensé qu'elle en savait trop... *et c'était peut-être bien le cas*. Elle ne s'est en tout cas pas privée de faire des insinuations.

Beatrice King était une gamine courtaude, d'allure sournoise et que des végétations faisaient parler du nez. Elle aurait pu passer pour totalement stupide, mais on lisait dans ses yeux plus de finesse que son comportement ne l'aurait laissé prévoir. Il ne semblait guère possible, en tout état de cause, de tirer d'elle quoi que ce soit :

– J'sais rien de rien, voilà c'que j'sais. C'est pas à moi d'dire quoi qu'c'est qui s'tramait là-bas. Et j'vois pas c'que vous voulez dire comme quoi qu'j'aurais entendu j'sais pas quelle conversation entre le docteur et miss Moncrieffe. J'suis pas du genre qu'écoute aux portes, et z'avez pas l'droit d'dire comme quoi que j'l'ai fait. J'sais rien de rien, moi.

– Avez-vous déjà entendu parler d'empoisonnement à l'arsenic ? interrogea Poirot.

Une lueur d'intérêt réveilla un instant le visage lunaire de la fille :

– C'était donc *ça* qu'était dans le flacon d'médicament ?

– Quel flacon de médicament ?

– Eh ben, un des flacons d'médicament que miss Moncrieffe avait préparés pour la patronne. Même que miss Harrison en était toute retournée, j'l'ai vu comme je vous vois. Et que j'te goûte ça, et que j'te l'reniffle...

Résultat, elle a tout balancé, dans l'lavabo. Et puis la bouteille, elle l'a remplie avec d'l'eau du robinet… R'marquez, c'était un médicament qu'on aurait dit d'l'eau… Et puis un jour qu'miss Moncrieffe apportait du thé à la patronne, miss Harrison l'a remporté aussi sec et en a refait d'autre en disant comme ça qu'il avait pas été fait avec d'l'eau bouillante. Mon œil, oui ! Sur le moment, j'm'étais dit qu'c'était des simagrées comme les infirmières en font toujours… mais j'me demande… p'têt bien qu'il s'agissait d'aut'chose…

Poirot hocha la tête :

– Vous aimiez bien miss Moncrieffe, Beatrice ?

– Elle m'faisait ni chaud ni froid. Pas très causante, qu'elle était. Sûr que j'ai toujours su qu'elle en pinçait pour l'docteur. Y avait qu'à voir comment qu'elle le r'gardait…

Une fois encore, Poirot hocha la tête. Puis il regagna l'auberge.

Là, il donna à Georges des consignes bien précises.

*

Le Dr Alan Garcia, chef de labo au Home Office, se frotta les mains et adressa un clin d'œil à Poirot :

– Eh bien, monsieur Poirot, j'imagine que cela fait bien votre affaire ? Hercule Poirot ! L'homme qui a toujours raison…

Poirot s'inclina :

– Vous êtes trop aimable.

– Qu'est-ce qui vous avait mis sur le coup ? Des ragots ?

– Tout juste… Le grand air de la Calomnie.

Le lendemain matin, Hercule Poirot reprit le train pour Market Loughborough.

La bourgade bruissait comme un nid de frelons. L'agitation n'avait pas cessé depuis que l'exhumation avait été entreprise. Mais les résultats de l'autopsie avaient filtré, et l'excitation atteignait maintenant des sommets.

Poirot n'était à l'auberge que depuis une heure et achevait à peine un solide déjeuner à base de steak et de tourte aux rognons arrosés de bière qu'on vint lui annoncer qu'une dame demandait à le voir.

C'était miss Harrison, blême et hagarde :

– Est-ce que c'est vrai ? Est-ce que c'est *vraiment* vrai, monsieur Poirot ?

Il la fit asseoir dans un fauteuil.

– Oui, dit-il, c'est vrai. On a trouvé plus d'arsenic qu'il n'en fallait pour provoquer la mort.

– Je n'aurais jamais cru… jamais pu imaginer un instant que…

Elle fondit en larmes.

– Il fallait bien que la vérité apparaisse au grand jour, murmura Poirot.

– Ils vont le pendre ? sanglota-t-elle.

– Il reste encore beaucoup à prouver, vous savez. Occasion… accès au poison… méthode d'administration…

– Mais à supposer, monsieur Poirot, qu'il n'ait rien à voir dans tout ça ? Rien du tout ?

Poirot haussa les épaules :

– En ce cas, il sera acquitté.

– Il y a tout de même quelque chose, commença miss

389

Harrison avec lenteur, que j'aurais dû… Oui, je suppose que j'aurais dû vous en parler plus tôt… mais je n'ai pas pensé une seconde que ça pouvait être important. C'était seulement… *bizarre.*

– Je vous avais bien dit que vous en saviez plus long. Le mieux serait que vous m'en parliez sans plus attendre.

– Ce n'est pas grand-chose. C'est tout bonnement qu'un jour où j'avais dû descendre au laboratoire du docteur pour je ne sais plus quoi, j'ai vu Joan Moncrieffe faire quelque chose d'assez… d'assez peu banal.

– Ah bon ?

– Ça a l'air idiot. Simplement, elle remplissait son poudrier – un poudrier d'émail rose…

– Oui ?

– Mais ce n'était pas de la poudre qu'elle mettait dedans – pas de la poudre de riz, je veux dire… Ce qu'elle mettait dans son poudrier, elle le prenait dans un des flacons de l'armoire aux poisons. Quand elle m'a vue, elle a sursauté, elle a refermé son poudrier et l'a fourré dans son sac… et elle a remis si vite le flacon dans l'armoire que je n'ai pas pu voir ce que c'était. Je n'irai pas jusqu'à prétendre que ça a une signification quelconque, mais maintenant que je sais que Mrs Oldfield a bien été empoisonnée…

Sa voix se brisa.

– Voulez-vous m'excuser quelques instants ? fit Poirot.

Il se leva et s'en fut téléphoner au sergent Grey, de la police du Berkshire.

Puis il revint, et miss Harrison et lui restèrent un moment silencieux.

En pensée, Poirot revoyait une jeune femme à la chevelure rousse qui lui disait d'une voix nette : « Je ne suis pas d'accord avec vous. » *Joan Moncrieffe avait rejeté l'idée d'une autopsie.* Certes, elle avait su donner une explication très plausible à ce refus, mais le fait était là, et bien là… Une jeune femme compétente, efficace, décidée… Amoureuse d'un homme prisonnier d'une malade geignarde qui pouvait encore survivre des années puisque, à en croire miss Harrison, sa maladie était largement imaginaire…

Hercule Poirot soupira.

– À quoi pensez-vous ? demanda miss Harrison.

– Au gâchis universel.

– Je ne crois pas un instant qu'*il* ait jamais été au courant, murmura miss Harrison.

– Non, fit Poirot. Je suis sûr qu'il ne se doutait de rien.

La porte s'ouvrit sur ces entrefaites et le sergent Grey entra. Il tenait à la main un objet enveloppé dans un mouchoir de soie. Il le déplia avec précaution et posa l'objet sur la table : c'était un poudrier d'émail rose.

– C'est celui que j'ai vu ! s'écria miss Harrison.

– Je l'ai trouvé tout au fond du tiroir du secrétaire de miss Moncrieffe, indiqua le sergent Grey. Dans une pochette à mouchoirs. Pour autant que je puisse en juger, il n'y a pas d'empreintes digitales dessus, mais autant ne pas courir de risques.

À travers le mouchoir, le sergent actionna le fermoir. Le poudrier s'ouvrit.

– Ça, ce n'est pas de la poudre de riz, décréta le policier.

Il l'effleura du bout d'un doigt qu'il porta à sa langue :

– Pas de goût particulier.

– L'arsenic blanc n'a aucun goût, observa Poirot.

– Je vais le faire analyser tout de suite, dit Grey.

Puis, tourné vers miss Harrison :

– Vous pouvez jurer qu'il s'agit bien du même poudrier ?

– Oui. J'en suis sûre. C'est le poudrier que j'ai vu dans les mains de miss Moncrieffe, devant l'armoire aux poisons, une semaine environ avant la mort de Mrs Oldfield.

Le sergent Grey poussa un profond soupir. Puis il lança un coup d'œil à Poirot en hochant la tête. Ce dernier sonna :

– Envoyez-moi mon valet de chambre, je vous prie.

Georges, en valet de chambre stylé et discret, se contenta d'un regard interrogateur à l'adresse de son maître.

– Miss Harrison, commença Poirot, vous venez d'identifier ce poudrier comme étant celui que vous aviez vu en possession de miss Moncrieffe il y a plus d'un an. Mais vous serez sans doute étonnée d'apprendre que ce poudrier-là n'a été vendu par la maison Woolworth qu'il y a quelques semaines et qu'il s'agit en outre d'un modèle d'une couleur inédite et qui n'est fabriqué que depuis trois mois…

Miss Harrison en laissa choir son menton. Ses grands yeux sombres, à présent exorbités, fixaient Poirot qui reprit :

– Georges, avez-vous déjà vu ce poudrier ?

Le valet s'avança :

– Oui, monsieur. J'ai vu de mes yeux miss Harrison l'acheter chez Woolworth le vendredi 18. Conformé-

ment aux instructions de Monsieur, j'avais systématique-
ment filé cette personne. Le jour que je viens de men-
tionner, elle a pris le bus pour Darnington, où elle a
acheté ce poudrier qu'elle a rapporté chez elle – à savoir
chez la vieille demoiselle dont elle s'occupe actuellement.
Plus tard, le même jour, elle s'est rendue au domicile de
miss Moncrieffe. Toujours selon les instructions de Monsieur, je m'y trouvais déjà. J'ai constaté qu'elle pénétrait
dans la chambre de miss Moncrieffe et cachait cet objet
au fond du premier tiroir du secrétaire. La porte étant
providentiellement restée entrebâillée, je ne perdais rien
de ses faits et gestes. Elle a ensuite quitté la maison, à
cent lieues de penser que son petit manège avait eu un
témoin. Je me dois de préciser qu'ici, personne ne ferme
sa porte à clef et qu'il commençait déjà à faire sombre.

Poirot se tourna vers miss Harrison :

– Pouvez-vous nous fournir à tout cela une explication satisfaisante, miss Harrison ? fit-il d'une voix
implacable. *Je ne crois pas.* Quand ce poudrier est sorti
de chez Woolworth, il ne contenait pas d'arsenic, mais
il en était plein quand il est ressorti de chez miss
Bristow.

» *Conserver de l'arsenic par-devers vous n'était pas
bien malin*, ajouta-t-il avec plus de douceur.

Miss Harrison enfouit son visage dans ses mains :

– *C'est exact… tout ce que vous dites est exact*, lâcha-
t-elle d'une voix sourde. *Je l'ai tuée. Et tout ça pour
rien… Pour rien… J'avais perdu la tête.*

*

393

– Je vous dois des excuses, monsieur Poirot, dit Joan Moncrieffe. Je vous en voulais beaucoup. Énormément, je l'avoue. J'avais l'impression que tout ce que vous faisiez rendait les choses encore pires.

Poirot lui sourit :

– Au commencement, c'était vrai. Comme dans la légende antique de l'hydre de Lerne. Chaque fois que l'on tranchait l'une des têtes du monstre, deux autres têtes repoussaient à sa place. Alors, au début, la rumeur n'a fait qu'enfler et se développer. Mais ma tâche, comme celle d'Hercule, mon homonyme, c'était d'atteindre la première tête – la tête d'origine. Qui, en l'occurrence, avait lancé la rumeur ? Il ne m'a pas fallu bien longtemps pour découvrir que miss Harrison était la source de toute cette boue. Je suis allé la voir. Elle m'a paru charmante, m'a fait l'effet d'une femme intelligente et intuitive. Mais elle a presque immédiatement commis une grossière erreur. Elle m'a répété une conversation qu'elle avait soi-disant surprise entre le docteur et vous – mais cette prétendue conversation *sonnait complètement faux*. Psychologiquement, elle était invraisemblable. À supposer que le docteur et vous ayez projeté de tuer Mrs Oldfield, vous êtes l'un et l'autre bien trop intelligents pour en avoir discuté toutes portes ouvertes, dans une pièce où vous risquiez d'être entendus des escaliers ou de la cuisine. En outre, les mots qu'elle mettait dans votre bouche ne correspondaient en rien à votre personnalité. C'étaient les mots qu'aurait employés une femme nettement *plus âgée* que vous, et nettement plus conventionnelle. En fait, miss Harrison vous a fait dire *ce qu'elle aurait dit elle-même dans ces circonstances*.

» À partir de là, j'ai considéré toute l'affaire comme très simple. Miss Harrison, je l'avais constaté, était une femme relativement jeune et encore assez belle qui, pendant près de trois ans, avait été très proche du Dr Oldfield. Lui, il l'appréciait beaucoup et lui savait gré de son tact et de sa compassion. Quant à elle, elle était allée s'imaginer que, *si Mrs Oldfield mourait,* le docteur lui demanderait probablement de l'épouser. Au lieu de quoi, après la mort de Mrs Oldfield, la voilà qui découvre que *le Dr Oldfield est amoureux de vous.* Aussitôt, mue par la rage et la jalousie, elle commence à répandre la rumeur que le docteur a empoisonné sa femme.

» Voilà, ainsi que je vous l'ai dit, comment j'ai d'entrée de jeu jaugé la situation. Le cas classique de la femme jalouse qui lance une rumeur mensongère. Je n'en étais cependant pas moins titillé par la vieille formule qui veut qu'il n'y ait pas de fumée sans feu. Et je me suis mis à me demander si miss Harrison s'était *uniquement* contentée de répandre la rumeur. Elle m'avait dit des choses étonnantes. Par exemple que la maladie de Mrs Oldfield était largement imaginaire – qu'en réalité elle souffrait très peu… Et pourtant le *docteur lui-même* ne doutait pas un instant des souffrances de sa femme. *Lui,* il n'avait pas été surpris par sa mort. Peu auparavant, il avait fait venir en consultation un autre médecin qui avait confirmé la gravité de son état. Alors, à tout hasard, j'ai avancé l'éventualité d'une exhumation… Sur le moment, miss Harrison en a éprouvé une peur panique. Et puis, presque aussitôt, sa haine et sa jalousie ont repris le dessus. Que la police trouve donc de l'arsenic – ce ne serait en tout cas pas *elle* qu'on irait soupçonner. Ce seraient le docteur et Joan Moncrieffe qui expieraient à sa place.

» Je n'avais qu'un espoir : que notre infirmière tombe dans ses propres filets. Si miss Harrison se fourrait dans la tête que Joan Moncrieffe avait la moindre chance de se voir lavée de tout soupçon, j'étais prêt à parier qu'elle se mettrait en quatre pour essayer de la compromettre davantage. J'ai donc donné des instructions à mon fidèle Georges, qui est le plus discret des hommes et qu'elle ne connaissait pas. Il avait l'ordre de ne pas la lâcher d'une semelle. Et... et c'est ainsi que tout est bien qui finit bien.

– Vous avez été mer-veil-leux ! s'écria Joan Moncrieffe.

– Oui, extraordinaire ! surenchérit le Dr Oldfield. Je ne pourrai jamais assez vous remercier ! Quel aveugle et quel imbécile j'ai pu être !

– Et vous, mademoiselle, demanda Poirot avec curiosité, avez-vous été aveugle, vous aussi ?

– J'étais folle d'inquiétude, répondit-elle lentement. Les quantités d'arsenic que j'avais dans l'armoire aux poisons, voyez-vous, ne correspondaient plus à mon registre des substances toxiques...

– Joan ! s'écria le Dr Oldfield. Vous n'avez tout de même pas cru que...

– Non, non ! Pas vous... pas *toi* ! Ce dont j'étais en fait persuadée, c'est que Mrs Oldfield s'était débrouillée pour en subtiliser, qu'elle en avalait histoire de se rendre malade et qu'on s'occupe davantage d'elle... et puis qu'elle avait par inadvertance forcé la dose. Et ce que j'ai redouté, s'il y avait une autopsie et si on décelait des traces d'arsenic, c'est qu'on ne croie pas à ma théorie et qu'on pense que le coupable, c'était *toi*. C'est pour ça que je n'ai jamais soufflé mot des quantités d'arsenic manquantes. J'ai même été jusqu'à truquer le registre des toxiques ! N'empêche que la dernière personne que j'aurais soupçonnée, c'est quand même bien miss Harrison.

– Moi aussi, dit le Dr Oldfield. C'était une créature si douce… si féminine. On aurait juré une Madone.

– Eh oui, intervint Poirot avec une pointe de tristesse. Elle aurait probablement fait une bonne épouse et une bonne mère. Mais elle était aussi du genre à se laisser déborder par ses émotions…

Il soupira, et murmura entre ses dents :

– *Quel gâchis…*

Puis il adressa un large sourire à l'homme et à la femme aux visages épanouis qui se trouvaient en face de lui.

« Ces deux-là, songea-t-il, ont enfin émergé de leur nuit et trouvé leur place au soleil… Quant à moi… eh bien, j'ai accompli le second des travaux d'Hercule. »

3

La biche aux pieds d'airain
(The Arcadian Deer)

Tout en battant la semelle pour essayer de se réchauffer les pieds, Hercule Poirot soufflait désespérément dans ses doigts. Un peu de neige glacée avait figé ses moustaches et commençait de fondre à petites gouttes.

On frappa à la porte et, sans attendre de réponse, une femme de chambre entra. C'était une campagnarde trapue, au parler lent. Elle contempla le détective avec un étonnement qu'elle ne chercha pas à dissimuler. Sans doute n'avait-elle, de sa vie, observé pareil échantillon d'humanité.

– Monsieur a sonné ? demanda-t-elle.

– Oui. Auriez-vous la bonté de me faire un peu de feu, je vous prie ?

Elle ressortit pour revenir tout aussitôt avec du papier et des bûchettes. Agenouillée devant la grande cheminée victorienne, elle se mit en devoir d'allumer une flambée.

Hercule Poirot n'en continua pas moins à taper du pied, à souffler dans ses doigts et à se battre les flancs à coups redoublés.

Il était furieux. Sa voiture, une luxueuse Messarro-Gratz, avait connu des problèmes mécaniques indignes d'un véhicule aussi coûteux. Quant à son chauffeur, jeune gandin qui bénéficiait pourtant d'un salaire enviable, il s'était montré incapable de redresser la situation. Finalement, la limousine avait rendu les armes au beau milieu d'une petite route de campagne, à plus de deux kilomètres de tout lieu habité, au moment même où débutait une tourmente de neige. Et le détective, chaussé comme de coutume de bottines vernies, avait été contraint de marcher à pied jusqu'à Hartley Dene, charmante villégiature de bord de mer que la belle saison emplissait d'une foule d'estivants, mais que l'hiver avait rendu aussi léthargique que le château de la Belle au bois dormant. À l'hôtel du *Cygne noir*, l'arrivée d'un voyageur avait semé la consternation. Le propriétaire avait fait preuve d'une éloquence inattendue pour tenter de convaincre l'intrus que le garage du coin était en mesure de louer une automobile qui lui permettrait de poursuivre son voyage.

Hercule Poirot avait repoussé dédaigneusement cette idée. Son sens tout latin de l'économie en avait été blessé. Louer une voiture ? Mais il possédait *déjà* une voiture, une grosse voiture, une voiture très chère. Et il n'avait pas la moindre intention de regagner Londres dans une autre voiture que la sienne. De toute façon, même si le garage pouvait remédier rapidement à la panne, il n'entendait pas repartir, avec la neige qui tombait, avant le matin suivant. Tout ce qu'il désirait, pour l'heure, c'était une chambre, du feu, et de quoi dîner. Soupirant profondément, le propriétaire avait consenti à louer le gîte et à charger la femme de chambre du problème du feu avant de se retirer pour discuter avec son épouse de la question du couvert.

Et c'est ainsi qu'une heure plus tard, Hercule Poirot, les pieds sur les chenets, évoquait avec quelque indulgence le repas qui venait de lui être servi. À la vérité, le steak s'était révélé aussi coriace que tendineux. Les choux de Bruxelles, gros mais pas encore parvenus à maturité, lui avaient laissé un arrière-goût franchement aqueux. Quant aux pommes de terre, elles avouaient un cœur de pierre. Mieux valait ne pas évoquer la compote de pommes accompagnée de crème pâtissière. Pour clore le festin, il y avait eu un fromage clamant son âge avancé et des biscuits ramollis. Et malgré tout, pensait Poirot, le regard fixé sur le scintillement des flammes et, à la main, une tasse d'un jus boueux auquel on n'avait pas hésité à donner le nom de café, il est préférable d'avoir l'estomac plein plutôt que vide… Sans compter que se chauffer au coin du feu après avoir affronté en souliers vernis des ornières pleines de neige, offre une bonne approximation de ce que sera le paradis…

La femme de chambre refit son apparition :

– Que Monsieur m'excuse, mais le mécanicien du garage est là et souhaiterait voir Monsieur.

– Invitez-le à monter, dit-il, fort courtois.

La jeune fille eut un petit rire et s'en fut. Poirot, amusé, pensa par-devers lui que la description qu'elle ferait de lui à ses amis dissiperait l'ennui de bien des soirées d'hiver.

On frappa – on frappa différemment.

– Entrez ! lança Poirot.

Et il dévisagea, fasciné, le jeune homme qui se tenait sur le seuil et qui, mal à l'aise, tordait sa casquette entre ses mains. Voilà bien, se disait-il, l'un des plus beaux spécimens humains qu'il ait jamais eu l'occasion de voir. Ce garçon avait les traits d'un dieu grec.

– C'est au sujet de la voiture, m'sieur, annonça le nouveau venu. On a trouvé ce qui collait pas. Il n'y en a guère que pour une heure.

– Qu'est-ce qui ne fonctionnait pas ?

Le jeune homme se lança dans un flot de considérations techniques. Poirot, pour ne pas l'offenser, hochait régulièrement la tête, mais il n'écoutait pas. Devant un physique sans défaut, il était toujours frappé d'admira-

tion. Il estimait, en effet, que trop de gringalets bino-
clards hantent la planète. Et, comme pour conforter son
jugement initial, il se disait : « Oui, c'est un dieu grec…
un berger d'Arcadie… »

Le mécanicien mit fin brusquement à son exposé.
Poirot fronça les sourcils. Au premier abord, sa réaction
avait été d'ordre purement esthétique. Là, il faisait
confiance à son intellect. Son regard devint plus aigu :

– Je saisis, dit-il non sans brusquerie, je saisis… Mais
mon chauffeur m'a déjà expliqué tout ce que vous venez
de me raconter.

Rougissant d'un coup, le jeune homme n'en tritura
que plus nerveusement sa casquette.

– Je… euh… oui, m'sieur, bégaya-t-il. Je sais.

– Mais vous avez pensé qu'il valait mieux venir pour
m'en parler vous-même, reprit-il d'un ton plus amène.

– Euh… oui, m'sieur. J'ai pensé, comme vous dites,
que ça valait mieux.

– C'est là faire preuve d'une belle conscience professionnelle. Je vous en sais gré.

Poirot n'avait pas dissimulé qu'il entendait ainsi
prendre congé, mais il ne s'attendait pas à voir son visiteur s'en aller, en quoi il voyait juste. Le jeune homme
ne s'en alla point. Malaxant de plus belle son couvre-chef
de tweed, il finit par lâcher, au comble de l'embarras :

– Euh… excusez-moi, m'sieur, mais est-ce que c'est vrai
que vous êtes le détective ? Ce monsieur Herquioule
Pouarritte qu'on en parle tant ?

Il s'était donné le plus grand mal pour prononcer cor-
rectement ce nom étranger, mais le résultat n'avait pas
été à la hauteur de ses espérances.

– Oui, c'est bien moi, répondit néanmoins Poirot.

Le jeune homme rougit encore davantage :

– J'ai lu tout un tas de trucs sur vous, dans le journal.

– Oui ?…

Le mécanicien était maintenant ponceau. Dans son regard, on pouvait lire la détresse – toute la détresse du monde –, ainsi qu'une sorte de supplication. Poirot vint à sa rescousse.

– Ah bon ? Et vous avez quelque chose à me demander ? interrogea-t-il gentiment.

Soudain, les mots se précipitèrent :

– Je ne voudrais pas avoir l'air insolent, m'sieur. Mais vous voilà ici comme qui dirait par un coup de chance. Et cette chance, je ne voudrais pas la laisser passer. Après ce que j'ai lu sur vous et ce que vous avez fait, je me suis pensé que je pouvais aussi bien vous demander… Il n'y a pas de mal à demander, pas vrai ?

Poirot secoua la tête :

– Vous souhaitez que je vous aide d'une façon quelconque ?

– C'est-à-dire… c'est à propos d'une jeune personne… Des fois que… des fois que vous pourriez me la retrouver…

– Vous la retrouver ? Elle a donc disparu ?

– C'est ça même, m'sieur.

Poirot s'enfonça dans son fauteuil.

– Peut-être pourrais-je en effet vous aider, jeta-t-il avec sévérité. Mais c'est à la police qu'il faut vous adresser. C'est leur métier, et ils disposent de bien plus de moyens que je n'en ai moi-même.

De plus en plus mal à l'aise, le jeune homme se dandinait d'un pied sur l'autre.

– Je ne peux pas faire ça, m'sieur. Ce n'est pas ce que vous croyez. C'est quelque chose de plutôt spécial, pour ainsi dire.

Poirot l'examina un instant, puis lui montra un siège :

– En ce cas, asseyez-vous... Comment vous appelez-vous ?

– Williamson, m'sieur. Ted Williamson.

– Asseyez-vous, Ted. Et racontez-moi votre histoire.

– Merci, m'sieur.

Il avança sa chaise et s'assit tout au bord. Il avait toujours l'air d'un chien battu.

– Racontez-moi votre histoire, répéta Poirot.

Ted Williamson prit sa respiration :

– Eh ben, m'sieur, voilà de quoi il retourne... Je ne l'ai vue qu'une fois, mais comme qui dirait que ç'a été la bonne... Et je ne sais même pas son vrai nom ni rien... Mais tout ça c'est bizarre, comme ma lettre qu'on me renvoie et tout...

– Commencez par le commencement, lui recommanda Hercule Poirot. Ne vous pressez pas. Et contentez-vous de me dire ce qui s'est passé.

– Oui, m'sieur... Eh ben, peut-être bien que vous connaissez Grasslawn, m'sieur, cette grande bicoque qui donne sur la rivière, après le pont ?

– Non, je ne la connais pas.

– Le propriétaire, c'est sir George Sanderfield. L'été, il y vient pour le week-end, et puis pour des parties fines, comme dit l'autre – avec un tas de rigolos, des actrices et tout. Bon, enfin, c'était en juin… Il y avait leur radio qui était en panne et on est venu me chercher…

– Oui ?

– Alors, j'y suis allé. Le proprio, il faisait un tour en barque avec ses invités. La cuisinière était de sortie, et le valet de chambre, il était parti leur porter à boire. Il n'y avait que cette fille dans la maison. C'était la femme de chambre d'une invitée. Elle m'a ouvert la porte, et puis elle m'a montré où qu'était le poste, et puis elle est restée pendant que je travaillais… Alors, forcément, on a causé et tout… Son petit nom, à ce qu'elle m'a dit, c'était Nita, et elle était la femme de chambre d'une danseuse russe qui faisait partie des invités.

– De quelle nationalité était-elle ? Anglaise ?

Non, m'sieur, elle devait être française. Elle avait un sacrément drôle d'accent. Mais elle parlait bien l'anglais, faut pas croire. Elle… ben, elle était plutôt gentille… Alors j'ai fini par lui demander si je ne pouvais pas l'emmener au ciné, le soir… Mais elle m'a répondu que sa patronne aurait besoin d'elle… Et puis, de fil en aiguille, elle a ajouté qu'elle pouvait prendre son après-midi de bonne heure parce que sa patronne n'était pas près de revenir de la rivière… Enfin bref, moi aussi je me suis pris mon après-midi sans demander la permission – même que j'ai bien failli me faire fiche à la porte à cause de ça – et on est allés se promener au bord de l'eau…

Le jeune homme, un petit sourire aux lèvres, le regard lointain, marqua un temps d'arrêt.

– Elle était jolie, si je comprends bien ? sourit Hercule Poirot.

— Une fille aussi jolie, je n'en avais jamais vu de ma vie. Ses cheveux, on aurait dit de l'or. Relevés de chaque côté comme des ailes, qu'ils étaient. Et elle marchait comme qui dirait en dansant. Je... j'en ai pincé pour elle tout de suite, m'sieur. Je peux pas dire le contraire.

— Et alors ?

— Elle m'a dit comme ça que sa patronne était réinvitée dans quinze jours et on s'est fixé un rendez-vous pour quand elle reviendrait. Mais elle n'a jamais plus montré le bout de son nez. Je l'ai attendue à l'endroit qu'on avait dit, mais rien... Alors je suis allé à Grasslawn et j'ai demandé après elle. La dame russe était là, à ce qu'on m'a dit, et sa femme de chambre avec. Ils sont allés la chercher mais, quand elle s'est pointée, c'était pas Nita du tout ! Juste une noiraude qui avait l'air sournois – une vraie mochetée. Marie, que les gens l'appelaient. « Vous vouliez me voir ? » qu'elle m'a dit en faisant des manières. Elle avait dû se rendre compte que j'étais comme deux ronds de flan. Je lui ai demandé si elle était la femme de chambre de la dame russe, et puis je lui ai dit comme quoi elle n'était pas celle que j'avais vue la première fois et alors elle s'est mise à ricaner et à me dire que l'autre avait été virée dans le quart d'heure. « Virée ? que je lui ai dit. Et pourquoi ça ? » Elle a fait que hausser les épaules et elle m'a dit : « Comment que je l'saurais ? J'y étais pas pour voir. »

» Moi, m'sieur, je ne savais plus où j'en étais. Sur le moment, j'ai rien trouvé à dire. Mais, après coup, j'ai pris mon courage à deux mains, je suis retourné voir cette Marie et, sans lui avouer que je connaissais pas le nom de famille de Nita, je lui ai demandé de me dénicher son adresse. Et vu qu'elle avait pas le genre à faire des choses pour rien, je lui ai même promis un cadeau si elle me donnait un coup de main. Comme de juste, elle me l'a dégotée – une adresse au nord de Londres, que c'était. Et alors j'ai envoyé un mot de billet à Nita là-bas. Mais ma lettre, elle m'est revenue après un petit bout de temps – réexpédiée par la poste avec *N'habite plus à l'adresse indiquée* gribouillé dessus.

Ted Williamson se tut. Ses yeux calmes, d'un bleu profond, ne quittaient pas Poirot.

– Vous voyez ce que c'est, m'sieur, reprit-il. Ce n'est pas une affaire pour la police. Et je ne sais pas comment me débrouiller. Si… si vous pouviez me la retrouver… J'ai… pour ce qui est de vous payer, j'ai mis un peu d'argent à gauche. Je pourrais aller jusqu'à cinq livres – même dix, peut-être bien.

– Pour le moment, laissons de côté l'aspect financier des choses, dit Poirot avec gentillesse. Réfléchissons d'abord à ceci : cette jeune fille, cette Nita… elle connaît votre nom et elle sait où vous travaillez ?

– Oh oui, m'sieur.

– Elle aurait pu vous contacter si elle l'avait souhaité ?

– Oui, m'sieur.

– Et vous ne pensez pas que… peut-être…

– Ce que vous voulez me dire, m'sieur, le coupa Williamson, c'est qu'elle n'est pas tombée amoureuse de moi comme moi d'elle ? Peut-être bien que, d'un sens, ça n'est pas faux. Mais elle avait quand même le béguin pour moi. Je lui *plaisais*. Ça n'était pas seulement histoire de se donner du bon temps… Et puis je me dis qu'il y a sûrement eu une *raison* à tout ça. Vous savez, m'sieur, c'est quand même à une drôle de bande qu'elle était mêlée. Peut-être bien qu'elle est dans de sales draps, si vous voyez à quoi je pense.

– Elle pourrait attendre un enfant, c'est ça ? Un enfant de vous ?

– Pas de moi, m'sieur, répliqua Ted en rougissant. Il ne s'est rien passé entre nous.

Poirot le regarda, pensif :

– Et si ce que vous supposez est exact, vous souhaitez quand même la retrouver ?

Le sang monta au visage de Ted Williamson :

– Oui, c'est la retrouver que je veux, un point c'est tout ! Je veux la marier si elle veut bien de moi ! Et je me fiche des ennuis où elle s'est peut-être bien fourrée !… Dites, vous ne pouvez pas essayer de me la retrouver, m'sieur ?

Poirot sourit.

– Des cheveux comme des ailes d'or, murmura-t-il pour lui-même. Oui, je crois que voilà bien le troisième des travaux d'Hercule. Et cela s'est passé en Arcadie, si j'ai bonne mémoire.

*

Hercule Poirot regardait, songeur, le bout de papier sur lequel, en tirant la langue, Ted Williamson avait noté un nom et une adresse :

Miss Valetta, 17, Upper Renfrew Lane, Londres N15.

Il se demanda s'il pourrait apprendre quoi que ce soit à cette adresse. Il pensait que non. Mais c'était bien tout ce que Ted Williamson avait pu lui fournir pour aider à sa recherche.

Upper Renfrew Lane se présentait comme une petite rue pauvre mais décente. Au numéro 17, une femme aux formes rebondies et aux yeux glauques ouvrit la porte au détective.

– Miss Valetta ?

– Ça fait un bail qu'elle a pris ses cliques et ses claques.

Poirot s'avança sur le seuil à l'instant où la porte allait lui être refermée au nez :

– Peut-être pourriez-vous me donner son adresse ?

– J'aurais du mal. Elle l'a pas laissée.

– Quand est-elle partie ?

– Ça remonte à l'été dernier.

– Pouvez-vous me dire *quand* au juste ?

De la main droite d'Hercule Poirot s'éleva le tintement joyeux de deux pièces d'une demi-couronne. Ce bruit prometteur produisit sur la femme aux yeux glauques un effet magique : en un instant, elle fut l'amabilité même :

– Sûr que je demanderais pas mieux que de vous aider, m'sieur. Laissez-moi réfléchir… Août, non, avant ça… Juillet. Oui, ça devait être en juillet. La première semaine, je dirais. À toute allure, qu'elle est partie. Retournée en Italie, à ce que je crois.

– Donc italienne ?

– C'est ça, m'sieur.

– Et, pendant un moment, elle avait été la femme de chambre d'une danseuse russe, n'est-ce pas ?

– C'est bien ça. Madame Semoulina, quelque chose

408

dans ce goût-là. Elle dansait au Thespian, dans ce ballet que tout le monde en était fou. Même que c'était une des vedettes.

– Savez-vous pourquoi miss Valetta a quitté son travail ?

La femme hésita avant de répondre :

– Ma foi, vous m'en demandez trop.

– Elle a été renvoyée, non ?

– Ben… J'crois qu'il y a eu du pétard ! Mais, attention, miss Valetta m'a pas trop rien dit. C'était pas le genre causant. N'empêche qu'elle l'avait mauvaise. Faut dire que, question sale caractère, elle était servie. La vraie Italienne, quoi ! Avec des yeux noirs qui vous vrillaient à vous faire froid dans le dos. J'aurais pas voulu m'y frotter quand elle était mal lunée !

– Et vous êtes sûre que vous ne connaissez pas l'adresse actuelle de miss Valetta ?

Les demi-couronnes tintèrent à nouveau leurs encouragements. Mais la réponse parut sincère :

– Sûr que je voudrais bien la connaître, m'sieur. J'aurais été que trop contente de vous la donner. Seulement voilà… Elle est partie en moins de deux et voilà le travail.

– Eh oui, et voilà le travail, murmura Poirot, soucieux.

*

Ayant réussi à arracher Ambrose Vandel à la description dithyrambique du décor qu'il préparait pour un prochain ballet, Hercule Poirot put en obtenir assez facilement les informations qu'il recherchait.

– Sanderfield ? George Sanderfield ? Un sale bon-homme. Il roule sur l'or, mais on chuchote que c'est un escroc. Il cache bien son jeu, en tout cas. Une liaison avec une danseuse ? Mais bien sûr, très cher. Il a eu une liaison avec *Katrina*. Katrina Samoushenka. Vous ne pouvez pas ne pas l'avoir vue. Oh, très cher… délicieuse est un euphémisme ! Une technique démentielle. « Le cygne de Tuolela ». Ne me dites pas que vous ne vous êtes pas extasié devant un tel chef-d'œuvre. *Mon décor !* Et cette autre petite merveille, de Debussy ou de Mannine, je ne sais plus : « La biche au bois ». Elle la dansait avec Michael Novguine. Il est *tellement* divin, lui, vous ne trouvez pas ?

– C'était donc une amie de sir George Sanderfield ?

– Oui. Elle allait souvent passer le week-end chez lui, dans sa maison du bord de l'eau. Je crois savoir qu'il y donne des soirées fabuleuses.

– Vous serait-il possible, mon tout bon, de me présenter à mademoiselle Samoushenka ?

– Mais elle n'est plus ici, mon pauvre ami. Elle est partie pour Paris ou je ne sais où, et ce, très brutalement. Vous rendez-vous compte qu'on a été jusqu'à dire que c'était une espionne bolchevique ou je ne sais trop quoi ? Remarquez bien que j'ai personnellement toujours refusé d'y croire. Vous savez à quel point les gens adorent raconter ce genre de bobards. Katrina a toujours prétendu qu'elle était russe blanche… que son père était prince ou grand-duc. La rengaine habituelle, quoi ! L'esbroufe sera toujours l'esbroufe, non ?

Ambrose Vandel conclut sur un point d'orgue, puis en revint à son sujet de prédilection :

410

– Oui, comme je vous le disais, si vous voulez comprendre l'histoire de Bethsabée, il faut vous immerger dans la tradition juive… J'ai exprimé cela par…

Et, tout heureux, il développa sa théorie.

*

L'entrevue qu'Hercule Poirot avait réussi à obtenir de sir George Sanderfield ne débuta pas sous les meilleurs auspices.

Celui dont Ambrose Vandel avait laissé entendre qu'il pourrait bien s'agir d'un escroc paraissait franchement mal à l'aise. C'était un petit homme trapu, aux cheveux noirs crépus et à la nuque adipeuse.

– Que puis-je pour vous, monsieur Poirot ? demanda-t-il. Si je ne m'abuse, nous… euh… nous ne nous sommes jamais rencontrés ?

– Nous n'avions pas encore fait connaissance, en effet.

– Qu'est-ce qui vous amène ? Je dois vous avouer que je suis dévoré de curiosité.

– Oh, c'est vraiment tout simple… Juste quelques renseignements dont j'ai besoin.

Sanderfield eut un rire gêné :

– Vous voulez que je vous refile un tuyau de bourse, hein ? J'ignorais que vous vous intéressiez à la finance.

– Il ne s'agit pas de boursicotage. Mais bien plutôt de certaine dame.

– Oh, une femme…

Sir George Sanderfield s'enfonça plus profondément dans son fauteuil et parut se détendre. Sa voix paraissait mieux assurée.

– Je crois savoir, reprit Poirot, que vous étiez assez lié avec mademoiselle Katrina Samoushenka ?

– Oui, gloussa Sanderfield. Une enchanteresse. Quel dommage qu'elle ait quitté Londres.

– Pourquoi a-t-elle quitté Londres ?

– Ça, mon vieux, je n'en sais rien du tout. Un différend avec le directeur de la troupe, j'imagine. Elle avait ses humeurs, vous savez. Très russe de caractère. Je suis désolé de ne pas pouvoir vous aider, mais je n'ai pas la moindre idée de l'endroit où elle se trouve actuellement. Je n'ai gardé aucun contact avec elle.

Le ton indiquait son souci de mettre fin à la conversation, et il se leva.

– Mais ce n'est pas mademoiselle Samoushenka que je souhaite retrouver, précisa Poirot.

– Allons bon !

– Non, il s'agit de sa femme de chambre.

– Sa *femme de chambre* ? fit Sanderfield éberlué.

– Peut-être, insinua Poirot, vous souvenez-vous d'elle ?

À nouveau, sir George Sanderfield sembla mal à l'aise. Sa voix sonna faux :

– Grands dieux, non ! Comment m'en souviendrais-je ? Bien sûr, je sais qu'elle en avait *une*. Pas quelqu'un de très bien, si vous voulez mon avis. Une fouinarde pas vraiment honnête. Si j'étais vous, je ne croirais pas un mot de ce que cette fille pourrait vous raconter. C'est le type même de la menteuse-née.

– Vous me semblez en avoir conservé un souvenir assez net, dites-moi !

– Je vous ai fait part d'une impression, sans plus, corrigea Sanderfield en toute hâte. Je ne me rappelle même pas son nom. Voyons… Marie je ne sais trop quoi. Non, je ne crois pas que je puisse vous aider à mettre la main dessus. Désolé.

– Au Thespian Theater, j'ai déjà obtenu le nom de Marie Hellin, ainsi que son adresse, murmura Poirot, doucereux. Mais je faisais allusion, sir George, à la femme de chambre qui était auprès de mademoiselle Samoushenka *avant* Marie Hellin. Je parle de Nita Valetta.

Sir George Sanderfield donna dans l'ébahissement :

– Pas le moindre souvenir d'elle. Marie est la seule dont, personnellement, je me souvienne. Une petite noiraude avec un drôle de regard.

– La jeune fille dont je vous parle, insista Poirot, a séjourné chez vous, à Grasslawn, en juin dernier.

– Écoutez, riposta Sanderfield avec une pointe d'impatience, tout ce que je peux dire c'est que je ne me souviens pas d'elle. Je ne crois même pas que Katrina avait amené sa femme de chambre. Je suis persuadé que vous faites erreur.

Hercule Poirot secoua la tête. Il était bien convaincu du contraire.

*

Marie Hellin fixa sur Hercule Poirot un regard vif et intelligent, puis détourna rapidement les yeux.

– Mais je vous assure pourtant bien que je m'en souviens *parfaitement,* monsieur, dit-elle d'une voix tranquille. J'ai été engagée par Mme Samoushenka la dernière semaine de juin. Sa précédente femme de chambre l'avait quittée brutalement.

– Avez-vous jamais su pourquoi elle l'avait quittée ?

– Elle était partie… en coup de vent. C'est tout ce que je sais. Peut-être bien qu'elle était malade, quelque chose comme ça. Madame ne m'en a rien dit.

– On s'entendait facilement avec votre patronne ? demanda Poirot.

Elle haussa le épaules :

– Elle avait ses humeurs. Un coup elle pleurait, un coup elle riait. Quelquefois, elle était si déprimée qu'elle cessait de manger et qu'elle ne parlait plus à personne. À d'autres moments, elle était d'une gaieté folle. C'est comme ça, avec les danseurs. C'est dans leur tempérament.

– Et sir George ?

Marie fixa sur Poirot un regard inquiet. Une lueur déplaisante s'alluma dans ses yeux :

– Sir George Sanderfield ? C'est sur lui que vous voulez savoir des choses ? Peut-être bien que c'est ça, ce que vous voulez vraiment savoir ? Le reste, ça n'était qu'un prétexte, pas vrai ?… Mais alors là, sur sir George, je peux vous en raconter des vertes et des pas mûres ! Je…

– Cela n'a rien d'indispensable, la coupa précipitamment Poirot.

Yeux écarquillés, bouche bée, elle le fixa. La colère et la déception se lisaient dans ses yeux.

*

414

– Comme je ne me lasse pas de le dire, vous êtes toujours au courant de tout, Alexis Pavlovitch.

Hercule Poirot était parvenu à transformer cette phrase banale en basse flatterie.

Le troisième des travaux d'Hercule, estimait-il, avait exigé plus de déplacements et de rencontres qu'il ne l'aurait jamais imaginé. Retrouver une petite femme de chambre constituait un des problèmes les plus complexes qu'il ait eu à résoudre. Chacune des pistes, dès lors qu'on l'empruntait, se muait en cul-de-sac.

Ce soir-là, son enquête l'avait conduit à Paris, au restaurant *Le Samovar*, dont le propriétaire, le comte Alexis Pavlovitch, tirait vanité de ne rien ignorer de ce qui se passait dans le monde de l'Art.

Pour l'heure, le comte buvait du petit lait :

– Mais bien évidemment, très cher, mais bien évidemment. Moi, je suis au courant… moi, je suis toujours au courant de *tout*. Vous voulez que je vous dise où est allée se cacher la petite Samoushenka, cette exquise danseuse ? Ah, c'était quelqu'un ce petit bout de femme !

Pour appuyer ses dires, le comte se baisa le bout des doigts.

– Quel feu ! s'exclama-t-il. Quel abandon ! Elle serait allée loin, très loin ! Elle aurait pu devenir la plus grande ballerine de son temps ! Et puis, tout à coup, plus rien. Tout s'arrête. Elle file en catimini. Elle s'enfuit au bout du monde. Et, bien vite – ah, si vite ! – voilà que tout le monde l'a déjà oubliée.

– Où est-elle donc ? questionna Poirot.

– En Suisse. À Vagray-les-Alpes. C'est là qu'ils vont tous, ceux qui ont cette vilaine petite toux sèche et qui maigrissent chaque jour davantage. Oh, elle va se laisser mourir… oui, elle va se laisser mourir. Elle est tellement fataliste. Oui, je suis persuadé qu'elle va se laisser mourir.

Poirot toussota pour mettre fin à ces tragiques prédictions. Il avait besoin d'informations plus concrètes :

– Par hasard, mon cher comte, ne vous souviendriez-vous pas d'une femme de chambre qui était à son service ? Une jeune femme qui s'appelait Nita Valetta ?

– Valetta ? Valetta ? Je me rappelle avoir vu un beau jour une femme de chambre… à la gare, alors que j'accompagnais Katrina qui partait pour Londres. C'était une Italienne, de Pise, non ? Si, c'est bien ça, j'en suis sûr, c'était une Italienne originaire de Pise.

Poirot poussa un soupir à fendre l'âme.

– Eh bien dans ce cas, gémit-il, il va falloir que je me traîne jusqu'à Pise.

*

Au cœur du Campo Santo, à Pise, Poirot contemplait une tombe.

Ainsi, c'était là que sa longue quête prenait fin – sous ce simple carré de terre. C'était là que gisait l'ardente créature qui avait enflammé le cœur et l'imagination d'un humble mécanicien anglais.

Au fond, peut-être était-il préférable que cette rocambolesque histoire d'amour prenne fin ainsi. Désormais, la jeune femme vivrait éternellement dans les souvenirs de Ted Williamson telle qu'il l'avait connue pendant les courtes heures d'un radieux après-midi de juin. Tout ce qui aurait pu les opposer – leurs nationalités différentes, leurs modes de vie, le poids du désenchantement – était à jamais banni…

Avec tristesse, Hercule Poirot secoua la tête. Il se remémorait sa conversation avec la famille Valetta. Le visage de paysanne, taillé à la serpe, de la mère. Le père, accablé de chagrin. La sœur, si brune et à la bouche si dure.

– Ç'a été tellement brutal, *signor,* tellement brutal. Bien sûr, depuis des années, elle se plaignait de temps en temps. Le médecin ne nous a pas donné le choix. Il a dit qu'il fallait l'opérer de l'appendicite tout de suite. Il l'a emmenée à l'hôpital et… *Si, si,* elle est morte pendant l'anesthésie. Elle n'a jamais repris conscience.

Entre deux sanglots, la mère avait murmuré :

– Bianca avait toujours été une fille si douée. Pourquoi a-t-il fallu qu'elle meure avant l'âge ?

Et Poirot de se répéter :

« Elle est morte avant l'âge. »

C'était là le message qu'il lui faudrait transmettre à Ted Williamson, qui avait sollicité son aide avec tant de confiance :

– *Elle ne sera pas pour vous, mon vieux. Elle est morte avant l'âge.*

Sa quête était terminée. La Tour penchée dressait sa silhouette étrange contre le ciel bleu, et les premières fleurs du printemps, pâles encore, annonçaient déjà les promesses à venir de vie et de bonheur.

Étaient-ce les premiers émois du printemps qui le poussaient à rejeter de tout son être ce verdict sans appel ? Ou bien encore autre chose ? Quelque chose qui lui trottait dans la tête... des mots ? une phrase ? un nom ? Toute cette histoire ne s'achevait-elle pas trop simplement – de manière trop évidente ?

Hercule Poirot soupira. Pour effacer ses derniers doutes, il lui fallait reprendre son bâton de pèlerin. Il lui fallait se rendre à Vagray-les-Alpes.

*

Ici, pensait Poirot, c'était vraiment le bout du monde. Cet épais manteau de neige... et tous ces chalets, ces refuges éparpillés, dans lesquels des êtres humains, presque immobiles, luttaient contre une mort sournoise.

Il avait fini par arriver jusqu'à Katrina Samoushenka. Quand il la vit, allongée, ses joues creuses marquées d'une tache violacée et ses longues mains amaigries et diaphanes posées sur la couverture, un souvenir remonta. Il ne s'était pas souvenu de son nom, mais il l'avait bel et bien déjà vue danser. Il avait été transporté, fasciné par cette forme suprême d'art qui fait oublier l'art lui-même.

Il se souvenait aussi de Michael Novguine, dans le personnage du Chasseur, sautant et virevoltant dans le décor fantasmagorique d'une forêt imaginée par Ambrose Vandel. Et il se rappelait également la finesse de la Biche qui semblait survoler la scène, éternellement pourchassée, éternellement désirable – divine créature aux cheveux d'or relevés comme deux petites cornes, et aux étincelants pieds d'airain... À sa mémoire revenait la scène où, blessée, elle s'effondre et où Michael Novguine, le regard égaré, tenait dans ses bras le corps de la Biche.

Katrina Samoushenka fixait Poirot d'un regard presque exempt de curiosité.

– Je ne vous ai encore jamais vu, n'est-ce pas ? dit-elle. Que me voulez-vous ?

Poirot plongea dans une de ses habituelles courbettes :

– Avant tout, madame, je veux vous dire mes remerciements… pour votre art qui, naguère, m'a fait passer une soirée toute de beauté.

Elle sourit à peine.

– Mais, reprit Poirot, je suis également ici à titre professionnel. Depuis longtemps, madame, je suis à la recherche d'une femme de chambre qui a été à votre service. Elle se prénommait Nita.

– Nita ?

Elle le fixait de ses grands yeux écarquillés.

– Nita, répéta-t-elle. Que savez-vous d'elle ?

– Je vais vous le dire.

Il lui fit le récit de cette soirée où sa voiture était tombée en panne, et de sa rencontre avec Ted Williamson qui tordait sa casquette dans ses mains et qui avait parlé en bégayant de son amour et de son chagrin. Elle l'écouta avec attention.

– C'est touchant, tout cela, finit-elle par dire. Oui, très touchant.

Poirot hocha la tête :

– Oui. C'est une légende d'Arcadie, ne trouvez-vous pas ? Que pouvez-vous me dire, madame, de cette jeune fille ?

Katrina Samoushenka soupira :

– J'avais une femme de chambre… Juanita. Elle était adorable… la joie de vivre personnifiée. Et il lui est

419

arrivé ce qui arrive trop souvent à ceux que les dieux favorisent. Elle est morte avant l'âge.

Les mots même que Poirot avait prononcés – des mots définitifs, irrévocables… Voilà qu'il les entendait à nouveau. Il n'en persista pas moins :

– Elle est réellement morte ?

– Oui, elle est morte et plus encore.

Hercule Poirot garda le silence un moment, puis :

– Il y a une chose que je ne parviens pas à comprendre, dit-il. J'ai interrogé sir George Sanderfield à propos de votre femme de chambre et il m'a paru ressentir une certaine peur… Pourquoi cela ?

Le mépris se peignit sur le visage de Katrina :

– Vous n'aviez pas précisé quelle femme de chambre. Il a dû s'imaginer que vous parliez de Marie, la fille que j'ai prise à mon service quand Juanita m'a quittée. Elle a essayé de le faire chanter, semble-t-il, à propos de je ne sais quoi qu'elle avait découvert sur son compte. C'était une fille odieuse… indiscrète, qui lisait les lettres et ouvrait les tiroirs.

– Ceci explique donc cela, murmura Poirot.

Il prit le temps d'une pause, puis insista :

– Le nom de famille de Juanita était Valetta, et elle est morte à Pise d'une opération de l'appendicite. C'est bien exact ?

Elle hésita, presque imperceptiblement, avant de donner sa réponse :

– Oui, c'est exact.

– Il y a pourtant un petit détail qui me tracasse. Quand sa famille l'évoque, ils ne l'appellent pas *Juanita*, mais *Bianca*.

Katrina haussa ses épaules trop creuses :

– Bianca… Juanita, quelle importance ? J'imagine que son vrai nom était Bianca, mais qu'elle a trouvé plus romantique de se faire appeler Juanita.

– Ah, vous croyez ça ?

Poirot s'interrompit, puis reprit d'une voix dont le ton avait changé :

– Pour moi, il y a une autre explication.

– Laquelle ?

Il se pencha en avant :

– La jeune fille que Ted Williamson a vue avait des cheveux qui, m'a-t-il confié, ressemblaient à des ailes d'or.

Il se pencha encore un peu et, d'un doigt, effleura la chevelure qui, de part et d'autre d'une raie médiane, couronnait le front de Katrina :

– Des ailes d'or ou des cornes d'or ? Le tout est de savoir si l'on souhaite voir en vous l'ange ou le démon. Vous pouvez être l'un ou l'autre. À moins qu'il ne s'agisse seulement des cornes d'or de la biche blessée ?

– *La biche blessée*, souffla-t-elle sur un ton dénué de tout espoir.

– Depuis le début, expliqua Poirot, quelque chose me titillait dans la description de la jeune femme que m'avait faite Ted Williamson. Et ce quelque chose, c'était *vous*, dansant dans la forêt sur vos étincelants pieds d'airain. Voulez-vous que je vous dise le fond de ma pensée, mademoiselle ? Je suis persuadé qu'il y a eu une semaine pendant laquelle vous n'aviez plus de femme de chambre et où vous êtes allée seule à Grasslawn, parce que Bianca Valetta était retournée en Italie et que vous n'aviez pas encore engagé sa remplaçante. Vous ressentiez déjà les premiers symptômes de votre maladie, et vous êtes restée dans la maison pendant que sir George et les autres invités partaient pique-niquer sur la rivière. On a sonné à la porte, vous êtes allée ouvrir, et alors vous avez vu... *dois-je vraiment vous dire ce que vous avez vu* ? Vous avez vu un jeune homme naïf comme un enfant et beau comme un dieu ! Et pour lui, vous avez inventé un personnage – non pas *Juanita* mais *Incognita* – et, pendant quelques heures, vous avez arpenté l'Arcadie en sa compagnie.

Il y eut un long silence. Puis Katrina avoua, d'une voix basse et étranglée :

– Sur un point, au moins, je vous ai dit la vérité. Je vous ai donné la véritable fin de l'histoire. Nita mourra avant l'âge.

– Ah ça, non, par exemple ! éclata Poirot.

Il n'était plus le même homme. Il frappa la table du poing. Il était soudain devenu prosaïque, terre à terre, pratique :

– Ça n'a vraiment rien d'indispensable ! Ce n'est pas une fatalité. Quel *besoin* avez-vous de mourir ? Vous devez bien être après tout capable de vous battre pour la vie aussi bien qu'une autre, non ?

Elle secoua la tête avec tristesse, avec désespoir :

– Quelle vie peut-il encore y avoir pour moi ?

– Cela ne pourra plus être la scène, bien entendu. Mais réfléchissez : on peut vivre ailleurs que sous les feux de la rampe. Allons, mademoiselle, soyez honnête : votre père était-il vraiment prince, ou grand-duc, ou même seulement général ?

– Il était chauffeur de camion à Leningrad, avoua-t-elle dans un éclat de rire cristallin.

– Excellent ! En ce cas, pourquoi ne deviendriez-vous pas la femme d'un garagiste de village ? Et pourquoi n'auriez-vous pas des enfants beaux comme des dieux, et qui, peut-être, un jour, danseront comme vous saviez danser ?

Katrina retint son souffle, puis :

– Mais c'est une idée complètement rocambolesque ! s'exclama-t-elle.

– Néanmoins, se rengorgea Hercule Poirot, encore plus satisfait de lui-même que de coutume, je suis convaincu qu'elle se réalisera !

4

Le sanglier d'Érymanthe
(The Erymanthian Boar)

Mener à bien le troisième des Travaux d'Hercule l'ayant contraint à un voyage en Suisse, Hercule Poirot décida de mettre à profit son séjour pour visiter des lieux qu'il ne connaissait pas encore.

Il passa ainsi quelques jours fort agréables à Chamonix, s'attarda ensuite quarante-huit heures à Montreux, puis se rendit à Andermatt dont plusieurs de ses amis lui avaient fait l'éloge.

Andermatt, hélas, ne lui réussit pas. Cette station touristique se trouvait au fond d'une vallée écrasée par les contreforts de montagnes escarpées. Sans motif précis, Hercule Poirot se sentait oppressé.

« Il est exclu que je reste ici », se désolait-il quand, tout à coup, la vue d'un funiculaire accrocha son regard. « Il n'y a pas de doute, il me faut monter. »

Il se renseigna et découvrit que le funiculaire passait par les Avines, puis par Caurouchet, pour finalement aboutir aux Rochers Neiges, à plus de trois mille mètres.

Poirot n'envisageait pas de monter aussi haut. Les Avines, pensait-il, feraient tout à fait son affaire.

Mais c'était compter sans l'intervention du hasard qui, dans la vie de tout homme, joue un rôle primordial.

Le funiculaire n'était pas plus tôt parti que le contrôleur vint demander à Poirot son billet qu'il vérifia, puis poinçonna au moyen d'une pince impressionnante avant de le lui rendre en s'inclinant. Au même instant, Poirot sentit qu'un petit bout de papier lui était glissé dans la main.

Il réprima un léger froncement des sourcils et, discrètement, sans hâte, déplia le message écrit au crayon par une main fébrile :

Impossible de se tromper sur ces moustaches ! Je vous salue, mon cher collègue. Si vous le voulez, vous pouvez m'être d'un grand secours. Je suis sûr que vous avez entendu parler de l'affaire Salley. Or nous avons tout lieu de penser que l'assassin, Marrascaud, et plusieurs des membres de sa bande ont rendez-vous – je vous le donne en mille ! – aux Rochers Neiges. Il peut naturellement s'agir d'un bobard, mais notre information paraît sérieuse : quelqu'un finit toujours par bavarder, n'est-ce pas ? Ouvrez l'œil, mon bon ami. Prenez contact avec l'inspecteur Drouet, qui est sur place. C'est un garçon très bien, mais qui ne peut prétendre au génie d'un Hercule Poirot ! Il est impératif mon tout bon, que Marrascaud soit capturé vivant. Ce n'est pas un homme, c'est un sanglier furieux, l'un des tueurs les plus dangereux qui soient. Je n'ai pas voulu courir le risque de vous parler à Andermatt car je redoutais d'être repéré. Et vous aurez les coudées plus franches si on vous prend pour un simple touriste. Bonne chasse !

> Votre vieil ami,
> Lementeuil

Pensif, Poirot caressa ses moustaches.

Eh oui, c'était vrai : il était impossible de ne pas reconnaître les inimitables moustaches d'Hercule Poirot. Mais l'important était ailleurs. De quoi s'agissait-il ? Il avait lu dans les journaux tout ce qui concernait l'affaire Salley, l'assassinat, de sang-froid, d'un célèbre bookmaker parisien. On connaissait l'identité de l'assassin. Marrascaud appartenait à une bande qui écumait les champs de course. On l'avait déjà soupçonné de nombreux autres meurtres, mais, cette fois, sa culpabilité avait été établie sans le moindre doute. Il avait pris la fuite et on pensait qu'il avait quitté la France. Toutes les polices d'Europe étaient à ses trousses.

Et voilà qu'un informateur avait révélé que Marrascaud avait un rendez-vous aux Rochers Neiges.

Poirot secoua la tête, incrédule. Les Rochers Neiges se situaient dans le domaine des neiges éternelles. Il y avait bien là un hôtel assez luxueux, mais l'établissement, perché sur une étroite plate-forme qui dominait la vallée, n'était relié au monde que par le funiculaire. L'établissement ouvrait dès le mois de juin. Il fallait cependant attendre en général juillet pour que les clients commencent à arriver. L'endroit avait bien peu d'issues. Il semblait inconcevable qu'un ramassis de criminels l'aient choisi pour se donner rendez-vous.

Pourtant, si Lementeuil faisait confiance à son informateur, il avait sans doute ses raisons. Hercule Poirot avait de l'estime pour ce commissaire de police suisse. Il le savait courageux et plein de bon sens.

Un motif inconnu, il fallait l'admettre, conduisait Marrascaud en ce lieu situé bien loin du monde civilisé.

Poirot soupira. Traquer un tueur sans pitié ne correspondait pas vraiment à l'idée qu'il se faisait d'agréables vacances. Il aurait préféré se prélasser dans un bon fauteuil et s'y abandonner à la réflexion plutôt que de piéger un sanglier furieux au bord d'un précipice.

Un sanglier furieux. C'était là l'expression à laquelle Lementeuil avait eu recours. Ne fallait-il y voir qu'une simple coïncidence ?

– Le quatrième des Travaux d'Hercule, murmura Poirot pour lui-même. Le sanglier d'Érymanthe.

Discrètement, il observa les autres passagers du funiculaire.

Sur la banquette en face de la sienne, il y avait un touriste américain. La coupe de ses vêtements, de son manteau, l'alpenstock arrimé à sa valise, l'attention passionnée qu'il portait au paysage et jusqu'au guide qu'il avait à la main, tout concourait à démontrer qu'il s'agissait bien d'un citoyen des États-Unis, tout droit débarqué de sa province et venu visiter l'Europe pour la première fois. Dans peu de minutes, jugea Poirot, l'homme allait engager la conversation. Il n'y avait pas à se tromper sur son expression mélancolique de bon chien soumis.

De l'autre côté de la cabine se tenait un homme assez grand, d'une certaine distinction, aux cheveux grisonnants et au long nez curviligne, qui lisait un ouvrage en allemand. Ses doigts secs et nerveux étaient ceux d'un musicien, ou d'un chirurgien.

Plus loin, trois individus jouaient aux cartes. Ils étaient tous trois bâtis sur le même modèle : jambes arquées et allure trahissant une familiarité de tous les jours avec la race chevaline. On pouvait s'attendre à les voir, d'une seconde à l'autre, suggérer à un inconnu de prendre part à leur jeu. Au début, le nouveau venu ne manquerait pas de gagner. Et puis sa chance tournerait.

En fait, il n'y avait rien chez ces trois hommes qui sorte de l'ordinaire. Ce qui sortait de l'ordinaire, c'était qu'ils se trouvent là. On se serait attendu à les rencontrer dans l'omnibus conduisant à un hippodrome de banlieue, ou sur un paquebot de deuxième catégorie – mais certainement pas dans un funiculaire presque vide.

Plus loin encore, une passagère regardait le panorama sans le voir. Elle était grande et brune. Ses traits, admirablement modelés, étaient sans aucun doute capables d'exprimer toute la gamme des émotions et des sentiments. Mais, pour le moment, on était surtout frappé par leur totale vacuité.

Comme Poirot s'y était préparé, l'Américain entama la conversation. Il expliqua que son nom était Schwartz et qu'il visitait l'Europe pour la première fois. À son avis, le paysage était du tonnerre. Il avait été très impressionné par le château de Chillon. En revanche, il n'avait guère été séduit par Paris, dont il jugeait la réputation bien surfaite. Il était allé aux Folies-Bergère, au Louvre et à Notre-Dame, et avait constaté que dans aucun de ces établissements on ne jouait de bon jazz. Seuls, les Champs-Élysées étaient considérés par lui comme assez chouettes, et il en aimait bien les fontaines – surtout le soir, quand elles étaient illuminées.

Nul ne descendit aux Avines ni à Caurouchet. Il devenait évident que tous les passagers du funiculaire faisaient route pour les Rochers Neiges.

Mr Schwartz ne manqua pas de donner à Poirot ses propres raisons de s'y rendre. Il avait toujours souhaité accéder aux neiges éternelles et, plus de trois mille mètres, ça commençait déjà à valoir le coup. À ce propos, il s'était laissé dire qu'à des altitudes pareilles, c'était plutôt coton de faire cuire un œuf à la coque.

Dans sa cordialité naïve, Mr Schwartz tenta d'engager aussi la conversation avec le grand homme aux cheveux grisonnants, qui se contenta de lui adresser un regard glacé par-dessus son pince-nez et se replongea dans la lecture de son livre.

Sans se laisser décourager, Mr Schwartz offrit alors à la passagère d'échanger sa place avec lui, car elle pourrait jouir d'une vue plus agréable.

On pouvait se demander si elle comprenait l'anglais. En tout cas, elle secoua la tête et resserra le col de son manteau de fourrure.

– Ça n'est vraiment pas normal de voir une femme voyager toute seule, sans personne qui soit aux petits soins pour elle, confia Mr Schwartz à Poirot. Quand une femme voyage, il lui faut quelqu'un pour veiller à tout.

Songeant à certaines Américaines qu'il avait rencontrées sur le Continent, Poirot acquiesça.

Mr Schwartz soupira. Il trouvait le monde bien hostile. Tout n'irait-il pas mieux, proclamait hautement le regard de ses grands yeux noisette, avec un peu plus de chaleur humaine ?

*

Être reçu dans un endroit aussi loin de tout – ou plus exactement aussi au-dessus de tout – par un directeur d'hôtel portant jaquette et escarpins vernis avait quelque chose d'un tantinet incongru.

C'était un homme élancé, élégant, et qui cherchait à se donner de l'importance. Pour l'heure, il se répandait en excuses :

– Si tôt dans la saison… Une panne d'eau chaude… Tant de choses à remettre en service… Naturellement, je ferai l'impossible pour… Le personnel n'est pas encore au complet… Vous me voyez confus… Un nombre aussi élevé de nouveaux arrivants…

Derrière la façade d'irréprochable courtoisie professionnelle, Poirot crut déceler une profonde anxiété. Malgré l'aisance de son comportement, l'homme n'était pas à l'aise. Quelque chose le tracassait.

Le déjeuner fut servi dans une longue salle dont les baies vitrées donnaient sur la vallée. L'unique serveur, qui répondait au prénom de Gustave, se montra adroit et efficace. Il se multipliait, conseillant l'un sur le choix de son menu et détaillant la carte des vins à un autre. Les trois individus aux allures chevalines avaient pris place à la même table. Ils riaient beaucoup et parlaient haut, en français :

– Joseph, sacrée vieille branche ! Et comment va la Denise, mon cochon ? Tu te souviens de cette carne qui nous a tous fichus dedans à Auteuil ?

Ces propos semblaient chaleureux, authentiques – mais ils sonnaient bizarrement dans cet hôtel du bout du monde.

La jeune femme au beau visage occupait seule une table à l'écart. Elle ne regardait personne.

À l'issue du repas, Poirot s'installa au salon. Le directeur vint lui faire quelques confidences.

Il souhaitait, dit-il, que l'hôtel et sa direction ne soient pas trop sévèrement jugés. La saison n'avait pas encore débuté. En général, personne n'arrivait avant la fin juin. M. Poirot avait peut-être remarqué la dame ? Elle, en revanche, venait toujours à cette période. Son mari avait trouvé la mort trois ans auparavant, au cours d'une ascension. Triste histoire ! Ils étaient tellement inséparables. Elle venait toujours avant que la saison ne commence, pour être vraiment tranquille. Pour elle, c'était une sorte de pèlerinage. Le monsieur un peu âgé était un médecin réputé, le Dr Lutz, de Vienne. Il était, lui, venu à l'hôtel pour trouver un peu de calme et de repos.

– Il est bien vrai que l'endroit est paisible, concéda Poirot.

Puis, montrant les trois compères :

– Mais ces *messieurs* ? Ils cherchent eux aussi le repos, vous croyez ?

Le directeur haussa les épaules, mais parut à nouveau inquiet et lâcha, sans grande conviction :

– Ah, ces touristes… Toujours à l'affût d'expériences inédites ! Rien que l'altitude leur procure une sensation nouvelle.

De l'avis de Poirot, ce n'était pas une sensation particulièrement agréable. Il ressentait trop l'accélération des battements de son cœur. Stupidement, il se répétait une phrase qui, par sa sonorité, évoquait la marche d'une locomotive à grande vitesse : « Si tu tombes, tu t'tues, si tu tombes, tu t'tues. »

Schwartz fit son entrée au salon. À la vue de Poirot, ses yeux s'éclairèrent, et il vint à lui :

– Je viens de discuter avec ce docteur. Il parle un peu l'anglais. C'est un juif. Les Nazis l'ont chassé d'Autriche. Ces gens-là sont vraiment cinglés ! Ce Dr Lutz, c'était un ponte, je crois. Un spécialiste des nerfs. La psychanalyse. Tout le tremblement.

Puis Schwartz, d'un geste, désigna la jeune femme qui ne cessait de fixer les sommets enneigés. Il baissa la voix :

– J'ai eu son nom par le serveur. C'est une certaine Mme Grandier. Son mari s'est tué en montagne. C'est pour ça qu'elle vient ici. Vous ne trouvez pas qu'on devrait essayer de faire quelque chose – de l'arracher un peu à elle-même ?

– À votre place, je ne m'y risquerais pas, lui conseilla Poirot.

Mais rien ne pouvait décourager le bon cœur de Mr Schwartz. Poirot vit comment il tenta de nouer le contact, et avec quelle froideur sa tentative fut repoussée. Pendant un instant, leurs deux silhouettes se dessinèrent devant la fenêtre. La jeune femme était plus grande que Schwartz. Elle rejetait la tête en arrière, et tout son comportement exprimait la réserve et le dédain.

Hercule Poirot ne parvint pas à entendre ce qu'elle disait, mais quand Schwartz revint, il avait la mine défaite :

– Rien à faire, avoua-t-il piteusement.

Puis sa bonne nature reprit le dessus :

– Je trouve quand même que, quand des êtres humains sont rassemblés comme ça, il n'y a aucune raison de ne pas se montrer sociables les uns envers les autres. Vous n'êtes pas d'accord, Mr… Je m'aperçois que je ne sais même pas votre nom.

– Je m'appelle Poirier, répondit Poirot. Je suis de Lyon et je fais le commerce de la soie.

– Je vais vous donner ma carte. Et vous pouvez être sûr que si vous venez un jour à Fountain Springs, vous y serez le bienvenu.

Poirot prit la carte de visite qui lui était tendue, puis, tapotant du plat de la main la poche de son veston :

– Que c'est bête ! Je n'ai pas la mienne sur moi.

Ce soir-là, avant de se coucher, Poirot relut avec soin le billet de Lementeuil, qu'il replia avant de le ranger dans son portefeuille.

– C'est curieux, murmura-t-il. Je me demande si…

*

Ce fut Gustave, le serveur, qui apporta à Poirot un petit déjeuner composé de café et de croissants. Il présenta force excuses au sujet du café :

432

– Monsieur doit bien comprendre, n'est-ce pas, qu'à cette altitude, il est impossible d'obtenir du café réellement chaud. L'eau bout, hélas ! bien avant d'atteindre la bonne température.

– Il nous faut accepter avec force d'âme les bizarreries de la nature, répliqua Poirot.

– Je vois que Monsieur est philosophe.

Gustave se dirigea vers la porte, mais, au lieu de quitter la chambre, il jeta un rapide coup d'œil dans le couloir, referma le battant et revint à côté du lit :

– Monsieur Hercule Poirot ? Je suis l'inspecteur Drouet.

– Bah ! répondit Poirot. Je m'en étais douté.

Drouet baissa la voix :

– Monsieur Poirot, il vient de se produire un incident grave. Le funiculaire a subi une avarie.

– Une avarie ? Quel genre d'avarie ?

– Personne n'a été blessé. Ça s'est passé pendant la nuit. Il y a peut-être une cause naturelle – une mini-avalanche qui aurait déclenché une chute de pierres et de rochers. Mais la malveillance ou le sabotage ne sont pas à exclure. On ne sait pas. De toute manière, le résultat est le même. Il va falloir plusieurs jours pour rétablir la voie. Et, en attendant, *nous sommes coupés du monde*. Si tôt dans la saison, il y a trop de neige pour qu'on puisse rejoindre la vallée.

Poirot se redressa sur ses oreillers :

– Voilà qui est bien intéressant, fit-il remarquer à mi-voix.

– Oui. Ça tendrait à prouver que l'information du commissaire était exacte. Marrascaud a bel et bien rendez-vous ici, et il a fait ce qu'il fallait pour ne pas être dérangé.

– C'est quand même incroyable ! s'exclama Poirot.

– Je vous l'accorde, acquiesça l'inspecteur. Ça défie le bon sens ! Mais c'est comme ça. Vous savez, ce Marrascaud est un type ahurissant. Moi, je suis persuadé qu'il est *fou*.

– Un fou doublé d'un assassin.

– Je reconnais que ça n'est pas drôle, grinça l'inspecteur.

Poirot réfléchit tout haut :

– Oui, mais cela veut dire que si Marrascaud a bien rendez-vous ici, au beau milieu de toute cette neige, *il est déjà arrivé*, puisque nous sommes maintenant isolés.

– Je sais, concéda froidement Drouet.

Les deux hommes gardèrent un moment le silence.

– Ce Dr Lutz, finit par dire Poirot. Ce ne serait pas Marrascaud, par hasard ?

Drouet secoua la tête :

– Non, je ne pense pas. Il existe bien un Dr Lutz, médecin connu et respecté. J'ai déjà vu sa photo dans les journaux. Et cet homme est son portrait tout craché.

– Si Marrascaud est un as du déguisement, murmura Poirot, il peut fort bien être capable de jouer son personnage.

– Oui, mais est-ce bien le cas ? Personne n'a jamais prétendu que Marrascaud savait changer de peau. Il n'a rien d'un serpent prudent et rusé. Non, c'est un sanglier furieux, effrayant, qui charge à l'aveuglette.

– Tout de même…, insista Poirot.

– Bien sûr, reconnut Drouet, il est en fuite. Il ne peut pas se présenter tel qu'il est. Il est donc en effet possible

– et même probable – qu'il se déguise d'une manière quelconque.

– Vous avez son signalement ?

Drouet haussa encore une fois les épaules :

– Sommaire, hélas. J'aurais dû recevoir aujourd'hui les photos et les renseignements détaillés de l'Identité judiciaire. Je sais seulement qu'il a la trentaine, le teint mat et qu'il est de taille moyenne. Pas de signe particulier.

Ce fut au tour de Poirot de hausser les épaules :

– Voilà qui pourrait s'appliquer à n'importe qui. Et l'Américain, Schwartz ?

– J'allais vous poser la question. Vous lui avez parlé, et je crois savoir que vous fréquentez beaucoup d'Anglais et d'Américains. À première vue, c'est un touriste tout ce qu'il y a de banal. Son passeport est en règle. Évidemment, on peut trouver suspect qu'il ait choisi de venir *ici*. Mais, avec ces gens-là, on peut aussi s'attendre à tout. Qu'en pensez-vous vous-même ?

Poirot ne chercha pas à dissimuler sa perplexité :

– A priori, j'avoue qu'il m'a l'air inoffensif – un peu trop bavard et entreprenant tout au plus. C'est à coup sûr un raseur, mais il me paraîtrait abusif de le considérer comme dangereux.

Il s'interrompit un instant avant de reprendre :

– Et la petite bande des trois ?

L'inspecteur hocha la tête, le regard soudain plus vif :

– Ceux-là, ils ont en tout cas le physique de l'emploi. Je vous parie tout ce que vous voulez, monsieur Poirot, que ces trois-là sont à la solde de Marrascaud. Ils ont des gueules d'écumeurs d'hippodromes ou je ne m'y connais pas. Et il se pourrait bien que l'un des trois soit Marrascaud en personne.

Hercule Poirot prit le temps de la réflexion et tâcha de se remémorer les traits des trois hommes.

Le premier avait un visage épais, porcin, bestial, le sourcil broussailleux et un triple menton. Le second compère, émacié, aux yeux glacés, arborait un faciès en lame de couteau. Quant au troisième, on l'aurait volontiers qualifié de « grand dadais à face de lune ».

Il se pouvait, après tout, que l'un des trois soit Marrascaud. Mais, dans cette hypothèse, une question se posait : *pourquoi* ? Pourquoi Marrascaud et deux de ses hommes auraient-ils choisi de voyager de compagnie pour venir s'enfermer dans cette souricière au fin fond des Alpes ? S'il leur fallait absolument se réunir, ils pouvaient aisément trouver un cadre plus sûr et moins extravagant : un café, un quai de gare, un cinéma bondé, un jardin public – bref, un endroit qui ne manquerait pas de voies de retraite.

Poirot essaya de faire partager ce point de vue à l'inspecteur Drouet, qui se laissa convaincre sans trop de difficultés :

– C'est vrai, vous avez raison, c'est extravagant… ça ne tient pas debout.

– Et puis, s'il s'agit d'un rendez-vous, pourquoi voyager *ensemble* ? Non, tout ça n'a pas de sens.

– Alors, risquons une autre hypothèse, proposa Drouet, la mine soucieuse. Nos trois bonshommes font partie de la bande de Marrascaud et ils sont venus ici pour retrouver ledit Marrascaud. Auquel cas, qui est Marrascaud ?

– Quid du personnel de l'hôtel ? demanda Poirot.

– On ne peut pas vraiment parler de personnel. Il y a une vieille femme qui fait la cuisine, et Jacques, son mari. Ils font partie du décor depuis cinquante ans au bas mot. Et puis il y a le garçon dont j'ai pris la place – un point c'est tout.

– Le directeur. Il sait bien entendu qui vous êtes ?

– Bien entendu. Il me fallait sa coopération.

– Vous n'avez pas été frappé par son air soucieux ?

Drouet parut pris au dépourvu.

– Si, c'est exact, souffla-t-il, pensif.

– Peut-être est-il tout bonnement contrarié d'être mêlé à une enquête.

– Vous dites ça, mais vous pensez qu'il y a autre chose ? Qu'il *sait* quelque chose ?

– L'idée m'en a traversé l'esprit, sans plus.

– Je me demande…, murmura Drouet, le visage fermé.

Il s'interrompit, puis :

– Vous pensez qu'on devrait lui tirer les vers du nez ?

Poirot resta dubitatif :

– Il me paraît préférable qu'il ignore nos soupçons. Mais ayez-le quand même à l'œil.

Drouet hocha la tête.

– Vous n'avez… – comment dire ? – aucune lueur, monsieur Poirot ? Je… je connais votre réputation. Même dans notre pays, vous avez fait parler de vous.

– Pour le moment, je marche à l'aveuglette. Ce qui m'échappe, c'est la *raison* de tout cela – la raison qu'il pouvait y avoir de se donner rendez-vous *ici*. Et, en fait, la raison d'un rendez-vous tout court.

– L'argent, trancha Drouet.

– Ce pauvre Salley n'a donc pas seulement été tué, il a également été dévalisé ?

– Oui, il avait sur lui une grosse somme qui a disparu.

– Et ce rendez-vous, ce serait pour le partage du butin, d'après vous ?

– C'est ce que je peux imaginer de plus vraisemblable.

Poirot secoua la tête, l'air peu convaincu :

– Admettons, mais pourquoi *ici* ? Pour des hors-la-loi, il est difficile de trouver pire. En revanche, cela me paraît l'endroit rêvé pour qui souhaiterait retrouver une femme.

Drouet sursauta :

– Vous croyez que…

– J'estime, fit Poirot, que Mme Grandier est une fort belle personne. Et m'est avis que n'importe qui monterait à trois mille mètres pour ses beaux yeux. À condition qu'elle en ait manifesté le souhait, naturellement.

– Ça, c'est intéressant. Je n'aurais jamais imaginé qu'elle puisse être impliquée dans cette affaire. Après tout, cela fait plusieurs années qu'elle vient régulièrement ici.

– Hé oui, murmura Poirot. *Et sa présence ne saurait donc susciter de commentaires.* Ne vous apparaît-il pas que nous tenons là une bonne raison d'avoir choisi les Rochers Neiges ?

Drouet en parut tout émoustillé :

– C'est une idée de génie que vous venez d'avoir là, monsieur Poirot. Je vais réenvisager le problème sous cet angle.

*

La journée se passa sans encombre. L'hôtel était, fort heureusement, très bien approvisionné et le directeur put rassurer ses hôtes : ils ne risquaient pas de mourir de faim.

Hercule Poirot tenta d'ouvrir le dialogue avec le Dr Karl Lutz et essuya une sèche rebuffade : le praticien viennois ne se gêna pas pour lui expliquer qu'il était, en ce qui le concernait, un professionnel de la psychologie et qu'il ne voyait pas le moindre intérêt à en discuter avec des amateurs. Assis dans un coin du salon, il lisait, en allemand, un gros volume sur l'inconscient, qu'il couvrait d'annotations.

Poirot s'en fut alors rôder dans les parages de la cuisine. Il fut déçu de sa rencontre avec le vieux Jacques, aussi aigri que soupçonneux. Mais sa femme, la cuisinière, se montra plus amène. Par chance, expliqua-t-elle à Poirot, les caves de l'hôtel recelaient une vaste réserve de boîtes de conserve. Évidemment, elle-même ne pensait pas grand bien des conserves en général. Elles étaient affreusement chères et, tout bien considéré, était-ce vraiment de la nourriture ? Le Bon Dieu n'avait pas créé l'homme pour qu'il vive de conserves.

La conversation, rondement menée, dévia vers le personnel de l'hôtel. Les femmes de chambre et les divers serveurs arriveraient début juillet. Mais pour ce qui était des trois semaines à venir, personne, ou peu s'en fallait, car la plupart des gens qui empruntaient le funiculaire se contentaient de déjeuner avant de repartir. Et ça, Jacques et elle, secondés du serveur, pouvaient sans peine s'en débrouiller.

– Il y avait déjà un serveur avant l'arrivée de Gustave, n'est-ce pas ? interrogea Poirot.

– Oui. Mais un bon à rien. Pas d'expérience, pas de métier. Aucune classe.

– Il est resté combien de temps avant que Gustave ne le remplace ?

– Quelques jours à peine. Même pas une semaine. Il a naturellement été fichu dehors. Ça ne nous a pas surpris. Ça devait arriver.

– Il n'a pas fait d'histoires, pas protesté ? s'étonna Poirot.

– Oh, que non ! Il est parti sans demander son reste. Après tout, il n'avait à s'en prendre qu'à lui-même, pas vrai ? C'est un trois étoiles, ici. Il faut un service à la hauteur.

Poirot en convint.

– Et où est-il allé ? demanda-t-il encore.

– Ce Robert, vous voulez dire ? fit-elle en haussant les épaules. Il a dû s'en retourner dans la gargote qu'il aurait jamais dû quitter !

– Il est reparti par le funiculaire ?

La vieille le dévisagea avec curiosité :

– Bien sûr, monsieur. Comment qu'il serait reparti, autrement ?

– Est-ce que quelqu'un l'a vraiment *vu* partir ? insista Poirot.

Les deux vieillards le regardèrent d'un œil rond :

– Qu'est-ce que vous croyez ? Qu'on accompagnerait un abruti de cet acabit ? Qu'on irait lui faire un départ en fanfare ? On a autre chose à s'occuper, nous autres.

– C'est bien vrai, ça, reconnut Poirot.

Il prit congé, sortit et s'éloigna à pas comptés, non sans lever les yeux vers la lourde masse de l'hôtel qui le dominait de toute sa hauteur. Une vaste bâtisse… dont une aile seulement était pour le moment ouverte. L'autre aile comptait un grand nombre de chambres, volets fermés, portes closes et où il était bien peu probable que quiconque s'aventure hors saison.

Au détour de la terrasse, il faillit se cogner dans l'un des trois joueurs de cartes. C'était le grand dadais au faciès lunaire. Il regarda Poirot d'un œil torve. Tel un cheval vicieux, ses lèvres retroussées lui découvraient les dents.

Poirot passa son chemin. Devant lui se mouvait la haute et élégante silhouette de Mme Grandier.

Il pressa le pas pour la rattraper.

– C'est bien fâcheux, cette panne de funiculaire, fit-il observer. J'ose espérer, madame, que cela ne vous cause aucun souci ?

– Cela m'est tout à fait indifférent, monsieur.

Elle avait une voix chaude, au riche contralto. Sans même accorder à Poirot la grâce d'un regard, elle s'écarta et regagna l'hôtel par une porte latérale.

*

Hercule Poirot se coucha tôt. Mais, peu après minuit, il fut réveillé par un bruit insolite.

Quelqu'un tripotait la serrure.

Il s'assit dans son lit et alluma. Au même instant, le verrou céda et la porte s'ouvrit en grand. Trois hommes se tenaient sur le seuil : les trois joueurs de cartes. Ils étaient, estima Poirot, passablement éméchés. Leurs visages suaient la bêtise et la cruauté. Un reflet joua sur la lame d'un rasoir.

Le gros individu à la face porcine s'avança. Il avait la voix graillonneuse.

– Sacré cochon de flicard ! gronda-t-il. Tu me débectes !

Ce n'était que le prologue à un torrent d'insultes.

Les trois hommes s'avancèrent avec une lenteur étudiée vers l'homme sans défense dans son lit.

– On va le découper en rondelles, les potes ! Hein, vieille branche ? On va lui rectifier le portrait, à Sa Majesté le Flicard ! Et ce sera pas le premier de la soirée qu'on aura saigné !

Ils continuaient d'avancer… d'un pas lent, implacable. Les rasoirs luisaient dans la semi-pénombre d'entre chien et loup.

Et soudain s'éleva une voix, à l'inimitable accent américain :

– Haut les mains !

Les trois malfrats pivotèrent sur eux-mêmes. Vêtu d'un pyjama rayé aux couleurs particulièrement criardes, Schwartz se dressait dans l'encadrement de la porte. Il avait un automatique au poing.

– Mieux que ça, les gars ! Quand je tire, ça fait bobo !

Il appuya sur la détente. Une balle siffla aux oreilles du gros lard et alla se ficher dans l'huisserie de la fenêtre.

Trois paires de mains se levèrent avec ensemble.

– Puis-je faire appel à vous, monsieur Poirier ? demanda Schwartz avec la plus extrême courtoisie.

Poirot sauta de son lit en moins de temps qu'il ne faut

442

pour le dire, s'empara des rasoirs et palpa les trois hommes sous toutes les coutures pour s'assurer qu'ils n'étaient pas armés.

– Et maintenant, en avant, marche ! ordonna Schwartz. Il y a un grand cagibi dans le couloir ! Sans fenêtre ! Exactement ce qu'il nous faut !

Il les y fit entrer et donna un tour de clef. Puis, s'en retournant vers Poirot et d'une voix qui trahissait la satisfaction du devoir accompli :

– C'est bien la preuve, non ? Dire qu'il y a des gens, à Fountain Springs, monsieur Poirier, qui se sont payé ma tête quand je leur ai dit que j'emportais ce joujou en Europe ! « Tu crois que tu vas où ? » qu'ils m'ont dit. « Dans la jungle ? » Ouais, eh bien, maintenant, c'est moi qui me marre ! Vous aviez déjà vu pareil ramassis de salopards ?

– Mon cher Mr Schwartz, le remercia Poirot, vous êtes tombé à pic ! Il a bien failli y avoir du grabuge ! Je vous dois une fière chandelle !

– Il n'y a vraiment pas de quoi. Qu'est-ce qu'on fait, maintenant ? Il faudrait confier ces apaches à la police, mais il n'y a précisément pas moyen ! C'est embêtant ! Peut-être bien qu'on devrait demander conseil au directeur.

– Le directeur, je ne sais pas trop, fit Poirot, dubitatif. Je crois que le mieux serait de nous adresser d'abord au serveur, à Gustave – alias l'inspecteur Drouet. Hé oui, Gustave, le serveur, est en réalité policier.

Schwartz écarquilla les yeux :

– Alors c'est pour ça qu'ils se le sont fait !

– C'est pour ça qu'ils se sont fait quoi ?

– Vous n'étiez que le second sur la liste de ces salauds ! Ils ont déjà tailladé Gustave à coups de rasoir !

– *Quoi ?*

– Venez avec moi. Le toubib s'occupe de lui.

La petite chambre de Drouet se situait au dernier étage. Le Dr Lutz, en robe de chambre, s'affairait à entourer de bandelettes le visage du blessé.

Il tourna la tête à leur entrée :

– Ah ! C'est vous, Mr Schwartz ? Sale boulot ! Une vraie boucherie ! Ces types sont des monstres !

Drouet, inerte, ne pouvait que geindre faiblement.

– Il est mal en point ? interrogea Schwartz.

– Il ne va pas mourir, si c'est ce que vous voulez savoir. Mais il ne faut pas qu'il parle. Et il ne faut pas qu'il s'agite. J'ai pansé les plaies : pas de danger de septicémie.

Les trois hommes quittèrent la chambre de concert.

– Vous m'avez bien dit que Gustave était policier ? demanda Schwartz à Poirot.

– Oui.

– Mais qu'est-ce qu'il fichait à Rochers Neiges ?

– Il était à la poursuite d'un criminel extrêmement dangereux.

En peu de mots, Poirot résuma la situation.

– Marrascaud…, marmonna le Dr Lutz. J'ai lu l'affaire dans les journaux. J'aimerais bien le rencontrer, cet individu. C'est un remarquable cas pathologique. Je donnerais cher pour savoir quel genre d'enfance il a eue.

– Et moi, rétorqua Poirot, j'en donnerais volontiers tout autant pour savoir où il se trouve en cet instant précis.

– Ce ne serait pas un des trois truands qu'on a enfermés dans le cagibi ? intervint Schwartz.

– C'est possible, admit à contrecœur Poirot. Mais je n'en suis pas convaincu. J'ai personnellement idée que…

Il s'interrompit soudain, les yeux rivés sur la carpette. Elle était d'un beige très pâle, marquée par endroits de taches d'un brun rouille.

– Des traces de pas, reprit-il. Les traces de quelqu'un qui a, si je ne me trompe, marché dans le sang et qui mènent à l'aile inoccupée. Venez ! il faut faire vite !

Ils franchirent à sa suite une double porte battante et enfilèrent un corridor poussiéreux et chichement éclairé. Ils le parcoururent jusqu'au bout, toujours guidés par les traces sanglantes qui s'arrêtaient devant une porte entrouverte.

Poirot la poussa et entra.

Il ne put retenir un hurlement d'horreur.

Cette chambre au lit défait, quelqu'un y avait dormi, et il restait, sur la table, les reliefs d'un repas.

Au beau milieu de la pièce gisait le cadavre d'un homme. De taille à peine supérieure à la moyenne, il avait été attaqué avec une sauvagerie et une férocité proprement inimaginables. Sa poitrine et ses bras étaient tailladés en maints endroits. Quant à son visage et à son crâne, ils avaient été réduits à l'état de bouillie sanguinolente.

Schwartz étouffa un cri et se détourna, à la recherche d'un endroit pour vomir.

Le Dr Lutz jura entre ses dents en allemand.

– Qui est ce type ? chevrota Schwartz d'une voix quasi inaudible. Quelqu'un le sait ?

– J'ai quelques raisons de penser, répondit Poirot, que c'était un certain Robert, un serveur pas très doué.

Le Dr Lutz se pencha sur le cadavre. Du doigt, il montra un papier épinglé sur la poitrine. Quelques mots y avaient été griffonnés à l'encre :

Marrascaud ne tuera plus… et ne volera plus ses amis !

– *Marrascaud* ? vociféra Schwartz. Mais qu'est-ce qui lui avait pris de grimper s'enterrer dans ce trou perdu ? Et pourquoi dites-vous qu'il s'appelait Robert ?

– Il était venu y jouer les serveurs, expliqua Poirot. Et, s'il faut en croire le qu'en-dira-t-on, les très mauvais serveurs. Si mauvais que nul n'a été surpris qu'il se fasse flanquer dehors. Il a pris ses cliques et ses claques… vraisemblablement pour s'en retourner à Andermatt. *Seulement voilà : personne ne l'a vu partir.*

– Et alors, grommela le Dr Lutz de sa voix lente et caverneuse. Que s'est-il passé, à votre avis ?

– Je crois, répliqua Poirot, que nous tenons ici l'explication de certain air soucieux que j'avais trouvé au directeur de l'hôtel. Marrascaud avait dû lui graisser la patte pour pouvoir rester caché dans cette partie inoccupée de l'hôtel…

» Mais ça ne lui plaisait guère, au directeur, ajouta-t-il pensivement. Oh, non, à mon humble avis, ça ne lui plaisait même pas du tout.

– Et Marrascaud a pu vivre ici, dissimulé dans cette aile fermée, sans que personne d'autre que le directeur ne le sache ?

– C'est ce qu'il semble bien. Ça n'a rien d'impossible, vous savez.

– Mais pourquoi a-t-il été tué ? voulut savoir le Dr Lutz. Et *qui* l'a tué ?

– Ça, ce n'est pas sorcier ! s'écria Schwartz. Il devait partager le magot avec sa bande. Il ne l'a pas fait. Il les a doublés. Il est venu se planquer ici, loin de tout, histoire d'essayer de se faire oublier. Il s'imaginait qu'on irait le chercher partout sauf là. Et il a eu tort. Dieu sait comment, ils ont fini par le savoir, ils l'ont suivi, et…

De la pointe de sa chaussure, il effleura le cadavre :

– Et chacun d'entre eux lui a réglé son compte… comme ça !

– Oui, murmura Poirot. J'admets que ce n'était pas exactement le genre de rendez-vous auquel nous avions pensé.

– Cette série de « pourquoi ? » et de « comment ? » est sans doute du plus haut intérêt, s'emporta le Dr Lutz. Mais, moi, c'est notre situation actuelle qui m'inquiète. Nous avons ici un cadavre. Et j'ai, là-bas, un blessé sur les bras, et des médicaments en quantité limitée. Or, nous sommes coupés du monde ! Pour combien de temps ?

– Sans compter, ajouta Schwartz, les trois assassins enfermés dans leur cagibi ! C'est ce qui s'appelle une situation peu banale !

– Que faisons-nous ? tonna le Dr Lutz.

– Avant toute chose, décida Poirot, nous mettons la main sur le directeur. Lui, ce n'est pas un criminel ; seulement un homme qui aime trop l'argent. Mais c'est aussi un froussard. Il fera tout ce que nous lui demanderons. L'excellent Jacques, ou sa femme, nous dénichera bien un peu de corde. Nous pourrons ligoter nos trois

447

truands et les conserver au frais jusqu'au jour où nous recevrons du renfort. Et je suis sûr que l'automatique de Mr Schwartz nous aidera beaucoup dans l'exécution de nos plans.

– Et moi ? Qu'est-ce que je fais ? demanda encore le Dr Lutz.

– Vous, docteur, décréta gravement Poirot, vous ne lâcherez pas votre patient d'une semelle. Quant à nous, nous resterons sur le qui-vive. C'est la seule chose à faire.

*

Ce n'est que trois jours plus tard qu'un petit groupe d'hommes fit son apparition sur la terrasse de l'hôtel aux toutes premières heures de la matinée.

Hercule Poirot leur ouvrit la porte non sans ostentation :

– Nous avons failli attendre, très cher !

Le commissaire Lementeuil serra avec effusion les deux mains tendues de Poirot :

– Ah, mon bon ami, avec quelle émotion vous revois-je ! Quels événements incroyables n'avez-vous pas vécus ! De quelles épreuves n'êtes-vous pas sorti indemne ! Tandis que nous, en bas… imaginez notre angoisse, nos peurs ! Nous ne savions rien ! Nous redou-tions le pire ! Pas de téléphone, pas de radio… aucun moyen de communication ! User de l'héliographe ! De votre part, quel trait de génie !

– Mais non, mais non, fit Poirot, tentant de jouer les modestes. Après tout, quand la technique défaille, on peut encore s'en remettre à la nature. Le soleil brille toujours dans le ciel.

Tous s'engouffrèrent dans l'hôtel.

– Nous ne sommes pas attendus ? demanda le commissaire Lementeuil avec un sourire en coin.

Poirot lui rendit son sourire, mais grand format :

– Bien évidemment non ! Tout le monde croit le funiculaire toujours en panne.

– Ah, c'est un grand jour ! s'exclama le commissaire, ému. Vous êtes sûr qu'il n'y a aucun doute ? Que c'est bien Marrascaud ?

– C'est lui, en chair et en os. Venez avec moi.

Ils montèrent l'escalier. Une porte s'ouvrit et Schwartz, en peignoir, apparut sur le seuil de sa chambre :

– J'ai entendu des voix. Qu'est-ce qui se passe ?

– Les renforts ont débarqué, annonça Poirot avec emphase. Veuillez nous accompagner, cher monsieur. L'instant est solennel !

Il entama l'escalade du second étage.

– Vous allez chez Drouet ? interrogea Schwartz. À propos, comment va-t-il ?

– D'après le Dr Lutz, il se portait hier au soir comme un charme.

Ils parvinrent à la porte de la chambre de Drouet, que Poirot ouvrit à la volée avant de s'exclamer :

– *Voici votre sanglier furieux, messieurs !* Capturez-le vivant… et veillez à ce qu'il n'échappe pas à la guillotine !

L'homme qui se trouvait dans le lit, le visage toujours couvert de pansements, esquissa un mouvement. Mais déjà les policiers l'immobilisaient.

– Mais c'est Gustave, le serveur ! s'écria Schwartz, au comble de la stupéfaction. C'est l'inspecteur Drouet !

– C'est Gustave, vous avez raison… *mais ce n'est pas l'inspecteur Drouet !* Drouet, c'était le *premier* serveur, le serveur Robert qui était retenu prisonnier dans l'aile inhabitée et que Marrascaud a tué le soir même où on m'a attaqué dans ma chambre.

*

Au petit déjeuner, Poirot s'efforça d'expliquer le déroulement des faits à un Schwartz encore mal remis de sa surprise :

– Il est, comprenez-vous, des choses que l'on *sait*… des choses que la vie professionnelle vous a apprises à reconnaître avec la plus absolue certitude. On sait, par exemple, ce qui différencie un policier d'un assassin ! Gustave n'était pas un serveur – ça, je m'en étais avisé tout de suite –, mais je savais également *qu'il n'appartenait pas à la police.* Des policiers, j'en ai connu tout au long de mon existence, *et j'ai l'œil.* Au regard d'un profane, il pouvait passer pour un policier… mais pas à celui d'un homme qui a *lui-même appartenu à la police.*

» C'est pour cela que je me suis immédiatement méfié. Le premier soir, je n'ai pas bu mon café. Je l'ai vidé dans une plante verte. Et j'ai eu bien raison. Dans la nuit, un inconnu est entré dans ma chambre avec la désinvolture de celui qui croit savoir que l'homme dont il va fouiller les tiroirs a été drogué. Il a passé toutes mes affaires au peigne fin, et il a trouvé le billet de Lementeuil dans mon portefeuille – où je l'avais placé pour qu'il le trouve ! Le lendemain matin, Gustave frappe et entre avec mon petit déjeuner. Il m'appelle par mon nom et joue son rôle avec une parfaite aisance. Mais il est fou d'angoisse – fou d'angoisse, croyez-moi – car il sait désormais que la police a retrouvé sa trace ! Elle a découvert sa cachette, et c'est pour lui une effroyable catastrophe. Tous ses plans en sont bouleversés. Il est fait comme un rat.

– La pire bourde qu'il ait jamais commise, commenta Schwartz, c'était de venir ici. Pourquoi a-t-il fait ça ?

– Ce n'était pas aussi stupide que vous l'imaginez, rectifia Poirot d'un ton grave. Il lui fallait – et il lui fallait très vite – un endroit isolé, loin de tout, où il puisse rencontrer certain individu pour que certain événement puisse se dérouler.

– Quel individu ?

– Le Dr Lutz.

– Le Dr Lutz ? C'est un truand, lui aussi ?

– Le Dr Lutz est bien le Dr Lutz – mais il n'a jamais rien eu à voir avec les maladies nerveuses ni avec la psychanalyse. C'était une sommité, mon bon ami, *de la chirurgie esthétique.* Voilà pourquoi il avait rendez-vous ici avec Marrascaud. Il a été expulsé de son pays et n'a plus le sou. On lui a offert des honoraires faramineux pour retrouver ici un inconnu dont il devrait modifier l'apparence et resculpter le visage. Peut-être s'est-il douté que son client était un criminel, auquel cas il aura décidé de fermer les yeux. Il va de soi que l'opération ne pouvait pas se faire au grand jour, dans une clinique ayant pignon sur rue, même à l'étranger. Tandis qu'ici, dans ce nid d'aigle à l'écart de la civilisation, où personne ne vient jamais si tôt dans la saison et où le directeur ne crache pas sur un pot-de-vin, c'était l'endroit rêvé.

» Mais, je vous l'ai dit, les plans n'ont pas fonctionné comme prévu. Marrascaud a été vendu. Les trois hommes – ses gardes du corps, en fait – censés avoir rendez-vous ici avec lui afin d'assurer sa sécurité n'étaient pas encore arrivés, mais il décide d'agir sans plus attendre. L'inspecteur de police qui joue les serveurs est kidnappé et Marrascaud *prend sa place*. Le gang s'arrange pour mettre le funiculaire hors service. Tout se joue sur le *temps*. Le lendemain soir, Drouet est assassiné, et le message funèbre est épinglé sur son cadavre. Ce qu'ils espèrent, c'est qu'au moment où le contact sera rétabli avec le monde extérieur, la dépouille de Drouet aura été enterrée comme étant celle de Marrascaud. Le Dr Lutz opère sans perdre une minute. Mais il est quelqu'un qu'il faut réduire au silence : Hercule Poirot. Aussi le gang m'est-il dépêché. Mais, grâce à votre bienheureuse intervention, mon bon ami…

Poirot s'inclina courtoisement devant Schwartz, qui demanda :

– Alors, vous êtes vraiment Hercule Poirot ?

– Sans que le doute soit permis.

– Et ce cadavre ne vous a pas induit en erreur un seul instant ? Dès la première seconde, vous avez su qu'il ne s'agissait *pas* de Marrascaud ?

– Bien évidemment.

– Pourquoi n'en avez-vous rien dit ?

Le visage d'Hercule Poirot se figea dans une expression solennelle :

– Parce que je voulais avoir l'assurance de livrer à la police le véritable Marrascaud.

Et il marmotta pour lui tout seul, entre ses dents :

– *Et de capturer vivant le sanglier d'Érymanthe.*

5

Les écuries d'Augias

(The Augean Stables)

– La situation est extrêmement délicate, monsieur Poirot...

Un sourire discret voleta sur les lèvres d'Hercule Poirot, et il faillit répondre :

– N'est-ce pas toujours le cas ?

Mais il prit soin de composer son visage et, comme s'il se trouvait au chevet d'un malade, se cantonna dans une discrétion de bon aloi.

Sir George Conway poursuivait, impavide, et ne se montrait pas avare de lieux communs : la position très difficile dans laquelle se trouvait le gouvernement... l'intérêt public... la solidarité du parti... la nécessité de présenter un front uni... le pouvoir de la presse... le bien de la nation...

Tout cela sonnait joliment – mais n'avait rigoureusement aucun sens. À l'articulation des maxillaires, Poirot commençait de ressentir une douleur familière : celle que provoque une envie de bâiller réprimée par cour-

toisie. La lecture des comptes rendus de débats parle-
mentaires lui avait souvent procuré le même genre
d'ennui que les propos de sir George – à ceci près que,
dans ces circonstances-là, on pouvait bâiller tout son
saoul…

Il se força à la patience, car il éprouvait pour sir
George Conway une certaine sympathie. Le bonhomme
voulait à coup sûr lui confier quelque chose de précis –
mais il avait manifestement perdu le sens de l'exposé
clair et net. Pour lui, les mots étaient devenus le moyen
d'occulter les faits, non plus de les mettre en évidence.
Les années avaient fait de lui un adepte du parler-pour-
ne-rien-dire.

Les phrases succédaient aux phrases. Et le teint de
l'infortuné sir George virait peu à peu au rouge brique. Il
lança un regard désespéré à l'homme assis de l'autre
côté de la table, qui comprit que c'était à lui de prendre
la parole :

– Très bien, George, je vais le lui dire moi-même,
annonça Edward Ferrier.

Hercule Poirot cessa de s'intéresser au ministre de
l'Intérieur et se tourna vers le Premier ministre. Le personnage d'Edward Ferrier exerçait sur lui une sorte de fascination – fascination née d'un jugement porté par un
homme de quatre-vingt-deux ans. Chimiste de renom
appelé comme expert pour aider Poirot à confondre un
assassin, le Pr Fergus Mac Leod en était venu à aborder
avec lui les questions politiques. Quand le célèbre et populaire John Hammett, devenu depuis lord Cornworthy,
avait décidé de se retirer, c'était à son gendre, Edward
Ferrier, qu'il avait été demandé de former le cabinet.

Pour un politicien, il était jeune encore – pas même la cinquantaine. « Ferrier a été l'un de mes étudiants, avait dit le Pr Mac Leod. C'est un type bien. »

Rien de plus. Mais, pour Poirot, c'était beaucoup. Si Mac Leod jugeait que Ferrier était un type bien, cela avait à ses yeux bien plus de poids que l'enthousiasme des foules ou de la presse.

Il fallait reconnaître que l'homme de la rue ratifiait l'opinion du Pr Mac Leod. On considérait Ferrier comme un type bien – un point, c'est tout : il n'était ni brillant, ni d'une stature exceptionnelle, ni d'une grande éloquence, et son niveau de culture ne dépassait pas une honnête moyenne. Non, c'était un type bien, élevé dans la bonne tradition, qui avait épousé la fille de John Hammett dont il était le bras droit, et on pouvait compter sur lui pour que le pays continue d'être gouverné dans la voie tracée par John Hammett.

Car John Hammett était cher aux Anglais et à la presse anglaise. Il incarnait les qualités qui leur tiennent à cœur. On disait de lui : « On sent bien que John Hammett est *honnête*. » Il circulait de nombreuses anecdotes sur la simplicité de sa vie privée et sur sa passion pour le jardinage. De même qu'il y avait la pipe de Stanley Baldwin et le parapluie de Neville Chamberlain, il y avait l'imperméable de John Hammett. Il portait en toute circonstance cette défroque usée jusqu'à la trame qui était, en quelque sorte, un symbole : du climat anglais, de la prudente prévoyance de la race anglaise et de son attachement aux reliques du passé. En outre, John Hammett, avec sa façon très anglaise de ne jamais avoir l'air d'y toucher, était un orateur véritable. Ses discours, toujours prononcés avec calme et simplicité, recelaient les clichés simplistes et sentimentaux qui trouvent un profond écho dans l'âme anglaise. À l'étranger, on les critiquait souvent. On leur reprochait d'être à la fois hypocrites et insupportablement aristocratiques. Mais John Hammett ne craignait pas le moins du monde de paraître aristocratique – à condition que ce soit à la manière désinvolte et un peu railleuse qu'on enseigne dans les collèges chics.

Qui plus est, avec sa haute stature, son port très droit, sa toison blonde et ses yeux bleus étincelants, John Hammett avait de la présence. Un mère d'origine danoise, et de longues années passées au poste de Premier Lord de l'Amirauté, lui avaient valu le surnom de « Viking ». Quand une santé chancelante l'avait enfin contraint de passer la main, une vive inquiétude avait été perceptible : qui serait donc appelé à lui succéder ? Le brillantissime lord Charles Delafield ? (Mais il était précisément trop brillant – les Anglais ont-ils besoin que l'on brille ?) Evan Whittler ? (Intelligent, certes – mais peut-être par trop dénué de scrupules.) John Potter ? (Le genre d'homme à se voir en dictateur – et nous ne voulons pas de dictateur dans *ce* pays, merci beaucoup !) C'est pourquoi il y avait eu comme un soupir de soulagement collectif quand le tranquille Edward Ferrier avait fait son entrée au 10, Downing Street. Ferrier était parfait : il avait été le disciple du Vieux, et il avait épousé la fille du Vieux. Selon la traditionnelle formule britannique, on pouvait compter sur lui pour « garantir la continuité ».

Poirot ne quittait pas des yeux l'homme au visage sombre et à l'agréable voix grave. Il paraissait amaigri, tendu, fatigué.

– Peut-être connaissez-vous, monsieur Poirot, ce magazine hebdomadaire qui s'appelle *Rayon X* ? disait Edward Ferrier.

– Il m'est arrivé d'y jeter un coup d'œil, admit Poirot, rougissant un peu.

– Alors vous savez plus ou moins en quoi il consiste, continua le Premier ministre. Des articles frisant la diffamation ; des paragraphes bien troussés pour sous-entendre quelque scandale juteux. Quelquefois c'est vrai, quelquefois c'est totalement creux – mais c'est toujours très croustillant. Et puis, parfois…

Edward Ferrier s'arrêta un instant, puis, d'une voix un peu plus rauque :

– Parfois, il y a quelque chose de plus…

Poirot garda le silence.

– Dans les deux derniers numéros, reprit Edward Ferrier, nous avons eu droit à des allusions à l'imminente mise au grand jour d'un scandale de première grandeur « touchant les plus hautes sphères politiques », assortie de « révélations incroyables sur une affaire de corruption et de prévarication ».

Poirot haussa les épaules :

– Procédé éculé. En général, quand les révélations surviennent, les gogos sont franchement déçus.

– Ils ne le seront pas cette fois-ci, dit froidement le Premier ministre.

– Parce que vous savez de quelles révélations il s'agit ? demanda Poirot.

– Assez exactement, oui…

Edward Ferrier prit son temps. Puis, avec ordre et méthode, il exposa les grandes lignes de l'affaire.

Ce n'était pas une histoire édifiante. Les accusations avaient nom montages illégaux, manipulations des cours de Bourse, usage à des fins personnelles des fonds du parti. Et elles visaient l'ancien Premier ministre John Hammett. On le présentait comme un escroc de haute volée, qui avait abusé toutes les confiances et s'était servi de ses fonctions pour édifier une vaste fortune.

La voix calme du Premier ministre se tut enfin. Celle du ministre de l'Intérieur gronda :

– C'est monstrueux... *monstrueux* ! éructa-t-il. Ce Perry, qui dirige ce torchon, il faudrait le fusiller !

– Ces prétendues révélations doivent paraître dans *Rayon X* ? questionna Poirot.

– Oui.

– Quelles mesures vous proposez-vous de prendre à cet égard ?

– Il s'agit d'une attaque personnelle contre John Hammett, souligna le Premier ministre. Libre à lui d'intenter un procès en diffamation...

– Va-t-il le faire ?

– Non.

– Pourquoi pas ?

– Rien ne plairait sans doute davantage à cette feuille de chou, estima Edward Ferrier. Cela leur ferait une publicité gigantesque. Ils se défendront en arguant que leurs accusations sont exactes et que leur commentaire a été loyal. Et toute cette histoire sera sous le feu des projecteurs.

– Tout de même, s'ils sont condamnés, les dommages et intérêts seront extrêmement élevés ? insista Poirot.

– Ce procès, ils peuvent ne pas le perdre, fit lentement le Premier ministre.

– Pourquoi ?

– Je pense vraiment que…, intervint sir George Conway. Mais Edward Ferrier continuait :

– Parce que ce qu'ils ont l'intention d'imprimer est… la stricte vérité.

Un grondement jaillit de la gorge de sir George, scandalisé par une franchise aussi peu politique :

– Edward, voyons, très cher ! Nous ne pouvons certainement pas reconnaître que…

L'ombre d'un sourire passa sur le visage fatigué du Premier ministre :

– Hélas, George, il est des moments où il faut savoir admettre la vérité, aussi déplaisante soit-elle. C'est le cas aujourd'hui.

– Vous comprenez, j'espère, monsieur Poirot, que tout cela est strictement confidentiel ! s'émut sir George. Pas un mot ne doit…

– M. Poirot le comprend fort bien, coupa Edward Ferrier. Mais ce qu'il peut ne pas comprendre, c'est que tout l'avenir du Parti du Peuple est en jeu. John Hammett, monsieur Poirot, *était* le Parti du Peuple. Il combattait pour ce que notre formation incarne aux yeux du peuple de ce pays : la tradition avec un grand *T* et l'honnêteté avec un grand *H*. Personne ne nous a jamais pris pour des gens brillants. Nous avons pataugé, nous avons commis des gaffes. Mais nous avons combattu pour la tradition qui veut que chacun fasse de son mieux ! Comme nous avons combattu pour une société plus honnête ! Le drame, c'est que notre figure de proue, l'honnête homme du Peuple par excellence, se révèle avoir été l'un des pires escrocs de sa génération.

Sir George émit un nouveau grondement.

– Et *vous*, vous n'en saviez rien ? s'étonna Poirot.

– Vous pouvez ne pas me croire, monsieur Poirot, expliqua Edward Ferrier avec un mince sourire, mais je me suis laissé abuser comme tout le monde. Je n'avais jamais compris pourquoi ma femme observait à l'égard de son père une étonnante réserve. Maintenant, je sais. Elle avait percé à jour l'essentiel du personnage.

» Quand la vérité a commencé à filtrer, j'ai été horrifié. Je n'arrivais pas à y croire. Nous avons fait pression pour que mon beau-père démissionne, sous prétexte de mauvaise santé, et nous nous sommes mis au travail pour… pour nettoyer toute cette boue, si j'ose dire.

– Les écuries d'Augias, grommela sir George.

Poirot tressaillit.

– Je crains bien, reprit Edward Ferrier, que la tâche ne soit trop herculéenne pour nous. Quand les faits seront rendus publics, une vague d'indignation balayera tout le pays. Le gouvernement tombera. Il y aura des élections générales et, selon toute probabilité, Everhard et son parti retrouveront le pouvoir. Et vous connaissez la politique d'Everhard…

– Cela reviendrait à placer un baril de poudre au sein du gouvernement, bredouilla sir George. Un baril de poudre !…

– Everhard a des capacités, précisa Edward Ferrier. Mais il est irréfléchi, il est agressif et il n'a pas le moindre sens de la mesure. Ceux qui le soutiennent sont des girouettes sans cervelle. Nous serons bien proches d'une dictature.

Poirot acquiesça en silence.

– Si seulement on pouvait étouffer l'affaire, gémit sir George.

Edward Ferrier secoua lentement la tête. Il paraissait d'avance accepter la défaite.

– Vous ne croyez pas qu'on puisse l'étouffer ? lui demanda Poirot.

– J'ai fait appel à vous, monsieur Poirot, en désespoir de cause. À mon avis, cette histoire est trop énorme, et trop de gens en connaissent les tenants et les aboutissants, pour qu'on puisse se taire plus longtemps. Je dirai, sans prendre de gants, que nous ne pouvons employer que deux méthodes : le recours à la force ou la corruption – sans pour autant pouvoir préjuger du résultat. Le ministre de l'Intérieur, monsieur Poirot, a comparé nos problèmes avec le nettoyage des écuries d'Augias. Ce qu'il nous faut, c'est la violence d'un fleuve en crue, la libération des forces telluriques – en un mot, rien de moins qu'un miracle…

– Bref, ce dont vous avez besoin, c'est d'un Hercule, résuma Poirot en se rengorgeant. Rappelez-vous que je me prénomme Hercule…

– Êtes-vous de taille à accomplir des miracles, monsieur Poirot ? interrogea Edward Ferrier.

– C'est bien parce que vous en êtes persuadé que vous avez requis mes services, n'est-il pas vrai ?

– Si, c'est exact. J'ai estimé que seule la mise en branle d'une pensée aussi géniale que non conformiste pouvait nous apporter le salut.

Le Premier ministre s'interrompit un instant, puis :

– Mais peut-être, monsieur Poirot, envisagez-vous notre situation du point de vue de la morale ? Peut-être jugez-vous que John Hammett était un escroc et que sa légende doit être anéantie ? Peut-on construire une maison décente sur des fondations malhonnêtes ? Je ne sais pas. Mais ce qu'en revanche je sais, c'est que je veux essayer…

Il eut un sourire amer :

– Les politiciens tiennent toujours à rester au pouvoir – et, immanquablement, pour les plus nobles des motifs…

Poirot se leva.

– Monsieur, dit-il, les expériences que j'ai faites quand j'appartenais à la police ne m'ont pas conduit à accorder beaucoup d'estime aux politiciens. Si John Hammett était au pouvoir, je ne lèverais pas le petit doigt – non, pas même le petit doigt. Mais vous, c'est autre chose… Un homme que je respecte, l'un des plus grands savants, l'un des plus grands cerveaux de notre temps, m'a dit que vous êtes… *un type bien*. Je ferai ce que je pourrai.

Sur quoi il s'inclina courtoisement et quitta la pièce.

Sir George Conway éclata :

– Ça par exemple ! J'ai déjà vu des insolents, mais…

Edward Ferrier, qui souriait encore, le coupa :

– Il s'agissait d'un compliment.

*

Alors qu'il descendait les escaliers, Poirot fut arrêté au passage par une grande femme blonde :

– Soyez assez aimable pour m'accompagner dans mon salon, monsieur Poirot, le pria-t-elle.

Avec une courbette, Poirot la suivit. Elle ferma la porte, lui offrit un fauteuil, lui proposa une cigarette, puis prit place en face de lui, très calme :

– Vous venez à l'instant de voir mon mari… et il vous a tout dit… au sujet de mon père…

Hercule Poirot la regarda avec attention. Grande, elle avait encore un beau visage où se lisaient du caractère et de la personnalité. Mrs Ferrier jouissait d'une grande popularité. En tant qu'épouse du Premier ministre, il allait de soi qu'elle se trouvait souvent au premier plan de l'actualité. Mais elle avait, de surcroît, hérité en quelque sorte de la popularité de son père. En fait, Dagmar Ferrier représentait à la perfection l'idée que le peuple anglais se fait d'une femme.

Bonne épouse et bonne mère, elle partageait la passion de son mari pour la vie à la campagne. Elle avait le bon goût de ne s'intéresser qu'aux aspects de la vie publique qui, dans l'esprit de la majorité, relèvent du domaine féminin. Elle s'habillait bien, mais son élégance restait sobre et discrète. Elle consacrait beaucoup de son temps à des activités charitables et avait lancé un plan spécial d'aide aux femmes de chômeurs. Le pays tout entier suivait ses faits et gestes, et, par sa seule existence, elle représentait pour le parti un atout de grande valeur.

– J'imagine que vous êtes terriblement inquiète, madame, dit Hercule Poirot.

– Oh, oui. Vous ne pouvez savoir à quel point. Voilà des années que je redoute… je ne saurais dire quoi.

– Vous n'aviez aucune idée de ce qui se passait en réalité ?

Elle secoua la tête :

– Non, pas la moindre. Je savais seulement que mon père n'était pas… n'était pas ce que chacun croyait. Dès ma plus tendre enfance, j'ai compris que c'était un… un truqueur.

Il y avait de l'amertume dans sa voix. Elle continua :

— Et c'est parce qu'il m'a épousée qu'Edward… qu'Edward va tout perdre.

— Avez-vous des ennemis, madame ? s'enquit Poirot avec simplicité.

Elle le fixa, étonnée :

— Des ennemis ? Je ne crois pas.

— Je crois pourtant que tel est bien le cas, fit-il, pensif.

Il poursuivit :

— Êtes-vous courageuse, madame ? Il se prépare une vaste campagne… contre votre mari… et contre vous-même. Il faut vous préparer à vous défendre…

— Bah ! *moi,* je n'ai aucune importance ! s'exclama-t-elle. Il n'y a qu'Edward qui compte !

— L'un ne va pas sans l'autre, expliqua patiemment Poirot. Rappelez-vous, madame, que vous êtes la femme de César…

Il la vit blêmir. Elle se pencha vers lui :

— Qu'êtes-vous en train d'essayer de me dire ?

*

Percy Perry, rédacteur en chef du *Rayon X,* fumait tranquillement, les pieds sur son bureau.

C'était un petit homme au visage chafouin.

— On va les noyer dans le caca ! se félicitait-il d'une voix douceâtre, sirupeuse. Du tonnerre… du tonnerre de Dieu ! Tu peux pas savoir ce que ça me botte !

464

Son adjoint, maigre godelureau à lunettes, ne semblait pas tout à fait à l'aise :

– T'as pas les jetons ?

– De quoi ? D'une épreuve de force ? Pas eux. Pas assez de culot. Et puis ça leur ferait pas de bien, en plus. Surtout étant donné la façon dont on a goupillé notre coup et balancé les infos... ici même, dans toute l'Europe, et jusque outre-Atlantique...

– Ils doivent être dans une drôle de mélasse. Ils ne vont vraiment rien faire ?

– Si. Envoyer quelqu'un pour essayer de nous amadouer...

Le téléphone sonna et Percy Perry s'empara du combiné :

– Qui ça ? Très bien, faites-le monter.

Il reposa le combiné et ricana :

– Ils ont mis sur le coup ce cornichon de petit Belge qui fait tellement de foin. Il arrive pour nous fourguer sa salade. Il veut savoir si on connaît la musique.

Hercule Poirot entra. Il était vêtu avec recherche. Un camélia blanc ornait sa boutonnière.

– Content de faire votre connaissance, monsieur Poirot, s'empressa Percy Perry. En route pour la loge royale à Ascot ? Non ? Dans ce cas, pardon-excuses !

– Vous me flattez, au contraire ! répliqua Poirot. Tout un chacun souhaite toujours se donner bonne apparence. Et à plus forte raison quand...

Le détective affecta de regarder innocemment le visage ingrat du rédacteur en chef et son costume mal coupé :

– Et à plus forte raison quand il n'a pas été gâté par la nature.

– C'est à quel sujet que vous voulez me voir ? coupa Perry.

Poirot se pencha et lui tapota le genou :

– Chantage, annonça-t-il, avec un large sourire.

– Chantage ? Qu'est-ce que c'est que ce baratin ?

– On m'a dit – enfin, mon petit doigt m'a dit – qu'il est certaines fois arrivé que vous soyez sur le point de publier dans votre journal si *spirituel* des articles qui auraient pu avoir des conséquences graves… Et puis on a assisté tout d'un coup à une sympathique progression de votre compte en banque… À la suite de quoi, en fin de compte, ces fâcheux articles n'ont pas paru…

Poirot se renfonça dans son fauteuil et dodelina de la tête avec toutes les apparences d'une satisfaction béate.

– Vous vous rendez compte que ce que vous insinuez s'apparente à de la diffamation ?

Poirot sourit, fort à son aise :

– Je suis convaincu que vous ne vous en formaliserez pas.

– Oh que si, que je me formalise ! Pour ce qui est du chantage, vous ne trouverez pas de preuve que j'ai jamais fait chanter qui que ce soit.

– Non, non. Ça, croyez bien que j'en suis tout à fait persuadé. Mais vous n'avez pas saisi. Je ne vous menaçais pas le moins du monde. Je voulais en arriver à une question toute simple. *Combien* ?

– Je ne comprends pas de quoi vous parlez, s'offusqua Percy Perry.

– Il s'agit d'un problème d'importance nationale.

Les deux hommes s'affrontèrent du regard.

– Moi, monsieur Poirot, je suis pour le changement, affirma Percy Perry. La politique, il faut qu'elle redevienne propre. La corruption, je la combats. Vous savez ce que c'est, la politique, dans ce pays ? Les écuries d'Augias, ni plus ni moins !

– Tiens, tiens ! fit Poirot. Vous employez cette comparaison, vous aussi…

– Et ce qu'il nous faut pour nettoyer ces écuries, c'est le grand flot purificateur de l'opinion publique…

Poirot se leva :

– J'applaudis des deux mains pareils sentiments.

Puis, tout en se dirigeant vers la porte :

– Quel dommage que vous n'ayez pas besoin d'argent.

– Holà, minute ! bondit Percy Perry. J'ai pas dit ça…

Mais Hercule Poirot avait déjà franchi le seuil.

Sa justification, pour le plan qu'il allait mettre en œuvre, serait qu'il n'aimait pas les maîtres chanteurs.

*

Gai comme un pinson, Everitt Dashwood, jeune reporter à *Confluents,* gratifia Poirot d'une claque chaleureuse entre les omoplates.

– Il y a boue et boue, mon vieux, expliqua-t-il. Ma boue à moi, c'est de la boue propre – un point c'est tout.

– Je n'étais pas en train de vous mettre dans le même sac que Percy Perry.

– Cette espèce de fouille merde ! La honte de la profession ! Si on pouvait, on s'y mettrait à tous pour le descendre en flèche !

– Il se trouve, expliqua Poirot, que je m'occupe en ce moment d'un petit problème – d'un scandale politique à dénouer…

– Vous nettoyez les écuries d'Augias, pas vrai ? Rude tâche pour un seul homme. Pour y arriver, il faudrait rien moins que détourner la Tamise et passer le Parlement à grande eau !

– Vous êtes cynique, le gourmanda Poirot.

– Je connais mon monde, voilà tout.

– Vous êtes, j'en ai bien l'impression, très précisément l'homme dont j'ai besoin. Vous me paraissez du genre à ne pas rester les deux pieds dans le même sabot, vous êtes joueur – et beau joueur –, et vous avez un faible pour ce qui sort de l'ordinaire.

– Cela posé ?…

– J'ai un plan assez retors à mettre en œuvre. Si je ne m'abuse, il y a un fantastique complot à déjouer. Et ça, mon garçon, ça ferait un joli *scoop* pour votre journal.

– J'achète ! approuva joyeusement Dashwood.

– Il s'agira d'une machination assez crapuleuse dirigée contre une femme.

– De mieux en mieux ! Le sexe a toujours fait vendre !

– En ce cas, asseyez-vous et écoutez-moi.

*

Les conversations allaient bon train au *Goose and Feathers,* le pub de Little Wimplington :

– Ouais, eh bien, moi, j'y crois pas. John Hammett, ç'a toujours été un homme honnête. Pas comme les trois quarts de ces politiciens.

– C'est ce qu'on dit toujours des escrocs avant qu'ils se soient fait pincer.

– Des millions, qu'ils se sont faits, avec ce truc de la Palestine Oil.

– Sont tous du même tabac. Rien que des escrocs. C'est panier de crabes et compagnie.

– Z'avez beau dire, c'est pas Everhard qu'on prendrait à faire ça. L'est de la vieille école, lui !

– Ben moi, je peux pas croire que John Hammett était un sale type. Faut quand même pas gober tout ce qu'on raconte dans les journaux.

– La femme à Ferrier, mine de rien, c'était sa fille. Vous avez vu comment qu'on l'arrange ?

Un exemplaire fatigué du *Rayon X* passa de main en main :

La femme de César ? Nous avons appris que certaine dame liée aux plus hautes sphères de la politique a été vue l'autre jour en de bien curieuses circonstances. Pour tout dire, dans les bras d'un gigolo. Oh, Dagmar, chère Dagmar, comment osez-vous vous conduire aussi mal ?

– Mrs Ferrier, c'est pas son genre, coupa une voix au fort accent campagnard.

– Un gigolo ? Si ça se trouve, c'est encore un de ces foutus métèques.

– Avec les femmes, on peut jamais jurer de rien, renchérit une autre voix. Toutes les mêmes. Y en a pas une pour racheter l'autre, si vous voulez que je vous dise.

*

On clabaudait :

– Écoute, chérie, je t'assure que j'y crois *dur comme fer*. Naomi le tient de Paul, et c'est Andy qui l'avait dit à Paul. Elle fait une java *carabinée*.

– Elle qui était toujours si mal fagotée et tellement bon chic bon genre pour inaugurer les ventes de charité…

– L'art du camouflage, qu'est-ce que tu en fais, chérie ? Avec tout ça, on dit qu'elle est nymphomane. Non mais *tu te rends compte* ? C'est écrit noir sur blanc dans *Rayon X*. D'accord, ils ne disent pas ça aussi nettement, mais on sait lire entre les lignes. Ce que je me demande toujours, c'est comment ils arrivent à savoir tout ça ?

– Et puis qu'est-ce que tu penses du scandale politique qui leur pend au nez ? Il paraît que son père a mis l'argent du parti dans sa poche.

*

La rumeur s'amplifiait :

– Vous me connaissez, Mrs Rogers… Ça me tourne les sangs d'avoir à penser ça… Moi qui aurais donné ma tête à couper que Mrs Ferrier était quelqu'un de *bien*…

– Toutes ces horreurs, vous y croyez vraiment ?

– Je viens de vous le dire… Rien que d'en parler, ça m'en fait mal au ventre… Vous savez pas, en juin dernier, quand c'est qu'elle a inauguré la fête de charité de Pelchester ? Eh bien, je l'ai vue comme je vous vois… et elle a un sourire qu'on lui donnerait le bon Dieu sans confession.

– Peut-être bien mais comme je dis toujours : il n'y a pas de fumée sans feu…

– Ça, malheureusement, ça n'est que trop vrai… Ah, ma pauvre, c'est à croire qu'on ne peut plus faire confiance à *personne*…

*

Edward Ferrier avait le visage livide et les traits tirés :

– Cette campagne contre ma femme ! C'est immonde ! Absolument immonde ! Je vais traîner ce torchon ordurier devant les tribunaux !

– Si j'ai un conseil à vous donner, c'est de n'en rien faire, répondit Hercule Poirot.

– Mais il faut quand même arrêter ces calomnies une bonne fois pour toutes !

– Vous êtes *sûr* qu'il s'agit de calomnies ?

– Sacré bon sang de bonsoir, oui !

Poirot inclina légèrement la tête sur le côté :

– Qu'en dit votre épouse ?

Edward Ferrier perdit un instant contenance :

– Elle dit qu'il vaut mieux laisser courir… Mais ça ne peut pas continuer comme ça… Tout le monde jase.

– Oui, tout le monde jase, approuva Hercule Poirot.

*

Vint le jour où tous les journaux s'empressèrent de reproduire une sèche dépêche d'agence :

Souffrant d'une légère dépression nerveuse, Mrs Ferrier est partie se reposer en Écosse.

Interrogations, on-dit, informations de source sûre selon lesquelles Mrs Ferrier n'était *pas* en Écosse – qu'elle n'avait *jamais mis les pieds* en Écosse…

Et des articles, des articles à scandale sur la vraie personnalité de Mrs Ferrier…

Et les racontars de continuer de plus belle :

– Je vous dis qu'Andy l'a *vue*… Dans cet endroit pas possible… Elle était ivre, ou droguée, ou Dieu sait quoi… Et accompagnée de cet affreux gigolo argentin… Ramon, *vous* savez bien…

Et de nouvelles rumeurs :

Mrs Ferrier avait quitté le pays en compagnie d'un danseur argentin… On l'avait vue à Paris, complètement droguée… D'ailleurs elle prenait de la drogue depuis des années… Et elle buvait comme un trou…

Et, peu à peu, l'esprit rigoriste de l'opinion publique, tout d'abord incrédule, s'était retourné contre Mrs Ferrier. Il devait quand même bien y avoir quelque chose de vrai dans tout ça ! Et elle n'était *en tout cas pas* le genre d'épouse qui convient à un Premier ministre : « Une Jézabel, voilà ce qu'elle est ! Ou une Messaline, si vous préférez ! »

Puis vinrent les photos…

Des photos de Mrs Ferrier à Paris… Vautrée dans une boîte de nuit, le bras passé autour du cou d'un individu au teint olivâtre et à l'œil concupiscent…

D'autre photos, encore… À moitié nue sur une plage – la tête sur l'épaule du chéri de ces dames…

Mrs Ferrier prend du bon temps, affirmait la légende.

Deux jours plus tard, une action en diffamation était intentée contre le *Rayon X.*

*

La partie civile était représentée par un avocat des plus connus, sir Mortimer Inglewood, conseiller de la Couronne. C'était un homme capable d'afficher la plus grande dignité tout en donnant libre cours à sa sainte fureur.

Mrs Ferrier, affirma-t-il à la Cour, était la victime d'une infâme machination. Machination qui n'avait d'équivalent que dans l'affaire célèbre du Collier de la Reine, bien connue de tous les lecteurs d'Alexandre Dumas et qui avait été montée pour discréditer la reine Marie-Antoinette aux yeux du peuple. De la même façon, une machination avait été ourdie pour jeter l'opprobre sur une femme d'une grande noblesse et riche de toutes les vertus qui, dans son pays, se trouvait dans la position de la femme de César. Sir Mortimer abonda en critiques acerbes contre les Fascistes et les Communistes, qui avaient pour but commun de saper les fondements de la Démocratie en recourant à toutes les manigances, imaginables et inimaginables.

Puis il appela ses témoins.

En tête comparut l'évêque de Northumbria, l'un des personnages les plus connus de toute l'Église d'Angleterre, réputé pour sa piété et pour la droiture de sa personnalité. C'était aussi un homme ouvert et tolérant, et un remarquable prédicateur. Tous ceux qui le connaissaient l'aimaient et le respectaient.

À la barre, l'évêque certifia qu'aux dates en cause, Mrs Ferrier avait séjourné en son palais épiscopal, en compagnie de son époux et de lui-même. Épuisée par

473

son dévouement incessant aux meilleures causes, l'épouse du Premier ministre s'était vu ordonner le repos complet. Son séjour avait été gardé secret pour éviter que les journalistes ne l'importunent.

Un médecin des plus éminents succéda à l'évêque, et témoigna qu'il avait prescrit à Mrs Ferrier de se reposer immédiatement et d'éviter tout tracas.

Puis un généraliste de province confirma qu'il avait été appelé en consultation auprès de Mrs Ferrier alors qu'elle séjournait chez l'évêque.

Le témoin suivant était Thelma Andersen.

Un frisson parcourut la salle quand elle fit son entrée. Chacun remarqua aussitôt qu'elle ressemblait, presque trait pour trait, à Mrs Ferrier.

— Vous vous appelez Thelma Andersen ?

— Oui.

— Vous êtes citoyenne du Danemark ?

— Oui. À Copenhague je vis.

— Et vous y avez travaillé comme serveuse dans un café ?

— Oui.

— Pouvez-vous nous dire ce qui s'est passé le 18 mars dernier ?

— Un monsieur à ma table est venu… un monsieur anglais. Qu'il travaillait pour un journal anglais il m'a dit. Le *Rayon X*…

— Vous êtes sûre qu'il a bien prononcé ce nom ? *Rayon X* ?

— Oh oui, sûre j'en suis. Parce que, vous comprenez, moi j'ai cru d'abord que c'était un journal médical. Mais non, médical ce n'était pas. Et puis il m'a dit qu'une actrice anglaise elle cherchait une doublure et que j'avais son type. Au cinéma je ne vais pas souvent et je n'ai pas reconnu le nom qu'il m'a dit, mais il a insisté : si, c'était une célébrité, mais elle était très fatiguée, elle avait besoin de quelqu'un pour apparaître en public à sa place, et pour ça elle était prête à me verser beaucoup d'argent.

– Combien ce monsieur vous a-t-il proposé ?

– Cinq cents livres sterling. Moi, j'ai d'abord pas cru, j'ai pensé qu'il y avait du louche, mais il m'a payé tout de suite la moitié. Alors j'ai donné mon congé là où je travaillais.

Elle poursuivit son récit. On l'avait emmenée à Paris, où on lui avait fourni une garde-robe élégante, et où on l'avait dotée d'un « chevalier servant », « un monsieur argentin très bien, très convenable, très poli et tout ».

Il était évident que la jeune femme s'était beaucoup amusée. Elle avait pris l'avion pour Londres, où elle s'était montrée dans diverses boîtes de nuit en compagnie de son cavalier au teint olivâtre. Toujours en sa compagnie, on l'avait photographiée plusieurs fois à Paris. Elle reconnaissait que certains des endroits où elle était allée n'étaient pas tout à fait corrects – et même pas corrects du tout ! Et plusieurs des photographies qui avaient été prises n'étaient pas très bien non plus. Mais on lui avait expliqué que tout cela était indispensable pour la « publicité ». Et le señor Ramon s'était toujours très bien conduit.

En réponse à une question, elle affirma que le nom de Mrs Ferrier n'avait jamais été prononcé devant elle, et qu'elle n'avait jamais su que c'était elle la personne qu'elle devait « doubler ». Elle n'avait eu aucune intention de causer du tort. Elle ne fit pas de difficulté pour reconnaître, prises à Paris ou sur la Côte d'Azur, les photos qui lui furent montrées.

Nul ne pouvait mettre en doute la sincérité de Thelma Andersen. De toute évidence, c'était une jeune femme charmante, mais dénuée de la moindre jugeote. Et il n'y avait pas à se méprendre sur son embarras d'avoir été mêlée à une affaire aussi sordide.

La défense se montra incapable de convaincre qui que ce soit. Nul ne crut à son démenti frénétique de tout arrangement avec Thelma Andersen. Quant aux photos, elles auraient été apportées à la rédaction du *Rayon X*, à Londres, et jugées authentiques. La plaidoirie de sir Mortimer souleva l'enthousiasme. Il stigmatisa sans peine une infâme machination politique destinée à abattre le Premier ministre et son épouse. Toutes les sympathies iraient à la malheureuse Mrs Ferrier.

Le verdict, qui ne faisait aucun doute, donna lieu à des scènes délirantes. Les dommages et intérêts furent fixés à un montant colossal. Quand Mrs Ferrier, son mari et son père sortirent du tribunal, ils furent salués par l'ovation triomphale d'une foule immense.

*

Edward Ferrier s'empara de la main d'Hercule Poirot :

– Vous remercier mille fois, monsieur Poirot, ne serait pas encore assez ! Enfin, nous voilà débarrassés de ce *Rayon X* ! De cette ordure ! De ce torchon ! Ah, ils sont balayés ! Et ils ne l'ont pas volé ! Une machination aussi répugnante ! Et contre Dagmar, en plus ! La meilleure des femmes ! Grâce à Dieu, vous êtes parvenu à déjouer leurs manigances indignes ! Mais, dites moi… qu'est-ce qui vous a donné l'idée qu'ils pouvaient se servir d'un sosie ?

– Ce n'est pas une idée nouvelle, lui rappela Poirot. Cela avait très bien marché quand Jeanne de la Motte avait joué le rôle de Marie-Antoinette…

– Je sais. Il faut que je relise *Le Collier de la Reine*. Mais comment vous y êtes-vous pris pour *découvrir* la femme dont ils se servaient ?

– Je l'ai cherchée au Danemark, et je l'ai trouvée.

– Et pourquoi le Danemark ?

– Parce que la grand-mère de Mrs Ferrier était danoise, et qu'elle a elle-même un type scandinave très marqué. Et puis pour d'autres raisons.

– Il est vrai que la ressemblance était frappante. Mais quelle idée diabolique ! Je me demande encore comment ce rat visqueux de Perry a pu y penser.

– Mais il n'y a pas pensé, sourit Poirot.

Et, se tapant le thorax du bout de l'index, il ajouta :

– C'est *moi* qui y ai pensé !…

Edward Ferrier demeura interloqué :

– Je ne comprends pas. Que voulez-vous dire ?

– Il nous faut, expliqua Poirot, remonter à une histoire bien plus ancienne que *Le Collier de la Reine*. Au nettoyage des écuries d'Augias. Pour cela, Hercule s'est servi d'un fleuve, autrement dit de la puissance d'une force naturelle. Adaptez cela à notre temps ! Aujourd'hui, quelle est la plus puissante des forces naturelles ?

477

C'est le sexe, non ? C'est quand il y a du sexe que les informations accrochent et que les journaux se vendent ! Donnez aux gens un scandale avec un relent de sexe, et ils se jetteront dessus, bien plus que sur n'importe quelle ténébreuse histoire de prévarication ou d'abus de pouvoir dans le monde de la politique.

» Eh bien, là résidait ma tâche ! D'abord, comme Hercule, plonger mes mains dans la boue pour édifier un barrage qui détournerait le cours du fleuve. Un de mes amis journalistes m'a apporté son concours. Il a parcouru le Danemark en tous sens, jusqu'au moment où il a fini par trouver la personne qui ferait un bon sosie. Il est entré en contact avec elle et, comme par inadvertance, à parlé du *Rayon X*, avec l'espoir qu'elle s'en souviendrait. Elle s'en est souvenu.

» Et de là, qu'a-t-il découlé ? *De la boue !* Un torrent de boue ! De la boue qui souillait la femme de César ! Bien plus croustillant pour n'importe qui qu'un énième scandale politique ! Quant au résultat, *au dénouement…* quelle réaction ! La vertu est vengée ! La pureté est lavée de la plus infime souillure ! Une marée d'eau de rose a balayé les écuries d'Augias !

» Aujourd'hui, si un journal de ce pays a le courage de révéler les indélicatesses de John Hammett, personne ne le croira. Tout le monde pensera qu'il s'agit d'une nouvelle machination destinée à discréditer le gouvernement.

Edward Ferrier respira à fond. L'espace d'un instant, Hercule Poirot put penser qu'il se trouvait plus proche d'être agressé qu'à n'importe quel moment de sa carrière.

– Ma femme ! Vous avez osé vous servir d'elle !

Par un hasard sans doute heureux, Mrs Ferrier pénétra à cet instant dans le bureau :

– Eh bien, sourit-elle, on peut dire que tout s'est très bien passé.

– Mais enfin, Dagmar, vous étiez… vous étiez au courant ?

– Bien entendu, mon chéri, répondit-elle avec le sourire tendre et maternel d'une épouse aimante.

– Et vous ne m'en avez jamais rien dit !

– Sérieusement, Edward, auriez-vous jamais autorisé M. Poirot à agir comme il l'a fait ?

– Certainement pas !

– C'est bien ce que nous avons pensé.

– Nous ?

– M. Poirot et moi.

Elle adressa un regard lumineux à son mari et au détective :

– Je me suis divinement reposée, pendant mon séjour chez l'évêque. Je sens en moi un regain d'énergie. On m'a demandé d'aller à Liverpool, le mois prochain, pour être la marraine du nouveau cuirassé… Je crois que ce sera très bon pour ma popularité.

6

Les oiseaux du lac Stymphale
(The Stymphalean Birds)

Quand Harold Waring les remarqua, elles remontaient le sentier qui venait du lac.

Il s'était installé sur la terrasse, devant l'hôtel. C'était une belle journée, le ciel était bleu, et le soleil brillait. Il fumait sa pipe, et trouvait que le monde était bon.

Sa carrière politique avait pris un excellent départ. On était, certes, en droit d'éprouver quelque orgueil à la pensée qu'à l'âge de trente ans, on avait déjà décroché un maroquin de sous-secrétaire d'État. Le Premier ministre en personne aurait confié à l'un de ses interlocuteurs que « le jeune Waring irait loin », et Harold, comme il était normal, en ressentait une certaine exaltation. La vie s'offrait à lui sous de brillantes couleurs : il était jeune, plutôt séduisant, et libre de toute attache.

Il avait décidé de prendre des vacances en Herzoslovaquie pour rompre avec le rythme quotidien, et se reposer réellement de tous et de tout. Quoique de dimensions modestes, l'hôtel du lac Stempka offrait un bon confort à un nombre limité de clients, presque tous étrangers. Jusqu'à présent, les seuls autres sujets britanniques à partager son séjour se trouvaient être une femme âgée, Mrs Rice, accompagnée de sa fille, Mrs Clayton. Toutes deux plaisaient bien à Harold. Elsie Clayton était charmante, dans un genre assez vieux jeu. Elle se maquillait peu, ou pas du tout. Mrs Rice, de son côté, affichait une forte personnalité. Grande, la voix grave, des manières impérieuses, elle manifestait un vrai sens de l'humour et se révélait de bonne compagnie. À l'évidence, elle ne vivait que pour sa fille.

Harold avait passé de bons moments avec la mère et la fille, sans qu'elles cherchent pour autant à l'accaparer.

Les autres clients de l'hôtel n'avaient guère attiré l'attention de Harold. Excursionnistes, pour la plupart, ou faisant partie de voyages organisés, ils ne restaient qu'une nuit ou deux, et repartaient.

Elles marchaient lentement sur le sentier et, comme par hasard, un nuage voila le ciel à l'instant même où il les remarqua. Il fut saisi d'un frisson.

Puis il écarquilla les yeux. Il y avait à coup sûr quelque chose d'étrange dans ces deux femmes. Leurs nez, longs et recourbés comme des becs d'oiseau, ornaient des visages très semblables, presque figés. Toutes deux portaient de longues capes qui battaient comme des ailes.

– On dirait des oiseaux, murmura-t-il pour lui même. *Des oiseaux de mauvais augure…*

Les deux femmes parvinrent à la terrasse et passèrent à côté de lui. Plus toutes jeunes – nettement plus près de la cinquantaine que de la quarantaine –, elles se ressemblaient tant qu'elles ne pouvaient être que sœurs. Toutes deux, en passant, visage fermé, scrutèrent Harold d'un regard inquisiteur, qui jaugeait. Un regard presque inhumain.

Harold n'en fut que plus renforcé dans son impression de maléfice. L'une des deux femmes avait des mains crochues, comme des serres… Le soleil avait échappé aux nuages, mais Harold n'en frissonna pas moins une seconde fois :

– Quelles horribles créatures… Des oiseaux de proie…

L'apparition de Mrs Rice l'arracha à ces sombres pensées. Il se leva et avança un fauteuil. Avec deux mots de remerciement, elle s'assit, et, selon son habitude, commença de tricoter avec vigueur.

– Vous avez vu ces deux femmes qui viennent de rentrer dans l'hôtel ? demanda Harold.

– Avec des capes ?… Oui, je les ai croisées.

– Des créatures incroyables, vous ne trouvez pas ?

– Oui… Sans doute sont-elles assez bizarres. Je crois qu'elles ne sont arrivées qu'hier. Elle se ressemblent énormément – des jumelles, sans doute.

– Je délire probablement, avoua Harold, mais je leur trouve comme une aura maléfique.

– Tiens, tiens ! Il faut que je les examine de plus près pour savoir si je partage votre avis. Par le réceptionniste, nous saurons de qui il s'agit. Ce ne sont pas des Anglaises, j'imagine.

– Certainement pas.

Mrs Rice consulta sa montre :

– C'est l'heure du thé. Auriez-vous la gentillesse de sonner ?

– Mais bien évidemment.

Revenant s'asseoir après s'être exécuté, il s'enquit :

– À propos, que fait madame votre fille, cet après-midi ?

– Elsie ? Nous avons fait une petite promenade ensemble. La moitié du tour du lac, et retour par la pinède. C'était délicieux.

Un serveur arriva, et on lui passa commande. Les aiguilles à tricoter de Mrs Rice voletaient de plus belle.

– Elsie a reçu une lettre de son mari, confia-t-elle. Je ne pense pas qu'elle descende pour le thé.

– De son mari ? s'étonna Harold, J'aurais juré qu'elle était veuve !

Mrs Rice lui jeta un regard acéré.

– Non, Elsie n'est pas veuve, fit-elle d'un ton bref. Pas veuve, hélas ! ajouta-t-elle, non sans emphase.

Harold en resta sans voix.

Hochant tristement la tête, Mrs Rice expliqua :

– L'alcool est responsable de bien des chagrins, Mr Waring…

– Il boit ?

– Oui. Sans parler du reste… Il est d'une jalousie maladive, et il a un caractère d'une violence effrayante, soupira-t-elle. La vie n'est pas simple, Mr Waring. Je me consacre entièrement à Elsie. C'est mon unique enfant. Et l'idée qu'elle n'est pas heureuse est difficile à accepter…

– C'est un être d'une telle douceur ! s'émut du fond du cœur Harold.

– D'une trop grande douceur, peut-être…

– Vous voulez dire…

– Une femme heureuse a plus d'orgueil. La douceur d'Elsie, je crois, vient de son sentiment d'avoir perdu la partie. La vie ne l'a pas gâtée.

– Comment… comment se fait-il qu'elle ait épousé cet individu ? osa demander Harold après moult hésitation.

– Philip Clayton était un garçon d'une infinie séduction, expliqua Mrs Rice. Il avait – et il a toujours – beaucoup de charme. Il possède une certaine fortune… et personne ne nous avait éclairées sur sa vraie nature. Il y a des années que je suis veuve. Et deux femmes qui vivent seules sont assez mauvais juges de la personnalité d'un homme…

– C'est vrai, approuva Harold, pensif.

Il se sentait submergé par une vague de pitié et d'indignation. Elsie Clayton ne devait guère avoir plus de vingt-cinq ans. Il revoyait la lumineuse chaleur de ses yeux bleus, l'exquise langueur de ses lèvres entrouvertes. Il comprenait soudain que ce qu'il ressentait pour elle était plus que de l'amitié.

Et dire qu'elle était liée, par des liens sacrés, à un salopard…

*

Ce soir-là, Harold rejoignit la mère et la fille après le dîner. Elsie Clayton portait un ensemble rose très simple qui contrastait avec ses paupières rougies. Elle avait pleuré.

– J'ai découvert qui sont vos deux harpies, Mr Waring, annonça, pétulante, Mrs Rice, Polonaises… et d'excellente famille, à en croire le concierge.

Harold jeta un coup d'œil aux deux femmes assises de l'autre côté de la pièce.

– Ces deux dames, là-bas ? s'enquit Elsie avec curiosité. Avec les cheveux teints ? Je les trouve horribles… sans trop savoir pourquoi.

– C'est exactement ce que je pense ! s'exclama Harold non sans jubilation.

– Vous êtes aussi ridicules l'un que l'autre, trancha en riant Mrs Rice. Il ne faut pas juger les gens d'après leur apparence.

Elsie éclata de rire à son tour :

– C'est vrai que ça ne se fait pas. N'empêche, *je* trouve qu'on dirait deux vautours…

– Occupés à arracher les yeux des trépassés ! compléta Harold.

– Oh ! je vous en prie ! gémit Elsie.

– Je vous demande pardon, se hâta d'articuler Harold.

– De toute façon, sourit Mrs Rice, il y a peu de chances pour qu'elles croisent *notre* chemin.

– *Nous* ne dissimulons aucun secret coupable, précisa Elsie.

– Mais peut-être est-ce, en revanche, le cas de Mr Waring, plaisanta Mrs Rice.

Harold Waring partit d'un grand rire :

– Je n'ai pas le moindre secret ! Ma vie est un livre ouvert.

Fulgurante, une pensée le traversa :

« Il faut être cinglé pour quitter le droit chemin. Une conscience nette, c'est tout ce dont on a besoin dans l'existence. Avec ça, on peut affronter le monde entier, et envoyer tous les enquiquineurs au diable. »

Il se sentit soudain plein de vie, plein de force… et maître absolu de sa destinée !

*

Comme bien des Anglais, Harold Waring n'avait pas le don des langues. Son français était hésitant, et marqué d'un fort accent britannique, et il ignorait aussi bien l'italien que l'allemand.

Jusque-là, son ignorance l'avait laissé indifférent. Il avait découvert que le personnel de la plupart des hôtels du Continent savait l'anglais. Dans ces conditions, pourquoi se faire du souci ?

Mais dans ce coin retiré, les gens du cru ne parlaient qu'un des dialectes slovaques, et le réceptionniste de l'hôtel lui-même s'en tenait à l'allemand. Devoir demander à ses deux nouvelles amies de lui servir d'interprètes causait chaque fois à Harold une blessure d'amour-propre. Tandis que Mrs Rice, linguiste consommée, parvenait même à se débrouiller en slovaque.

Harold avait décidé qu'il lui fallait apprendre l'allemand. Sans plus attendre, il allait faire l'emplette de bons manuels, et consacrer à son étude quelques heures chaque matin.

La matinée était belle et, ayant écrit plusieurs lettres, Harold, consultant sa montre, nota qu'il pouvait parfaitement s'offrir une promenade d'une heure avant le déjeuner. Il descendit donc le sentier du lac qu'il quitta pour s'enfoncer dans la pinède. Il marchait à travers les pins depuis cinq minutes à peine lorsqu'il entendit des gémissements à propos desquels on ne pouvait se méprendre : tout près, une femme pleurait toutes les larmes de son corps.

Harold, après un instant de réflexion, se mit en marche, pour trouver Elsie Clayton, assise sur le tronc d'un arbre mort. Elle avait enfoui son visage dans ses mains. Ses épaules, secouées par les sanglots, attestaient de la violence de sa peine.

Hésitant quelque peu, Harold l'aborda.

– Mrs Clayton ?… Elsie ? souffla-t-il.

Elle sursauta, puis leva les yeux vers lui. Il s'assit à côté d'elle.

Avec une sincérité vraie, il demanda :

– Y a-t-il quoi que ce soit que je puisse faire ?

Elle secoua la tête :

– Non… non… vous êtes gentil. Mais personne ne peut rien pour moi.

– Cela a un rapport avec… avec votre mari ? interrogea-t-il, en proie à une timidité nouvelle.

Elle acquiesça sans mot dire. Puis elle s'essuya les yeux et, sortant son poudrier, s'efforça de retrouver la maîtrise d'elle-même.

– Je ne veux pas que Mère se fasse du souci, dit-elle d'une voix tremblante. Quand elle voit que je suis malheureuse, elle est bouleversée. Alors je suis venue ici pour pleurer un bon coup. C'est idiot, je sais. Rien ne sert de pleurer. Mais… mais il vous arrive parfois de trouver que la vie… n'est plus supportable.

– Je compatis à votre peine.

Elle lui lança un regard d'une infinie reconnaissance. Puis elle reprit d'un ton heurté :

– Tout est de ma faute, naturellement. Personne ne m'a obligée à épouser Philip. Si… si ça a mal tourné, je ne peux m'en prendre qu'à moi-même.

– Vous avez un cran fou de présenter les choses comme ça.

– Du cran ? fit-elle en secouant la tête. Oh non ! Je

n'ai pas pour deux sous de courage. Je suis même horriblement froussarde. Et c'est le problème, avec Philip – du moins en partie. Quand il pique une de ses colères, je tremble de terreur… je suis morte de peur.

– Il *faut* que vous le quittiez ! s'écria Harold de toute son âme.

– Je n'ose pas. Il… il ne voudra jamais.

– Ça ne tient pas debout ! Et le divorce, vous y avez songé ?

Elle secoua lentement la tête.

– Je n'ai pas de motifs pour demander le divorce, fit-elle en redressant les épaules. Non, je dois me contenter de subir. Je passe le plus clair de mon temps avec Mère, voyez-vous, et ça, Philip le tolère. En particulier quand nous nous retirons dans des endroits perdus, loin de tout, comme ici…

Elle rougit soudain, et reprit :

– L'autre partie du problème, c'est qu'il est d'une jalousie pathologique. Il suffit que… que je parle à un autre homme pour déclencher des scènes épouvantables.

Harold sentit enfler son indignation. Bien des femmes s'étaient plaintes auprès de lui de la jalousie de leur mari. Il leur avait manifesté de la sympathie, bien convaincu cependant, au fond de lui-même, que les maris avaient d'excellentes raisons. Mais Elsie Clayton n'avait rien à voir avec ces femmes-là. Jamais elle ne lui avait lancé le moindre coup d'œil engageant.

Frissonnant un peu, Elsie se redressa et regarda le ciel :

– Le soleil s'est caché. Il commence à faire froid.

Mieux vaudrait que nous rentrions à l'hôtel. L'heure du déjeuner n'est sans doute pas loin.

Tous deux se levèrent et se mirent en route. Ils rattrapèrent bientôt une silhouette indistincte qui allait dans la même direction qu'eux. La longue cape qui battait les mollets la désignait sans erreur possible comme une des sœurs polonaises.

Quand ils la dépassèrent, Harold salua d'une brève inclination de la tête. Elle dédaigna de répondre mais les scruta tous deux de la tête aux pieds et avec un regard d'une telle intensité que Harold en rougit. Il se demanda si elle l'avait vu assis sur le tronc d'arbre au côté d'Elsie. Si oui, elle devait penser que…

Et tout donnait à croire qu'elle le pensait effectivement. Une onde de fureur le souleva. Certaines femmes avaient décidément l'esprit bien mal tourné !

Curieux, quand même, que le soleil ait disparu et qu'ils aient tous deux frissonné. Peut-être à l'instant même où cette femme les observait…

Harold se sentit la proie d'un étrange sentiment de malaise.

*

Harold regagna sa chambre peu après dix heures du soir. Le courrier d'Angleterre était arrivé à la fin de l'après-midi, et il avait reçu une abondante correspondance. Certaines lettres exigeaient une réponse immédiate.

Il revêtit son pyjama et sa robe de chambre, et s'assit à sa table pour s'occuper des missives les plus urgentes.

Trois lettres étaient achevées, et la quatrième à peine commencée, quand la porte s'ouvrit à la volée. Elsie Clayton entra en trombe.

D'un bond, Harold, stupéfait, se dressa sur ses pieds. Elsie avait déjà refermé la porte derrière elle et se cramponnait à la commode. Blanche comme un linge, elle haletait. Elle paraissait paralysée par la peur.

– C'est mon mari ! hoqueta-t-elle. Il est arrivé à l'improviste ! Je… je crois qu'il va me tuer ! Il est fou ! Fou à lier ! Vous êtes mon seul espoir ! Il ne faut… il ne faut pas qu'il me trouve !

Elle fit un pas ou deux, chancelante, sur le point de s'effondrer. Harold lui passa un bras autour de la taille pour la soutenir.

Comme il faisait ce geste, la porte se rouvrit à la volée. Un homme apparut sur le seuil. Il était de taille moyenne, avec des sourcils broussailleux et des cheveux noirs et lustrés. Il brandissait une lourde clef à molette. La colère lui cassait presque la voix, la faisait quasiment monter dans l'aigu. Il glapissait :

– Cette Polonaise avait raison ! Tu as une liaison avec cet individu !

– Non, non, Philip ! hurla Elsie. Tu te trompes ! Ce n'est pas vrai !

Harold lui fit un rempart de son corps. Impavide, Philip Clayton continua d'avancer :

– Je me trompe ? Alors qu'est-ce que tu fais dans cette chambre ? Garce, je vais te tuer !

D'un rapide mouvement tournant, il évita le bras de Harold. Il n'avait cependant pas fait assez vite pour empêcher Elsie de mettre le jeune homme entre elle et lui. Déjà ce dernier pivotait sur lui-même pour maîtriser le dément.

Philip Clayton n'avait qu'une seule idée : se saisir de sa femme. Il s'élança à nouveau. Elsie, paniquée, s'enfuit en courant. Philip Clayton se rua à sa poursuite et Harold, sans barguigner, les suivit.

Elsie s'était jetée dans sa chambre, au bout du couloir. Harold perçut le bruit de la clef dans la serrure qu'elle tentait de verrouiller. Mais il était trop tard. Avant que le pêne ne soit enclenché, Philip Clayton avait forcé la porte. Il s'engouffra dans la chambre. Elsie poussa un cri d'effroi. En un instant, Harold fut sur les talons du mari.

Philip Clayton, la clef à molette haut levée, se ruait vers sa femme cramponnée aux rideaux. Les forces décuplées par la terreur, elle saisit sur la table un lourd presse-papiers et le lança droit devant elle. Philip Clayton s'effondra comme un pantin désarticulé.

De nouveau, Elsie hurla. Harold, pétrifié, n'osait franchir le seuil. La jeune femme tomba à genoux à côté du corps de son mari qui ne bougeait plus…

Du couloir parvenait le bruit d'une serrure que l'on débloque. Elsie se releva d'un bond et se précipita vers Harold :

– Je vous en prie… je vous en conjure…

Sa voix était basse, haletante :

– Retournez dans votre chambre ! On va venir… il ne faut pas qu'on vous trouve ici !

Harold hocha la tête. En un éclair, il avait pris la mesure de la situation. Pour le moment, Philip Clayton était hors de combat. Mais les cris d'Elsie pouvaient avoir ameuté les foules. Si on le trouvait dans la chambre de la malheureuse, on pouvait s'attendre aux pires malentendus. Pour elle tout autant que pour lui, il fallait éviter le scandale.

À pas de loup, il s'enfonça dans le couloir et regagna ses appartements. À l'instant où il y parvenait, il entendit le crissement d'une porte que l'on ouvrait.

Pendant une longue demi-heure, il resta assis, en attente, sans oser mettre le nez dehors. Tôt ou tard, il en était convaincu, Elsie apparaîtrait.

On frappa à sa porte. Il bondit pour ouvrir.

Ce n'était pas Elsie, mais sa mère, et Harold, à sa vue, fut effaré. Échevelée, elle avait pris dix ans, et des cernes bistre lui marquaient les paupières.

Il la fit asseoir. Elle avait de la peine à respirer.

– Vous avez l'air toute retournée, Mrs Rice. Puis-je vous chercher un cordial ? s'enquit Harold.

Elle secoua la tête :

– Non… Ne vous occupez pas de moi… Cela ira, ne vous inquiétez pas… J'ai seulement éprouvé un choc, Mr Waring… Il vient de se passer quelque chose d'épouvantable…

– Clayton est gravement blessé ?

Elle étouffa un râle :

– Pire que cela. *Il est mort…*

*

Autour de Harold, le monde vacillait.

Il fut pris d'une sueur froide. Il se sentait incapable de parler.

Il finit par répéter platement :

492

– *Mort* ?

Mrs Rice hocha la tête. Puis elle expliqua, d'une voix marquée par l'épuisement :

– L'arête de ce presse-papiers de marbre a atteint la tempe, et il est tombé la tête la première sur l'un des chenets. Des deux, je ne sais ce qui l'a tué. Mais ce qu'il y a de sûr, c'est qu'il est mort. J'ai vu assez de morts dans ma vie pour en avoir le cœur net.

Catastrophe… Le mot résonna sous le crâne de Harold, balayant tout sur son passage. Catastrophe, catastrophe, catastrophe…

– C'était un accident ! s'écria-t-il avec véhémence. J'ai vu comment ça s'est passé.

– Bien sûr, que c'était un accident ! rétorqua vivement Mrs Rice. Moi, je le sais. Seulement… seulement voilà… qui va croire ça ? J'ai… j'ai très peur, Harold. Ici, nous ne sommes pas en Angleterre…

– En ce qui me concerne, articula Harold avec lenteur, je peux confirmer ce que dira Elsie.

– Oui… tout comme elle pourra confirmer ce que vous direz. C'est… c'est précisément là que le bât blesse.

Prudent et circonspect de nature, Harold comprit sur-le-champ où Mrs Rice voulait en venir : ils se trouvaient dans de bien sales draps.

Elsie et lui avaient passé beaucoup de temps ensemble. Et l'une des Polonaises les avait vus dans la pinède… et dans une situation qui pouvait prêter à équivoque. Apparemment, aucune des deux sœurs ne parlait l'anglais, mais elles pouvaient tout de même le comprendre. Celle qui les avait observés connaissait peut-être les mots « mari » et « jalousie », et si elle avait entendu la conversation… De toute manière, c'était ce qu'elle avait dit à Clayton qui avait provoqué sa crise de jalousie. Et, indirectement, sa mort… Or ne voilà-t-il pas qu'au moment de la mort de Clayton, lui, Harold, se trouvait *dans la chambre d'Elsie*… Rien ne prouvait que ce n'était pas *lui* qui avait lancé le presse-papiers sur Clayton. Rien ne prouvait que le mari jaloux ne les avait pas trouvés ensemble. Il n'y aurait que la parole d'Elsie et la sienne. Mais qui les croirait ?

L'angoisse le saisit.

Il ne parvenait pas à imaginer – non, ça, il n'y parvenait *vraiment pas* – qu'Elsie ou lui-même puisse risquer la condamnation à mort pour un meurtre qu'ils n'avaient pas commis. Bien sûr, ils pourraient être inculpés de coups et blessures ayant entraîné la mort sans intention de la donner. Mais est-ce que ce chef d'inculpation existait dans ce pays ? Et même s'ils étaient acquittés, il y aurait une enquête. Harold voyait déjà les journaux : *Deux Anglais accusés… Un mari jaloux… Un politicien en pleine ascension…* Oui, sa carrière politique serait finie. Elle ne survivrait pas à un tel scandale.

– N'y aurait-il pas un moyen de se débarrasser du cadavre ? demanda-t-il impulsivement. Ne peut-on pas l'enterrer quelque part ?

Le regard stupéfait, méprisant, de Mrs Rice le fit rougir :

– Nous ne sommes pas dans un roman policier, mon cher Harold ! Ce serait folie que de tenter une chose pareille !

– Vous avez sans doute raison, grommela-t-il. Mais que pouvons-nous faire ? Seigneur, que pouvons-nous faire ?

Sourcils froncés, Mrs Rice réfléchissait avec désespoir.

– N'est-il vraiment rien que nous puissions faire ? répéta Harold. Rien pour éviter pareille catastrophe ?

Le mot revenait sur le tapis : catastrophe ! Une catastrophe effroyable, imprévisible, absolue.

– Elsie…, balbutia Mrs Rice. Mon enfant chérie. Je ferais n'importe quoi… Une épreuve aussi cruelle la tuera… Et vous… votre carrière… tout…

Harold trouva la force de protester :

– Moi, je ne compte pas.

Mais il ne le pensait pas vraiment.

– Tout cela est si injuste ! s'étrangla Mrs Rice. Si contraire à la réalité ! Ce n'est pas comme s'il y avait eu *quelque chose*… Moi, je sais qu'il n'y a rien eu entre vous…

– Au moins pourrez-vous en témoigner, hasarda Harold, prêt à se raccrocher aux branches. Au moins serez-vous à même de souligner la pureté de nos relations…

– Oui, si on me croit. Mais vous savez comment sont les gens d'ici !

Harold ne pouvait qu'être d'accord. Pour un esprit continental, il y aurait forcément un lien suspect entre Elsie et lui. Et tout ce que Mrs Rice pourrait dire serait considéré comme les mensonges éhontés d'une mère essayant de sauver sa fille.

– Hé oui, pas de chance, nous ne sommes pas en Angleterre, lâcha-t-il, très sombre.

Mrs Rice releva la tête :

– Oui, *ça*, c'est bien vrai… Nous ne sommes pas en Angleterre. Ce qui m'amène d'ailleurs à me demander si nous ne pourrions pas tenter…

– Tenter *quoi* ? interrogea avidement Harold.

– De combien d'argent disposez-vous ? coupa-t-elle.

– Ici, relativement peu. Mais je peux télégraphier pour qu'on m'en envoie.

– Nous pourrons en avoir besoin de beaucoup, s'assombrit Mrs Rice. Mais je crois que cela vaut la peine d'essayer.

L'espoir revint à Harold :

– Quelle idée avez-vous en tête ?

– *Nous,* nous n'avons pas la moindre chance de dissimuler cette mort, mais je crois que l'affaire peut être étouffée *officiellement* !

– Vous croyez vraiment ? s'ébaubit Harold, faisant soudain preuve de quelque incrédulité.

– Oui. Pour commencer, le directeur de l'hôtel sera de notre côté. Il a tout intérêt à ce que son établissement ne subisse pas cette contre-publicité. Et puis je suis de celles qui croient que, dans ces étranges petits pays des Balkans, on peut acheter toutes les consciences… et que les policiers y sont probablement plus corrompus que partout ailleurs !

– Vous savez, je ne suis pas loin d'être de votre avis.

– Par chance, reprit Mrs Rice, je crois que personne dans l'hôtel n'a rien entendu.

– Qui occupe la chambre voisine de celle d'Elsie – du côté opposé à la vôtre, veux-je dire ?

– Les deux Polonaises. Elles n'ont rien entendu. Sinon, elles seraient sorties dans le couloir. Philip est arrivé tard ; personne, en dehors du portier de nuit, ne l'a vu. Vous savez, Harold, je commence à croire vraiment qu'il va être possible d'étouffer cette affaire… et d'obtenir un certificat de décès attribuant la mort de Philip à une cause naturelle ! Le seul problème, c'est d'acheter qui il faut, au bon niveau… Très probablement le chef de la police !

Harold esquissa un mince sourire :

– Tout cela fait un peu opéra-bouffe, ne trouvez-vous pas ? Bah ! après tout, nous n'avons pas le choix.

*

Mrs Rice était l'énergie personnifiée. Elle commença par convoquer le directeur de l'hôtel. Harold resta dans sa chambre pour se tenir à l'écart. Mrs Rice et lui étaient convenus que la version à donner était celle d'une dispute conjugale qui avait mal tourné. La sympathie que vaudraient à Elsie sa jeunesse et son charme ferait le reste.

Le lendemain matin arriva une escouade de policiers qui furent conduits à la chambre de Mrs Rice. Ils repartirent à midi moins une. Harold avait envoyé un télégramme à sa banque, mais n'avait pas autrement pris part au déroulement des opérations. Il en aurait d'ailleurs été bien incapable, car aucun des policiers ne parlait l'anglais.

À midi pile, Mrs Rice déboula chez lui. Elle était blême, mais le soulagement se lisait sur ses traits tirés :

– Ça a marché !

– Dieu soit loué ! Vous avez été extraordinaire ! Ça paraît incroyable !

– À en juger par la facilité avec laquelle ça s'est fait, ajouta Mrs Rice, songeuse, tout laisse à penser que c'est

497

une transaction courante. Tout juste s'ils ne tendaient pas déjà la main en entrant. C'est... c'est assez répugnant, au fond !

– Le moment est mal choisi pour épiloguer sur la corruption des fonctionnaires, railla Harold. Combien ?

– Les tarifs sont élevés.

Elle tendit à Harold une liste où un montant était inscrit en face du personnage concerné :

Le chef de la police
Le commissaire
L'agent
Le médecin
Le directeur de l'hôtel
Le portier de nuit

– Le portier est réduit à la portion congrue, se contenta de relever Harold. J'imagine que c'est une question de galons...

– Le directeur, expliqua Mrs Rice, a exigé que la mort ne soit pas censée être survenue à l'hôtel. Officiellement, on dira que Philip a eu un malaise cardiaque dans le train, qu'il est sorti dans le couloir pour prendre l'air et qu'il est tombé sur la voie... vous connaissez leur habitude de laisser les portières ouvertes. C'est merveilleux ce que peut faire la police quand elle s'y met !

– Heureusement quand même, se félicita Harold, que notre police à nous n'est pas comme ça !

Et c'est d'humeur très britannique, et fort conscient de sa supériorité, qu'il descendit déjeuner.

*

Harold avait pris l'habitude de se joindre à Mrs Rice et à sa fille pour le café. Il décida de n'y rien changer.

C'était la première fois qu'il revoyait Elsie depuis la nuit tragique. Sa pâleur attestait du choc qu'elle avait subi, mais elle fit de courageux efforts pour se comporter comme à l'ordinaire, et ne fut pas avare de lieux communs sur le temps et le paysage.

Tous trois discutèrent d'un client qui venait d'arriver, et tentèrent de deviner sa nationalité. Au vu de la moustache, Harold se prononçait pour un Français. Elsie penchait plutôt pour un Allemand, tandis que Mrs Rice se prononçait en faveur d'un Espagnol. Ils étaient seuls sur la terrasse, à l'exception des deux Polonaises qui, à l'extrémité opposée, s'absorbaient dans la broderie.

Comme toujours quand il les voyait, Harold ressentit un frisson d'angoisse : ces visages impassibles, ces nez crochus comme des becs, ces longues mains en forme de serres…

Un groom vint annoncer à Mrs Rice qu'on la demandait. Elle le suivit, et ils la virent, dans le hall de l'hôtel, parlementer avec un policier en uniforme.

Elsie retint son souffle :

— Vous croyez… vous croyez que quelque chose ne va pas ?

— Mais non, voyons ! Certainement pas ! la rassura-t-il tout en se sentant lui-même frappé de terreur. Votre mère a été merveilleuse.

— Je sais. Mère est une lutteuse. Elle ne s'avoue jamais vaincue. Mais, frissonna-t-elle, toute cette histoire est horrible, non ?

499

– N'y pensez plus. Tout est fini, et bien fini.

– Je n'arrive pas à oublier, fit-elle d'une voix éteinte, que… que c'est *moi* qui l'ai tué.

– Il ne faut pas voir les choses comme ça ! s'emporta-t-il. C'était un accident ! Vous le savez bien !

Elle sourit timidement. Harold ajouta :

– De toute façon, c'est le passé. Et le passé est derrière nous. Tâchez de ne plus jamais y penser.

Mrs Rice revint. À l'expression de son visage, on pouvait comprendre qu'il n'y avait rien de grave.

– Je dois avouer que j'ai eu très peur ! confia-t-elle avec une sorte d'entrain. Mais ce n'était qu'une formalité… des paperasses. Mes enfants, tout va bien ! Nous sommes tirés d'affaire ! Je pense que nous devrions nous commander une petite liqueur pour fêter ça !

La liqueur fut commandée – et apportée. Ils levèrent leurs verres.

– À l'avenir ! s'écria Mrs Rice.

Harold sourit à Elsie :

– À votre bonheur !

Elle lui rendit son sourire et trinqua :

– À vous ! Et à votre réussite ! Je suis sûre que vous allez devenir un grand homme.

Libérés de leur peur, ils se sentaient joyeux, le cœur léger. Ils étaient tirés d'affaire. Tout allait bien…

À l'autre bout de la terrasse, les deux Polonaises se levèrent. Elles roulèrent soigneusement leurs ouvrages et s'avancèrent sur les dalles de pierre.

Après s'être légèrement inclinées, elles prirent place de chaque côté de Mrs Rice. L'une se mit à parler tandis que l'autre, muette, ne quittait pas des yeux Elsie et

Harold. Un petit sourire voletait sur ses lèvres. Un sourire cruel, pensa Harold.

Il regarda Mrs Rice. Elle écoutait la Polonaise et, quoiqu'il ne comprît pas un traître mot de ce qu'elle disait, l'expression qui se peignait sur le visage de Mrs Rice n'était que trop claire : l'angoisse et le désespoir étaient revenus. Elle écoutait sans un mot, se contentant parfois d'une brève interjection.

Puis les deux sœurs se levèrent avec ensemble et, après s'être à nouveau inclinées, regagnèrent l'hôtel.

Harold interrogea d'une voix rauque :

– Que se passe-t-il ?

D'une voix que semblait habiter toute la détresse du monde, Mrs Rice répondit :

– *Ces femmes nous font chanter. Hier soir, elles ont tout entendu. Et comme nous avons essayé d'étouffer l'affaire, notre situation est mille fois pire…*

*

Harold Waring parvint au bord du lac. Depuis une heure, il avait marché fébrilement pour noyer dans l'effort physique le désespoir qui le poignait.

Il arriva à l'endroit précis où, pour la première fois, ils avaient remarqué les deux créatures maléfiques qui, aujourd'hui, tenaient entre leurs serres maudites le sort d'Elsie et le sien.

– Qu'elles aillent au Diable ! s'écria-t-il à haute voix. Que Satan emporte cette paire de harpies assoiffées de sang !

Une toux discrète le fit se retourner. Et il se trouva nez à nez avec l'inconnu aux moustaches luxuriantes.

Harold se trouva tout gêné. Débouchant du sous-bois, le petit homme avait certainement entendu ses imprécations.

– Oh… euh… bonjour, finit-il par dire un peu bêtement.

Ce à quoi l'autre répliqua – dans un anglais qui, sans être parfait, n'en était pas moins de l'anglais :

– En ce qui vous concerne, je crains fort que ce ne soit pas un si bon jour que ça.

– Eh bien… je… euh…, s'empêtra de nouveau le malheureux Harold.

– Vous me semblez, monsieur, connaître quelques difficultés, reprit le petit homme. Mon aide vous serait-elle de quelque utilité ?

– Non, merci… merci infiniment ! J'avais juste besoin – vous savez ce que c'est – de me détendre, de souffler un peu.

Son interlocuteur se fit doucement insistant :

– Je demeure néanmoins persuadé de pouvoir bel et bien vous aider. Fais-je erreur si j'émets l'hypothèse que vos problèmes sont liés aux deux dames qui se trouvaient tout à l'heure sur la terrasse ?

Harold écarquilla les yeux :

– Vous savez quelque chose à leur sujet ? Mais d'abord, qui êtes-vous ?

Comme s'il s'avouait de souche royale, le petit homme déclara avec modestie :

– *Je suis Hercule Poirot.* Voulez-vous que nous marchions un peu dans les pins pendant que vous me raconterez votre histoire ? Comme je vous l'ai dit, je crois pouvoir vous aider.

Harold Waring, des années après, se demandait encore pour quelle raison il s'était soudain senti contraint de tout dire à cet inconnu. Lassitude, peut-être. Quoi qu'il en soit, il ne lui cacha rien.

Poirot l'écoutait en silence. Il se contentait, parfois, de hocher la tête avec le plus grand sérieux. Quand Harold eut achevé son récit, Hercule Poirot murmura, songeur :

– Les oiseaux du lac Stymphale, avec leur bec d'airain, qui se nourrissent de chair humaine... Oui, tout colle parfaitement.

– Je vous demande pardon ?

Harold n'en croyait pas ses oreilles. Ce petit homme à l'apparence étonnante était sans doute un fou !

Hercule Poirot sourit :

– Je réfléchissais, rien de plus. J'ai, comprenez-vous, ma manière à moi d'envisager les choses. Mais venons-en à votre affaire. Vous vous trouvez dans une situation bien désagréable.

– Je n'ai pas eu besoin de vous pour le découvrir ! jeta Harold avec humeur.

– Le chantage est une arme redoutable, n'en poursuivit pas moins Poirot. Ces harpies vont vous forcer à payer, à payer encore, à payer toujours. Et si vous les défiez, qui sait ce qu'il pourra advenir.

– Oh, c'est bien simple, répliqua Harold, amer. Ma carrière sera fichue. Une malheureuse jeune femme qui n'a jamais fait de mal à personne vivra un enfer. Et Dieu seul sait comment tout cela finira !

– C'est bien pourquoi il faut agir, insista Poirot.

– Agir comment ? s'enquit platement Harold.

Les yeux mi-clos, Hercule Poirot renversa la tête en arrière. Harold sentit renaître ses doutes sur la santé mentale de son interlocuteur.

– Le moment des castagnettes de bronze est arrivé, annonça Poirot.

– Vous êtes fou ?

Poirot secoua la tête :

– Je vous assure bien que non ! Je m'efforce seulement de suivre l'exemple de mon grand prédécesseur, Hercule en personne. Je ne vous demande, mon cher, que quelques heures de patience. Demain, je pense être en mesure de vous délivrer de celles qui vous persécutent.

*

Le lendemain matin, quand Harold Waring descendit de sa chambre, il trouva Hercule Poirot seul sur la terrasse. Malgré ses préventions, Harold avait été vivement impressionné par les promesses du détective.

Anxieux, il questionna :

– Eh bien ?

Hercule Poirot sourit jusqu'aux oreilles :

– Tout va bien.

– Qu'entendez-vous par là ?

– Tout a été réglé de façon satisfaisante.

– Mais, enfin, que s'est-il *passé* ?

– J'ai joué des castagnettes de bronze, souffla Poirot, rêveur. Ou, plutôt, pour employer le langage de notre temps, j'ai fait vibrer les fils de métal… bref, j'ai utilisé le télégraphe ! Là où vos oiseaux du lac Stymphale ont été conduits, cher monsieur, il leur faudra un certain temps avant de pouvoir exercer à nouveau leurs talents.

– Elles étaient recherchées par la police ? Elles ont été arrêtées ?

– Exactement.

Harold respira à fond :

– C'est merveilleux ! Je ne l'aurais jamais cru !

Il se leva :

– Il faut que je trouve Mrs Rice et Elsie pour le leur dire.

– Elles savent déjà.

– Ah bon ! approuva Harold en se rasseyant. Maintenant, dites-moi comment…

Il s'interrompit net.

Sur le chemin du lac remontaient deux silhouettes au profil d'oiseau et aux capes battant comme des ailes.

– Mais je croyais qu'elles avaient été arrêtées ! s'exclama Harold.

– Oh, ces dames-là ? souffla Poirot qui avait suivi son regard. Elles sont inoffensives. Ce sont des Polonaises de bonne famille, comme le réceptionniste de l'hôtel vous l'a dit. Leur aspect, je l'admets, n'est peut-être pas très engageant, mais c'est tout.

– Je ne *comprends* pas !

– En effet, vous n'avez pas l'air de comprendre ! C'étaient les *autres* dames que la police recherchait ! Mrs Rice, si pleine d'imagination, et la larmoyante Mrs Clayton ! Ce sont *elles* qui ont une belle réputation d'oiseaux de proie ! Ces deux-là, mon cher, ont fait du chantage leur gagne-pain.

505

Il sembla à Harold que le monde s'écroulait.

– Mais l'homme… l'homme qui a été tué ? demanda-t-il d'une voix sans timbre.

– Personne n'a été tué. Il n'y a jamais eu d'homme !

– Mais je l'ai *vu* !

– Bien sûr que non. Avec sa voix grave, Mrs Rice joue à merveille les messieurs. C'est elle qui tenait le rôle du mari – sans sa perruque grise, mais avec le maquillage approprié.

Hercule Poirot se pencha et tapota le genou de son interlocuteur :

– Dans l'existence, il faut savoir se montrer un peu moins crédule, mon jeune ami. Corrompre, du haut en bas de l'échelle, la police d'un pays n'est pas si facile – c'est même d'ordinaire impossible, et à plus forte raison quand il s'agit d'un meurtre. Ces femmes jouaient de l'ignorance de l'Anglais moyen en matière de langues étrangères. Puisqu'elle est la seule à parler allemand ou français, c'est toujours Mrs Rice qui discute avec le directeur de l'hôtel et qui prend l'affaire en mains. La police arrive et va dans *sa* chambre, certes ! Mais que se passe-t-il réellement ? Vous, vous n'en savez rien. Elle raconte peut-être qu'elle a perdu une broche, ou Dieu sait quelle fable de la même encre. N'importe quel prétexte pour que la police vienne *et que vous le constatiez de vos propres yeux.* Pour le reste, qu'en est-il au juste ? Vous télégraphiez qu'on vous envoie de l'argent, beaucoup d'argent, et vous le remettez à Mrs Rice qui est justement chargée de toutes les transactions ! Le tour est joué ! Mais c'est qu'ils sont gourmands, nos oiseaux de proie. Ces dames ont vu que vous éprouviez une aversion irraisonnée pour les deux malheureuses Polonaises. Et ne voilà-t-il pas que les Polonaises en question viennent faire à Mrs Rice un brin de causette parfaitement innocent. Comment cette dernière pourrait-elle résister à la tentation de recommencer son petit jeu ? D'autant qu'elle sait pertinemment que vous n'avez pas compris un traître mot de ce qui s'est dit.

» Ce qui fait que vous allez devoir télégraphier une fois encore pour qu'on vous envoie *encore* de l'argent, que Mrs Rice prétendra *une fois de plus* distribuer à un nouveau quarteron de maîtres chanteurs…

Harold soupira longuement :

– Et Elsie ?… Elsie ?

Hercule Poirot détourna le regard :

– Elle a tenu sa partie à merveille, Comme toujours. Cette jeune actrice est bourrée de talent. Toute de pureté et d'innocence… Elle en appelle non pas à la sexualité des hommes, mais à leurs penchants chevaleresques.

Il ajouta, un rien rêveur :

– Avec des Anglais, cela prend toujours.

Harold Waring respira à fond.

– Je vais me mettre au travail, décréta-t-il d'un ton décidé, et apprendre toutes les langues du Continent ! Personne ne me ridiculisera une seconde fois !

7

Le taureau de Crète
(The Gretan Bull)

Pensif, Hercule Poirot examinait sa visiteuse.

Teint pâle, menton volontaire, des yeux plus gris que bleus, elle avait cette chevelure aux reflets bleu-noir que l'on rencontre si rarement : les fameuses boucles hyacinthe des Grecs de l'Antiquité.

Poirot nota le tailleur de tweed artisanal bien coupé mais passablement élimé, le sac à main râpé et, en dépit de la nervosité évidente de la jeune femme, l'assurance innée de son comportement.

« Je vois le genre, pensa-t-il. Aristocratie terrienne désargentée. Il faut vraiment qu'il y ait quelque chose de bien extraordinaire pour qu'elle soit venue me voir. »

Diana Maberly commença, d'une voix hésitante :

– Je… je ne sais pas si vous pouvez m'aider ou non, monsieur Poirot. La situation… la situation est tellement incroyable…

– Vraiment ? De quoi s'agit-il ?

– Je suis venue parce que je ne sais pas *quoi* faire ! Je ne sais même pas s'il y a *quelque chose* à faire !

– Voulez-vous me laisser le soin d'en juger ?

Une rougeur subite lui envahit le visage. Et elle lança hâtivement, sans reprendre haleine :

– Je suis venue parce que le garçon avec qui j'étais fiancée depuis plus d'un an a rompu nos fiançailles…

Elle s'interrompit, puis reprit, comme un défi :

508

– Vous devez penser que je suis complètement piquée…

Poirot secoua la tête avec lenteur :

– Tout au contraire, mademoiselle, je ne doute pas le moins du monde que vous ne soyez extrêmement intelligente. Mon métier, voyez-vous, n'est certes pas d'apaiser les querelles d'amoureux, mais je suis convaincu que vous le savez aussi bien que moi. J'en conclus donc que la rupture dont vous me parlez présente des aspects tout à fait inhabituels. C'est bien le cas, n'est-ce pas ?

– Hugh a rompu nos fiançailles parce qu'il est persuadé qu'il est en train de devenir fou, dit-elle en détachant les syllabes. Il estime que les fous ne doivent pas se marier.

Poirot haussa imperceptiblement les sourcils :

– Et vous n'êtes pas d'accord ?

– Je ne sais pas… *Être* fou, c'est quoi, après tout ? Tout le monde est un peu fou, non ?

– On le dit, concéda prudemment Poirot.

– Mais on ne vous enferme que quand vous commencez à vous prendre pour un œuf à la coque ou une poêle à frire.

– Or, votre fiancé n'en est pas encore à ce stade ?

– Je ne vois pas du tout ce qui pourrait clocher chez Hugh. C'est… c'est l'individu le plus sain d'esprit que je connaisse. Il est solide… on peut lui faire confiance en tout…

– Alors qu'est-ce qui lui fait croire qu'il devient fou ?

Poirot s'interrompit un instant avant de questionner :

– N'y aurait-il pas, par hasard, des fous dans sa famille ?

À regret, Diana acquiesça :

– Si. Je crois que son grand-père était toqué. Et puis aussi je ne sais quelle grand-tante. Mais vous savez bien qu'il y a des gens pas normaux dans *toutes* les familles. Qu'il s'agisse d'un débile, d'un génie, ou de je ne sais trop quoi !

Le regard de la jeune femme n'était que supplication.

Poirot secoua tristement la tête :

– Je suis navré pour vous, mademoiselle.

Elle crispa la mâchoire :

– Je ne veux pas de vos condoléances ! s'exclama-t-elle. Je veux que vous *agissiez* !

– Et que voulez-vous que je fasse ?

– Je n'en sais rien… *mais il y a quelque chose qui va de travers.*

– Voulez-vous me parler de votre fiancé, mademoiselle ?

– Il s'appelle Hugh Chandler, s'exécuta-t-elle précipitamment. Il a vingt-quatre ans. Son père est l'amiral Chandler. Ils habitent Lyde Manor. C'est la propriété de la famille depuis l'époque d'Elizabeth Ire. Hugh est fils unique. Il est entré dans la Marine – tous les Chandler sont marins, c'est une sorte de tradition, au moins depuis que sir Gilbert Chandler a navigué avec sir Walter Raleigh en quinze cent et quelque. Pour Hugh, la Marine, c'était la voie toute tracée. Quant à son père, il n'aurait jamais voulu entendre parler d'autre chose. Et pourtant… et pourtant c'est ce même père qui a insisté pour qu'il démissionne !

– Quand cela ?

– Il y a près d'un an. C'est venu brusquement.

– Hugh Chandler était-il heureux comme officier de Marine ?

– Absolument.

– Il n'a pas été mêlé à un scandale d'aucune sorte ?

– Hugh ? Pas le moins du monde ! Il faisait une carrière magnifique. Il… il n'a pas compris la décision de son père.

– Quelles raisons l'amiral Chandler avait-il données ?

– Il ne s'en est jamais vraiment expliqué, fit lentement Diana. Oh, bien sûr, il a dit qu'il fallait que Hugh apprenne à gérer la propriété… Mais… mais ça, ce n'était qu'un prétexte. Même George Frobisher l'a compris.

– Qui est George Frobisher ?

– Le colonel Frobisher. C'est le plus vieil ami de l'amiral Chandler, et le parrain de Hugh. Il vit presque exclusivement au manoir.

– Et qu'a pensé le colonel Frobisher de la volonté de l'amiral Chandler de voir son fils quitter la Marine ?

– Il en a été stupéfait. Il n'y comprenait rien. Personne n'y a rien compris.

– Pas même Hugh Chandler en personne ?

Diana Maberly ne répondit pas tout de suite. Poirot attendit un instant avant de poursuivre :

– Sur le moment, peut-être que lui aussi en est resté pantois. Mais maintenant ? Il ne vous a rien dit ? Rien dit du tout ?

– Il m'a dit…, murmura-t-elle à contrecœur. Il m'a dit il y a une semaine… que… que son père avait eu raison… que c'était la seule chose à faire.

– Lui avez-vous demandé pourquoi ?

511

– Naturellement. Mais il n'a rien voulu m'expliquer.

Poirot s'accorda un temps de réflexion.

– Est-ce que des événements sortant de l'ordinaire se sont produits dans votre région ? finit-il par demander. À partir, mettons, d'il y a un an environ ? Des incidents qui auraient fait jaser, qui auraient donné lieu à mille hypothèses…

– Je ne vois pas à quoi vous faites allusion ! s'emporta-t-elle.

Poirot fit montre d'autorité tranquille :

– Vous auriez intérêt à ne rien me cacher.

– Il n'y a rien eu… Rien du genre auquel vous pensez.

– De quel genre, en ce cas ?

– Vous êtes odieux ! À la campagne, il arrive souvent des choses bizarres. Il peut s'agir d'une vengeance… ou bien d'une lubie de l'idiot du village, ou de je ne sais qui.

– *Que s'est-il passé ?*

– Il y a eu une histoire de moutons…, fit-elle en rechignant. On leur avait tranché la gorge. Oh, c'était horrible ! Mais ils appartenaient tous à un fermier qui a sale caractère. La police a jugé que c'était un acte de pure malveillance.

– Mais le coupable n'a pas été découvert ?

– Non.

Elle ajouta, furieuse :

– Mais si vous pensez que…

Poirot leva la main en signe d'apaisement :

– Vous ne savez pas le moins du monde à quoi je pense. Dites-moi, votre fiancé a consulté un médecin ?

– Non. Je suis sûre qu'il ne l'a pas fait.

– Est-ce que ce ne serait pas la première démarche logique ?

– Il ne le fera pas, articula-t-elle lentement. Il… il a horreur des médecins.

– Et son père ?

– Je ne crois pas que l'amiral ait grande confiance en eux non plus. Il dit que ce sont des marchands d'orviétan, des fumistes, quoi !

– Comment se porte-t-il, l'amiral ? Il va bien ? Il est heureux ?

– Il a beaucoup vieilli, fit Diana d'une voix sourde. Il a beaucoup vieilli depuis…

– Depuis un an ?

– Oui. Ce n'est plus qu'une ruine… l'ombre de lui-même.

Pensif, Poirot hocha la tête. Puis :

– Il avait été d'accord avec les fiançailles de son fils ?

– Oh oui… Vous comprenez, la propriété de mes parents jouxte la sienne. Nous vivons là depuis des générations. Il était ravi quand Hugh et moi nous sommes décidés.

– Et maintenant ? Que dit-il de la rupture ?

La voix de la jeune fille chevrota quelque peu :

– Je l'ai croisé hier matin. Il était blafard. Il m'a serré la main dans les siennes et il m'a dit : « *C'est très dur pour vous, ma pauvre petite. Mais mon fils a pris une saine décision… celle qui s'imposait.* »

– Et c'est ce qui vous a amenée à venir me trouver ?

Elle acquiesça de la tête et s'enquit :

– Y a-t-il quelque chose que vous puissiez faire ?

– Comment savoir ? répliqua Hercule Poirot. Mais je peux en tout cas aller sur place me rendre compte par moi-même…

*

Plus que tout le reste, ce fut l'apparence physique de Hugh Chandler qui impressionna Hercule Poirot. Grand, admirablement proportionné, le jeune homme avait un torse large, des épaules carrées et une abondante crinière fauve. Tout en lui respirait la force et la virilité.

Dès leur arrivée chez Diana, la jeune fille avait téléphoné à l'amiral Chandler. Ils s'étaient un peu plus tard rendus à Lyde Manor, où trois hommes les attendaient devant la table du thé servi sur la longue terrasse. Il y avait là l'amiral lui-même : les cheveux blanchis, les épaules voûtées comme par un trop lourd fardeau, les yeux flous et cernés. Le colonel Frobisher offrait un parfait contraste : c'était un petit homme sec et trapu, dont les tempes rousses grisonnaient à peine. Comme un bull-terrier, il semblait tenace, colérique et vif… mais ses yeux étaient la perspicacité même. Il avait une manière toute personnelle de froncer bas les sourcils et de projeter le front en avant comme pour charger bille en tête tandis que son regard malin perçait à jour gens et choses. Le troisième était Hugh Chandler.

– Beau spécimen, pas vrai ? fit remarquer le colonel Frobisher à voix basse.

L'intérêt que Poirot portait au jeune Chandler ne lui avait pas échappé.

Poirot acquiesça. Le colonel et lui étaient assis l'un près de l'autre, cependant qu'à l'autre bout de la table, Diana, l'amiral et Hugh bavardaient avec un entrain un tant soit peu forcé.

– Oui, murmura Poirot, il est superbe… vraiment superbe. C'est le taureau lui-même… le jeune taureau voué à Poséidon… le type parfait de la masculinité triomphante.

– Il n'a pas l'air mal en point, non ? souffla le colonel.

Ses yeux sagaces ne quittaient pas Hercule Poirot.

– Vous savez, ajouta-t-il, je sais qui vous êtes.

– Ce n'est un secret pour personne !

De la main, Poirot avait salué d'un geste vague, à l'instar d'un membre éminent de la famille royale. Comme pour bien signifier que, refusant tout incognito, il arborait fièrement son pavillon.

– Est-ce au sujet de cette affaire que… que la petite vous a amené ? finit par s'enquérir le colonel.

– Cette affaire ?

– Les problèmes du jeune Hugh… Bon ! Je vois que vous êtes au courant. Mais ce que je ne saisis pas très bien, c'est pourquoi elle est allée vous trouver, *vous*… Je n'aurais jamais imaginé qu'une histoire comme celle-là était dans vos cordes. M'est avis que ça relèverait plutôt de la médecine.

– Des cordes, j'en ai plus d'une à mon arc. Vous seriez surpris de voir combien.

– Je n'en doute pas. Mais je ne saisis cependant pas très bien comment elle imagine vous voir intervenir.

– Miss Maberly, répliqua Poirot, est une lutteuse.

Le colonel Frobisher approuva chaudement :

515

– Une lutteuse, vous avez raison. C'est une fille bien. Elle ne lâchera pas le morceau. Malheureusement, vous savez comme moi qu'il est des choses contre lesquelles on ne peut *rien…*

Les traits de l'ancien militaire paraissaient tout à coup las et vieillis.

La voix de Poirot baissa encore d'un ton :

– J'ai cru comprendre qu'il y avait eu… des malades mentaux dans la famille ?

Frobisher hocha la tête :

– Ça ressort de temps à autre. Ça saute une ou deux générations. Le grand-père de Hugh a été le dernier en date.

Poirot glissa un coup d'œil furtif en direction des trois autres convives. Éclatant de rire et taquinant Hugh, Diana tenait le dé de la conversation. On aurait juré, à les voir, qu'aucun des trois ne connaissait le moindre souci.

– Quelle forme avait prise cette démence ? interrogea Poirot à mi-voix.

– Le vieux a fini par devenir extrêmement violent. Jusqu'à l'âge de trente ans, il avait été aussi normal que vous ou moi. Et puis il a commencé à dérailler. Mais il s'est passé pas mal de temps avant qu'on ne s'en rende compte. Sur quoi on s'est mis à jaser. Les gens faisaient des réflexions. On a étouffé certaines histoires. Au bout du compte, soupira le colonel en haussant les épaules, ce qui devait arriver est arrivé. Le malheureux est devenu fou à lier ! Il est allé jusqu'à tuer ! Il a fallu l'enfermer !

Après un moment de silence, il reprit :

– Je crois qu'il a fini quasi centenaire, le pauvre diable.

Et c'est, naturellement, ce qui fait peur à Hugh. C'est pour ça qu'il ne veut pas entendre parler de toubib. Il panique à l'idée d'être enfermé jusqu'à la saint-glinglin. Je ne peux pas lui donner tort. À sa place, j'en ferais autant.

– Et l'amiral Chandler, qu'est-ce qu'il pense de tout ça ?

– C'est un homme brisé, fit brièvement le colonel.

– Il a beaucoup d'affection pour son fils ?

– Il est fou de ce garçon. Vous comprenez, sa femme s'est noyée en faisant du bateau quand le fiston n'avait que dix ans. Depuis, il n'a plus vécu que pour lui.

– Il s'entendait bien avec sa femme ?

– Il l'adorait. Tout le monde l'adorait. C'était… c'était la femme la plus merveilleuse que j'aie jamais connue.

Il se tut, puis proposa tout à trac :

– Ça vous intéresse de voir son portrait ?

– J'aimerais beaucoup.

Repoussant son fauteuil, le colonel se leva et annonça, d'une voix forte :

– Je vais montrer deux ou trois bricoles à M. Poirot, Charles. C'est un fin connaisseur.

L'amiral esquissa un geste vague. Poirot suivit Frobisher. À l'instant même, Diana abandonna son masque de gaieté, et son visage refléta le poids de ses angoisses. Hugh releva la tête et ne lâcha pas des yeux le petit homme à l'étonnante moustache.

Quand on venait du dehors, l'intérieur du manoir paraissait si sombre que l'on avait peine à distinguer meubles et objets. Mais on comprenait tout de suite que la maison était emplie de superbes antiquités. George

Frobisher conduisit Poirot à la galerie des ancêtres où, le long des murs lambrissés, s'alignaient des générations de Chandler disparus : visages sombres ou radieux, hommes en habit de cour ou en uniforme de la Royal Navy, femmes vêtues de satin aux somptueuses parures de perles fines.

À l'extrémité de la galerie, Frobisher s'arrêta devant une toile représentant une femme de haute stature, à la chevelure auburn, qui portait la main à un haut col orné de dentelles. Tout en elle indiquait une vitalité rayonnante.

– Peint par Orpen ! fit le colonel d'un ton bourru. Le fiston est son portrait craché, non ?

– Si, par bien des aspects.

– Évidemment, il n'a pas sa délicatesse... sa féminité. Lui, c'est la version masculine. Mais pour l'essentiel...

Sa voix s'étrangla.

– Dommage qu'il ait hérité du côté Chandler la seule chose dont on se serait volontiers passé, conclut-il avec effort.

Poirot et lui demeurèrent un moment silencieux. L'atmosphère était empreinte d'une nostalgie diffuse – comme si tous les Chandler du passé déploraient de concert la tare que leur sang charriait et qui, à l'aveuglette, frappait telle ou telle génération.

Hercule Poirot scruta son compagnon qui semblait ne pouvoir quitter des yeux le portrait de la femme resplendissante qu'ils avaient admirée ensemble.

– Vous l'avez bien connue, fit-il, imprimant à sa voix une infinie douceur.

– Nous étions amis d'enfance, répliqua l'autre d'un

518

ton haché. Quand je suis parti pour les Indes, comme jeune sous-lieutenant, elle n'avait que seize ans. À mon retour… elle avait épousé Charles Chandler.

— Vous le connaissiez bien, lui aussi ?

— Charles est l'un de mes plus vieux amis. C'est en fait mon meilleur ami. Il l'a toujours été.

— Vous les avez vus souvent… après leur mariage ?

— Toutes mes permissions où presque, je les passais ici. Ç'a toujours été comme un second chez-moi. Charles et Caroline me gardaient immanquablement ma chambre prête.

Le colonel redressa les épaules et, la mâchoire tendue dans un geste de défi, conclut :

— C'est pour ça que je suis encore ici après tout ce temps, pour le cas où mon aide serait souhaitée. Si Charles a besoin de moi, je suis là !

— Mais personnellement, interrogea Poirot, que pensez-vous de la situation ?

Frobisher se raidit et ses sourcils descendirent sur ses yeux :

— Ce que j'en pense, c'est que moins on en dit, mieux ça vaut ! Et pour parler franc, monsieur Poirot, je ne vois vraiment pas ce que vous venez faire dans cette histoire. Je ne vois pas pourquoi Diana a cru bon de vous amener ici.

— Vous n'êtes pas sans savoir que les fiançailles de Diana et de Hugh ont été rompues ?

— Je le sais, en effet.

— Et vous connaissez la raison de cette rupture ?

— Je ne tiens pas à la connaître, se hérissa le colonel. Ces jeunes gens règlent leurs affaires eux-mêmes. Ce n'est pas à moi d'intervenir.

– Hugh Chandler a déclaré à Diana que leur mariage était hors de question parce qu'il se sentait devenir dément, rappela Poirot.

La sueur perla au front de George Frobisher :

– Faut-il vraiment que nous parlions de cette satanée histoire ? Vous vous imaginez que vous y pouvez *quoi* ? Hugh a adopté la bonne ligne de conduite, le pauvre diable. Il n'est pas responsable, c'est une question d'hérédité… de gènes… de cellules nerveuses. Mais dès lors qu'il a *su*, quelle autre solution que de rompre ses fiançailles ? C'est une de ces décisions qu'on ne peut pas ne pas prendre, c'est tout !

– J'aimerais en être aussi convaincu que…

– Croyez-m'en sur parole !

– Mais vous ne m'avez précisément rien dit.

– Je vous ai prévenu que je ne voulais pas en parler.

– Pourquoi l'amiral Chandler a-t-il forcé son fils à quitter la Marine ?

– Parce que c'était la seule chose à faire.

– Pourquoi ?

Le colonel se borna à secouer la tête avec obstination.

– Cela avait-il un rapport avec les moutons qui ont été tués ? s'enquit Poirot avec douceur.

– Alors, on vous a parlé de ça ? s'emporta le colonel.

– C'est Diana qui me l'a dit.

– Cette petite aurait mieux fait de se taire.

– Elle estime que cette histoire ne prouve rien.

– Elle ne sait pas tout.

– Qu'est-ce qu'elle ne sait donc pas ?

De mauvaise grâce, d'un ton haché, plein de rancœur, Frobisher se décida à parler :

– Après tout, si vous y tenez… Cette nuit-là, Charles a entendu du bruit. Il s'est demandé si ce n'était pas un cambrioleur. Et il s'est levé pour aller voir. Il y avait de la lumière dans la chambre du fiston. Charles est entré. Hugh était affalé sur son lit. Il dormait… il dormait comme une souche… tout habillé. Sur ses vêtements il y avait du sang. Du sang, il y en avait aussi plein le lavabo. Et rien à faire pour parvenir à le réveiller. Le lendemain matin, on a parlé à Charles des moutons qui avaient été égorgés. Il a interrogé Hugh. Le fiston n'était au courant de rien. Il ne se souvenait pas d'être sorti – or, on avait pourtant retrouvé devant sa porte ses chaussures maculées de boue. Il ne pouvait pas expliquer le sang dans le lavabo. Il ne pouvait rien expliquer du tout. Le pauvre garçon n'était pas *conscient,* comprenez-vous ?

» Charles est venu me trouver pour discuter le problème. Quelle était la conduite à tenir ? Et puis ça a recommencé… trois nuits plus tard. Après ça… jugez vous-même. Personne ne pouvait prendre le risque d'un scandale dans la Marine. Le fiston devait démissionner. Ici, au moins, Charles pouvait avoir l'œil sur lui. Oui, c'était malheureusement la seule chose à faire.

– Et depuis ? s'enquit Poirot.

– Je ne répondrai plus à aucune de vos questions ! fulmina le colonel. Vous ne croyez pas que Hugh sait mieux que personne comment régler ses affaires ?

Poirot demeura coi. Il répugnait toujours à admettre que quelqu'un puisse en savoir plus long qu'Hercule Poirot.

*

En regagnant le vestibule, ils rencontrèrent l'amiral Chandler qui rentrait. Ce dernier s'immobilisa un instant sur le seuil, sombre silhouette inscrite sur fond de soleil et de ciel bleu.

– Oh, vous êtes là tous les deux, souffla-t-il d'une voix rauque et caverneuse. Monsieur Poirot, j'aimerais vous dire deux mots. Venez dans mon bureau.

Le colonel Frobisher sortit dans le parc. Poirot suivit l'amiral avec le sentiment d'avoir été convoqué au rapport sur la passerelle d'un bâtiment de guerre.

L'amiral fit signe à Poirot de prendre place dans un vaste fauteuil et s'assit en face de lui. Le détective avait noté l'agitation, la nervosité, l'irritabilité de Frobisher : autant de symptômes d'une extrême tension mentale. Chez l'amiral Chandler, au contraire, on ne sentait qu'atonie, que tristesse et que résignation.

– Je ne peux m'empêcher de regretter que Diana vous ait mêlé à nos soucis, préluda l'amiral avec un profond soupir. La pauvre gosse, je mesure à quel point la situation est dure pour elle. Mais… bon… cette tragédie ne concerne que nous, et je pense que vous comprendrez, monsieur Poirot, que nous récusions toute intervention étrangère à la famille.

– Il va de soi que je comprends fort bien votre point de vue, amiral.

– Diana, la pauvre enfant, ne parvient pas à y croire… J'en ai fait autant, au début. Et je continuerais à ne pas y croire si je ne savais pas…

– Si vous ne saviez pas quoi, amiral ?

– Que nous avons ça dans le sang. Cette tare, veux-je dire.

– Et, pourtant, vous aviez donné votre plein accord à ces fiançailles ?

L'amiral rougit :

– Vous pensez que j'aurais dû essayer de les empêcher ? Mais, à ce moment-là, je n'avais pas la moindre idée de ce qui allait arriver. Hugh n'a rien d'un Chandler. Il tient du côté de sa mère, et j'espérais qu'il tenait *tout* de ce côté-là. Depuis l'enfance, et jusqu'à ces temps derniers, il n'avait pas donné le moindre signe d'anormalité. Je ne pouvais pas deviner que… Bon sang ! des toqués, il y en a dans les trois quarts des vieilles familles !

– Vous n'avez pas consulté un médecin ? demanda doucement Poirot.

– Non, et je n'en ai pas la moindre intention ! rugit l'amiral. Ici, je veille sur lui et ce garçon est en sécurité ! Croyez-moi, ils ne l'enfermeront pas entre quatre murs comme une bête sauvage !…

– Il est ici en sécurité, dites-vous. Mais *les autres* le sont-ils ?

– Qu'insinuez-vous ?

Poirot s'abstint de répondre. Il se contenta de fixer les yeux sombres et tristes de l'amiral.

– À chacun son métier ! jeta Charles Chandler, amer. Vous, monsieur Poirot, vous traquez les criminels ! Mais mon fils *n'est pas* un criminel.

– Pas encore.

– Que signifie ce « pas encore » ?

– Les choses s'aggravent. Ces moutons…

– Qui vous a parlé des moutons ?

– Diana Maberly. Et aussi votre ami le colonel Frobisher.

– George aurait mieux fait de se taire.

– C'est un de vos très vieux amis, n'est-ce pas ?

– Mon meilleur ami, grommela l'amiral.

– Et c'était aussi un ami de… de votre femme ?

L'amiral sourit :

– Oui. George était amoureux de Caroline, je crois bien. Quand elle n'était encore qu'une enfant. Il ne s'est jamais marié. Et je pense que c'est à cause de ça. Oui, le veinard, ç'a été moi… du moins, c'est ce que j'ai cru un moment. C'est moi qui l'avais conquise… pour la perdre fort peu d'années après.

L'amiral soupira. Ses épaules se creusèrent.

– Le colonel Frobisher était auprès de vous quand votre femme s'est noyée ?

– Oui. Il nous avait accompagnés en Cornouailles. Mais Caroline et moi étions partis seuls en mer – il était resté à la maison ce jour-là. Je n'ai jamais compris pourquoi le bateau a chaviré… Il a dû y avoir une voie d'eau. Nous étions assez loin au large… c'était une marée de vives eaux. J'ai soutenu Caroline aussi longtemps que j'ai pu…

Sa voix se brisa :

– La mer a rejeté son corps deux jours plus tard. Dieu merci, nous n'avions pas emmené le petit Hugh ! Mais ça, c'est ce que je m'étais dit à l'époque. Compte tenu des circonstances actuelles, peut-être aurait-il mieux valu que le pauvre garçon ait au contraire été avec nous. Tout aurait été fini une bonne fois pour toutes…

Encore une fois il exhala un long soupir de désespoir :

– Nous sommes les derniers des Chandler, monsieur Poirot. Après nous, il n'y aura plus de Chandler à Lyde Manor. Quand Hugh et Diana se sont fiancés, j'ai espéré… bah ! à quoi bon épiloguer ? Dieu merci, ils ne se sont pas mariés. C'est tout ce que je peux dire !

*

Hercule Poirot et Hugh Chandler étaient assis côte à côte dans la roseraie. Diana Maberly venait de les quitter.

Le jeune homme tourna vers le détective son beau visage ravagé :

– Il faut que vous lui fassiez comprendre la situation, monsieur Poirot.

Il observa un instant le silence, puis reprit :

– Voyez-vous, Di est une battante. Elle n'abandonnera pas la partie. Elle refusera d'accepter ce qu'elle finira bien par être obligée d'admettre. Elle… elle va *s'obstiner* à croire que je suis… sain d'esprit.

– Tandis que vous, vous êtes bien certain que vous êtes… – pardonnez-moi – que vous êtes fou ?

– Je ne suis pas encore complètement à côté de la plaque… mais ça empire. Diana, Dieu merci, ne le sait pas. Elle ne me voit que quand je vais… bien.

– Et quand vous allez… mal, que se passe-t-il ?

Hugh Chandler prit longuement sa respiration :

– Eh bien, d'abord, je fais des cauchemars. Et, dans mes cauchemars, je suis bel et bien *fou*. La nuit dernière, par exemple… je n'étais plus un être humain. J'ai commencé par être un taureau… un taureau furieux qui chargeait en tous sens sous un soleil éblouissant. Dans ma bouche, j'avais le goût de la poussière et du sang… de la poussière et du sang… Et puis je suis devenu un chien… un molosse qui bavait. J'avais la rage… les enfants terrorisés s'enfuyaient à ma vue… les hommes essayaient de m'abattre… quelqu'un me servait une grande écuelle d'eau et je n'arrivais pas à boire. *Je n'arrivais pas à boire…*

Il s'interrompit pour reprendre aussitôt :

— Je me suis réveillé. *Et j'ai compris que c'était vrai.* Je suis allé jusqu'au lavabo. J'avais la bouche râpeuse, sèche… horriblement sèche. Et je mourais de soif. Mais je ne suis pas arrivé à boire, monsieur Poirot… J'étais incapable d'avaler… Mon Dieu ! *Je n'arrivais même plus à boire…*

Hercule Poirot émit un murmure de sympathie. Les mains crispées sur les genoux, le front projeté en avant comme pour charger bille en tête et l'œil mi-clos, Hugh Chandler reprit encore :

— Et, quelquefois, ce ne sont pas des cauchemars. Ce sont des choses que je vois quand je suis réveillé. Des fantômes, des formes effrayantes. Qui me guettent. Il arrive aussi que je vole, que je quitte mon lit et que je vole, au gré des vents, que je chevauche les nuages… suivi par une escouade de démons !

— Tst, tst, tst ! souffla Poirot, comme s'il réprimandait gentiment un enfant.

Hugh Chandler le regarda bien en face :

— Il n'y a pas l'ombre d'un doute. J'ai ça dans le sang. Bel héritage familial ! Aucune échappatoire. Encore heureux que je m'en sois aperçu à temps ! Avant d'épouser

Diana. Imaginez une seconde que nous ayons eu un enfant et que je lui aie transmis cette tare effroyable !

Il posa la main sur le bras d'Hercule Poirot :

– *Il faut que vous lui fassiez comprendre !* Que vous lui fassiez admettre la vérité. Il faut qu'elle m'oublie ! Il le *faut* ! Un jour, elle trouvera quelqu'un d'autre. Steve Graham, par exemple... il est fou d'elle et c'est un garçon formidable. Avec lui, elle sera heureuse... et en sécurité. Je veux qu'elle soit heureuse. Graham est fauché, bien sûr, et sa famille à elle aussi... mais quand je ne serai plus là, ils n'auront plus de problèmes.

– Pourquoi n'auront-ils « plus de problèmes » quand vous ne serez plus là ? coupa Poirot.

Hugh Chandler sourit. D'un sourire chaleureux, séduisant :

– Il y a l'argent de ma mère. C'était une riche héritière, vous savez. C'est à moi, maintenant. Et j'ai tout légué à Diana.

– Ah ! fit Poirot en se laissant aller contre le dossier de son fauteuil de jardin. Mais, Mr Chandler, vous pouvez parfaitement vivre très vieux...

Hugh Chandler secoua la tête :

– Non, monsieur Poirot, je ne vivrai pas très vieux.

Un frisson le saisit soudain :

– Mon Dieu ! Regardez !

Par-dessus l'épaule de Poirot, ses yeux fixaient le vide :

– *Là...* à côté de vous... C'est un squelette... Ses os s'entrechoquent... Il m'appelle !... Il me fait signe !...

Ses yeux aux pupilles dilatées ne quittaient pas le soleil. Tout à coup, il chancela, comme s'il allait s'évanouir. Puis il se tourna vers Poirot et, d'une voix enfantine :

– Vous n'avez… vous n'avez *rien* vu ?

Lentement, Poirot fit non de la tête.

Hugh Chandler reprit, avec âpreté :

– Ça, ça m'est relativement égal. De voir des choses, je veux dire. *C'est le sang qui me fait peur.* Le sang dans ma chambre… sur mes vêtements… Nous avions un perroquet. *Un matin, je l'ai retrouvé dans ma chambre, le cou tranché…* et moi, j'étais sur mon lit, et, dans ma main, je tenais un rasoir encore rouge de son sang !

Il se pencha vers Poirot, et sa voix ne fut plus qu'un murmure :

– Tout récemment, il y a encore eu des tueries. Dans les environs… au village… dans les collines. Des moutons, des agneaux… une chienne colley. Le soir, Père m'enferme, mais quelquefois… quelquefois la porte est ouverte le matin. À croire que j'ai une clef cachée quelque part, mais je ne sais pas où. *Je ne sais pas où.* Et ce n'est pas *moi* qui fais tout ça… c'est quelqu'un qui entre en moi… qui s'empare de tout mon être… qui me transforme en monstre assoiffé de sang et incapable de boire de l'eau.

Brusquement, il enfouit son visage dans ses mains.

Hercule Poirot laissa se passer quelques instants, puis interrogea :

– Je ne comprends toujours pas pourquoi vous n'avez pas consulté un médecin.

Hugh Chandler secoua la tête :

– Vous ne comprenez vraiment pas ? Physiquement, je suis en pleine forme. Fort comme un taureau. Je peux vivre des années – *des années* – enfermé entre quatre murs ! Et ça, je ne peux pas l'envisager ! Mieux vaut en finir une bonne fois pour toutes… Il y a des solutions, vous savez. Un accident, en nettoyant un fusil… quelque chose dans ce goût-là. Diana comprendra… Ma sortie, je préfère que ce soit moi qui la choisisse !

De l'œil, il défiait Poirot, qui se borna à demander :

– Qu'est-ce que vous mangez ? Qu'est-ce que vous buvez ?

Hugh Chandler renversa la tête en arrière et se mit à hurler de rire :

– Les cauchemars de la mauvaise digestion ? C'est à ça que vous pensez ?

Mais Poirot répéta froidement sa question :

– Qu'est-ce que vous mangez ? Qu'est-ce que vous buvez ?

– La même chose que tout le monde.

– Pas de médicaments particuliers ? Cachets ? Pilules ?

– Grands dieux, non. Croyez-vous vraiment que des comprimés pourraient me guérir de ce que j'ai ? « Et tu crois que tu peux soigner un esprit malade ? » cita-t-il avec une dérision sauvage.

– C'est pourtant bien ce que j'essaie de faire, trancha froidement Poirot. Est-ce que quelqu'un chez vous souffre de troubles oculaires ?

Hugh Chandler parut interloqué :

– Père a des problèmes avec sa vue. Il va très souvent chez son oculiste.

– Tiens donc !

Poirot médita un instant. Puis :

– Et j'imagine que le colonel Frobisher a passé la majeure partie de sa vie aux Indes ?

– Oui, bien sûr. Il était officier dans l'armée des Indes. Il est très ferré sur la question. Il n'a que ça à la bouche : les mœurs des indigènes, les traditions locales… tout le bazar, quoi !

– Tiens donc ! murmura à nouveau Poirot.

Puis il fit remarquer :

– À propos, vous vous êtes coupé au menton.

Hugh y porta la main :

– Oui, une vilaine estafilade. Père m'a fait sursauter, l'autre jour, pendant que je me rasais. J'ai les nerfs à fleur de peau, en ce moment. Et puis j'ai le menton et le cou irrités. Ça ne facilite pas le rasage.

– Vous devriez appliquer un baume adoucissant.

– Je le fais. Oncle George m'en a donné un.

Il éclata soudain de rire :

– On dirait deux bonnes femmes dans un institut de beauté. Lotions, baumes adoucissants, troubles oculaires, pilules en tout genre. À quoi est-ce que tout ça rime ? Où voulez-vous en venir, monsieur Poirot ?

– J'essaie de faire de mon mieux pour aider Diana Maberly, répondit calmement Poirot.

L'humeur du jeune homme se modifia. Son expression redevint sérieuse. Il posa la main sur le bras de Poirot :

– Vous avez raison. Faites tout ce que vous pouvez pour elle. Dites-lui qu'il faut qu'elle m'oublie. Dites-lui qu'il n'y a pas – qu'il n'y a plus d'espoir… Dites-lui ce que je viens de vous dire… Dites-lui… Oh, bon Dieu ! dites-lui qu'elle s'éloigne de moi ! C'est désormais ce qu'elle peut faire de mieux pour moi. Qu'elle s'éloigne… et qu'elle essaie d'oublier – de tout oublier !

– Vous êtes courageuse, mademoiselle ? Très courageuse ? Je l'espère pour vous.

– Alors, c'est vrai ? s'étrangla Diana, C'est vrai ? Il est
réellement fou ?

– Je ne suis pas psychiatre, mademoiselle, répliqua
Hercule Poirot. Ce n'est pas à moi de dire : « Cet
homme-ci est fou. Celui-là est sain d'esprit. »

Elle se rapprocha de lui :

– L'amiral Chandler croit que Hugh est fou. George
Frobisher croit qu'il est fou. Et lui-même croit qu'il est
fou…

Poirot ne la quittait pas des yeux :

– Et vous, mademoiselle ?

– Moi ? Moi, je dis qu'il ne l'est pas. *Je dis qu'il n'est
pas fou !* C'est pour ça que…

Elle se mordit les lèvres.

– C'est pour ça que vous êtes venue me trouver ?
acheva Poirot.

– Évidemment. Sans ça, quelle autre raison aurais-je
eue de le faire, je vous le demande ?

– Cela, c'est exactement ce que je me demande moi-
même, mademoiselle !

– Je ne comprends pas.

– Qui est Stephen Graham ?

Elle le fixa, stupéfaite :

– Stephen Graham ? C'est… c'est un garçon comme
un tas d'autres.

Puis, le saisissant par le bras :

– Qu'est-ce que vous avez en tête ? À quoi pensez-

531

vous ? Vous restez là, comme ça, caché derrière votre grosse moustache, à cligner des yeux dans le soleil et à parler par énigmes ! Vous me faites peur... horriblement peur. *Pourquoi* est-ce que vous me faites peur ?

– Peut-être, murmura Poirot, parce que j'ai moi-même peur.

Elle l'enveloppa du regard profond de ses yeux gris :

– De quoi avez-vous peur ? demanda-t-elle dans un souffle.

Hercule Poirot poussa un profond, très profond soupir :

– Il est beaucoup plus facile d'appréhender un meurtrier que d'empêcher un meurtre.

– Un meurtre ? cria-t-elle. N'employez pas ce mot-là !

– C'est pourtant bien, décréta Hercule Poirot, le seul qui convienne.

Changeant de ton, il ordonna rapidement, avec autorité :

– Il est indispensable que vous et moi passions tous deux la nuit à Lyde Manor, mademoiselle. Je compte sur vous pour arranger ça. Vous croyez pouvoir l'obtenir ?

– Je... oui... j'imagine. Mais pourquoi ?...

– *Parce qu'il n'y a pas de temps à perdre !* Vous m'avez dit que vous aviez du courage. C'est le moment de le prouver. Faites ce que je vous demande et ne posez pas de questions.

Sans un mot de plus, et sur un signe de tête, elle s'éloigna.

Poirot laissa passer quelques minutes, puis pénétra à son tour dans le manoir. Venant de la bibliothèque, il entendit la voix de Diana et celle des trois hommes. Il s'engagea dans l'escalier monumental. Personne au premier étage.

Il n'eut guère de peine à trouver la chambre de Hugh Chandler. Dans un coin, on avait installé un lavabo, avec l'eau courante chaude et froide. Juste au-dessus, différents tubes, pots et flacons s'alignaient sur une tablette de verre.

Sans perdre un instant, avec dextérité, Poirot se mit au travail…

Ce qu'il avait à faire ne lui prit que peu de temps. Il était déjà de retour dans le vestibule quand Diana jaillit de la bibliothèque, rouge de colère :

– C'est réglé, jeta-t-elle.

L'amiral Chandler attira Poirot dans la bibliothèque, dont il referma la porte derrière eux.

– Écoutez, monsieur Poirot, gronda-t-il. Ça ne me plaît pas…

– Qu'est-ce qui ne vous plaît pas, amiral ?

– Diana a insisté pour que vous passiez tous les deux la nuit ici. Je ne voudrais pas me montrer inhospitalier, mais…

– Je ne vous demande pas l'hospitalité.

– Comme je vous le disais, je ne voudrais pas me montrer inhospitalier… mais, très franchement, monsieur Poirot, ça ne me plaît pas. Je… je ne suis pas d'accord. Et d'ailleurs je n'y vois pas de raison. À quoi cela nous avancerait-il ?

– Mettons que j'aie l'intention de me livrer à une expérience.

– Quel genre d'expérience ?

– Cela, pardonnez-moi, c'est mon affaire…

– À la fin, écoutez-moi, monsieur Poirot ! Primo, je ne vous ai pas demandé de venir…

Poirot le coupa :

– Croyez-moi, amiral, je comprends tout à fait votre point de vue, et je l'apprécie à sa juste valeur. Ce qui m'amène ici, c'est tout bonnement la ténacité d'une jeune fille amoureuse. Vous m'avez dit certaines choses. Le colonel Frobisher m'en a dit d'autres. Hugh lui-même m'en a dit d'autres encore. Admettons que, maintenant, je veuille voir tout ça par moi-même.

– Bon, mais voir *quoi* ? Puisque je vous dis qu'il n'y a rien à voir ! Tous les soirs, j'enferme Hugh à double tour dans sa chambre, un point, c'est tout !

– Et pourtant, il arrive parfois, m'a-t-il dit, qu'au matin, sa porte ne soit plus verrouillée.

– Hein ?…

– Vous n'avez jamais, vous-même, trouvé cette porte ouverte ?

– Je me suis toujours imaginé que c'était George qui avait ouvert, gronda l'amiral. Où voulez-vous en venir ?

– Que faites-vous de la clef ? Vous la laissez dans la serrure ?

– Non, je la pose sur la console, dans le couloir. Et ou moi, ou George, ou Withers, mon valet de chambre, la reprenons le matin. Nous avons raconté à Withers que c'était parce que Hugh est somnambule. Je crains bien qu'il n'en sache davantage… mais c'est un garçon de confiance, qui est à mon service depuis des années.

– Existe-t-il un double de cette clef ?

– Pas que je sache.

– Il n'est pas exclu que quelqu'un en ait fait faire.

– Mais qui ?

– Votre fils est persuadé qu'il en cache une quelque part, sans toutefois savoir où en période d'éveil.

Le colonel Frobisher apparut sur le seuil :

– Ça ne me plaît pas, Charles, dit-il. La petite…

– C'est ce que j'étais précisément en train de me dire, répliqua l'amiral. Il ne faut pas que la petite couche ici. Quant à vous, monsieur Poirot, faites après tout ce qui vous chante.

– Pourquoi refusez-vous que miss Maberly passe la nuit ici ? s'enquit Poirot.

– C'est trop risqué, fit le colonel d'une voix sourde. Dans des cas comme celui-ci…

Il s'interrompit net.

– Mais Hugh l'adore ! s'insurgea Poirot.

– Mais *justement* ! s'écria l'amiral. Saperlipopette, mon vieux, avec un fou, tout est sens dessus dessous ! C'est le monde à l'envers ! Hugh lui-même le sait ! Il ne faut pas que Diana couche ici ce soir !

– Ça, ce sera à Diana d'en décider ! trancha Poirot.

Il sortit de la bibliothèque, le colonel et l'amiral sur les talons. Devant le perron, Diana l'attendait dans sa voiture.

– Nous allons chercher nos affaires pour la nuit, et nous serons de retour pour le dîner ! cria-t-elle aux deux autres.

Elle démarra. Et, tandis qu'ils roulaient vers la grille du parc, Poirot lui fit le récit de la conversation qu'il venait d'avoir avec eux. Elle eut un rire d'infini dédain :

– Est-ce qu'ils s'imaginent que Hugh me ferait du mal, à *moi* ?

En guise de réponse, Poirot lui demanda si elle consentirait à s'arrêter un instant chez le pharmacien du village. Il avait oublié, expliqua-t-il, d'emporter une brosse à dents.

L'officine du pharmacien se trouvait au beau milieu de la paisible Grand-Rue du village. Diana resta dans la voiture. Il lui sembla qu'Hercule Poirot mettait beaucoup de temps à choisir une brosse à dents…

*

Dans sa vaste chambre au lourd mobilier de chêne élisabéthain, Poirot attendait sans bouger. Toutes ses dispositions étant prises, qu'eût-il pu faire, sinon attendre.

Il lui fallut patienter jusqu'aux petites heures de l'aube.

Entendant des pas dans le couloir, Poirot déverrouilla sa porte. Deux hommes se tenaient sur le seuil – deux hommes mûrs, qui paraissaient cette fois bien plus que leur âge. Une expression sinistre figeait le visage sévère de l'amiral. Le colonel était agité de tremblements nerveux.

– Voulez-vous nous accompagner, monsieur Poirot ? se borna à demander l'amiral.

Une silhouette informe était pelotonnée devant la porte de la chambre de Diana Maberly. Le faisceau de la lampe n'en révéla d'abord qu'une crinière rousse ébouriffée. Couché en chien de fusil, Hugh Chandler respirait et ronflait tout à la fois. En robe de chambre et pantoufles, il tenait à la main un poignard courbe, aux durs reflets d'acier. Et la lame n'en était pas uniformément brillante, tant s'en fallait : çà et là, des taches rouges et luisantes la maculaient.

– Seigneur ! gémit Hercule Poirot.

– Elle n'a rien, intervint Frobisher d'une voix rauque. Il ne l'a pas touchée.

Haussant le ton, il appela :

– Diana ! C'est nous ! Ouvrez !

Poirot entendit l'amiral gémir, ou plutôt marmotter à voix basse :

– Mon fiston. Mon malheureux fiston…

Des verrous furent tirés. Une clef tourna dans la serrure. Diana apparut, livide.

– *Que s'est-il passé ?* balbutia-t-elle. Il y avait quelqu'un… qui essayait d'entrer… J'ai entendu des gens tripoter la porte… remuer la poignée… griffer le panneau… Oh ! c'était atroce !… *on aurait dit un animal…*

– Par bonheur, votre porte était fermée au verrou ! s'étrangla le colonel.

– M. Poirot m'avait dit de le mettre.

– Relevons-le et portons-le à l'intérieur, ordonna Poirot.

Les deux hommes soulevèrent le jeune homme encore inconscient. Diana ne put retenir un hoquet de surprise quand ils passèrent devant elle :

– Hugh ? C'est Hugh ? Mais qu'est-ce que c'est que ça, là, sur ses mains ?

Les mains de Hugh Chandler étaient poisseuses, souillées de taches rougeâtres.

– C'est du sang ? souffla Diana.

Poirot regarda les deux hommes. L'amiral secoua la tête :

– Pas du sang humain, encore heureux ! Celui d'un chat… que j'ai trouvé en bas, dans le vestibule – la gorge tranchée net. Après ça, Hugh a dû monter ici et…

– *Ici* ? vacilla Diana, frappée d'horreur. Pour *moi* ? Affalé sur un fauteuil, Hugh Chandler commença de geindre, d'émettre des sons inarticulés. Comme fascinés, ils ne le quittaient pas des yeux. Il parvint à s'asseoir, paupières battantes.

– Salut, finit-il par dire d'une voix enrouée, écrasée par le poids du sommeil. Qu'est-ce qui se passe ? Pourquoi suis-je…

Il s'interrompit et, hébété, fixa le poignard qu'il serrait encore dans sa main crispée.

– *Qu'est-ce que j'ai fait ?* interrogea-t-il d'une voix épaisse.

Son regard, qui errait de l'un à l'autre, s'arrêta sur Diana, recroquevillée dos au mur.

– J'ai attaqué Diana ? demanda-t-il avec un calme effrayant.

Son père secoua la tête.

– *Dites-moi ce que j'ai fait !* exigea Hugh. J'ai le droit de savoir !

Ils le lui dirent – à regret – par bribes. L'obstination du jeune homme eut peu à peu raison de toutes leurs réticences.

Dehors, le soleil se levait. Poirot entrouvrit les rideaux. La clarté de l'aube envahit la chambre.

Les traits de Hugh Chandler avaient retrouvé leur calme.

– Je vois, conclut-il d'un ton posé.

Puis il se leva. Sourit. S'étira. Et annonça comme si de rien n'était :

– Belle matinée, pas vrai ? Je vais faire un tour dans les taillis, histoire de voir si je ne pourrais pas tirer un lapin.

Et il s'en fut, laissant les quatre autres bouche bée.

L'amiral fut le premier à sortir de son ébahissement. Il bondit. Mais le colonel, le saisissant par le bras, l'arrêta :

– Non, Charles, non. C'est la meilleure échappatoire… sinon pour nous, au moins pour lui, le pauvre diable.

Diana, sanglotante, s'était écroulée sur le lit.

L'amiral Chandler concéda, chevrotant :

– Vous avez raison, George… vous avez raison, je sais. Le fiston a du cran…

– *C'est un homme,* corrigea le colonel, la voix brisée lui aussi.

Il y eut un moment de silence, puis Chandler tonna soudain :

– Nom d'un chien ! Où est passé ce fichu Belge ?

*

Seul dans l'armurerie, Hugh Chandler avait ôté son fusil du râtelier et s'occupait à le charger. La main d'Hercule Poirot s'abattit soudain sur son épaule.

Poirot ne prononça qu'un mot, un seul – mais avec une singulière autorité :

– *Non* !

Hugh le toisa.

– Lâchez-moi ! gronda-t-il d'une voix sourde. Ne vous mêlez pas de ça ! *Il va y avoir un accident.* C'est la seule porte de sortie.

– Non, répéta Poirot.

– Vous ne comprenez donc pas que si Diana ne s'était pas, par le plus grand des hasards, enfermée à double tour, je l'aurais égorgée… *elle*… avec ce poignard ?

– Je n'y crois pas un instant. Jamais vous n'auriez tué miss Maberly.

– J'ai bien tué ce chat, non ?

– Non, vous ne l'avez pas tué. Pas plus que vous n'aviez tué le perroquet. Pas davantage que vous n'aviez tué les moutons.

La stupeur figea les traits de Hugh Chandler :

– C'est *vous* qui êtes fou, ou c'est moi ?

– *Ni vous ni moi,* répliqua Poirot.

Sur ces entrefaites arrivèrent l'amiral Chandler et le colonel Frobisher, suivis de Diana Maberly.

– Ce type prétend que je ne suis pas fou, geignit Hugh Chandler, dont la voix s'empâtait de nouveau.

Hercule Poirot sourit :

– J'ai en effet le plaisir de vous affirmer que vous êtes aussi sain d'esprit qu'on peut l'être.

Hugh Chandler éclata de rire. De ce genre de rire que l'on ne prête qu'aux déments :

– C'est à se tenir les côtes, non ? J'égorge des moutons, et je suis sain d'esprit ! Quand j'ai tranché la gorge du perroquet, j'étais sain d'esprit ! Et ce chat, cette nuit ?

– Je vous l'ai dit : vous n'avez pas tué les moutons, ni le perroquet, ni le chat.

540

– Qui l'a fait, alors ?

– *Quelqu'un qui n'a pas d'autre but que de vous faire passer pour fou.* Chaque fois, on vous a administré un somnifère puissant, et mis dans la main un poignard ou un rasoir ensanglanté. Et c'est *quelqu'un d'autre* qui lavait ses mains pleines de sang dans votre lavabo.

– Mais enfin pourquoi ?

– Afin de vous amener à faire ce à quoi vous vous apprêtiez quand je suis intervenu.

Hugh Chandler écarquilla les yeux. Quant à Poirot, il se tourna vers le colonel Frobisher :

– Mon colonel, vous avez longtemps vécu aux Indes. N'avez-vous jamais eu affaire à des cas où, par l'administration de substances appropriées, des gens ont été délibérément jetés dans la démence ?

Le visage du colonel s'éclaira :

– À titre personnel, jamais – mais pour ce qui est d'en entendre parler, ça oui, souvent. L'empoisonnement au datura. Ça rend les gens cinglés.

– Exactement. En gros, le principe actif du datura est similaire à celui de l'atropine base – qui, elle, est extraite de la belladone. Bien des médicaments sont tirés de la belladone, et l'atropine est largement utilisée pour le traitement de divers problèmes ophtalmologiques. En dupliquant une ordonnance d'atropine pour les yeux, et en faisant la tournée des pharmacies, il est relativement facile d'obtenir une jolie quantité de poison sans éveiller pour autant les soupçons. L'atropine base peut alors être isolée par simple reconversion et ajoutée à… mettons à un baume d'après-rasage. Il en résultera des irritations qui, à leur tour, provoqueront des lésions au rasage – de sorte que le poison pénétrera en permanence dans l'organisme. Les symptômes sont classiques : sécheresse de la bouche et de la gorge, difficulté à avaler, hallucinations, vision dédoublée – bref : *le syndrome que présentait Mr Hugh Chandler.*

Hercule Poirot se tourna vers le jeune homme :

– Et afin de vous ôter de l'esprit le moindre doute, je tiens à vous préciser qu'il ne s'agit pas là de suppositions mais de faits. Votre baume d'après-rasage était saturé d'atropine base. J'en avais prélevé un échantillon que j'ai fait analyser.

Blafard, Hugh Chandler tremblait de tous ses membres :

– Mais *qui a fait ça* ? Et *pourquoi* ?

– C'est ce que je me suis efforcé de comprendre depuis mon arrivée chez vous. J'ai cherché un mobile. Un mobile de meurtre. Sur le plan financier, Diana Maberly avait tout à gagner à votre disparition, mais c'est une hypothèse que je n'ai pas retenue.

– J'espère bien que non ! éclata Hugh Chandler.

– J'ai travaillé dans une autre voie. L'éternel triangle : deux hommes, une femme. Le colonel Frobisher était amoureux de votre mère, mais c'est l'amiral Chandler qui l'a épousée.

– George ? vociféra l'amiral. George ? Je ne croirai jamais une abomination pareille !

Mais Hugh, encore incrédule, demanda :

– Vous voulez dire qu'une vieille rancœur pourrait s'étendre à… à un *fils* ?

– Dans certaines circonstances, c'est évident, répondit Poirot.

– C'est un mensonge ignoble ! s'époumona le colonel. N'en croyez pas un mot, Charles !

Mais l'amiral Chandler s'écarta de lui et marmotta dans sa barbe :

– Le datura... les Indes. Oui, je commence à comprendre... Avec cette folie qui hante la famille, nous n'avions pas un instant soupçonné qu'il puisse s'agir d'un poison...

– *Mais précisément !* s'écria Poirot dont la voix en monta dans l'aigu. *Cette folie qui hante la famille !* Un fou... habité par la soif de vengeance... rusé comme le sont les déments... cachant sa folie pendant des années !

Il pivota pour faire face à Frobisher :

– Seigneur ! ne me dites pas que vous ne vous êtes douté de rien ! Que vous n'aviez pas compris depuis bien longtemps que Hugh était *votre* fils ! Pourquoi ne pas lui en avoir parlé ?

– Je ne sais pas, s'étrangla le colonel. Comment en être sûr ? Voyez-vous, Caroline s'est précipitée un beau jour chez moi... elle avait peur... elle était dans tous ses états. Je ne sais pas, je n'ai jamais su de quoi il retournait. Elle... moi... nous avons perdu la tête. Après ça, je me suis immédiatement expatrié... qu'aurions-nous pu faire d'autre ?... les conventions sont là pour être respectées. Je... bien entendu, je me suis posé des questions, mais, encore une fois, comment être sûr de quoi que ce soit ? Caroline n'a jamais rien dit qui puisse me laisser supposer que Hugh était bel et bien mon fils. Et puis... et puis quand ces accès de démence se sont déclarés, j'en ai conclu que ça réglait définitivement la question.

– Ça la réglait, et comment ! ricana Poirot. *Vous,* vous

543

n'aviez pas su remarquer la façon dont « le fiston » fronce bas les sourcils et projette le front en avant comme s'il voulait vous faire un mauvais parti – tic qu'il a hérité de *vous. Mais Charles Chandler, lui, n'avait pas les yeux dans sa poche.* Ce comportement, il l'avait repéré depuis bien des années... et sa femme lui avait d'ailleurs avoué la vérité. J'imagine qu'elle avait peur de lui... qu'il avait déjà donné les premiers signes de sa folie... et que c'est pour cela qu'elle avait cherché refuge dans vos bras... vous qu'elle avait toujours aimé. Charles Chandler a organisé sa vengeance. Sa femme a trouvé la mort en faisant du bateau. Ce jour-là, ils étaient seuls à bord et, à part lui, il n'y a que Dieu et le Diable qui savent comment c'est arrivé. Ensuite, l'amiral a décidé de concentrer toute sa haine sur ce garçon qui portait son nom mais qui n'était pas son fils. Les histoires d'empoisonnement au datura que vous aviez rapportées des Indes lui ont donné des idées. Il a choisi de pousser Hugh à la démence... jusqu'au stade où le désespoir le conduirait au suicide. La tare héréditaire, c'était l'amiral qui en souffrait, pas Hugh. C'est Charles Chandler qui s'en allait la nuit égorger des moutons dans les champs, mais c'est Hugh Chandler qui en paierait le prix !

» Savez-vous comment j'en suis venu à soupçonner l'amiral ? Quand il a proclamé si véhémentement son opposition à ce que son fils consulte un médecin. Que Hugh ne veuille pas en voir un, je ne le comprenais que trop bien. Mais son père ! Un traitement susceptible de sauver « le fiston » pouvait exister... et il y avait trente-six bons motifs pour qu'il souhaite, *lui*, obtenir un avis médical. Mais non ! Il était hors de question que Hugh voie un médecin... parce qu'un médecin aurait pu établir que Hugh Chandler était parfaitement *sain d'esprit* !

La voix, calme cette fois, de Hugh Chandler s'éleva tout à coup :

– Sain d'esprit ?... Je *suis* sain d'esprit ?

Il fit un pas vers Diana.

– Mais oui, fiston, dit le colonel d'une voix bourrue, tu es parfaitement sain d'esprit... Des tares, il n'y en a pas *chez nous*.

– *Hugh...*, murmura Diana.

L'amiral Chandler s'empara du fusil de Hugh.

– Un tissu d'inepties ! gronda-t-il. Je vais faire un tour... histoire de voir si je ne pourrais pas tirer un lapin.

Le colonel Frobisher s'apprêtait à le retenir, mais Poirot l'en dissuada :

– Vous nous avez dit vous-même, il n'y a de ça qu'un instant, que c'était la meilleure échappatoire...

Diana et Hugh étaient sortis ensemble.

Les deux hommes, l'Anglais et le Belge, regardèrent le dernier des Chandler traverser le parc et s'enfoncer dans les taillis.

Quelques instants plus tard, un coup de feu claqua...

8

Les cavales de Diomède
(The Horses of Diomedes)

Le téléphone sonna.

– Allô, Poirot, c'est vous ?

Hercule Poirot reconnut la voix du jeune Dr Stoddart. Il aimait beaucoup Michael Stoddart. La chaleur timide de son sourire lui plaisait. Il s'amusait de sa passion naïve pour les faits divers. Mais il respectait en lui le médecin infatigable aux diagnostics sans faille.

– Je regrette de vous ennuyer…

– Mais quelque chose vous ennuie, *vous,* lui suggéra Poirot.

– Exactement, reprit le Dr Stoddart d'une voix soulagée. Vous avez vu juste.

– Eh bien, mon bon ami, que puis-je pour vous ?

– J'imagine qu'il serait indé-dé-décent de ma part de vous demander de venir me re-rejoindre à une heure pa-pareille, expliqua le médecin avec un certain embarras qui le faisait légèrement bégayer. M-m-mais je… je suis un peu dans le pétrin.

– Il va sans dire que j'accours. Vous êtes chez vous ?

– Non… en fait, je suis dans le *mews* qui se trouve derrière ma rue. Conningby Mews. Au numéro 17. Vous pourriez vraiment venir ? Je vous en serais éternellement reconnaissant.

– J'arrive immédiatement, se borna à répondre Poirot.

*

Hercule Poirot arpenta le *mews* plongé dans l'obscurité en s'efforçant de déchiffrer les numéros. Il était une heure du matin et la plupart des habitants de ces anciennes écuries transformées en logements de luxe avaient apparemment rejoint leur lit. Une ou deux fenêtres seulement étaient éclairées.

Au moment où il atteignait le 17, la porte s'ouvrit et le Dr Stoddart apparut sur le seuil.

– Vous êtes formidable ! dit-il. Venez en haut, voulez-vous ?

Un escalier aussi raide et étroit qu'une échelle menait à l'étage. Là, sur la droite, s'ouvrait une pièce d'assez vastes dimensions, meublée de divans profonds, de tapis de fourrure et de coussins en lamé argent. Sur des tables basses s'alignaient verres et bouteilles.

Une pagaille indescriptible régnait dans les lieux : des mégots traînaient dans tous les coins et, de-ci de-là, on apercevait des tessons de verre brisé.

– Tiens ! tiens ! s'écria Hercule Poirot. De tout ceci je conclus, *mon cher Watson,* qu'il s'est tenu céans une petite sauterie !

– Pour une sauterie, c'en était une ! grimaça le médecin.

– Mais vous-même n'y étiez pas ?

– Non. Je ne suis ici qu'à titre professionnel.

– Que s'est-il passé ?

– La maison appartient à une certaine Patience Grace, expliqua Stoddart. *Mrs* Patience Grace.

547

– Que voilà un nom qui fleure exquisement l'élégance surannée du bon vieux temps, s'émut Poirot.

– Pour ce qui est de Mrs Grace, rien hélas d'élégant ni encore moins d'exquis. Elle cultiverait plutôt le genre ex-belle plante un tantinet vulgaire. Elle a déjà usé plusieurs maris et se trouve présentement dotée d'un petit ami qu'elle soupçonne de vouloir la quitter… Bref, la soirée a commencé à l'alcool, et s'est terminée à la drogue – à la cocaïne, pour être précis. La cocaïne, c'est une saloperie qui commence par vous donner l'impression d'être génial et qui vous fait voir la vie en rose. Ça vous stimule, et vous avez le sentiment de pouvoir en faire deux fois plus que d'habitude. Mais, pour peu que vous forciez la dose, vous offrez à la médecine de beaux cas de surexcitation, avec délire et hallucinations. Mrs Grace s'est bagarrée avec son coquin, un type peu sympathique du nom de Hawker. Résultat : il l'a plantée là. Sur quoi elle s'est penchée par la fenêtre et lui a tiré dessus, au jugé, avec un joli petit revolver flambant neuf dont quelqu'un avait eu la bêtise de lui faire cadeau.

Poirot leva haut les sourcils :

– Elle l'a touché ?

– Oh, que non ! La balle l'a manqué, de plusieurs mètres à mon humble avis. Mais elle a atteint un pauvre bougre de traîne-savates qui faisait les poubelles. En plein dans le gras du bras. Il a poussé des cris d'orfraie, bien entendu, ce qui fait que nos jeunes gens l'ont monté ici à toute vitesse, se sont ensuite affolés à la vue du sang qui coulait partout et sont venus me chercher dare-dare…

– Et puis ?

– Je l'ai recousu sans problème. Ça n'avait rien de bien méchant. Deux ou trois des types présents l'ont travaillé au corps, et il a fini par accepter une pincée de billets de cinq livres pour prix de son silence. Ça l'arrangeait bien, le malheureux. Un coup de veine inespéré.

– Et vous ?

– Il me restait encore du pain sur la planche. Mrs Grace était en pleine crise d'hystérie. Je lui ai fait une bonne piqûre et l'ai fourrée au lit. Et puis il y avait une jeune donzelle qui avait plus ou moins tourné de l'œil – très jeune, en fait, et je me suis aussi occupé d'elle. À ce moment-là, tout un chacun était en train de s'éclipser aussi vite que ses jambes pouvaient le porter…

Il s'interrompit.

– Ce qui, si je comprends bien, fit Poirot, vous a donné le loisir de réfléchir un peu à la situation.

– Exactement, confirma Stoddart. Si ça n'avait été qu'une beuverie classique, je m'en serais tenu là. Mais avec la came, c'est une autre paire de manches.

– Vous êtes sûr de ce que vous avancez ?

– Oh, sûr et certain, Pas d'erreur ! Ils avaient fonctionné à la cocaïne. J'en ai trouvé un peu dans une petite boîte de laque – ils reniflent ça, ils le prisent, quoi ! La question qui se pose, c'est : d'où vient-elle ? Et je me suis souvenu que vous m'aviez parlé l'autre jour du grand retour en vogue de la drogue, et de la montée du nombre des drogués…

Hercule Poirot hocha la tête :

– Cette petite sauterie va beaucoup intéresser la police.

– C'est bien ça le problème, souffla le médecin, mal à l'aise.

Poirot le regarda d'un œil soudain inquisiteur :

– Dites donc, vous ne m'avez pas l'air bien pressé qu'elle s'en mêle ?

– Des innocents risquent d'être impliqués, marmonna Michael Stoddart. De faire les gros titres…

– C'est pour Mrs Patience Grace que vous voilà si plein d'attention ?

– Seigneur ! Ah, ça non ! Elle, c'est une dure à cuire de première !

– Alors, c'est pour l'autre ? insinua Poirot avec un demi-sourire. Pour la « jeune donzelle » ?

– Oh, bien sûr, concéda le médecin, à sa façon, elle non plus n'a pas froid aux yeux. Ou du moins, c'est l'image qu'elle entend donner d'elle-même. En réalité, elle est seulement très jeune… un peu olé olé, un peu sale gosse… mais c'est de son âge. Frayer avec cette bande de foutriquets doit lui sembler le comble du chic, de l'audace, de Dieu sait quoi.

Le sourire de Poirot s'accentua :

– Cette jeune personne, vous la connaissiez avant ce soir ?

Michael Stoddart hocha la tête. Il avait tout à coup l'air d'un gamin pris en faute :

– Je l'ai rencontrée par hasard dans le Mertonshire, confessa-t-il. Au grand bal de la Chasse à courre. Son père est général en retraite – style rantanplan, scrogneu-gneu, *pukka Sahib* en diable, vous voyez d'ici le tableau. Elles sont quatre filles, toutes plus foldingues les unes que les autres – ce qui n'a rien d'étonnant avec un père comme ça. Pour ne rien arranger, elles habitent le mauvais secteur du comté : usines d'armement à deux pas, argent qui pousse sous les pierres, plus rien de commun avec ce qu'il est convenu d'appeler la bonne vieille aristocratie campagnarde mais au contraire un ramassis de richards qui ont le vice dans la peau. Ces demoiselles se sont acoquinées avec du pas très joli monde.

Poirot le considéra quelques instants d'un air méditatif.

– Je commence à comprendre pourquoi vous souhaitiez ma présence, commenta-t-il enfin. Vous voulez que je prenne l'affaire en main.

– Vous accepteriez ? Je sens bien qu'il faut que j'intervienne… mais je ne vous cache pas que j'aimerais assez tenir Sheila Grant hors des feux de la rampe.

– J'imagine que cela peut s'arranger. Seulement j'aimerais bien voir cette jeune personne.

– Venez.

Il montrait le chemin à Poirot quand une voix tragique s'éleva derrière une porte close :

– Docteur… je vous en supplie, docteur, je deviens folle !

Stoddart poussa le battant. Poirot le suivit dans la chambre. C'était le chaos : poudre de riz répandue sur le plancher, pots de crème et flacons éparpillés, vêtements jetés à la volée. Sur le lit gisait une femme aux cheveux d'un blond outrancier. La débauche avait imprimé ses stigmates sur son visage qui n'avait plus rien d'humain.

– Je suis couverte d'insectes qui me grouillent dessus des pieds à la tête ! fit-elle dans un râle. Couverte ! Je les sens partout ! Je vais devenir folle ! Je vous en conjure, faites-moi une piqûre… n'importe quoi !

Le Dr Stoddart se planta au pied du lit – ton apaisant, attitude professionnelle.

Poirot, quant à lui, sortit sur la pointe des pieds. Une autre porte se trouvait en face. Il l'ouvrit.

C'était une chambre minuscule, à peine meublée, presque un réduit. Une frêle silhouette reposait sur le lit.

Cheveux noirs, visage oblong d'une extrême pâleur… et, oui, en effet, jeune… incroyablement jeune…

Une sorte d'écume blanchâtre moussait aux commissures de ses lèvres. Elle ouvrit des yeux égarés, effarés, et, rejetant d'un mouvement de la tête la masse de sa chevelure, fit un effort pour se redresser. Elle avait l'air d'une pouliche craintive et elle tremblait un peu, comme peut trembler un animal quand s'approche un inconnu menaçant.

– Qui diable êtes-vous ? demanda-t-elle d'une voix tout à la fois fluette et décidée.

– N'ayez pas peur, mademoiselle.

– Où est le Dr Stoddart ?

Le jeune médecin arriva au même instant.

– Ah, vous voilà ! s'écria la jeune fille, soulagée. Qui c'est, celui-là ?

– C'est un de mes amis, Sheila. Comment vous sentez-vous, maintenant ?

– Dans un état horrible, abominable… Pourquoi est-ce que j'ai pris cette saleté ?

– Si j'étais vous, je ne recommencerais pas, grinça le Dr Stoddart.

– Je… Je ne le ferai plus.

– Qui est-ce qui vous l'a donnée ? interrogea Poirot.

Ses pupilles se dilatèrent, et sa lèvre supérieure frémit :

– Ça s'est passé ici… au cours de la soirée. On a tous essayé. Au début, ç'a été formidable…

– Mais qui l'avait apportée ? insista Poirot.

Elle secoua la tête :

– Je ne sais pas… Probablement Tony, Tony Hawker. Mais, en réalité, je ne suis absolument pas au courant.

– C'était la première fois que vous preniez de la cocaïne, mademoiselle ? s'enquit doucement Poirot.

Elle fit signe que oui.

– Eh bien, que ce soit la dernière ! trancha le Dr Stoddart.

– Oui, vous avez sans doute raison… Mais c'était quand même formidable.

– Écoutez-moi un peu, Sheila Grant, coupa Stoddart. Je suis médecin et je sais de quoi je parle. La drogue, c'est un engrenage fatal qui vous mène droit à la déchéance. On se laisse aller à en tâter et on finit par y laisser sa peau ! Ce ne sont pas les exemples qui manquent et je suis ferré sur la question. La drogue vous démolit le corps et vous ratiboise le cerveau. À côté de ça, l'alcool, c'est de la rigolade. Arrêtez les frais tout de suite. Croyez-moi, ça n'a rien de drôle ! À votre avis, qu'est-ce que votre père irait penser de vos frasques de cette nuit ?

– Mon père ? éclata-t-elle d'un rire qui sonnait faux. Mon père ? Je vois d'ici sa tête ! Il ne manquerait plus qu'il apprenne ça ! Il en piquerait une attaque !

– Et il n'aurait pas tort, maugréa Stoddart.

– Docteur… Docteur…

Venant de la chambre voisine, la voix de Mrs Grace n'était plus qu'un long gémissement.

Le médecin jura entre ses dents et sortit de la pièce.

Sheila Grant se remit à dévisager Poirot. Elle semblait dubitative :

— Qui êtes-vous au juste ? Vous n'étiez pas à la soirée.

— Non, je n'étais pas à la soirée. Je suis un ami du Dr Stoddart.

— Vous êtes médecin, vous aussi ? Vous n'en avez pas l'air.

S'efforçant, comme de coutume, de donner à la révélation de son identité toute la solennité requise, le détective annonça de sa plus belle voix :

— Je me nomme Hercule Poirot.

S'il arrivait parfois à Poirot de constater avec tristesse que les jeunes générations n'avaient jamais entendu parler de lui, tel ne fut pas le cas en la circonstance.

La déclaration produisit bel et bien son effet.

Sheila Grant savait de toute évidence à qui elle avait affaire. Le plus total ébahissement se peignit sur ses traits. Et elle se mit à le fixer comme si elle ne pouvait plus en détacher ses yeux écarquillés.

*

On dit souvent, à tort ou à raison, que tout Anglais bien né a une tante qui habite Torquay.

Et on dit aussi que chacun a, au moins, un cousin issu de germain dans le Mertonshire. Il est vrai que le Mertonshire n'est pas très éloigné de Londres. On peut s'y livrer aux joies de la pêche et de la chasse à courre ou à tir. Les villages pleins d'un cachet presque trop soigneusement préservé y pullulent. Le réseau des chemins de fer y est dense, et d'excellentes routes permettent de se rendre facilement en voiture dans la capitale, ou d'en revenir. Sans compter que les domestiques répugnent moins à y accepter un emploi que dans d'autres régions, plus rurales, des îles britanniques.

Tout cela a pour conséquence que vouloir s'installer dans le Mertonshire relève de l'utopie pour qui ne dispose pas d'un revenu annuel dont le total s'écrit avec quatre chiffres. Et si l'on tient compte des impôts, de ci, de ça, plus de quelques broutilles annexes, il est nettement préférable qu'il y ait cinq chiffres que quatre...

Sujet du royaume de Belgique, Hercule Poirot n'y avait pas de famille proche ou éloignée, mais, grâce à son large cercle d'amis, il n'eut pas la moindre peine à se faire inviter à découvrir les charmes de ce délicieux comté. Il avait, qui plus est, choisi comme hôtesse une adorable vieille dame dont le plus grand plaisir dans l'existence consistait à exercer l'agilité d'une langue particulièrement acérée aux dépens de ses voisins. Évidemment, cela comportait l'inconvénient majeur de contraindre Poirot à se soumettre à d'interminables discours sur des gens qui ne l'intéressaient pas le moins du monde avant de pouvoir enfin en venir à ceux qui présentaient de l'intérêt pour lui :

– Les petites Grant ? Mais bien sûr ! Elles sont quatre. Quatre filles. Inutile de se demander pourquoi le pauvre général n'arrive pas à leur tenir la dragée haute. Comme dit l'autre : seul contre quatre filles, que voulez-vous qu'il fît ?

D'un geste éloquent, lady Carmichael souligna l'impuissance proverbiale du mâle confronté à sa progéniture femelle.

– Euh… en effet, approuva à tout hasard Poirot.

– Je me suis laissé glisser dans le tuyau de l'oreille, reprit lady Carmichael, qu'il menait autrefois son régiment à la schlague. Mais, face à quatre furies, il lui a bien fallu rendre les armes. Ah ! ce n'était pas comme ça de mon temps. Le vieux colonel Sandys, lui – je m'en souviens comme si c'était hier –, se conduisait comme un garde-chiourme avec les siennes.

(Et lady Carmichael d'entamer une longue digression sur les épreuves traversées tant par les demoiselles Sandys que par d'autres de ses amies de jeunesse.)

– Ne vous méprenez pas, reprit-elle en revenant à son sujet initial. Loin de moi l'idée de prétendre que ces petites se méconduisent. Mais il n'en demeure pas moins qu'elles… s'amusent beaucoup. Elles font partie d'une petite bande quelque peu douteuse. Ah, ce n'est plus comme autrefois, ici. On voit débarquer les gens les plus hétéroclites. Notre existence « campagnarde » entre gens du même monde est bien finie. Aujourd'hui, il n'y a plus que l'argent, l'argent et encore l'argent. Et on colporte des histoires ahurissantes… Au fait, de qui me parliez-vous donc, très cher ? Anthony Hawker ? Bien sûr, que je le connais ! Pour moi, c'est le type même du garçon antipathique et haïssable. Mais il roule apparemment sur l'or. Il vient ici pour chasser à courre. Et il donne des soirées… des soirées somptueuses… et parfois un peu spéciales, s'il faut en croire tout ce qu'on en raconte – ce qui n'est pas mon cas, parce que je trouve vraiment que les gens ont l'esprit par trop mal tourné. Ils sont toujours disposés à croire le pire. Vous savez, c'est devenu du dernier chic de dire de quelqu'un qu'il boit, voire qu'il se drogue. On me confiait l'autre jour que toutes les jeunes filles de la bonne société sont devenues des alcooliques invétérées, et je trouve que ce n'est vraiment pas quelque chose à crier sur les toits ! Et si quelqu'un a le malheur d'avoir un comportement original, ou différent, tout le monde clame aussitôt : « C'est la drogue. » Or, c'est parfois injuste. On me l'a dit à propos de Mrs Larkin, et, quoique je ne raffole pas de cette créature, je serais prête à parier qu'il s'agit seulement chez elle d'une légère tendance à la distraction. C'est une grande amie de votre Anthony Hawker et, si vous me posez la question, je vous dirai que c'est pour cette raison qu'elle déteste tellement les jeunes demoiselles Grant – elle va jusqu'à les traiter de mangeuses d'hommes ! Je reconnais qu'elles leur courent passablement après, mais pourquoi pas ? C'est, après tout, bien naturel. Sans compter qu'elles sont toutes les quatre plus ravissantes les unes que les autres.

Poirot parvint à placer une question.

– Mrs Larkin ? s'exclama lady Carmichael. Mais, mon tout bon, ce n'est pas à moi qu'il faut demander *qui* elle est ! Et d'ailleurs, qui est quoi, par les temps qui courent ? On la dit bonne cavalière, et elle n'est manifestement pas dans le besoin. Son mari faisait je ne sais trop quoi dans la banque. Non, non, il est mort. Ce n'est pas une divorcée. Elle ne sévit pas dans le coin depuis très longtemps – elle est venue s'y installer dans le sillage des Grant. J'ai toujours pensé qu'elle…

La vieille lady Carmichael s'arrêta soudain, bouche ouverte et roulant des yeux furibonds. Se penchant en avant, elle administra sur les doigts de Poirot un bon coup du coupe-papier qu'elle tenait à la main. Sans prêter attention au cri de douleur de sa victime, elle s'égosilla :

– Où avais-je donc la tête ? C'est pour *ça* que vous êtes venu soi-disant me présenter vos respects ! Menteur éhonté, ignoble cachottier, j'exige que vous me disiez tout !

– Mais à propos de quoi voulez-vous donc que je vous dise tout ?

Lady Carmichael tenta de décocher à Poirot un nouveau coup sur les doigts – coup qu'il parvint cette fois à esquiver avec adresse :

– Ne jouez pas les demeurés avec moi, Hercule Poirot ! Je vois vos moustaches qui remuent ! C'est une affaire *criminelle* qui vous amène ici et vous avez l'incroyable toupet d'essayer de me tirer les vers du nez ! Cela posé, laissez-moi réfléchir... Se pourrait-il qu'il s'agisse d'un meurtre ? Qui donc est mort récemment ? Je ne vois que la vieille Louisa Gilmore, mais elle avait quatre-vingt-cinq ans et une hydropisie carabinée. Ça ne peut pas être elle. Quant à ce pauvre Leo Staverton, c'est à la chasse qu'il s'est cassé la figure et il est dans le plâtre jusqu'aux oreilles. Ça n'est pas non plus le bon numéro. Mais avons-nous bien affaire à un assassinat ? Oh, c'est trop bête ! Je n'ai en tête aucun vol de bijoux retentissant ces derniers temps... Ne seriez-vous pas plus prosaïquement sur la piste d'un tueur psychopathe ?... Ne s'agirait-il pas de Beryl Larkin ? N'aurait-elle pas, au bout du compte, bel et bien empoisonné son mari ? Et ne serait-ce pas le remords qui lui donne ce fameux air absent ?

— Madame, madame ! s'exclama Poirot. Vous allez trop vite en besogne.

— Sornettes ! Je vous sens à l'affût, Poirot !

— Connaissez-vous bien vos Classiques, madame ?

— Qu'est-ce que les Classiques ont à voir là-dedans ?

— Vous allez comprendre. J'essaie d'imiter Hercule, mon grand prédécesseur. Et dompter les cavales du roi Diomède a été l'un des Travaux d'Hercule.

— Allons donc ! N'essayez pas de me faire gober que vous allez vous adonner au débourrage des chevaux ! À votre âge ! Et avec vos bottines à boutons ! À vous voir, on sait tout de suite que vous n'avez jamais posé le cul sur une selle !

— Vous avez de ces mots ! Mais les chevaux en question, madame, n'étaient que symboliques : des cavales sauvages qui se nourrissaient de chair humaine.

— Quelle écœurante dépravation, mon Dieu ! J'ai toujours estimé que tous ces Grecs et tous ces Romains n'étaient pas des gens très fréquentables… Et je ne vois absolument pas pourquoi tant d'hommes d'Église prennent un tel plaisir à les citer. Primo, on ne comprend jamais de quoi il retourne au juste. Et, par-dessus le marché, c'est d'une parfaite incongruité dans la bouche du clergé. Ces incestes à tire-larigot… et ces statues dévêtues… Non que cela me choque personnellement le moins du monde… mais vous connaissez nos pasteurs et autres curaillons… au bord de l'apoplexie quand par

559

hasard une gamine va à l'église sans avoir mis de bas…
Voyons, où en étais-je ?

– J'avoue ne plus très bien le savoir.

– J'imagine, divine crapule, que vous ne me direz
naturellement pas si Mrs Larkin a tué son mari ? Ni si
Anthony Hawker est ou non l'homme à la malle sanglante de Brighton ?

Lady Carmichael fixait Poirot d'un œil gourmand,
mais le visage du détective demeura impassible.

– Peut-être ne s'agit-il que d'une histoire de faux, spé-
cula lady Carmichael. J'ai vu Mrs Larkin à la banque,
l'autre jour. Elle y encaissait un chèque de cinquante
livres – somme que j'ai trouvée exorbitante pour un
retrait en espèces… Mais non, c'est tout le contraire ! Si
c'était une faussaire, elle aurait banqué l'argent, non ?
Hercule Poirot, si vous restez planté là sans rien dire et à
me regarder comme un hibou empaillé, je vais vous
lancer quelque chose à la tête !

– Il vous faudra faire montre d'un peu de patience,
madame, répliqua Hercule Poirot.

*

Ashley Lodge, résidence du général Grant, n'était
qu'une demeure de dimensions modestes. Construite au
flanc d'une colline, elle offrait cependant de belles écuries et un jardin touffu qui souffrait d'un évident
manque de soin.

Un agent immobilier en aurait décrit l'intérieur comme
« décoré avec une rare originalité ». Des myriades de
bouddhas accroupis vous lorgnaient d'un œil salace du

fond de leur niche et, venus en droite ligne de Bénarès, trépieds et tables basses à plateau de cuivre encombraient les planchers. Des troupeaux d'éléphants d'ivoire en procession égayaient les manteaux de cheminée. Quant aux murs, eux aussi s'ornaient de cuivres à la configuration torturée.

Au beau milieu de ce fatras anglo-indien jusqu'à la caricature, le général Grant, enfoncé dans un large fauteuil quelque peu râpé, avait posé sur une chaise un pied emmailloté d'un épais bandage.

– La goutte, expliqua-t-il. Une crise de goutte, vous n'avez jamais eu ça, Mr... euh... Poirot ? Le genre de truc qui ne vous arrange pas le caractère ! Et je le dois à qui ? À mon père, qui a forcé sur le porto toute sa vie... comme l'avait fait mon grand-père avant lui. Et c'est sur moi que ça retombe. Je vous offre un verre ? La sonnette est là. Si vous pouviez avoir l'amabilité d'appeler mon domestique...

Un serviteur enturbanné fit son entrée. Le gratifiant du prénom d'Abdul, le général Grant lui ordonna d'apporter sur le champ whisky et soda. Sitôt les bouteilles à portée de la main, il se mit en devoir de servir le breuvage avec une telle prodigalité que Poirot crut bon de protester.

– Je ne peux, hélas, vous tenir compagnie, monsieur Poirot, déplora le général, dont l'œil évoquait à merveille le supplice de Tantale. Mon sorcier de médecin affirme que tremper mes lèvres là-dedans suffirait à me faire passer de vie à trépas. Je n'y crois pas une seconde. Ces toubibs à la noix n'y connaissent rien. Ne pensent qu'à vous gâcher la vie. Tout ce qui leur plaît, c'est de vous priver du boire et du manger, et de vous coller au régime poisson bouilli. Du poisson bouilli ! Pouah !

Dans son indignation, le général remua inconsidérément son pied endolori et les élancements qu'il en ressentit l'amenèrent à jurer longuement.

Il s'excusa ensuite de la verdeur de son langage :

– Je ne suis plus qu'un vieil ours aigri. Quand j'ai une crise de goutte, mes filles se tiennent au large. Je ne peux pas dire que je le leur reproche… Je crois que vous avez rencontré l'une d'elles.

– J'ai eu cet honneur, en effet. Vous avez plusieurs filles, n'est-ce pas ?

– Quatre, avoua piteusement le général. Et pas un garçon. Quatre foutues péronnelles. De quoi vous donner bien du souci, de nos jours…

– Je me suis laissé dire qu'elles étaient ravissantes toutes les quatre.

– Elles ne sont pas trop moches… pas trop moches dans l'ensemble. Seulement allez savoir ce qu'elles ont dans le crâne ! Les filles, au jour d'aujourd'hui, on ne peut plus les tenir. Le laxisme règne en maître… le laxisme est partout. De quels moyens d'action dispose un père ? Il ne peut quand même pas les enfermer à double tour, n'est-ce pas ?

– J'ai cru comprendre qu'elles ont beaucoup de succès dans le voisinage.

– Pas mal de vieilles biques sur le retour ne peuvent pas les voir en peinture, grommela le général. Il y en a tout un tas, dans le secteur, qui essaient de se faire passer pour des oies blanches. Ici, un type doit regarder à deux fois où il met les pieds. Il s'en est fallu de peu que je ne me laisse piéger par une de ces veuves à l'œil humide. Celle-là, elle ne manquait jamais une occasion de venir se fourrer dans mes pattes et de ronronner comme une chatte en chaleur : « Ah ! général, général… vous avez dû mener une vie *tellement* passionnante ! »

Le général cligna de l'œil :

– Un peu gros, non ? Mais, enfin, à tout prendre, j'imagine qu'il y a des endroits pires que celui-ci. Un peu moderne et bruyant cependant pour mon goût. Moi, j'aimais la vie à la campagne quand c'était encore la campagne… quand il n'y avait pas encore ces voitures dans tous les chemins creux, ni ce fichu jazz, ni cette maudite radio du matin au soir et du soir au matin ! Chez moi, je n'en veux pas, et les petites le savent ! Un homme a quand même le droit de jouir d'un peu de calme sous son toit.

Adroitement, Hercule Poirot amena la conversation sur Anthony Hawker.

– Hawker ? Hawker ? Connais pas. Ou plutôt si. Un vilain bonhomme, avec des yeux trop rapprochés. Ne jamais se fier à un type qui ne vous regarde pas en face.

– C'est pourtant, n'est-il pas vrai ? l'un des amis de votre fille Sheila ?

– De Sheila ? Première nouvelle. Les filles ne me disent jamais rien.

Le général fronça très bas ses sourcils broussailleux, et ses yeux bleus, bien mis en valeur par son teint rouge brique, se fixèrent droit sur le détective :

– Allons, monsieur Poirot, de quoi s'agit-il au juste ? Cela vous ennuierait beaucoup de m'avouer le motif exact de votre visite ?

– J'en serais bien en peine, répondit Poirot avec lenteur. Et ce pour la bonne raison que je n'en sais trop rien moi-même. Qu'il me soit cependant permis de vous confier ceci : votre fille Sheila – il en va d'ailleurs peut-être de même pour ses trois sœurs – s'est fait des amis assez peu recommandables.

– Mauvaises fréquentations ? C'est ce que je craignais un peu... il m'est arrivé de surprendre, de-ci de-là, quelques allusions...

Le visage du général devint pathétique :

– Seulement que faire, monsieur Poirot ? Que faire ?

Hercule Poirot secoua la tête avec commisération.

– Qu'est-ce qui cloche, avec leurs petits copains ? demanda encore le général.

Poirot répondit par une autre question :

– Avez-vous remarqué chez l'une ou l'autre de vos filles, mon général, une certaine instabilité d'humeur ? Des phases d'excitation suivies de dépression ou d'hébétude ? De la nervosité ? Voire de l'emportement ?

– Sacré nom, vous parlez comme un de ces charlatans de toubibs ! Non, je n'ai jamais rien remarqué de semblable.

– Voilà qui est fort heureux, déclara gravement Poirot.

– Je vous prie, monsieur, de me dire la signification de tout cela.

– Ça se résume en un mot : la drogue !

– QUOI ? !

Plus que d'une exclamation, il s'était agi d'un hurlement.

– Quelqu'un essaie de faire de votre fille Sheila une droguée, expliqua Poirot. L'accoutumance à la cocaïne est rapide. Il suffit d'une semaine ou deux. Une fois qu'il ne pourra plus s'en passer, un drogué paiera n'importe quel prix, fera n'importe quoi, pour obtenir de nouvelles doses. Je vous laisse imaginer les fortunes que peuvent engranger ceux qui se livrent à ce commerce ignoble.

En silence, Hercule Poirot écouta le torrent d'insultes et de jurons que crachèrent les lèvres du vieil homme. Puis, lorsque la voix du général mourut sur la description du traitement qu'il ferait subir à l'infâme fils de chienne syphilitique sitôt qu'il lui tomberait entre les mains, Poirot reprit la parole :

– Avant de disposer de la peau de l'ours, il nous faut d'abord l'attraper. Une fois que nous aurons mis le grappin sur notre pourvoyeur de drogue, mon général, c'est bien volontiers que je le confierai à vos soins éclairés.

Il se leva, se prit les pieds dans une table basse lourdement tarabiscotée et ne retrouva l'équilibre qu'en se cramponnant au général.

– Je vous demande mille pardons, mon général, murmura-t-il, et je vous supplie – vous entendez bien : *je vous supplie* – de ne souffler mot de tout cela à vos filles.

– Hein ? Je vais leur tirer les vers du nez, oui ! Leur faire cracher la vérité !

– La vérité, ce n'est pas comme ça que vous l'aurez. Vous n'obtiendrez qu'un tissu de mensonges.

– Mais, nom de Dieu de nom de…

– Je vous assure, mon général, il *faut* que vous restiez bouche cousue. C'est vital, comprenez-vous ? *Vital !*

– Bon, bon, comme vous voudrez, grommela le vieux militaire.

Dompté, il l'était. Mais convaincu, certes pas.

Hercule Poirot se fraya avec adresse un chemin entre les cuivres de Bénarès et s'en fut.

*

Le salon de Mrs Larkin était bondé.

Debout derrière une petite table, elle s'occupait à secouer des cocktails. Grande, cheveux auburn ramenés en rouleau sur la nuque, elle avait des yeux gris-bleu aux pupilles dilatées. Ses mouvements souples exprimaient une grâce un peu inquiétante. On aurait pu croire qu'elle entrait à peine dans la trentaine, et il fallait observer de près les pattes-d'oie au coin de ses paupières pour deviner qu'elle affichait en fait dix ans de moins que son âge véritable.

Hercule Poirot avait été amené là par une amie de lady Carmichael, beauté mûrissante mais encore pleine de vivacité. Il se trouva bientôt pourvu d'un cocktail et reçut pour consigne d'en porter un autre à une jeune fille qui se tenait près d'une des baies vitrées. Blonde et de petite taille, le teint frais, elle était d'un abord si angé-lique que c'en devenait très vite suspect. Ses yeux, que Poirot remarqua immédiatement, étaient vifs et comme à l'affût.

– Je bois à votre bonne santé, mademoiselle, dit-il avec sa courtoisie un tantinet désuète.

Elle le remercia d'une légère inclination de la tête, but une gorgée et lâcha tout à trac :

– Vous connaissez ma sœur.

566

– Votre sœur ? Seriez-vous l'une des demoiselles Grant ?

– Oui, je suis Pam Grant.

– Et où est donc aujourd'hui votre aînée ?

– À la chasse. Elle ne devrait pas tarder à rentrer.

– J'ai fait sa connaissance à Londres.

– Je sais.

– Elle vous l'a dit ?

Pam Grant acquiesça, puis :

– Elle était dans le pétrin ?

– Si je ne m'abuse, elle n'a donc pas été au bout des confidences ?

La jeune fille secoua la tête.

– Tony Hawker était présent, lui aussi ? demanda-t-elle.

Mais avant que Poirot n'ait pu répondre, la porte du salon s'ouvrit et Hawker et Sheila Grant firent leur entrée. Tous deux étaient en tenue de chasse, et une tache de boue séchée maculait la joue de la jeune fille.

– Bonjour tout le monde ! lança-t-elle. Nous sommes venus prendre un verre ! La gourde de Tony est à sec.

– Quand on parle du loup…, préluda Poirot.

– … on voit arriver le diable et sa suite ! acheva tout aussitôt Pam Grant d'un air de profonde souffrance.

– Ce serait donc grave à ce point ? s'enquit vivement Poirot.

Beryl Larkin était allée à la rencontre des nouveaux arrivants.

– Vous voilà enfin, Tony ! se réjouit-elle. Comment s'est passée la battue ? Vous avez débusqué le chevalier fantôme ?

Sans avoir l'air d'y toucher, elle le pilota vers un

canapé, près de la cheminée. Poirot le vit se retourner vers Sheila et lui lancer un clin d'œil avant de s'asseoir.

Sheila avait aperçu Poirot. Elle marqua une seconde d'hésitation, puis marcha droit sur sa sœur et lui.

– Ainsi, c'est bien *vous* qui êtes passé à la maison hier ? jappa-t-elle.

– Votre père vous en a parlé ?

Elle secoua la tête :

– Non. Mais le signalement donné par Abdul était le vôtre.

– Vous êtes allé voir Père ! s'exclama Pam.

– Hé oui. Que voulez-vous, nous avons… des amis communs.

Le ton de Pam se fit acerbe :

– Je n'en crois pas un mot !

– Qu'est-ce que vous ne croyez pas ? Que votre père et moi puissions avoir des amis communs ?

– Ne soyez pas grotesque ! répliqua-t-elle avec emportement avant de rougir et d'ajouter : Non, ce que je voulais seulement dire, c'est que… que ce n'était pas la vraie raison de votre visite.

Elle se tourna vers Sheila :

– Et toi, pourquoi est-ce que tu ne dis rien ?

Sheila Grant sursauta, semblant sortir d'un songe :

– Cette visite à mon père, est-ce que ça n'avait… est-ce que ça n'avait pas à voir avec Tony Hawker ?

– Pourquoi ? Ç'aurait dû ? s'enquit Poirot.

La jeune fille s'empourpra et, le feu aux joues, s'éloigna pour rejoindre les autres convives.

– Ce Tony Hawker, je l'exècre ! grinça entre ses dents Pam Grant avec une véhémence renouvelée. Il y a en lui

568

quelque chose de… quelque chose de trouble. Pareil pour elle – pour Mrs Larkin, veux-je dire. Regardez-les tous les deux.

Poirot suivit son regard.

Tony Hawker murmurait à l'oreille de Beryl Larkin. Il semblait essayer de l'amadouer. Mais la voix de la femme s'enfla un instant :

– … Oui, seulement, moi, je ne peux pas attendre ! C'est *tout de suite* que j'en ai besoin !

– *Ah ! les femmes*, s'attendrit Poirot avec un sourire en coin. De quoi qu'il puisse s'agir, elles le veulent toujours tout de suite, non ?

Pam Grant, le visage figé, ne répondit pas. Machinalement, elle froissait et défroissait sa jupe de tweed.

– Vous semblez d'un genre très différent de celui de votre sœur, très chère mademoiselle, mondanisa Poirot, histoire de meubler ce blanc dans la conversation.

Elle montra clairement que les mondanités la lassaient.

– Monsieur Poirot ! exigea-t-elle. Quelle est cette saleté que Tony passe son temps à donner à Sheila ? Qu'est-ce qui la rend… tellement différente de ce qu'elle était ?

Poirot la regarda droit dans les yeux :

– Avez-vous déjà pris de la cocaïne, miss Grant ?

Elle secoua la tête :

– Bien sûr que non ! Alors, c'est de ça qu'il s'agit ? De cocaïne ? Mais c'est tout ce qu'il y a de dangereux, non ?

Sheila Grant revenait vers eux, verre en main :

– Qu'est-ce qui est si dangereux que ça ?

– Nous parlions des effets de la drogue, répliqua Poirot. De cette mort lente de l'esprit et de l'intelligence… de la destruction de tout ce qu'il peut y avoir de beau et de noble dans un être humain.

Sheila Grant parut avoir un instant quelque peine à respirer. Sa main trembla et un peu du contenu de son verre se répandit sur le tapis.

– Le Dr Stoddart vous a, me souvient-il, expliqué très clairement comment la drogue peut faire de quiconque un mort vivant, reprit Poirot. C'est que l'habitude en est si facile à prendre… mais qu'il est si difficile de s'en défaire. Ceux qui tirent profit de la déchéance et du malheur de leurs semblables sont des vampires qui se repaissent de chair et de sang.

Sur ces belles paroles, il se détourna. Dans son dos, il entendit aussitôt la voix de Pam Grant chuchoter :

– Sheila !

Puis dans un murmure – un murmure à peine audible, celle de Sheila Grant qui soufflait :

– *La gourde…*

Hercule Poirot prit congé de Mrs Larkin, et se dirigea vers le vestibule. Sur une console se trouvaient une gourde de chasse, une cravache et une bombe. Poirot s'empara de la gourde. Elle portait les initiales *A.H.*

– La gourde de Tony est-elle vraiment à sec ? marmonna-t-il pour lui-même.

Il l'agita. Pas le moindre mouvement de liquide à l'intérieur. Il dévissa le bouchon.

À sec, la gourde de Tony Hawker l'était indubitablement. Mais vide, en aucun cas.

Elle était pleine. Pleine d'une poudre blanche…

*

Installé sur la terrasse de lady Carmichael, Hercule Poirot était en conversation véhémente avec une jeune fille :

– Vous êtes très jeune, mademoiselle. Et j'ai la conviction que vous n'aviez pas compris, pas vraiment compris, ce que vous faisiez, vos sœurs et vous. Et pourtant, telles les cavales de Diomède, vous vous êtes nourries de chair humaine.

Sheila frissonna et retint un sanglot :

– Présenté comme ça, ça paraît monstrueux. Et c'est pourtant l'exacte vérité ! Je ne m'en étais jamais avisée jusqu'à cette soirée, à Londres, où le Dr Stoddart m'a parlé. Il s'est montré si grave… si convaincant. J'ai soudain mesuré toute l'horreur de ce que j'avais fait… Avant, je me disais que c'était… bah ! comme boire du whisky un jour sans alcool. Que c'était quelque chose pour quoi les gens étaient prêts à payer n'importe quoi, mais que ça *n'avait pas énormément d'importance* !

– Et maintenant ? demanda Poirot.

– Je ferai tout ce que vous voudrez, promit Sheila Grant. Je… je sermonnerai les autres.

» Je suppose, ajouta-t-elle en soupirant, que le Dr Stoddart ne voudra plus jamais m'adresser la parole…

– Au contraire, mademoiselle, au contraire. Le Dr Stoddart et moi-même sommes prêts à vous aider, dans toute la mesure de nos moyens, à prendre un nouveau départ. Vous pouvez compter sur nous. Mais, auparavant, vous avez un devoir à accomplir. Il est un individu qu'il faut abattre sans pitié, qu'il faut mettre définitivement hors d'état de nuire… or, seules vos sœurs et vous en possèdent le moyen. C'est votre témoignage, et votre témoignage uniquement, qui permettra de l'inculper.

– Vous voulez parler de… de mon père ?

– Ce n'est pas votre père, mademoiselle. Ne vous avais-je pas dit que rien n'échappe à Hercule Poirot ? J'ai des relations dans la police, et votre photographie a été identifiée sans peine. Vous êtes Sheila Kelly, adolescente récidiviste du vol à l'étalage envoyée en maison de correction il y a quelques années. Quand vous en êtes sortie, le prétendu général Grant est venu vous proposer cet emploi : jouer les filles de bonne famille. Il y aurait beaucoup d'argent à la clef, beaucoup d'occasions de s'amuser et de prendre du bon temps. Tout ce que vous auriez à faire, ce serait d'initier vos amis à la « neige » et de leur en fournir en prétendant toujours que c'était quelqu'un d'autre qui vous l'avait donnée. Vos « sœurs » étaient dans le même cas que vous.

Poirot marqua un temps avant de reprendre :

– Allons, mademoiselle… Cet homme doit être démasqué, et puis jugé ! Après quoi…

– Après quoi ?

Poirot toussota, puis murmura avec un sourire en coin :

– Après quoi vous vous consacrerez au service des dieux…

*

572

Stupéfait, les yeux écarquillés, Michael Stoddart dévisageait Hercule Poirot :

– Le général Grant ? Le *général* Grant ?

– Hé oui, mon tout bon. Sa mise en scène utilisait de trop grosses ficelles pour mon goût. Tous ces bouddhas, ces cuivres de Bénarès, ce domestique indien ! Sans parler de la goutte ! C'est archidémodé, la goutte ! Il n'y a plus que de très, très vieux messieurs pour avoir encore la goutte – pas les pères de gamines de dix-neuf printemps.

» Quoi qu'il en soit, je m'étais arrangé pour en avoir le cœur net. En sortant, je trébuche et je me rattrape au pied goutteux. Notre homme est si troublé par ce que je viens de lui dire qu'il ne s'en rend même pas compte ! Oh oui, c'était bien du toc, notre général ! N'empêche, l'idée n'était pas bête du tout. Caricature de général en retraite de l'armée des Indes – il n'a négligé ni le foie en capilotade ni le caractère de cochon –, il ne s'installe pas parmi d'autres anciens militaires comme lui, oh non : il choisit un milieu bien trop reluisant pour sa modeste condition de demi-solde. C'est que ça fourmille de gens riches, dans le coin, de gens qui viennent de Londres. Quel débouché pour sa marchandise ! Et qui irait donc soupçonner quatre jeunes filles séduisantes et tout au plus un peu trop délurées ? En cas de pépin, il va de soi qu'on ne les considérerait jamais que comme des victimes !

– Quand vous êtes allé rendre visite à ce vieux démon, quelle idée aviez-vous en tête ? Vous vouliez lui flanquer la frousse ?

– Oui. Et surtout voir *ce qui allait se passer*. Les

choses n'ont guère traîné. Ces demoiselles avaient reçu des consignes. Anthony Hawker, qui était en réalité une de leurs victimes, leur servirait de bouc émissaire. Sheila avait pour mission de me parler de la gourde posée dans le vestibule. Elle a bien failli ne pas avoir le cran de s'y résoudre. Mais Pam l'a rappelée à l'ordre et elle s'est exécutée… dans un murmure étouffé.

Michael Stoddart se leva et se mit à marcher de long en large :

– Vous savez, je crois que je ne vais pas perdre cette fille de vue. Les théories que j'ai pu approfondir quant à ce type de délinquance postpubère ne cessent de conforter ma position. Pour peu qu'on examine les antécédents familiaux, on s'aperçoit presque toujours que…

Poirot l'interrompit non sans une douce ironie :

– J'ai le plus vif respect pour la profondeur de vos théories, très cher. Et je ne doute pas un instant que la justesse de vos vues ne transparaisse avec un éclat tout particulier dans le cas de miss Sheila Kelly.

– Pour ce qui est des trois autres également.

– Pour ce qui est des trois autres, peut-être bien. Pourquoi pas, en effet ? Mais la seule pour laquelle je sois entièrement convaincu, c'est la petite Sheila. Aucun doute, vous saurez la dompter. D'ailleurs, il suffit de la regarder… elle vous mange déjà dans la main.

Le malheureux jeune homme s'empourpra :

– Mon Dieu, Poirot, comment pouvez-vous dire des âneries pareilles !

9

La ceinture d'Hippolyte
(The Girdle of Hyppolita)

Sans faire preuve d'une bien grande originalité, Poirot aime à répéter qu'une chose en amène une autre.

Et il ajoute que cet aphorisme n'a jamais été aussi bien démontré que dans l'affaire du Rubens volé.

Le tableau lui-même ne l'avait jamais beaucoup intéressé. Ne serait-ce que parce que Rubens ne figure pas au nombre de ses peintres préférés, et que les circonstances du vol étaient des plus banales. Mais il s'était chargé de l'enquête par obligeance pour Alexander Simpson, qui était de ses amis, et aussi pour des raisons personnelles non dénuées de liens avec les plus grands mythes de l'Antiquité.

Aussitôt après le vol, Alexander Simpson avait fait venir Poirot et lui avait conté en détail ses malheurs. Le Rubens, chef-d'œuvre jusqu'alors inconnu, était une découverte récente mais dont l'authenticité ne faisait pas de doute. Il avait été exposé à la galerie Simpson, et c'était en plein jour qu'il avait été dérobé. Cela se passait au cours de la période où les chômeurs avaient choisi de se coucher au beau milieu des rues et de pousser l'impudence jusqu'à envahir le *Ritz* pour attirer l'attention sur leur sort. Un petit groupe d'entre eux avaient forcé les portes de la galerie et s'étaient vautrés sur la moquette, non sans déployer une banderole « L'art est luxe. Nourrissez ceux qui ont faim. » On avait fait appel à la police.

La curiosité avait amené un fort contingent de badauds. Et l'on ne s'était aperçu du vol que lorsque la force publique avait contraint les perturbateurs à décamper : la toile de Rubens avait été fort proprement découpée de son cadre et emportée sans autre forme de procès.

– Vous comprenez, c'était une œuvre d'assez modestes dimensions, avait expliqué Mr Simpson. N'importe qui pouvait la glisser sous son bras et s'en aller tranquillement pendant que tout le monde regardait ces misérables abrutis de chômeurs !…

Il était apparu que les chômeurs en question avaient reçu une obole pour le rôle qu'ils avaient naïvement joué dans le vol. On leur avait demandé de manifester précisément à la galerie Simpson. Mais ce n'avait été qu'après coup qu'ils en avaient su le motif.

Hercule Poirot avait jugé le stratagème cocasse, sans pour autant voir de quelle manière il pourrait bien exercer là ses talents. Mieux valait faire confiance à la police, n'avait-il pas manqué de souligner, pour traiter efficacement un vol aussi flagrant.

– Écoutez-moi, Poirot, avait insisté Alexander Simpson. Je sais qui a volé la toile, et je sais où elle doit aller…

S'il fallait en croire le propriétaire de la galerie Simpson, le vol du tableau était l'œuvre d'un gang d'aigrefins internationaux agissant pour le compte d'un millionnaire qui ne répugnait pas à acquérir des œuvres d'art pour des prix étonnamment bas – et sans poser de questions ! Selon Alexander Simpson, on ferait passer clandestinement le Rubens en France, où le millionnaire indélicat en prendrait possession. Tant en France qu'en

Angleterre, la police veillait, mais Simpson jugeait qu'elle ne pouvait qu'échouer.

– Et quand ce répugnant personnage aura mis la main dessus, la difficulté ne fera que croître et embellir, avait expliqué Simpson à Poirot. Les gens riches ont droit à des égards. Et c'est là que *vous* entrez en scène. La situation sera très délicate. Or, vous êtes l'homme de ce genre de situations.

Au bout du compte, dépourvu du moindre enthousiasme, Poirot avait donné son accord et accepté de partir sans délai pour la France. Sa mission ne le passionnait pas outre mesure, mais il fut néanmoins, grâce à elle, mêlé à l'affaire de la collégienne disparue, qui l'intéressa infiniment plus.

Le premier à lui en parler fut l'inspecteur Japp, qui vint le trouver au moment même où Poirot exprimait à son valet de chambre sa satisfaction pour la manière dont ses valises avaient été faites.

– Ah ! s'écria Japp. Vous êtes en route pour la France, n'est-ce pas ?

– Très cher, l'applaudit Poirot, vous êtes incroyablement bien informés, à Scotland Yard…

– Nous avons nos espions ! gloussa Japp. Simpson vous a mis sur l'affaire du Rubens. À croire qu'il n'a pas confiance en nous ! Bon, moi, ça ne me fait ni chaud ni froid, mais je voudrais vous demander quelque chose de bien différent. Puisque vous allez de toute façon à Paris, autant faire d'une pierre deux coups. L'inspecteur Hearn est déjà sur place pour collaborer avec les mangeurs de grenouilles. Vous connaissez Hearn ? Brave type… mais

577

j'ai connu des cerveaux plus déliés. J'aimerais avoir votre opinion sur cette histoire.

– Mais de quelle histoire s'agit-il ?…

– Une gamine qui a disparu. Ce sera dans les journaux du soir. Il semblerait qu'elle ait été enlevée. C'est la fille du chanoine de Cranchester. Elle s'appelle King, Winnie King.

Et l'inspecteur divisionnaire Japp se mit en devoir de conter à Poirot les événements par le menu.

Winnie King se rendait à Paris, où elle devait entrer dans l'institution très exclusive que miss Pope consacrait à l'éducation de jeunes filles anglaises et américaines du meilleur monde. Winnie était venue de Cranchester par le premier train. À Londres, elle avait été attendue par une employée de « Sœurs aînées et Cie », société qui se chargeait, entre autres, d'escorter des jeunes personnes d'une gare à une autre. C'est ainsi que, à Victoria Station, elle avait été confiée aux bons soins de miss Burshaw, l'adjointe de miss Pope et que, en compagnie de dix-huit autres jeunes filles, elle avait embarqué dans le train de Douvres. Dix-neuf donzelles avaient donc traversé la Manche, s'étaient soumises au contrôle des douanes françaises, et avaient pris place à bord du Calais-Paris où elles avaient déjeuné au wagon-restaurant. Aux approches de Paris, miss Burshaw s'était livrée au décompte de ses ouailles : il n'y en avait plus que *dix-huit* au bataillon !

Poirot hocha la tête :

– Tiens, tiens… Est-ce que le train s'est arrêté quelque part ?

– Oui, à Amiens. Mais, à ce moment-là, ces demoiselles

se trouvaient au wagon-restaurant, et elles affirment toutes, mordicus, que Winnie King était avec elles. Elles l'ont perdue, si j'ose dire, en retournant dans leurs compartiments. Plus exactement, elle n'est pas rentrée dans son compartiment en même temps que les cinq autres filles qui l'occupaient. Elles ne se sont pas posé de questions, parce qu'elles pensaient tout bonnement que Winnie était allée faire un tour dans un des deux autres compartiments.

– On l'a vue pour la dernière fois… quand ça, au juste ?

L'inspecteur Japp toussota, par respect pour les convenances :

– Dix minutes après que le train eut quitté Amiens. On l'a vue… euh… entrer dans les toilettes.

– Ce qui est, après tout, bien naturel, murmura Poirot. Et rien d'autre ?

– Si, répondit Japp, assombri. Son chapeau a été retrouvé à côté de la voie ferrée, à une vingtaine de kilomètres d'Amiens.

– Mais pas de corps ?

– Pas de corps.

– Quelle est votre opinion personnelle sur la question ? interrogea Poirot.

– Difficile d'en avoir une ! En l'absence de cadavre, on peut penser qu'elle n'est pas tombée du train.

– Et le train ne s'est pas arrêté du tout après le départ d'Amiens ?

– Il a ralenti une fois, à cause d'un signal. Mais il ne s'est pas arrêté. Et je doute fort, d'ailleurs, qu'il ait ralenti suffisamment pour permettre à quelqu'un de sauter sur le ballast sans se blesser grièvement. Vous pensez peut-être que la gosse a été prise de panique et a tenté de s'enfuir ? C'était le début du trimestre et elle a pu regretter le cocon familial, d'accord, mais elle a tout de même quinze ans et demi – ce qui n'est plus l'âge des coups de tête… Et puis elle s'était montrée d'excellente humeur pendant tout le voyage et avait jacassé comme une pie.

– On a fouillé le train ? s'enquit Poirot.

– Bien sûr, d'un bout à l'autre, et avant même l'arrivée en gare du Nord. La fille n'était plus dans le train, ça, c'est certain.

Et Japp, excédé, ajouta :

– Elle s'est volatilisée… pfft ! Ça n'a pas de sens, monsieur Poirot ! C'est insane !

– Quel genre de fille était-ce ?

– Quelconque, tout ce qu'il y a de banale, pour autant que je le sache.

– Je voulais dire… À quoi ressemble-t-elle ?

– J'ai une photo d'elle. Ce n'est pas précisément une beauté fatale.

Il passa l'instantané à Poirot, qui l'examina en silence. Il représentait une gamine efflanquée, arborant une paire de nattes tristounettes. Il n'était que trop évident que le sujet n'avait pas posé et avait été, au contraire, photographié par surprise : Winnie King mangeait une pomme et, bouche ouverte, exhibait une magnifique protrusion des incisives que tentait de réduire un appareil orthodontique. Elle portait des lunettes.

– Plutôt moche, comme gosse, commenta Japp, mais c'est vrai qu'elles ne sont généralement pas gâtées par la nature à cet âge-là ! Hier, j'étais chez mon dentiste. Dans le *Sketch*, j'ai vu une photo de Marcia Gaunt, la reine de beauté de la saison mondaine. Je me suis souvenu d'elle à quinze ans, quand j'étais allé au château, chez ses parents, pour un cambriolage. Pleine de boutons, godiche, des dents de lapin, le cheveu terne et coiffé à la va-comme-je-te-pousse ! Et puis, en l'espace d'une nuit, elles se métamorphosent en beautés ! C'est à n'y rien comprendre. Ça tient du miracle.

– Le beau sexe, sourit gravement Poirot, tient tout entier du miracle ! Que sait-on de la famille de cette petite ? Ils ont fourni des renseignements utiles ?

Japp secoua la tête :

– Rien qui puisse nous aider. La mère est grabataire. Et ce pauvre vieux chanoine King n'y comprend goutte. Il jure que la gamine était folle de joie à l'idée d'aller à Paris... qu'elle attendait ça avec impatience. Elle voulait étudier la peinture et la musique – ce genre de trucs. Pour les élèves de miss Pope, l'Art prend un A majuscule. Comme vous le savez sans doute, l'institution de miss Pope est très cotée. Des tas de filles de la haute la fréquentent. La vieille est sévère, un véritable dragon ; ses prix sont exorbitants ; et ses méthodes de sélection, draconiennes.

– Je vois le genre, soupira Poirot. Et miss Burshaw, qui avait pris les jeunes filles en charge en Angleterre ?

– Elle n'a pas inventé la poudre. Et elle est terrifiée à l'idée que miss Pope puisse la tenir pour responsable.

– Pas de prince charmant à l'horizon ? s'enquit Poirot après réflexion.

De l'index, Japp désigna la photo :

– Vous trouvez qu'elle a la tête à ça ?

– Non, je vous l'accorde. Mais, quelles que soient les apparences, c'est peut-être une âme romanesque. À quinze ans, on n'est plus dans les langes.

– Oui, eh bien si une âme romanesque l'a fait disparaître du train comme par enchantement, ricana Japp, je sens que je vais me mettre à lire les romancières.

Il jeta à Poirot un regard plein d'espoir :

– Il n'y a rien qui vous frappe… vous êtes sûr ?

Poirot secoua la tête avec lenteur. Puis :

– Est-ce qu'on n'aurait pas, par hasard, retrouvé également ses chaussures le long de la voie ?

– Ses chaussures ? Non. Pourquoi ses chaussures ?

– Oh, une idée… comme ça… sans plus, murmura Poirot.

*

Hercule Poirot s'apprêtait à sortir de chez lui pour prendre son taxi quand le téléphone sonna. Il décrocha :

– Oui ?

La voix de Japp retentit au bout du fil :

– Content de vous avoir attrapé à temps. C'est fini, mon vieux. J'ai trouvé un message au Yard, en rentrant. La gamine a réapparu. Sur le bas-côté de la route, à vingt-cinq kilomètres d'Amiens. Elle est dans le cirage, il semble qu'on ne puisse rien lui soutirer de cohérent et le toubib local dit qu'elle a été droguée… À part ça, pas de bobo. Rien qui cloche.

– Ce qui à dire revient, baragouina Poirot qui du coup en avait perdu ses quelques rudiments d'anglais, ce qui à dire revient que de mes services vous n'avez pas besoin ?

– Hé, oui, grand massacreur de notre belle langue ! Mille parrrdons de vous avoirrr dérrrangé !

Et, ravi d'être aussi spirituel, Japp éclata de rire avant de raccrocher.

Poirot, quant à lui, se garda bien de toute hilarité. Et c'est avec lenteur qu'il reposa le combiné.

Il avait le visage soucieux.

*

L'inspecteur Hearn ne chercha pas à dissimuler son étonnement.

– Je n'aurais jamais cru, monsieur, dit-il à Poirot, que vous seriez tellement intéressé par ce mystère.

– L'inspecteur Japp vous avait bien fait savoir qu'il se pourrait que j'aie à coopérer avec vous pour l'éclaircir ? répliqua Poirot.

Hearn acquiesça :

– Il m'avait prévenu que vous veniez à Paris pour une enquête personnelle et que vous seriez susceptible, le cas échéant, de nous donner un coup de main. Mais maintenant que tout est arrangé, je ne m'attendais plus à vous voir. Je vous pensais beaucoup trop pris par votre propre travail.

– Mon propre travail peut attendre. C'est cette affaire-là qui m'intéresse. Vous la qualifiez de mystère, et vous me dites que tout est arrangé. Le mystère n'en demeure pas moins, à ce qu'il me semble.

– Eh bien, monsieur, nous avons récupéré la gamine. Elle est saine et sauve. C'est l'essentiel.

– Reste cependant à savoir *comment* elle a été retrouvée,

non ? Que dit-elle ? Elle a été vue par un médecin, je crois ? Qu'est-ce qu'il en pense ?

– Il dit qu'elle a été droguée. Elle était encore sonnée. Apparemment, elle ne se rappelle pas grand-chose de ce qui a pu se passer depuis son départ de Cranchester. Comme si ç'avait été effacé. Mais le toubib croit que ça peut être l'effet d'un coup ou d'un choc. Elle a une meurtrissure à la nuque. Il prétend que ça pourrait expliquer sa perte de mémoire.

– Perte de mémoire éminemment commode pour… pour quelqu'un, souligna Poirot.

– Vous ne croyez pas qu'elle puisse jouer la comédie, monsieur ? interrogea Hearn d'un ton dubitatif.

– Vous y croyez, vous ?

– Non, je suis sûr que non. C'est une brave gosse… encore un peu bébé.

– Non, trancha Poirot en secouant la tête, elle ne joue pas la comédie. Il n'empêche que je voudrais tout de même savoir *comment elle a bien pu quitter ce train.* Je veux savoir qui a monté ce coup… et *pourquoi.*

– Pour ce qui est du pourquoi, je pencherais pour la tentative d'enlèvement, monsieur. Ces gens-là comptaient exiger une rançon.

– Mais ils n'ont rien exigé du tout !

– Devant tout ce remue-ménage, ils auront perdu leur sang-froid et auront préféré la laisser en plan sur le bord de la route.

Poirot manifesta sans ambages son scepticisme :

– Quelle rançon auraient-ils pu tirer d'un chanoine de la cathédrale de Cranchester ? Ne confondons pas dignitaire de l'Église d'Angleterre et millionnaire.

– Ils ont vasouillé d'un bout à l'autre, monsieur, voilà le fond de ma pensée ! affirma gaillardement Hearn.

– Tiens donc ! Alors, c'est ça le fond de votre pensée ?

Hearn rougit un peu :

– Et vous, qu'est-ce que vous avez en tête, monsieur ?

– Je veux savoir *comment* elle a été escamotée de ce train.

Le visage du représentant de l'ordre s'assombrit à nouveau :

– Ça, c'est mystère et boule de gomme ! Elle est là, au wagon-restaurant, à jacasser avec les autres filles… Et, cinq minutes plus tard, elle a disparu. Un coup j'te vois, un coup j'te vois pas, comme dans un tour de prestidigitation.

– Précisément ! Comme dans un tour de prestidigitation ! Qui y avait-il d'autre, dans la voiture où étaient les compartiments réservés pour les élèves de miss Pope ?

L'inspecteur Hearn dodelina de la tête :

– C'est un point important, ça, monsieur. C'est même tout ce qu'il y a d'important, parce que c'était la dernière voiture du train et que, dès que tout le monde est revenu du wagon-restaurant, on ferme les portes entre les voitures histoire d'empêcher les gens d'y retourner pour réclamer du thé avant qu'ils aient eu le temps de débarrasser le déjeuner et de tout remettre en ordre. Winnie King a regagné la dernière voiture avec les autres. L'école avait réservé trois compartiments.

– Et dans les autres compartiments ?

Hearn exhiba son carnet :

– Miss Jordan et miss Butters – deux vieilles filles

d'âge canonique se rendant en Suisse : rien à redire à leur sujet : éminemment respectables, bien connues dans leur Hampshire natal. Deux représentants de commerce français, l'un parisien, l'autre lyonnais ; tous deux d'un certain âge et des plus convenables. Un homme assez jeune, James Elliot, accompagné de sa femme – plutôt époustouflante, celle-là, dans son genre ! Lui, il n'a pas très bonne réputation : on le soupçonne d'avoir été mêlé à des transactions douteuses… mais il n'a jamais, jusqu'ici, donné dans le kidnapping. N'importe comment, le compartiment a été fouillé et on n'a rien trouvé dans ses bagages qui puisse donner à penser qu'il était dans le coup. Je ne vois d'ailleurs pas comment il aurait pu. La dernière personne, c'était une Américaine, Mrs Van Suyder, en route pour Paris. Rien sur elle dans les dossiers. Elle a l'air sans histoires. Et le compte y est.

– Et on est absolument sûr que le train ne s'est pas arrêté entre Amiens et Paris ? insista Poirot.

– Absolument. Il a bien ralenti une fois, mais pas assez pour que qui que ce soit puisse sauter – sans risquer de se casser quelque chose ou même d'y laisser sa peau.

– C'est cela, murmura Poirot, qui rend notre problème si extraordinairement intéressant. Notre collégienne se volatilise *juste après Amiens.* Et elle réapparaît *dans les environs d'Amiens.* Où a-t-elle donc bien pu se fourrer entre-temps ?

L'inspecteur Hearn hocha la tête :

– Présenté comme ça, ça a l'air d'une histoire de fous. Oh ! à propos, on m'a dit que vous aviez demandé Dieu sait quoi à propos de chaussures… des chaussures de la fille. Quand on l'a retrouvée, elle avait comme vous et moi ses chaussures aux pieds, mais il y en avait *quand même* une paire le long de la voie. C'est un cheminot qui est tombé dessus. Et comme elles avaient l'air en bon état, il les avait rapportées chez lui. Des bonnes grosses chaussures noires.

– Ah ! se réjouit bruyamment Poirot.

– Cette histoire de chaussures me dépasse, avoua Hearn. Ça a un sens, tout ça, d'après vous ?

– Cela confirme une hypothèse, sourit Poirot. Une hypothèse sur la manière dont le tour de prestidigitation a été exécuté.

*

Comme bien d'autres établissements analogues, l'institution de miss Pope était sise à Neuilly. Hercule Poirot, qui s'attardait à en contempler l'austère façade, manqua soudain être emporté par un déferlement de jeunes personnes jaillissant du portail.

Il en compta vingt-cinq, toutes identiquement vêtues : manteaux et jupes bleu marine, chapeaux de taupé du même bleu, de style fâcheusement britannique et ceints du ruban pourpre et or choisi comme emblème par miss Pope en personne. Les âges de ces demoiselles devaient aller de quatorze à dix-huit ans. Il y avait des blondes et des brunes. Les unes étaient minces, les autres grassouillettes. Et la grâce comme la gaucherie bénéficiaient d'une égale représentation. En serre-file, à hauteur d'une des plus jeunes, marchait une femme aux cheveux gris, aux allures de mère-poule minée par l'angoisse et en laquelle Poirot n'eut aucune peine à reconnaître miss Burshaw.

Il laissa passer quelques instants, puis sonna et demanda à être conduit auprès de miss Pope.

Miss Lavinia Pope ressemblait bien peu à son adjointe, l'infortunée Burshaw. Miss Pope s'imposait sans effort. Miss Pope inspirait le respect. Et même s'il lui arrivait d'avoir à en rabattre courtoisement devant certains parents d'élèves, miss Pope n'en devait pas moins conserver cet air de supériorité innée face au commun des mortels qui constitue, pour la directrice d'un établissement d'éducation, un atout de première grandeur.

Pas le moindre cheveu follet ne s'échappait de son chignon. L'austérité de son tailleur lui conférait un incontestable chic. Elle était, somme toute, la compétence, l'omnipotence et l'omniscience personnifiées.

Le bureau dans lequel elle reçut Poirot dénotait la femme de culture : mobilier élégant, fleurs, photographies dédicacées d'anciennes élèves, aujourd'hui personnalités de tout premier plan – la plupart dans leurs falbalas de bal des débutantes. Aux murs étaient accrochées des reproductions de chefs-d'œuvre ainsi que quelques aquarelles de bonne facture. Le lieu était briqué et ciré à miroir. On pouvait à bon droit se convaincre que pas un grain de poussière n'aurait l'audace de s'en venir souiller pareil sanctuaire.

Miss Pope accueillit Poirot avec l'assurance de qui se trompe rarement :

– Monsieur Hercule Poirot ? Je vous connais bien entendu de réputation. J'imagine que c'est la malencontreuse mésaventure de Winnie King qui vous amène. Il s'agit là d'un incident tout à fait navrant…

Miss Pope n'en paraissait pas outre mesure navrée : un drame se prend comme il vient, on traite le problème avec efficacité et on le ramène, dès lors, à ses justes proportions.

– Rien de tel n'était encore advenu, reprit miss Pope, sans cacher qu'elle sous-entendait : « Et rien de tel n'adviendra plus ! »

– C'était le premier trimestre ici de cette jeune fille, si je ne m'abuse ? demanda Poirot.

– En effet.

– Aviez-vous eu un entretien préliminaire avec Winnie... et avec ses parents ?

– Pas récemment. J'ai quelque temps séjourné, il y a de cela deux ans, près de Cranchester... j'étais, en fait, descendue chez l'évêque.

Tout, dans le ton de miss Pope, tendait à proclamer : « Notez bien, je vous prie, que je suis du genre à avoir mon rond de serviette chez les évêques ! »

– Pendant mon séjour, continua Miss Pope, j'ai été amenée à faire la connaissance du chanoine King et de son épouse, qui est, hélas, handicapée. C'est alors que j'ai rencontré Winnie. Une fillette très bien élevée, réellement attirée par l'Art. J'ai dit à Mrs King que je serais heureuse d'accueillir sa fille dans une année ou deux... dès qu'elle aurait achevé ses études générales. Voyez-vous, monsieur Poirot, nous nous concentrons ici sur les Beaux-Arts et la musique. Nous emmenons nos jeunes filles à l'Opéra et à la Comédie-Française. Elles suivent des conférences au Louvre. Et nous faisons appel aux maîtres les plus éminents pour leur enseigner musique, chant et peinture. La culture la plus large, tel est notre but.

Miss Pope se souvint tout à coup que Poirot n'appartenait pas à la catégorie des parents, et abrégea :

– Que puis-je pour vous, monsieur Poirot ?

– Je serais heureux de connaître la position que vous avez adoptée en ce qui concerne la jeune Winnie.

– Le chanoine King a fait le voyage d'Amiens, et il va remmener Winnie en Angleterre avec lui. C'est le plus sage, après le choc que cette enfant a subi.

» Nous n'acceptons pas ici les jeunes filles trop fragiles. Nous ne disposons pas d'installations spéciales pour celles dont la santé pose des problèmes. J'ai clairement précisé au chanoine qu'à mon avis, il valait mieux que la chère petite retourne auprès de ses parents.

– Et, toujours à votre avis, miss Pope, interrogea Poirot tout à trac, que s'est-il vraiment passé ?

– Je n'en ai pas la moindre idée, monsieur Poirot. Cette histoire dans son entier, telle qu'elle m'a été rapportée, m'a paru inimaginable. Et je ne peux croire que celle des employées qui avait la charge des jeunes filles mérite quelque blâme que ce soit… sinon, peut-être, pour n'avoir pas noté plus tôt la disparition de cette chère petite.

– Vous avez dû recevoir la visite de la police ?

Un frisson agita la silhouette aristocratique de miss Pope. Son ton se fit glacial :

– Un certain M. Lefarge, de la préfecture de police, est venu me voir dans l'espoir que je pourrais lui apporter quelque lumière. J'en ai, bien entendu, été parfaitement incapable. Il a alors exigé de pouvoir jeter un coup d'œil à la malle de Winnie qui, cela va de soi, était arrivée en même temps que celle des autres jeunes filles.

Force m'a été de lui répondre qu'un de ses collègues avait déjà effectué la même démarche. Les différents services de la police, je le regrette publiquement, me semblent bien fâcheusement empiéter les uns sur les autres. D'autant que, peu après, j'ai reçu un appel téléphonique où l'on me reprochait de ne leur avoir pas remis *toutes* les affaires de Winnie. Je me dois d'avouer que je me suis montrée fort sèche. Rien ne saurait justifier que l'on se livre pieds et poings liés aux tracasseries bureaucratiques.

Poirot respira à fond. Puis :

— Vous êtes une force de la nature, mademoiselle, et je vous en admire… J'imagine qu'à son arrivée, la malle de Winnie a été défaite ?

À ce point de la conversation, un peu de son assurance sembla abandonner miss Pope :

— C'est affaire de routine. Une saine routine est la base de l'ordre, le fondement de la discipline. Dès leur arrivée, les malles des jeunes filles sont défaites, et leurs affaires rangées selon un schéma qu'elles devront ensuite respecter. Les affaires de Winnie ont été déballées en même temps que celles des autres arrivantes. Mais, bien entendu, elles ont été ensuite remises dans sa malle qui lui a été renvoyée exactement comme elle était arrivée.

— *Exactement ?* murmura Poirot.

Il se dirigea vers le mur :

— Je suis sûr, dit-il, que ce tableau représente le fameux pont de Cranchester, avec la cathédrale dans le lointain.

— Vous avez entièrement raison, monsieur Poirot. De

toute évidence, Winnie s'est livrée à ce petit pensum pour me faire une surprise. C'était dans sa malle, enveloppé d'un papier sur lequel était écrit « *Pour miss Pope, de la part de Winnie* ».

C'est touchant, cette attention d'une enfant.

– Touchant. Mais qu'en pensez-vous… du point de vue artistique, j'entends ?

Il avait vu lui-même bien des représentations du Pont de Cranchester. C'était le sujet bateau de l'exposition annuelle de l'Académie – le plus souvent à l'huile, parfois à l'aquarelle. Poirot se souvenait d'avoir vu des Ponts de belle facture, de médiocre facture, et souventes fois d'un ennui à pleurer. Mais, si loin qu'il remonte fouiller dans sa mémoire, jamais il n'en avait contemplé d'aussi exécrable.

Miss Pope sourit avec indulgence :

– Ne décourageons jamais nos jeunes filles, monsieur Poirot. Il va de soi que Winnie doit être fortement incitée à mieux faire.

Poirot médita un instant :

– Ne lui aurait-il pas été plus naturel d'utiliser l'aquarelle ?

– C'est vrai. Je ne savais d'ailleurs pas qu'elle se hasardait dans la peinture à l'huile.

– Tiens, tiens, fit Poirot. Si vous le permettez, mademoiselle…

Il décrocha la toile et la porta près de la fenêtre. L'ayant examinée à la lumière, il releva les yeux :

– Je vais vous demander, mademoiselle, de me donner ce tableau.

– Vraiment, monsieur Poirot, je ne…

– Vous ne pouvez prétendre y être très attachée. Cette peinture est tout bonnement abominable.

– J'admets qu'elle soit dépourvue de toute valeur *artistique*. Mais c'est l'œuvre d'une élève et…

– Je puis vous donner l'assurance, mademoiselle, que cette peinture ne saurait en aucun cas figurer sur l'un de vos murs.

– Mais pourquoi dites-vous donc une chose pareille, monsieur Poirot ?

– Je m'en vais vous le prouver dans une minute.

De sa poche, il tira une fiole, une éponge et un chiffon :

– Il faut d'abord que je vous raconte une anecdote, mademoiselle. Une anecdote qui n'est pas sans analogie avec celle du Vilain Petit Canard qui fut changé en cygne…

Parler ne l'empêchait pas de s'activer. L'odeur de la térébenthine envahit le bureau de miss Pope.

– Peut-être ne fréquentez-vous guère les revues de music-hall ?

– Non, bien sûr. C'est d'une telle vulgarité !

– Vulgaire, certainement, mais parfois instructif. Car c'est ainsi qu'il m'a été donné de voir une artiste très douée changer de personnalité d'une manière qui tenait du miracle. Dans un sketch, c'est une vedette de cabaret, aguichante et sophistiquée. Dix minutes plus tard, on la retrouve en enfant anémique, rachitique et reniflante, vêtue d'une tenue de gymnastique. Et dix minutes après, la voilà en vieille gitane disant la bonne aventure au pied de sa roulotte…

– C'est fort possible, je n'en doute pas, mais je ne vois pas…

– Ce que je suis en train de vous démontrer, c'est comment le tour de prestidigitation a été accompli à bord du train. Winnie la collégienne, avec ses tresses filasse, ses lunettes, son appareil dentaire qui lui déforme la bouche, entre dans les toilettes… Et il en ressort, au bout d'un quart d'heure, une créature « plutôt époustouflante », pour reprendre l'expression de l'inspecteur Hearn : fins bas de soie, chaussures à hauts talons, manteau de vison qui dissimule l'uniforme de l'école, sur la tête un bibi de velours auquel on n'ose donner le nom de chapeau… et un visage !… ah, quel visage ! Fond de teint, poudre, rouge à lèvres, mascara ! Quel est le vrai visage de cette *artiste* du transformisme ? Dieu seul, mademoiselle, le connaît ! Mais vous-même, mademoiselle, vous avez bien souvent observé comment la plus gauche des collégiennes peut se changer, presque miraculeusement, en une débutante pleine d'élégance et de séduction…

Miss Pope avala sa salive avec difficulté :

– Vous voulez dire que Winnie King s'est déguisée en…

– Pas Winnie King… non ! Winnie King a été enlevée *pendant son passage à Londres*. Notre *artiste* a pris sa place. Miss Burshaw n'avait jamais vu Winnie King. Comment aurait-elle pu imaginer que sa collégienne aux nattes blondasses et aux incisives cerclées d'acier *n'était pas* Winnie King ? Jusque-là, tout marchait comme sur des roulettes, mais celle qui se faisait passer pour Winnie ne pouvait prendre le risque de débarquer *ici*, puisque vous, vous connaissiez la véritable Winnie. Alors, Winnie s'engouffre dans les toilettes, et, en deux temps trois mouvements, il en ressort la femme d'un certain Jim Elliot, dont, comme par hasard, le passeport fait mention d'une épouse. Des nattes postiche, des lunettes, un appareil dentaire, tout cela prend bien peu de place… mais que faire des grosses chaussures, et de ce vilain chapeau si typiquement anglais ? Hop ! ils passent par la vitre. Plus tard, on fait traverser la Manche à la véritable Winnie… et personne ne prête attention à une gosse qui a le mal de mer, qui est à moitié groggy, que l'on conduit *d'Angleterre en France*… et qu'une voiture déposera sans tambour ni trompette au bord de la grand-route. Pour peu qu'on l'ait gavée de scopolamine, elle ne se souviendra pratiquement pas de ce qui s'est passé.

Ébahie, miss Pope fixait Poirot.

– Mais *pourquoi* ? demanda-t-elle. Quelle est la *raison* d'une telle mascarade ?

– Les bagages de Winnie, répliqua gravement Poirot. Ces gens voulaient faire passer clandestinement un objet d'Angleterre en France… un objet à l'affût duquel guette chaque douanier… pour tout dire, un objet volé. Et y a-t-il cachette plus sûre qu'une malle d'écolière ? Vous êtes universellement connue, miss Pope, et votre institution jouit d'une renommée bien justifiée. À la gare du Nord, les bagages de mesdemoiselles vos jeunes pensionnaires passent *en bloc* : ils sont destinés à la fameuse école anglaise de miss Pope ! Et ensuite, après l'enlèvement, quoi de plus normal que de venir réclamer les bagages de la petite… en se faisant passer pour un envoyé de la préfecture de police ?

Hercule Poirot sourit :

– Mais, fort heureusement, la routine de votre école commandait que les malles soient défaites dès l'arrivée… de même que le cadeau que vous destinait Winnie… *encore qu'il ne se soit pas agi de celui que Winnie avait emballé à Cranchester.*

Il revint auprès de miss Pope :

– Vous m'avez remis ce tableau. Examinez-le maintenant. Vous admettrez avec moi qu'il ne convient guère à une institution aussi convenable !

Il lui tendit la toile.

Comme par magie, le pont de Cranchester avait disparu. À sa place, on voyait une scène à l'antique, aux coloris opulents atténués par la patine des ans.

– *La Ceinture d'Hippolyte,* annonça doucement Poirot. Hippolyte fait don de sa ceinture à Hercule… Un Rubens… Une très belle œuvre… Mais *tout de même,* pas vraiment convenable pour votre bureau.

Une légère rougeur marqua les joues de miss Pope.

De la main, Hippolyte retenait sa ceinture… mais ne portait rien d'autre. Hercule, quant à lui, se contentait d'une peau de lion négligemment jetée sur l'épaule. Or, chez Rubens, les chairs sont abondantes, voluptueuses…

– C'est une œuvre splendide, convint miss Pope, retrouvant sa contenance. Mais *tout de même,* pour reprendre vos propres termes, il faut éviter de choquer les parents. Certains d'entre eux sont portés à une certaine *étroitesse* d'esprit, si vous voyez ce que je veux dire ?

*

L'assaut fut lancé à l'instant même où Hercule Poirot quittait les lieux. Il se vit encerclé, cerné, submergé par une horde de gamines – des minces et des grassouillettes, des brunes et des blondes.

– Mon Dieu ! s'étrangla-t-il. Me voici donc la proie des Amazones !

Une grande blonde s'écria :

– Le bruit court partout que…

Elles le serrèrent d'encore plus près. Vaincu, Poirot fut englouti par ce raz-de-marée de juvénile et vigoureuse féminité.

Et vingt-cinq jeunes voix vociférèrent avec ensemble, sur tous les tons de la gamme :

– *Monsieur Poirot ! Un autographe, s'il vous plaît !*

10

Les troupeaux de Géryon
(The Flock of Geryon)

– Monsieur Poirot, je suis confuse de faire ainsi intrusion chez vous.

Miss Carnaby serra plus étroitement son sac à main et se pencha en avant pour mieux guetter, pleine d'anxiété, le regard de Poirot. Comme de coutume, l'émotion l'étranglait.

Poirot haussa les sourcils.

– Vous vous souvenez de moi, n'est-ce pas ? s'inquiéta-t-elle.

L'œil de Poirot pétilla :

– Je me souviens de vous comme de l'une des criminelles les plus accomplies que j'aie jamais rencontrées !

– Pauvre de moi, monsieur Poirot ! Faut-il vraiment que vous disiez des horreurs pareilles ? Vous avez été si gentil pour moi ! Nous deux Emily, nous parlons souvent de vous et, chaque fois qu'il est question de vous dans un journal, nous découpons l'article pour le coller dans un cahier. Quant à Augustus, nous lui avons appris un nouveau tour. Nous lui disons : « Fais le mort pour Sherlock Holmes, fais le mort pour sir Henry Merrivale et puis *fais le mort pour M. Hercule Poirot* » et alors il se laisse tomber comme une masse et ne bouge plus d'un poil tant qu'on ne lui donne pas le feu vert.

– Vous m'en voyez fort honoré, la félicita Poirot. Et à part ça, comment va-t-il, ce cher Augustus ?

Miss Carnaby joignit les mains et entama l'éloge de son pékinois :

– Oh, monsieur Poirot, il est plus intelligent que jamais. Il sait *tout*. Tenez, pas plus tard que l'autre jour, je m'extasiais sur un bébé dans sa poussette quand j'ai senti qu'on me tirait… eh bien, c'était Augustus qui s'escrimait comme un beau diable à couper sa laisse avec ses dents. Est-ce que ça n'est pas intelligent, ça ?

Une petite lueur dansa de nouveau dans les yeux de Poirot :

– J'ai l'impression très nette qu'Augustus partage les instincts criminels dont nous parlions à l'instant !

Mais la plaisanterie ne fit pas rire miss Carnaby. Au

598

contraire, l'inquiétude et la tristesse se peignirent sur son aimable visage aux joues rebondies.

– Oh, monsieur Poirot, je me fais tellement de *souci* ! sanglota-t-elle presque.

– Que se passe-t-il ? s'enquit gentiment Poirot.

– Voyez-vous, monsieur Poirot, j'ai peur… vraiment peur… peur d'être une *criminelle endurcie,* si je peux utiliser pareille expression. Il me vient de telles idées !

– Quel genre d'idées ?

– Des idées pas croyables ! Hier, par exemple, un plan extraordinairement *pratique* de mise à sac d'un bureau de poste m'a surgi à l'esprit. Je n'avais pourtant pas la tête à ça – mais c'est venu tout seul ! Ainsi qu'un moyen *imparable* de filouter la douane… Je suis convaincue, mais alors là tout ce qu'il y a de convaincue que ça marcherait.

– C'est fort probable, ironisa Poirot. C'est bien le danger, avec vos idées.

– Ça m'angoisse, monsieur Poirot. Quand on a, comme moi, été élevée dans des principes très stricts, on ne peut être que *profondément* perturbée d'avoir des idées aussi *condamnables.* Je crois, d'ailleurs, qu'une partie du problème vient de ce que j'ai désormais beaucoup de temps. J'ai quitté lady Hoggin pour une vieille dame à qui je dois faire la lecture et rédiger son courrier. Les lettres, j'en vois vite le bout, et, dès que je commence à lire, elle s'endort comme une souche. Ce qui fait que je reste là, l'esprit *oisif…* alors que chacun sait bien que l'oisiveté est mère de tous les vices.

– Tst, tst., siffla Poirot.

– J'ai récemment lu un ouvrage… un ouvrage extrêmement moderne, traduit de l'allemand, et qui jette sur les tendances criminelles un éclairage fascinant. Il conviendrait, ai-je cru comprendre, de *sublimer* ! Voilà, en fait, pourquoi je suis venue vous voir.

– Ah bon ? hasarda Poirot.

– Voyez-vous, monsieur Poirot, je crois qu'il ne s'agit pas tant chez moi de *vice* que d'un profond besoin de sensations fortes ! J'ai hélas connu jusqu'ici une existence déplorablement *popote*. Il m'arrive d'avoir le sentiment que notre… euh… notre « campagne des pékinois » a été la seule période où j'ai *vécu*. Qu'une telle façon de voir soit hautement condamnable, je n'en disconviens pas, mais je ne suis pas de celles qui s'enfouissent la tête dans le sable pour échapper à la réalité. En bref, monsieur Poirot, je suis venue vous trouver avec l'espoir qu'il me serait possible de sublimer ce besoin de sensations fortes en le mettant au service de justes causes.

– Tiens, tiens ! C'est donc en collègue que vous vous présentez désormais ?

– Je mesure à quel point c'est présomptueux de ma part, rougit miss Carnaby. Mais vous vous êtes montré si *gentil*…

Elle s'interrompit. On pouvait lire, au fond de ses yeux d'un bleu délavé, un peu de la supplication muette du chien qui espère, contre toute espérance, que son maître va l'emmener faire un tour.

– C'est peut-être une idée, murmura pensivement Poirot.

– Oh, je sais bien que je ne suis pas une lumière, concéda miss Carnaby. Mais j'ai un talent certain pour…

pour la dissimulation. Il le faut bien… sinon pas moyen de faire de vieux os dans le rôle de dame de compagnie. Et j'ai toujours constaté que se faire passer pour plus bête que nature donne d'assez bons résultats.

Poirot éclata de rire :

– Très chère mademoiselle, vous m'enchantez !

– Saperlipopette, monsieur Poirot, quel homme exquis vous faites ! Ainsi, il me serait permis d'*espérer* ? Il se trouve que je viens juste de toucher un petit héritage… bien modeste, certes, mais suffisant pour que ma sœur et moi puissions en vivoter sans plus avoir à dépendre d'un éventuel salaire.

– Il faudrait, déclara Poirot, que je réfléchisse à la meilleure manière d'utiliser vos talents. Mais, vous-même, n'auriez-vous pas quelque projet en tête ?

– Vous lisez dans les âmes, monsieur Poirot. Voilà un moment que je m'inquiète pour une de mes amies au sujet de laquelle je comptais vous demander conseil. Vous aurez beau jeu de me rétorquer qu'il s'agit là de fantasmes de vieille fille… de purs produits de l'imagination. On est souvent enclin, c'est vrai, à l'exagération, à voir une *intention* là où il n'y a peut-être qu'un enchaînement de *coïncidences.*

– Je ne vous crois pas femme à exagérer, miss Carnaby. Dites-moi donc l'objet de vos soucis.

– Eh bien, j'ai une amie… une amie qui m'est très chère, même si je l'ai un peu perdue de vue ces dernières années. Elle s'appelle Emmeline Clegg. Elle était allée épouser dans le Nord un homme, mort il y a quelques années et qui l'a laissée très confortablement pourvue. Ce décès l'a néanmoins très affectée et elle s'est bien vite sentie très seule. Je crains fort qu'elle ne manque un peu de jugeote et qu'elle ne soit très crédule. La religion, monsieur Poirot, peut se révéler d'un grand secours… à condition toutefois qu'il s'agisse d'une religion fondée sur un minimum d'orthodoxie.

– Vous faites allusion à l'Église grecque ? s'enquit Poirot.

Miss Carnaby parut scandalisée :

– Bien sûr que non, voyons ! À l'Église anglicane ! Et même si je *réprouve* les catholiques romains, force m'est à tout le moins d'admettre qu'ils sont largement *admis*. Quant aux wesleyens ou aux congrégationalistes, ce sont gens connus et respectables. Non, ce que je vilipende, ce sont toutes ces sectes *bizarres*. Elles fleurissent un peu partout. Elles ont un certain attrait émotionnel, mais il m'arrive de faire plus que douter qu'il y ait derrière tout ça de vrais sentiments religieux.

– Vous croyez que votre amie est tombée sous la coupe d'une de ces sectes ?

– Oh oui. Absolument. Une secte qui s'appelle le Troupeau du Berger. Leur centre est dans le Devonshire… une superbe propriété en bord de mer. Les adhérents y vont pour ce qu'ils dénomment une retraite. Cela dure quinze jours… ponctués de services religieux et liturgies diverses. Et ils ont trois grandes fêtes dans l'année : la Poussée du Pâturage, la Maturité du Pâturage, et la Moisson du Pâturage.

– Ce qui est stupide dans le cas de la troisième, remarqua Poirot. On ne moissonne pas du foin !

– C'est toute cette histoire qui est stupide ! renchérit miss Carnaby avec flamme. La secte ne vit que pour son chef, le Grand Berger, comme il se fait appeler. En fait, c'est un certain Dr Andersen. Un fort bel homme, semble-t-il, qui ne manque pas de prestance.

– Ce qui attire les femmes, non ?

– Hélas ! soupira miss Carnaby. Mon père était bel homme, lui aussi. Ce qui créait parfois dans la paroisse des situations inextricables : rivalités entre brodeuses d'ornements sacerdotaux... règlements de comptes entre dames patronnesses...

Elle dodelina de la tête à ces réminiscences.

– Et la plupart des membres du Grand Troupeau sont des femmes ?

– Au moins pour les trois quarts, je crois. Les quelques hommes qui en font partie sont presque tous des *hurluberlus* ! Le succès de la secte repose sur les femmes et sur... et sur l'*argent* qu'elles prodiguent.

– Nous y voici ! grinça Poirot. Franchement, vous pensez que toute cette affaire n'est qu'un vaste racket ?

– Franchement, oui, monsieur Poirot. Et j'ai un autre sujet d'inquiétude. Je me suis en effet laissé dire que mon amie est tellement entichée de sa nouvelle religion qu'elle a, par testament, récemment légué tous ses biens au mouvement.

– C'est une démarche qu'on lui a... suggérée ?

– En toute honnêteté, non. Elle l'a fait de son propre chef. Le Grand Berger, d'après elle, lui a montré le Chemin de la Nouvelle Vie : c'est donc pour qu'il en soit remercié qu'à sa mort, tout ce qu'elle possède ira à la Cause. Mais ce qui me tourmente par-dessus tout, c'est...

– Oui... continuez...

– Il y a, parmi les adeptes, quelques femmes très riches… Eh bien, *trois* d'entre elles, pas moins, sont mortes l'année dernière.

– En laissant tout leur argent à la secte ?

– Oui.

– Leurs familles n'ont pas protesté ? Il aurait dû y avoir des contestations, non ?

– Voyez-vous, monsieur Poirot, ce sont en général des femmes *seules* qui font partie de ce groupe. Des femmes qui n'ont ni amis ni famille proche.

Pensif, Poirot hocha la tête. Quant à miss Carnaby, elle reprit :

– Je ne devrais pas me livrer à des insinuations. Car enfin, d'après tout ce que j'ai pu apprendre, il n'y a jamais rien eu de *suspect* dans ces décès. Dans le premier cas, il s'agissait, je crois bien, d'une *pneumonie,* qui succédait à une *grippe…* et un autre a été attribué à un *ulcère de l'estomac.* Rien qui puisse justifier des soupçons. En plus, ces femmes sont mortes chez elles, pas au Sanctuaire de Green Hills. Je ne doute pas que tout cela soit relativement normal, mais tout de même je… euh… je ne voudrais pas qu'il arrive quoi que soit à Emmie.

Elle joignit un peu plus fort les mains et lança à Poirot un regard suppliant.

Poirot, quant à lui, observa pendant quelques instants un silence total. Quand il parla enfin, ce fut d'une voix grave, aux intonations sourdes.

– Pourriez-vous me procurer, dit-il, les noms et adresses des adeptes de la secte décédés au cours des derniers mois ?

– Bien sûr, monsieur Poirot.

– J'estime, mademoiselle, ajouta-t-il lentement, que vous êtes une femme d'un grand courage et d'une grande détermination. Vous jouez admirablement la comédie. Accepteriez-vous de vous lancer dans une aventure qui pourrait comporter de sérieux dangers ?

– Rien ne me plairait davantage ! affirma miss Carnaby, foncièrement risque-tout.

– Si péril il y a, l'avertit Poirot, vous serez en danger de mort. Car ne nous leurrons pas : ou bien vous avez pris des vessies pour des lanternes… ou bien l'affaire est *grave*. Pour en avoir le cœur net, il va vous falloir aller grossir les rangs du Grand Troupeau. Je vous suggérerai, en outre, d'exagérer le montant de l'héritage dont vous venez de bénéficier. Vous voici devenue une femme très à l'aise et sans but précis dans l'existence. Vous allez vous chamailler avec votre amie Emmeline à propos de sa nouvelle religion… lui dire tout le mal que vous en pensez. Elle n'en sera que plus ardente à tenter de vous convertir. Vous vous laisserez convaincre d'aller faire un séjour au Sanctuaire de Green Hills. Et là, vous succomberez au pouvoir de persuasion et au charisme du Dr Andersen. Je sais pouvoir vous faire confiance pour jouer ce rôle haut la main.

Miss Carnaby eut un sourire modeste :

– Je suis persuadée de m'en tirer sans mal aucun !

*

– Eh bien, mon bon ami, que me rapportez-vous ?

L'inspecteur Japp contempla pensivement le petit homme qui venait de lui poser cette question.

– Pas du tout ce que j'aurais souhaité, Poirot, répondit-il, amer. Dieu sait que je hais comme la peste ces faux dévots aux cheveux longs qui endoctrinent les bonnes femmes à coups d'insanités ! Mais notre homme est prudent. Rien qui permette de le prendre en défaut. A *priori*, son affaire paraît farfelue, mais inoffensive.

– Et sur le personnage lui-même, sur le « Dr Andersen », qu'avez-vous appris ?

– J'ai demandé qu'on m'épluche son passé. C'était un chimiste d'avenir, qui s'est fait éjecter de je ne sais quelle université allemande. Il aurait eu une mère juive. Il s'est toujours passionné pour l'étude des religions et des mythes orientaux. Il y consacrait tous ses loisirs, et il a écrit une masse d'articles sur le sujet… dont certains me paraissent relever du pur délire.

– Nous pourrions donc nous trouver en face d'un fanatique bon teint ?

– Je suis bien forcé d'admettre que c'est ce qui me semble le plus probable !

– Et ces noms et ces adresses que je vous ai donnés ?

– Rien à glaner de ce côté-là non plus. Miss Everitt est morte d'une colite ulcéroïde – pas d'un bouillon d'onze heures, son médecin est formel. Mrs Lloyd a été emportée par une broncho-pneumonie. Et c'est la tuberculose qui a eu raison de lady Western. Or, elle en souffrait depuis des années, bien avant d'avoir rencontré cette bande de tordus. Et quant à miss Lee, c'est la typhoïde qui aurait eu sa peau : une salade qu'elle aurait mangée, quelque part dans le Nord. Sur les quatre, trois sont tombées malades et sont mortes chez elles. Mrs Lloyd, elle, est décédée dans un hôtel du sud de la France.

Bref, il n'y a rien là qui nous permette d'établir un lien entre ces divers décès et le Grand Troupeau ou avec la propriété du Dr Andersen dans le Devonshire. Il doit s'agir de coïncidences, un point c'est tout. Il n'y a rien à gratter…

– Et pourtant, mon tout bon, soupira Poirot, j'ai comme le pressentiment de me trouver devant le dixième des Travaux d'Hercule, et j'entrevois dans ce Dr Andersen le monstrueux Géryon que j'ai pour mission d'anéantir.

Japp lui jeta un regard inquiet :

– Dites donc, Poirot, vous n'auriez pas fait de mauvaises lectures, ces temps derniers ?

– Mes commentaires, affirma avec dignité Poirot, sont invariablement frappés au coin du bon sens. Ils brillent en outre immanquablement par leur justesse et leur profondeur de vue.

– Vous me paraissez mûr pour lancer à votre tour une nouvelle religion, dites-moi ! s'étrangla Japp. Avec pour credo : « Personne n'est aussi intelligent qu'Hercule Poirot, Amen ! » à répéter à tire-larigot.

*

– C'est cette paix de l'âme que je trouve tellement merveilleuse, soupira miss Carnaby, chavirée.

– Je vous l'avais bien dit, Amy, lui rappela Emmeline Clegg.

Les deux amies s'étaient assises au flanc d'une colline surplombant la mer, admirable et d'un bleu profond. L'herbe, d'un vert éclatant, contrastait avec le pourpre du sol et des falaises. La modeste propriété, mieux connue maintenant sous le nom de Sanctuaire de Green Hills, couvrait les trois hectares d'un promontoire que, seul, un mince cordon de sable mordoré reliait à la terre ferme. C'était presque une île.

Mrs Clegg, roulant les yeux, murmura :

– Cette terre rouge… terre d'ardeur et d'espérance… où le destin, par trois fois, doit s'accomplir…

– Le Maître a si bellement expliqué tout cela hier soir, pendant le service, renchérit miss Carnaby entre deux « oh ! » et trois « ah ! » extatiques.

– Attendez, lui conseilla son amie, la fête de ce soir. La Maturité du Pâturage…

– Je m'en fais une joie par avance, trémola miss Carnaby.

– Vous mesurerez la splendeur d'une expérience spirituelle aussi extraordinaire.

Miss Carnaby était arrivée au Sanctuaire la semaine précédente. Elle s'était aussitôt répandue en « Voyons, qu'est-ce que c'est que ces sornettes ? » et autres « Vraiment, Emmie, une femme raisonnable comme vous… ».

Dès sa rencontre avec le Dr Andersen, elle s'était appliquée à mettre les choses au point :

– Je ne voudrais pas me leurrer moi-même sur un éventuel sens profond de ma présence ici, Dr Andersen. Mon père était prêtre de l'Église anglicane, et ma foi n'a jamais vacillé. Je rejette les doctrines païennes.

Le grand gaillard aux cheveux couleur de blés mûrs lui avait souri, d'un sourire chaleureux, débordant de compréhension. Il avait posé un regard indulgent sur la petite bonne femme replète mais combative qui se tenait bien droite devant lui sur sa chaise.

– Chère miss Carnaby, avait-il expliqué, vous êtes l'amie de Mrs Clegg et, à ce titre, vous êtes la bienvenue parmi nous. Croyez-moi, nos doctrines n'ont rien de païen. Nous accueillons ici toutes les religions, et nous les honorons avec la plus parfaite équanimité.

– Mais tel ne devrait pas être le cas ! s'était indignée la fille de feu le révérend Thomas Carnaby.

– Il est plusieurs demeures dans la Maison de mon Père, avait répliqué le Dr Andersen d'une voix mélodieuse en se carrant dans son fauteuil. N'oubliez jamais cela, très chère mademoiselle.

Comme les deux amies se retiraient sur la pointe des pieds, miss Carnaby avait soufflé :

Ce qu'il est bel homme…

– Oui, avait approuvé Emmeline Clegg. Et quelle merveilleuse spiritualité…

Miss Carnaby n'avait pu qu'acquiescer : elle l'avait ressentie elle-même – une aura venue d'ailleurs, d'un monde spirituel…

Elle voulut se ressaisir. Elle n'avait pas débarqué à Green Hills pour succomber à la fascination, spirituelle ou terrestre, du Grand Berger. Elle appela à la rescousse l'image d'Hercule Poirot. Mais le détective semblait si loin – si étrangement frivole et mondain…

« Amy, s'admonesta miss Carnaby, reprends-toi. Souviens-toi de ce que tu es venue faire ici… »

Force lui fut pourtant de constater, au fil des jours, qu'elle n'était que trop encline à tomber sous le charme de Green Hills. Le calme, la simplicité, la chère sans prétention mais délicieuse, la beauté des services rituels avec leurs chants d'amour et de louange, les mots simples et émouvants du Maître qui s'adressait à ce qu'il y a de meilleur et de plus élevé en chaque être humain… Ici, la cruauté et la laideur du monde s'effaçaient. Tout n'était que paix, et amour…

Ce soir, ce serait la grande fête de l'été, la fête de la Maturité du Pâturage. Amy Carnaby devait y être initiée, pour devenir enfin l'une des brebis du Troupeau.

La cérémonie se déroula dans le bâtiment de béton blanc que les adeptes nommaient le Bercail Sacré. Les fidèles, couverts de chapes de peau de mouton, sandales aux pieds et les bras nus, s'y assemblèrent juste avant le coucher du soleil. Au centre du Bercail, le Dr Andersen avait pris place sur une petite estrade. Cheveux dorés, yeux bleus, barbe blonde, profil élégant, il n'avait jamais paru aussi dominateur. Vêtu d'une longue robe verte, il brandissait une houlette d'or.

L'assemblée observa un silence de mort.

— Où sont mes brebis ?

La foule, en chœur, répondit :

— *Nous voici, ô Berger.*

— Que la joie et la reconnaissance élèvent vos cœurs. Ce soir est la fête de la Joie.

— *La fête de la Joie et, tous, nous sommes joyeux.*

— Vous ne connaîtrez plus le chagrin ni la douleur. Tout est Joie !

— *Tout est Joie.*

— Combien de têtes le Berger possède-t-il ?

— *Trois têtes. Une tête d'or, une tête d'argent, une tête de cuivre sonore.*

– Combien de corps ont les Brebis ?

– *Trois corps. Un corps de chair, un corps de corruption et un corps de lumière.*

– Qu'est-ce qui marquera votre appartenance au Troupeau ?

– *Le sacrement du sang.*

– Êtes-vous prêts à ce sacrement ?

– *Nous le sommes.*

– Bandez-vous les yeux et tendez le bras droit.

Disciplinés, les adeptes se bandèrent les yeux avec l'écharpe verte vouée à cet usage. Miss Carnaby, comme les autres, tint son bras droit devant elle.

Le Grand Berger parcourut lentement les rangs de son Troupeau. On entendait de petits cris, des gémissements de douleur ou d'extase.

« Tout cela n'est que blasphème ! s'indigna *in petto* miss Carnaby. Comment accepter ce genre d'hystérie religieuse ? Je dois demeurer absolument calme, et observer les réactions des autres. Je ne me laisserai *pas* prendre au jeu. Je ne me... »

Le Grand Berger était arrivé devant elle. Elle sut qu'on se saisissait de son bras, qu'on le tenait fermement, puis elle ressentit une douleur aiguë, comme la piqûre d'une aiguille. La voix du Berger murmura :

– Le sacrement du sang, qui apporte la joie...

Il s'éloigna.

Bientôt, sa voix commanda aux fidèles :

– Ôtez vos bandeaux, et jouissez des plaisirs de l'esprit !

Le soleil disparaissait derrière l'horizon. Miss Carnaby regarda autour d'elle. Avec les autres, elle quitta lentement le Bercail Sacré. Elle se sentait soudain rassérénée, heureuse. Elle se laissa tomber dans l'herbe moelleuse et douce. Pourquoi avait-elle jamais pensé qu'elle n'était qu'une femme mûrissante, seule et rejetée ? La vie était merveilleuse – et, elle aussi, elle était merveilleuse… elle pouvait tout comprendre, tout imaginer… il n'était rien qu'elle ne pût réussir !

Une vague d'euphorie la submergea. Elle observa les autres adeptes : ils avaient, en un instant, acquis des tailles gigantesques.

– *Comme des arbres qui marchent…* murmura-t-elle pieusement.

Elle leva la main d'un geste autoritaire. Elle se sentait en mesure de donner des ordres à la terre entière, à César, à Napoléon, à Hitler – à tous ces misérables vermisseaux ! Ils ne savaient pas, ils n'avaient jamais su, ce qu'elle, Amy Carnaby, pouvait réaliser ! Dès le lendemain, elle se chargerait de la paix du Monde, de la Fraternité universelle… Il n'y aurait plus ni guerres, ni pauvreté, ni maladie. Elle, Amy Carnaby, allait créer un monde nouveau.

Mais tout cela sans hâte. Elle avait pour elle l'infinité du temps…

Les minutes succédaient aux minutes, et les heures aux heures ! Miss Carnaby se sentait des jambes de plomb, mais son esprit demeurait délicieusement libre. Il pouvait, à sa guise, embrasser l'univers tout entier. Elle s'endormit, d'un sommeil plein de rêves… Des espaces immenses… De vastes constructions… Oui, un monde neuf et merveilleux…

Et puis, peu à peu, l'univers se mit à rétrécir. Miss

Carnaby bâilla. Elle se mit en devoir de remuer ses membres raidis. Que s'était-il donc passé depuis la veille ? Tout au long de la nuit, elle avait rêvé…

La lune étincelait dans le ciel. À sa lumière, miss Carnaby parvint à distinguer les aiguilles de sa montre. Pour sa plus grande stupéfaction, elles ne marquaient que 21 h 45. Le soleil, elle le savait, s'était couché à 20 h 10. Il n'y avait donc de cela qu'une heure et trente-cinq minutes seulement ? Impossible ! Et pourtant…

– *Absolument* remarquable, murmura miss Carnaby pour elle-même.

*

– Il vous faut suivre mes instructions à la lettre, ordonna Hercule Poirot. Vous m'avez bien compris ?

– Oh oui, monsieur Poirot. Vous pouvez me faire confiance.

– Avez-vous déjà fait allusion à votre volonté de faire bénéficier la secte de vos largesses ?

– Oui, monsieur Poirot. J'en ai parlé au Maître en personne – pardonnez-moi… au Dr Andersen. Je lui ai confié, avec des trémolos, quelle révélation tout cela avait été pour moi, comment j'étais passée du scepticisme railleur à la foi. Je dois d'ailleurs avouer qu'une telle déclaration ne m'a paru que trop naturelle. Le Dr Andersen, comprenez-vous, est doté d'un tel magnétisme…

– C'est ce que je crois comprendre, en effet, nota Poirot, pince-sans-rire.

– Il a eu un comportement tout à fait convaincant. Il

613

donne vraiment l'impression de ne pas se soucier de l'argent. « Donnez ce que vous pouvez, m'a-t-il dit avec son sourire si merveilleux. Si vous ne pouvez rien donner, cela n'a aucune importance. Vous n'en serez pas moins l'une des brebis du Troupeau. » « Oh, Dr Andersen, ai-je répondu, je ne suis quand même pas à *ce point* fauchée, Je viens tout juste d'hériter, d'une lointaine parente, une très grosse somme d'argent. Je ne peux y toucher tant que les formalités légales ne sont pas achevées, mais il y a quelque chose que je veux faire tout de suite. » Sur quoi, je lui ai expliqué que j'allais faire mon testament et laisser tout ce que j'ai à la Communauté. J'ai ajouté que je n'avais plus de famille proche.

– Vous a-t-il fait la faveur d'accepter votre legs ?

– Il a montré beaucoup de détachement. Il m'a dit qu'il s'écoulerait encore de longues années avant que je ne quitte ce monde, que j'étais bâtie pour une longue vie de joie et de plénitude spirituelles. Il s'exprimait de manière réellement *émouvante*.

– On le dirait, oui, grinça Poirot. Vous avez parlé de votre santé ?

– Oui, monsieur Poirot. J'ai placé dans la conversation que j'avais eu des troubles pulmonaires, avec moult rechutes, mais qu'un séjour en sanatorium m'avait, je l'espérais du moins, guérie définitivement.

– Excellent !

– Je n'arrive quand même pas à comprendre pourquoi j'ai dû lui raconter ces balivernes, alors que mes poumons se portent comme le Pont-Neuf.

– Croyez bien que c'était *nécessaire*. Vous lui avez parlé aussi de votre amie ?

– Oui. Je lui ai révélé – sous le sceau du secret – qu'Emmeline, outre la fortune qui lui vient de son mari, hériterait sous peu encore davantage, d'une tante qui a pour elle beaucoup d'affection.

– Eh bien, voilà qui devrait protéger Mrs Clegg pour un petit bout de temps !

– Oh, monsieur Poirot, vous croyez réellement qu'il y a quelque chose de louche dans toute cette histoire ?

– C'est ce que je me tue à essayer de découvrir. Avez-vous rencontré, au Sanctuaire, un certain Mr Cole ?

– Il y avait en effet un Mr Cole la dernière fois que j'y suis allée. Un original. Il porte des shorts vert tendre, et il ne mange que du chou. C'est un adepte convaincu.

– Eh bien, notre affaire avance à merveille. Je vous fais mon compliment pour la tâche que vous avez accomplie. Tout est prêt pour la Fête de l'Automne.

*

– Miss Carnaby… vous avez un moment ?

L'œil brillant, fiévreux, Mr Cole s'agrippait à miss Carnaby :

– J'ai eu une vision… une vision fascinante. Il faut absolument que je vous en parle !

Miss Carnaby soupira. Mr Cole et ses visions lui faisaient assez peur. Par moments, elle jugeait que, décidément, Mr Cole était fou.

Sans compter que lesdites visions, parfois, heurtaient les convenances. Elles rappelaient certains passages, plutôt crus, d'un fort moderne ouvrage allemand sur l'inconscient, qu'elle avait lu avant de revenir dans le Devon.

Mr Cole, dont les yeux luisaient et les lèvres tremblaient, voulait faire partager son exaltation :

– Je méditais… sur l'accomplissement de la vie… sur la joie suprême de l'Être… Et puis figurez-vous que mes yeux se sont dessillés, et que j'ai *vu*…

Miss Carnaby se prépara au pire et forma des vœux ardents pour que ce que Mr Cole avait vu ne soit pas ce qu'il avait vu lors de sa précédente vision : apparemment, un mariage rituel entre un dieu et une déesse de l'antique Sumer.

– J'ai vu…

Haletant, le regard exorbité d'un fou – oui, oui, d'un fou à *lier* –, Mr Cole se penchait vers elle :

– J'ai vu, vous dis-je, le prophète Élie qui descendait du Ciel sur son chariot de feu.

Miss Carnaby soupira derechef, mais, cette fois, de soulagement. Le prophète Élie, songeait-elle, ce n'était que moindre mal. Elle n'avait rien contre le prophète Élie.

– En bas, poursuivit Mr Cole, se dressaient les autels de Baal. Des centaines et des centaines d'autels. Une Voix m'a ordonné : « Regarde, et écris pour témoigner de ce que tu auras vu… »

Il marqua une pause, et miss Carnaby, toujours soucieuse de politesse, se crut obligée d'émettre un « Oui ? » sans conviction.

Le visionnaire continua :

– Sur les autels, les victimes choisies pour les sacrifices, ligotées, impuissantes, attendaient le couteau des prêtres. Des vierges… des centaines de vierges… de jeunes et splendides vierges dénudées…

Mr Cole émit un petit claquement de lèvres. Et miss Carnaby se sentit rougir.

– Alors, volant depuis les solitudes du Nord, arrivèrent les corbeaux, les corbeaux d'Odin. Ils se joignirent aux corbeaux d'Élie… Ensemble, ils formèrent un grand cercle dans le Ciel… Puis ils plongèrent et arrachèrent les yeux des victimes – je ne vous dis pas les pleurs et les grincements de dents ! – et la Voix tonitrua : « Offrez un sacrifice !!! car ce jour est le jour où Élie et Odin signent un pacte de sang ! ! ! ! » Alors, les sacrificateurs, brandissant leurs poignards, se jetèrent pêle-mêle sur leurs victimes… les mutilèrent à qui mieux mieux…

Désespérément, miss Carnaby s'arracha à la main de son tourmenteur qui, l'écume aux lèvres, paraissait plonger dans une extase sadique.

– Excusez-moi une seconde…

En toute hâte, elle se précipita vers Lipscomb, l'homme qui tenait la loge à l'entrée de Green Hills, et que la Providence amenait à passer par là :

– Je me demande si vous n'auriez pas trouvé une broche qui m'appartient ! jeta-t-elle. J'ai dû la laisser tomber quelque part dans le jardin…

Lipscomb, que le climat général de douce convivialité du Sanctuaire n'avait pas le moins du monde affecté, grommela qu'il n'avait pas vu la queue d'une fichue broche. *Son* boulot, maugréa-t-il, ne consistait pas à collecter les objets perdus. Il tenta de se débarrasser de miss Carnaby, qui ne le lâcha pas d'un pouce, brodant à perdre haleine sur le thème de la broche égarée jusqu'à ce qu'elle s'estime à distance de sécurité de la ferveur de Mr Cole.

Sur ces entrefaites, le Maître en personne sortit du Bercail Sacré et, encouragée par un sourire bienveillant, miss Carnaby trouva la force de lui parler de ce qu'elle avait sur le cœur.

Le Maître ne pensait-il pas que Mr Cole était… enfin… un peu… ?

Mais le Maître lui mit la main sur l'épaule :

– Bannissez la Peur. Le Parfait Amour point ne la connaît.

– Mais je suis sûre que Mr Cole *est* fou. Ces visions qu'il a…

– Et pourtant, pontifia le Maître, il *voit*. Oh, de manière imparfaite, bien sûr – à travers le Prisme de sa Charnelle Nature… mais le jour va poindre où il sera capable de voir Spirituellement… de jouir d'un Face à Face avec le Divin…

Miss Carnaby n'en revenait pas. Évidemment, envisagé sous cet angle… Mais elle trouva la force de protester :

– Et, à propos, pourquoi Lipscomb éprouve-t-il le besoin d'être si effroyablement grossier ?

Le Maître, une fois encore, l'apaisa du Sourire céleste :

– Lipscomb est le type même du fidèle chien de garde. C'est un être fruste… une âme primitive… mais fidèle… la fidélité même.

Il s'en fut. Miss Carnaby le vit prendre Mr Cole par l'épaule. Elle espéra que l'influence du Maître changerait quelque peu la thématique des futures visions.

Quoi qu'il en soit, il ne restait plus guère qu'une semaine avant la Fête de l'Automne.

*

L'après-midi précédant la Fête, miss Carnaby retrouva Hercule Poirot dans l'unique salon de thé de la charmante bourgade somnolente de Newton Woodbury. Amy Carnaby était congestionnée, apoplectique, et plus hors d'haleine encore que de coutume.

Émiettant machinalement entre ses doigts un *bun* un peu rassis, elle buvait son thé à petites gorgées.

Poirot posa un grand nombre de questions. Elle y répondit par monosyllabes.

Il demanda enfin :

– Combien de personnes assisteront à la fête ?

– Cent-vingt, je crois. Emmeline est déjà là, bien sûr, et aussi Mr Cole. Il s'est montré vraiment bizarre, ces temps derniers. Il a des visions. Il m'en a raconté quelques-unes… d'un caractère vraiment très *spécial*. J'espère sincèrement qu'il n'est pas atteint de *démence*. Il y aura en outre pas mal de nouveaux membres… près d'une vingtaine.

– Bien… Vous savez ce que vous avez à faire ?

Il y eut un long silence avant que miss Carnaby ne se décide à répondre, d'une voix méconnaissable :

– Je me souviens parfaitement des ordres que vous m'avez donnés, monsieur Poirot…

– *Parfait !*

C'est alors qu'Amy Carnaby décréta, à haute et intelligible voix :

– *Mais je n'ai pas la moindre intention de les suivre.*

Poirot la fixa, ébahi.

Miss Carnaby se dressa et jeta, à la limite de l'hystérie :

– Vous m'avez envoyée espionner le Dr Andersen… Vous le soupçonnez de tous les péchés d'Israël… Mais c'est un homme merveilleux, un prophète admirable… Je crois en lui, corps et âme !… Et j'ai bien fini d'espionner pour votre compte, monsieur Poirot !… Aujourd'hui, je suis l'une des brebis du Berger… Le Maître a un Message nouveau pour l'Univers tout entier et, maintenant, je lui appartiens, de tout mon cœur et de tout mon esprit… Permettez !… Je paierai mon thé moi-même !

Un peu prosaïquement, miss Carnaby écrasa sur la table un shilling et trois pence, et se rua dehors.

– Sacré bon sang de bonsoir ! siffla Hercule Poirot entre ses dents.

La serveuse dut, par deux fois, attirer son attention avant qu'il ne s'aperçoive qu'elle lui présentait la note. Il remarqua cependant qu'à la table voisine, un petit homme chafouin ne le quittait pas des yeux. Il rougit, paya son addition et sortit.

Il réfléchissait furieusement.

*

Une fois encore, le Troupeau s'était rassemblé dans le Bercail sacré.

On terminait antiennes et répons :

– Êtes-vous prêts au Sacrement ?

– *Nous le sommes.*

– Bandez-vous les yeux, et tendez votre bras droit.

Le Maître, superbe dans sa robe verte, parcourait lentement les rangs des fidèles. Mr Cole, le visionnaire mangeur de chou, debout au côté de miss Carnaby, laissa échapper un gémissement d'extase douloureuse quand l'aiguille lui transperça la chair.

Le Grand Berger était arrivé devant miss Carnaby. Il lui prit le bras...

– *Non ! Pas question !*

Incroyable !... Sans précédent !... La salle bruissa d'un murmure de colère. Certains arrachèrent leur bandeau vert – pour contempler l'inconcevable : le Grand Berger luttant pour s'arracher à l'étreinte de Mr Cole, toujours revêtu de sa chape de peau de mouton, mais bénéficiant du renfort d'une des adeptes.

Rapide et sans fioritures superfétatoires, la voix dudit Mr Cole débitait ces mots stupéfiants :

– ... et j'ai contre vous un mandat d'arrestation. Je tiens d'ailleurs à vous avertir que tout ce que vous direz pourra être retenu contre vous.

Des silhouettes s'encadrèrent dans l'entrée du Bercail sacré. Des silhouettes en uniforme bleu marine.

Quelqu'un hurla :

– C'est la *police* ! Ils emmènent le Maître ! Ils emmènent le Maître...

Chacun était sous le choc, saisi d'horreur... Pour eux, le Grand Berger était déjà un martyr – souffrant, comme tous les vrais prophètes, de l'ignorance et de la persécution.

Pendant ce temps, l'inspecteur Cole emballait comme il convient la seringue hypodermique qui avait échappé des mains du Grand Berger.

*

621

– Ma très chère et vaillante collaboratrice !

Poirot serra avec effusion la main de miss Carnaby, et lui présenta l'inspecteur Japp.

– Du boulot de première, miss Carnaby ! la félicita l'inspecteur. Parole de flic, sans vous, nous n'y serions jamais arrivés !

– Seigneur Jésus ! minauda miss Carnaby avec une parfaite fausse modestie. C'est tellement *gentil* à vous de dire ça… Vous savez, je crains bien de m'être beaucoup amusée. Que d'émotions, comprenez-vous ! Et puis quel beau rôle… J'ai d'ailleurs manqué de peu, à plusieurs reprises, me prendre à mon propre jeu… J'avais parfois l'impression très nette d'être bel et bien l'une de ces malheureuses gourdes sans cervelle…

– C'est pour ça que vous avez si bien réussi ! lui expliqua Japp. Vous aviez la tête de l'emploi. Il n'en fallait pas moins pour coincer ce triste sire ! C'est qu'il est rusé, le gaillard !

Miss Carnaby se tourna vers Poirot :

– J'ai eu un moment de panique, dans le salon de thé. Je ne savais plus à quel saint me vouer. Je n'ai pas eu le choix j'ai suivi mon intuition…

– Vous avez été sensationnelle, répliqua Poirot avec chaleur. J'ai en effet craint, une seconde, que l'un de nous deux n'ait perdu le sens commun… J'ai redouté, je vous l'avoue, que vous ne parliez sérieusement…

– Ç'a été pour moi un tel choc, avoua-t-elle. Nous étions là, en train de nous parler en confidence… Et voilà que, dans le miroir, j'aperçois Lipscomb, celui qui gardait l'entrée du Sanctuaire, assis juste derrière moi… Je ne pouvais pas savoir si c'était le hasard, ou s'il m'avait suivie. Comme je vous le disais, le mieux que j'aie pu faire, c'était de me fier à mon instinct, avec l'espoir que vous comprendriez.

– J'ai fort bien compris, sourit Poirot. Il n'y avait qu'une seule personne assez près de nous pour avoir pu surprendre ce que nous disions. Dès que j'ai quitté le salon de thé, je me suis arrangé pour le faire filer à sa sortie. Quand j'ai su qu'il était rentré droit au Sanctuaire, j'ai compris que je pouvais vous faire pleine confiance, et que vous ne laisseriez pas tomber… Mais j'étais très inquiet, parce que cela me paraissait décupler les dangers que vous couriez…

– Il y avait… il y avait vraiment un risque ? C'était quoi, dans la seringue ?

– Vous lui expliquez ? interrogea Japp. Ou vous préférez que je m'en charge ?

– Mademoiselle, dit Poirot avec gravité, le Dr Andersen avait mis au point un très beau système d'extorsion et de meurtre – de meurtre scientifique. L'essentiel de sa vie, il l'a passé à faire de la recherche en bactériologie. Sous un autre nom, il possédait un laboratoire à Sheffield, et il y cultivait toutes sortes de bacilles. Lors des fêtes de la secte, il avait l'habitude d'injecter à ses fidèles une dose, assez faible mais suffisante, de *Cannabis Indica*… que vous connaissez peut-être sous les noms de haschisch ou de bhang. Ce produit procure des hallucinations – des idées de grandeur… mais aussi de profondes sensations de plaisir et d'accomplissement. Ainsi s'attachait-il indéfectiblement ses adeptes. C'était cela, les fameuses joies spirituelles qu'il promettait.

– Il faut avouer que c'était remarquable, approuva miss Carnaby. Absolument renversant.

Hercule Poirot hocha la tête :

– Cela, c'était le courant de sa pratique – une personnalité dominatrice, une belle capacité à susciter l'hystérie collective, et les réactions provoquées par sa drogue. Mais ce n'était pas son seul objectif.

» Bien des femmes seules, emportées par la gratitude et la ferveur, avaient, par testament, laissé leur fortune à la secte. Et, l'une après l'autre, ces femmes sont mortes. Elles sont mortes chez elles et, apparemment, de mort naturelle. Je ne voudrais pas être trop technique, mais je vais essayer de vous expliquer… Il est possible de suractiver les cultures de certaines bactéries. Par exemple de colibacilles, qui finissent par provoquer des colites ulcéroïdes… Mais on peut faire de même avec l'agent de la typhoïde, ou avec les pneumocoques… Et il y a aussi ce que l'on appelle la tuberculine ancienne. Pour un sujet sain, elle est sans danger, mais, chez un ancien malade, elle réveille les vieilles lésions… Vous voyez la malignité de cet homme ? Les décès se produiraient aux quatre coins du pays. Ce seraient des médecins différents qui assisteraient les mourantes. Et personne ne soupçonnerait quoi que ce soit… Et je crois qu'en plus, Andersen avait réussi à cultiver une substance qui a le double pouvoir, à la fois, de retarder et d'accroître l'action des bactéries qu'il sélectionnait.

– C'était Satan en personne ! dit Japp.

– Vous avez suivi mes consignes, poursuivit Poirot, et vous vous êtes fait passer pour tuberculeuse. Quand Cole l'a arrêté, il y avait de la tuberculine ancienne dans

624

sa seringue. À vous, cela n'aurait fait aucun mal, et c'est pourquoi j'ai insisté pour que vous lui parliez de problèmes pulmonaires. Mais je ne vous cache pas que j'étais terrifié à l'idée qu'il puisse choisir un *autre* germe. Cependant, j'ai respecté votre courage, et je vous ai laissée prendre vos risques…

– Oh, mais *ça,* ça n'avait pas d'importance ! coupa vivement miss Carnaby. Prendre des risques ne m'a jamais fait peur. Pour me donner une frousse bleue, il n'y a que les taureaux en plein champ, ce genre de bestioles, quoi ! Mais, cet homme abominable, vous avez assez de preuves pour le faire inculper, au moins ?

Japp se fendit d'un sourire sardonique :

– Des preuves, nous en avons à la pelle. Nous avons son laboratoire, ses cultures, j'en passe et des meilleures !

– Je n'exclus pas, ajouta Poirot, qu'il ait commis une belle série de meurtres. Je peux à tout le moins vous dire que ce n'est pas à cause d'une soi-disant mère juive qu'il a été exclu de son université en Allemagne. Ça, c'était un joli conte, pour justifier de son arrivée dans ce pays et pour s'attirer les sympathies. Mais j'ai toutes les raisons de croire que c'est un pur Aryen…

Miss Carnaby soupira longuement.

– Qu'est-ce qu'il y a ? interrogea Poirot.

– Je repensais, souffla miss Carnaby, à ce rêve délicieux que j'avais fait après ma première fête – le haschisch, j'imagine. Le monde devenait si merveilleux : plus de guerres, plus de misère, plus de maladies, plus de laideur…

– Un rêve somptueux, commenta Japp avec envie.

Miss Carnaby sauta sur ses pieds :

– Il faut que je rentre. Emily a passé par de tels moments d'inquiétude. Et ce cher Augustus… il paraît que je lui ai tellement manqué !

Poirot sourit :

– Il redoutait peut-être que, comme lui, vous ne vous décidiez à « faire le mort » pour Hercule Poirot !

11

Les pommes d'or du Jardin des Hespérides
(The Apples of the Hesperides)

Songeur, Hercule Poirot scrutait le visage de l'homme assis derrière un grand bureau d'acajou : sourcils touffus, lèvres minces, menton aigu comme la mandibule d'un prédateur, regard froid et inquisiteur. À voir ses traits, on comprenait sans peine pourquoi Emery Power était devenu l'un des plus grands financiers de son temps.

Mais, à regarder ses mains longues et fines, au dessin délicat, posées sur le sous-main, on comprenait aussi la célébrité qu'il avait acquise comme collectionneur. Sa renommée s'étendait aux deux rives de l'Atlantique. Et sa passion pour les arts marchait de pair avec une égale passion pour l'Histoire. Il ne lui suffisait pas qu'une œuvre soit belle. Il lui fallait aussi la savoir chargée d'un passé, d'une tradition.

Emery Power parlait d'une voix calme, très distincte, qui portait sans qu'il eût à forcer le ton :

– Je sais, disait-il, que vous n'acceptez plus guère d'enquêtes. Mais je pense que vous ne refuserez pas celle que je vous propose.

– Il s'agit donc d'une affaire de grande importance ?

– De grande importance pour moi.

Poirot, impassible, attendait la suite. La tête légèrement inclinée de côté, il avait tout d'un rouge-gorge méditatif.

– Il s'agit, reprit Emery Power de retrouver une œuvre d'art. Pour être précis, une coupe d'or ciselé qui date de la Renaissance. La légende veut qu'elle ait été la propriété du pape Alexandre VI Borgia. Quelquefois, raconte-t-on, ce vénérable pontife accordait à l'un de ses hôtes la faveur d'y boire. En général, monsieur Poirot, cet hôte mourait.

– Jolie histoire, murmura Poirot.

– La violence a toujours accompagné cette coupe. Elle a été volée bien souvent. On a tué pour s'en assurer la mainmise. À travers les siècles, elle a laissé une trace sanglante.

– À cause de sa valeur intrinsèque, ou pour d'autres motifs ?

– La valeur propre de cet objet est presque inestimable. L'artiste – on prétend qu'il s'agit de Benvenuto Cellini en personne – a accompli un travail somptueux. La coupe représente un arbre autour duquel s'enroule un serpent de pierreries. Et aux branches pendent des pommes, qui sont autant de superbes émeraudes.

– Des pommes ? répéta Poirot dont l'intérêt semblait s'être subitement éveillé.

– Les émeraudes sont d'une finesse rare, de même que les rubis qui ornent le serpent. Mais la vraie valeur de cette coupe réside, évidemment, dans son histoire. En 1929, le *marchese* de San Veratrino l'a mise en vente. Les collectionneurs se sont opposés dans de furieuses enchères. Et c'est moi qui l'ai finalement emporté, pour un montant équivalent, aux taux de change de l'époque, à quelque 30 000 livres.

Poirot haussa les sourcils :

– Une somme princière ! Le marquis de San Veratrino n'est pas à plaindre.

– Quand je désire réellement quelque chose, monsieur Poirot, je suis toujours prêt à en payer le prix.

– Vous connaissez, j'imagine, le dicton espagnol : « *Prends ce qui te plaît, paies-en le prix et Dieu sera content.* »

Le financier fronça les sourcils. L'éclat de la colère passa dans son regard.

– Vous me semblez quelque peu porté à la philosophie, lança-t-il, glacial.

– Je suis, monsieur, parvenu à l'âge de la méditation.

– Je le crois volontiers. Mais toutes les méditations du monde ne me rendront pas cette coupe.

– Vous croyez ça ?

– Je pense qu'il y faudra plutôt de l'action.

Poirot dodelina de la tête, placide :

– Bien des gens commettent la même erreur. Mais je vous demande pardon, Mr Power. Nous nous sommes écartés du sujet qui nous occupe. Vous me disiez que vous aviez acheté cette coupe au marquis de San Veratrino ?

– C'est cela. Et je dois ajouter qu'elle a été volée avant même que je ne puisse en prendre possession.

– Quel incident s'est-il donc produit ?

– Le palais du marquis a été cambriolé la nuit même de la vente. Une dizaine d'objets d'une valeur considérable ont été dérobés, y compris la coupe.

– Quelles recherches ont-elles alors été engagées ?

Emery Power haussa les épaules :

– La police a pris l'affaire en main, cela va de soi. On a établi que le cambriolage était l'œuvre d'un gang international bien connu. Deux des malfaiteurs, un Français nommé Dublay, et un Italien du nom de Riccovetti, ont été arrêtés et jugés… On avait trouvé chez eux une partie du butin.

– Mais pas la coupe Borgia ?

– Pas la coupe Borgia. Pour autant que la police ait pu avoir quelques certitudes, trois hommes ont participé au vol, les deux dont je viens de vous parler, et un troisième, un Irlandais, Patrick Casey. Celui-là, c'était un monte-en-l'air extrêmement hardi. C'est lui qui a réalisé le cambriolage proprement dit. Dublay était le cerveau du groupe et préparait leurs coups. Riccovetti conduisait leur voiture et attendait que les prises lui soient descendues au bout d'une corde.

– Et le butin ? Il était divisé en trois parts ?

– Peut-être bien. D'un autre côté, ce qui a été retrouvé était ce qui avait le moins de valeur. On peut penser que les pièces les plus importantes ont rapidement passé la frontière.

– Et le troisième homme, ce Casey ? Il n'a jamais été condamné ?

– Si, mais pas dans le sens auquel vous pensez. Il n'était plus très jeune. Un peu rouillé, peut-être. Quinze jours plus tard, il est tombé d'un cinquième étage, et il a été tué sur le coup.

– Où cela ?

– À Paris. Il tentait de cambrioler l'hôtel particulier de Duvauglier, le banquier.

– Et depuis tout ce temps, la coupe n'a jamais réapparu ?

– Exactement.

– Elle n'a jamais été mise en vente ?

– Je suis sûr que non. Je dois vous dire qu'outre la police, des enquêteurs privés l'ont recherchée.

– Et l'argent que vous aviez versé ? Qu'en a-t-on fait ?

– Puisque c'était chez lui que la coupe avait été volée, le marquis, qui est homme d'honneur, a voulu me rembourser.

– Mais vous n'avez pas accepté ?

– Non.

– Pourquoi cela ?

– Mettons que je préférais continuer à contrôler la situation.

– Vous voulez dire que, si vous aviez consenti à la proposition du marquis, la coupe, si elle était retrouvée, serait demeurée sa propriété, tandis que, légalement, c'est encore à vous qu'elle appartient ?

– Précisément.

– Que cachait cette attitude ?

Emery Power prit le temps de sourire :

– Je vois que vous allez droit à l'essentiel. Eh bien, monsieur Poirot, c'est très simple. *Je pensais savoir qui détenait en fait la coupe.*

– Très intéressant. Et de qui s'agissait-il donc ?

– De sir Reuben Rosenthal. Nous n'étions pas seulement collectionneurs l'un et l'autre, nous étions aussi, à cette époque, ennemis personnels. Nous nous étions trouvés plus d'une fois en rivalité d'affaires. Et, au total, c'est moi qui avais pris le meilleur. Notre petite guerre n'avait cependant jamais été aussi virulente qu'au moment de notre compétition pour la coupe Borgia. L'un et l'autre étions fermement décidés à l'emporter. C'était une question d'amour-propre. Lors de la vente, nos représentants respectifs ont enchéri comme si leur vie en avait dépendu.

– Et c'est le vôtre qui l'a emporté ?

– Pas vraiment… J'avais pris la précaution de m'assurer les services d'un second représentant qui, officiellement, agissait pour le compte d'un antiquaire parisien. Aucun de nous deux, vous vous en doutez bien, n'aurait jamais cédé à l'autre. Mais laisser une tierce partie acquérir la coupe, et négocier tranquillement avec elle après la vente… ça, c'était une autre histoire.

– Il s'agissait, si je puis me permettre, d'une *entourloupe* ?

– Exact.

– Entourloupe couronnée de succès… Et c'est immédiatement après que sir Reuben a découvert qu'il « s'était fait avoir » ?

Emery Power eut un sourire.

Un sourire qui en disait long.

– J'ai maintenant une vision très nette de la situation, reprit Poirot. Vous avez estimé que sir Reuben, refusant de s'avouer vaincu, avait en quelque sorte loué les services de ces cambrioleurs ?

Emery Power leva la main :

– Oh non, pas du tout ! protesta-t-il. Les choses auraient été plus subtiles que ça. Voilà comment je les envisageais : à quelque temps de là, sir Reuben se serait porté acquéreur d'une coupe Renaissance, de *provenance* inconnue.

– Dont toutes les polices auraient eu la description ?

– La coupe n'aurait pas été exposée à la vue de tout un chacun.

– Vous pensez que sir Reuben se serait contenté de *savoir* qu'il la possédait ?

– Oui. D'autre part, si j'avais consenti à la proposition du marquis, sir Reuben aurait pu conclure ultérieurement un accord discret avec lui, et devenir propriétaire de la coupe le plus légalement du monde…

Emery Power marqua une pause. Puis il poursuivit :

– En conservant mes droits, je conservais aussi la possibilité de récupérer mon bien.

– Ce qui veut dire, trancha froidement Poirot, que vous auriez fait voler la coupe chez sir Reuben.

– Pas *voler,* monsieur Poirot. Je me serais tout bonnement contenté de remettre la main sur ce qui m'appartenait.

– Je crois cependant comprendre que vous n'avez pas réussi ?

– Pour la meilleure des raisons ! Rosenthal n'avait jamais eu la coupe en sa possession !

– Comment le savez-vous ?

– Plusieurs compagnies pétrolières ont récemment fusionné. Et il se trouve que, désormais, les intérêts de sir Reuben et les miens coïncident. À l'heure qu'il est, nous ne sommes plus ennemis… mais alliés. J'ai abordé avec lui le sujet de la coupe en toute franchise, et il m'a juré ses grands dieux qu'il ne l'avait jamais eue entre les mains.

– Et vous l'avez cru ?

– Oui.

– Ainsi, depuis dix ans, articula Poirot, songeur, vous avez couru le mauvais lièvre ?

– C'est très précisément ce que j'ai fait, jeta le financier, amer.

– Et maintenant… il faut tout reprendre de zéro ?

Emery Power acquiesça de la tête.

– Et c'est là que j'entre en scène ? continua Poirot. Je suis en quelque sorte le chien que vous lancez sur une piste froide… très froide, en vérité.

– Si cette affaire avait été simple, fit remarquer sèchement Emery Power, je n'aurais pas eu besoin de vous. Mais, bien sûr, si vous jugez que c'est impossible…

Il avait trouvé le mot qu'il fallait. Hercule Poirot se dressa :

– Le mot *impossible,* mon bon monsieur, dit-il avec emphase, n'a jamais fait partie de mon vocabulaire ! Je ne me pose qu'une seule et unique question : cette affaire est-elle assez intéressante pour que j'accepte de m'y consacrer ?

Emery Power sourit largement :

– Elle ne devrait pas vous sembler totalement dépourvue d'intérêt : *votre prix sera le mien.*

Poirot planta son regard dans celui de son interlocuteur :

– Cet objet, vous y tiendriez à ce point ? souffla-t-il. Je n'en crois rien.

Le sourire du financier s'étrécit :

– Mettons si vous voulez que, comme vous-même, je refuse toujours obstinément de m'avouer vaincu.

Hercule Poirot hocha la tête avec lenteur :

– Oui… vu sous cet angle, évidemment… je comprends…

*

L'inspecteur Wagstaffe ne dissimulait pas son intérêt :

– La coupe Veratrino ? Oh, je m'en souviens très bien. C'est moi qui me suis occupé de l'affaire de ce côté-ci de la Manche. Je parle un peu l'italien, vous savez, et j'ai fait un saut sur le Continent histoire de tailler une bavette avec les Macaronis. Jusqu'ici, on ne l'a jamais revue. Bizarre, non ?

– Quelle est votre opinion sur la question ? Vente sous le manteau ?

Wagstaffe secoua la tête :

– Ça m'étonnerait. Oh, bien sûr, on ne peut jamais jurer de rien. Mais mon explication à moi est bien plus simple. La marchandise a été planquée. Et le seul homme qui connaissait la planque a passé l'arme à gauche.

– Casey ?

634

– Oui. Il peut l'avoir planquée quelque part en Italie, ou avoir réussi à la sortir du pays. Mais c'est bel et bien lui qui l'a cachée et, où qu'il ait fourré cette fichue coupe, elle y est toujours.

– C'est une hypothèse un peu romanesque, soupira Poirot. Comme l'affaire des perles dissimulées dans des moulages de plâtre… C'était quoi, au juste, cette histoire, déjà ? *Le buste de Napoléon,* je crois bien. Seulement il ne s'agit pas ici de babioles, mais d'une grande coupe, massive. Pas si facile que ça à cacher, à mon humble avis.

– Bah ! allez savoir ! Ça n'a pas dû être tellement sorcier, j'imagine. Sous les lames d'un quelconque parquet… quelque chose dans ce goût-là.

– Casey possédait une maison ?

– Oui… à Liverpool, grinça Wagstaffe. Mais ça n'était pas sous ce plancher-là qu'était dissimulé l'objet. Nous nous en sommes assurés à l'époque.

– Que sait-on de sa famille ?

– Sa femme était quelqu'un de plutôt bien. Tuberculeuse, hélas. Paniquée par le gagne-pain de son mari. Confite en dévotion, catholique fervente… mais incapable de se décider à le quitter. Elle est morte il y a quelques années. Sa fille tenait d'elle : elle est entrée au couvent. Le fils, c'était une autre paire de manches : de la mauvaise graine. La dernière fois que j'en ai entendu parler, il purgeait une peine de prison aux États-Unis.

Dans son petit carnet, Poirot inscrivit « *États-Unis* », puis :

– Vous pensez que le fils de Casey a pu connaître la cachette ?…

– Je ne crois pas. Depuis tout ce temps, on l'aurait sûrement pris la main dans le sac.

– La coupe a peut-être été fondue.

– Possible. Très possible, même. Mais, je ne sais pas… parce que si on songe à la valeur qu'elle a pour les collectionneurs… C'est qu'ils ne reculeraient devant aucun coup tordu, ces zigotos-là ! Avec eux, je vous prie de croire qu'on en voit des vertes et des pas mûres ! Les collectionneurs, je me dis parfois…

L'inspecteur Wagstaffe se tut un instant avant d'ajouter vertueusement :

–… je me dis parfois qu'ils n'ont aucun sens de ce que peut être la morale.

– Tiens ! tiens ! Cela vous étonnerait-il d'apprendre que sir Reuben Rosenthal s'est trouvé mêlé à un « coup tordu », comme vous le dites si bien ?

– Pas outre mesure. Il ne passe pas pour très scrupuleux dès lors qu'il est question d'œuvres d'art.

– *Quid* des autres membres de la bande ?

– Riccovetti et Dublay ont écopé de pas mal d'années de prison. Ils ne devraient pourtant plus être bien loin d'en sortir.

– Dublay est français, non ?

– Oui, c'était lui le cerveau.

– Il y avait d'autres personnes, dans la bande ?

– Oui, une fille… Kate la rouge, on l'appelait. Elle s'était fait engager comme femme de chambre, et elle avait découvert un magot – où il était planqué, et ainsi de suite. Quand le gang a eu des problèmes, elle a filé en Australie.

– D'autres encore ?

– On a soupçonné un certain Yougouian d'être de mèche avec eux. Courtier de son état. Son Q.G. est à Istamboul, mais il a une succursale à Paris. On n'a rien prouvé contre lui, mais c'est le genre de client qui vous glisse dans les mains comme une anguille…

Poirot, avec un soupir, jeta un coup d'œil à son carnet. Il avait noté : États-Unis, Australie, Italie, France, Turquie…

– *Je m'en vais mettre une ceinture à la planète,* soufflat-il entre ses dents.

– Je vous demande pardon ? s'émut l'inspecteur Wagstaffe.

– J'étais en train de me dire, expliqua Hercule Poirot, qu'un tour du monde me semble de rigueur.

*

Hercule Poirot avait pour habitude de discuter de ses enquêtes avec Georges, le mieux stylé des valets de chambre. Plus exactement, à propos de tels ou tels aléas de l'existence, Poirot se laissait aller à quelques confidences, auxquelles Georges donnait la réplique avec la sagesse que vous enseigne toute une vie de fidèle serviteur de grande maison.

– Georges, lui dit Poirot, si vous vous trouviez dans la nécessité de mener une enquête aux quatre coins du monde, comment vous y prendriez-vous ?

– Eh bien, monsieur, le périple aérien passe pour le moyen de transport le plus rapide et le plus indiqué, encore que certains prétendent que l'on y peut souffrir de pénibles nausées. Je suis, hélas, au regret de n'être

637

pas à même de confirmer personnellement à Monsieur le bien-fondé de cette remarque restrictive.

– Il est permis de se demander, réfléchit tout haut Hercule Poirot, ce qu'Hercule aurait fait.

– Monsieur ferait-il allusion au coureur cycliste ?

– Ou, plus simplement, reprit Poirot, de se demander ce qu'il *a* tout bonnement fait. Et la réponse, Georges, c'est qu'il a voyagé sans ménager ses efforts. Mais, au bout du compte, si j'en crois ce que prétendent certaines légendes, il a dû se tourner vers Prométhée et vers Nérée pour obtenir des informations.

– Ah bon, monsieur ? Voilà deux noms qui ne sont pas venus jusqu'à moi. S'agirait-il, monsieur, d'agences de voyage ?

Hercule Poirot prenait plaisir à s'écouter parler :

– Mon client, Emery Power, ne veut connaître qu'un seul mot, *action* ! Mais il est stupide de gaspiller bêtement son énergie en actions inutiles. Dans la vie, Georges, il est une règle d'or : ne jamais faire soi-même ce que d'autres peuvent faire à votre place. Tout particulièrement quand on peut ne pas regarder à la dépense.

Il se leva, sortit d'un classeur un dossier marqué de la lettre D et en tira une chemise intitulée : « Détectives privés. Fiables ».

– Mon Prométhée à moi, murmura-t-il. Voulez-vous avoir l'obligeance, Georges, de copier pour moi les noms et les adresses suivants : Messrs Hankerton, à New York. Messrs Laden et Bosher, à Sydney. Le signor Giovanni Mezzi, à Rome. M. Nahum, à Istamboul. Et MM. Roget et Franconard, à Paris.

Il se tut, le temps que Georges finisse de s'exécuter. Puis il reprit :

– Et maintenant, voulez-vous, je vous prie, consulter les horaires des trains pour Liverpool.

– Bien, monsieur. Tout de suite, monsieur. Dois-je comprendre que Monsieur a l'intention de se rendre à Liverpool ?

– Hélas, j'en ai bien peur. Et il est fort possible, Georges, que je me voie contraint d'aller plus loin encore. Mais ce n'est pas pour tout de suite.

*

Trois mois plus tard, debout à l'extrême pointe d'un promontoire rocheux déchiqueté par les flots, Hercule Poirot embrassait du regard l'Océan atlantique. Des mouettes tournoyaient et plongeaient, jetant à tout instant leur cri mélancolique. L'air marin était doux, chargé d'embruns.

Poirot avait le sentiment, bien souvent partagé par ceux qui se rendaient pour la première fois à Inishgowlen, qu'il avait atteint le bout du monde. Pas un instant il n'aurait pu imaginer paysage aussi isolé, aussi désolé, aussi abandonné. Jamais il n'aurait pu rêver beauté plus étrange, plus tragique – beauté jaillie du fond des âges et que rien n'avait altéré. Ici, dans l'ouest de l'Irlande, jamais les légions romaines n'étaient venues fouler le sol de leur piétinement sourd, jamais elles n'avaient édifié l'un de leurs camps fortifiés, jamais elles n'avaient construit une de leurs fameuses routes bien conçues, bien pavées, menant intelligemment d'un point stratégique à un autre. Cette terre ignorait le sens commun, et jusqu'à l'idée d'un ordre de l'existence.

Jetant un triste coup d'œil au bout de ses bottines vernies, Poirot soupira. Il se sentait perdu, et désespérément seul. Ici, on se moquait de tout ce qui donnait du prix à la vie.

Lentement, il examina la côte inhospitalière, puis la mer, à nouveau. Quelque part au-delà de l'horizon, à en croire la tradition, se trouvaient les Îles de Bénédiction, le Royaume de l'Éternelle Jeunesse…

– *Le Pommier, les Chants et l'Or,* murmura-t-il.

Et, soudain, il se ressaisit. Le charme était rompu. Hercule Poirot avait retrouvé l'harmonie intime que lui procuraient ses bottines vernies et son impeccable costume sombre.

Non loin, une cloche avait retenti. C'était un son qui lui était familier depuis l'enfance. Il se retrouvait en pays de connaissance.

D'un pas vif, il remonta le long de la falaise. En dix minutes, il fut en vue d'un bâtiment entouré d'une haute muraille percée seulement d'une porte de bois clouté. Il frappa quelques coups d'un lourd heurtoir de fer. Puis, précautionneusement, il tira sur une chaîne rouillée, faisant tinter gaiement une clochette.

Une sorte de judas s'ouvrit, et un visage méfiant, enchâssé dans une cornette blanche, apparut. Une moustache ornait la lèvre supérieure, mais la voix était celle d'une femme, une femme que Poirot jugea *formidable.*

– Est-ce bien ici le couvent de Sainte-Marie de tous les Anges ?

– Et qu'est-ce que vous voulez que ce soit d'autre ? jappa la voix.

Poirot estima inutile de répondre à cette question.

– Je voudrais voir la mère supérieure, dit-il.

La tourière se montra plus que réticente, mais finit par céder. Il lui fallut tirer barres et verrous pour ouvrir la porte, et conduire Poirot dans une petite pièce nue où étaient reçus les visiteurs.

Une religieuse arriva. Elle glissait plutôt qu'elle ne marchait. Un rosaire se balançait à sa ceinture.

Élevé dans la religion catholique, Poirot ne se sentait nullement dépaysé au sein de l'univers dans lequel il était plongé.

– Ma mère, commença-t-il, pardonnez-moi de vous déranger. Mais je crois que vous avez ici une religieuse qui, dans le monde, portait le nom de Kate Casey.

La mère supérieure acquiesça.

– C'est exact, répondit-elle. En religion, sœur Marie-Ursule.

– Il est des torts qui demandent réparation, reprit le détective. Je suis persuadé que sœur Marie-Ursule pourrait m'aider, qu'elle a connaissance de faits très importants.

La supérieure secoua la tête. Son visage exprimait toute la sérénité du monde.

– Sœur Marie-Ursule ne peut vous être d'aucun secours, affirma-t-elle d'une voix quiète, lointaine.

– Mais, ma mère, je vous assure…

Il s'interrompit. La mère supérieure conclut :

– Sœur Marie-Ursule est morte, il y a deux mois.

*

Inconfortablement assis sur un banc de bois, Hercule Poirot n'avait trouvé, dans le bar de l'hôtel de Jimmy Donovan, que le mur pour dossier. L'hôtel en question ne correspondait d'ailleurs guère à l'idée qu'il se faisait d'un hôtel. Son lit était cassé, tout comme l'étaient deux des carreaux de sa fenêtre – lesquels donnaient libre passage à ces courants d'air nocturnes dont Poirot se méfiait tant. L'eau chaude qu'on lui avait apportée pour sa toilette s'était révélée tiédasse, et le repas qui venait de lui être servi provoquait dans son système digestif des sensations aussi incongrues que douloureuses.

Cinq autres hommes occupaient le bar, qui tous discutaient politique. Poirot ne comprenait pas grand-chose à ce qu'ils disaient. En tout état de cause, il s'en fichait.

L'un d'eux ne tarda guère à venir s'asseoir à côté de lui. Quelque peu différent de ses compagnons, il avait tout du citadin qui a connu des jours meilleurs et s'exprimait avec une immense dignité :

– Je vous le dis tout net, monsieur. Je vous le dis tout net… Pegeen's Pride n'a aucune chance, pas l'ombre d'une chance… Va finir en queue de peloton… en queue de peloton. Ça, c'est un tuyau, et un bon… Tout le monde devrait les chuivre, mes tuyaux. Vous chavez pas qui je chuis, monchieur, vous le chavez pas ? Atlas, ch'est cha que je chuis… Atlas, du *Dublin Sun*. Des gagnants, j'en ai pronochtiqué toute la saison… J'ai pas donné Larry's Girl, par exemple ?… Du 25 contre 1, qu'elle a fait… Du 25 contre 1… Chuivez Atlasch, et vous ne pouvez pas vous tromper…

642

Poirot le fixait avec un étonnant respect.

Et ce fut d'une voix tremblante qu'il articula :

– Seigneur Jésus ! En fait d'augures et de présages, en voilà un !

*

Quelques heures s'étaient écoulées.

La lune échappait par instants, comme pour un clin d'œil, à son manteau de nuages. Hercule Poirot et son nouvel ami avaient déjà parcouru plusieurs kilomètres. Le détective boitillait. Il lui vint à l'esprit qu'il existait, après tout, d'autres chaussures – mieux adaptées que des bottines vernies à une longue marche dans la campagne. Georges en avait respectueusement fait la suggestion. « Une bonne paire de godasses », avait-il conseillé.

Cette idée iconoclaste, Poirot l'avait rejetée avec dédain. Il aimait à se savoir le pied élégamment chaussé. Mais maintenant, traînant laborieusement la patte au long d'un sentier caillouteux, il comprenait qu'on puisse en certains cas porter d'autres chaussures que vernies.

– Vous êtes bien sûr que monsieur le Curé me donnera l'absolution ? s'exclama soudain son compagnon. C'est que je ne veux pas avoir un péché mortel sur la conscience, moi !

– Vous ne ferez que rendre à César ce qui est à César, l'apaisa Poirot.

Ils avaient atteint la clôture du couvent. Atlas prit la pose et se mit en devoir de jouer le rôle qui lui avait été de tout temps dévolu.

Il émit soudain un râle profond et affirma, d'une voix basse et déchirante, qu'il était littéralement brisé !

Poirot fit alors preuve d'autorité :

– Silence ! lui ordonna-t-il. Ce n'est après tout pas le poids du Monde que vous avez sur les épaules – seulement celui d'Hercule Poirot.

*

Atlas froissait nerveusement dans ses mains deux billets de cinq livres flambant neufs.

– J'espère bien, geignit-il, que, demain matin, je ne me souviendrai plus de la manière dont j'ai gagné cet argent. Je suis très inquiet de ce que le père O'Reilly me dira…

– Oubliez tout, mon bon ami ! Demain, le Monde sera à vous…

– Et comment je vais le jouer, cet argent ? Évidemment, il a Working Lad, un cheval superbe, un merveilleux cheval que c'est ! Et puis il y a Sheila Boyne. On m'en donne du 7 contre 1…

Atlas marqua un temps, puis reprit :

– J'ai la berlue, ou je vous ai bien entendu causer de ce dieu païen ? « Hercule », vous avez dit, et, Dieu me bénisse, il y a un Hercule engagé demain dans la troisième…

– Mon bon ami, lui conseilla Poirot, misez tout votre argent sur ce pur-sang ! En vérité, je vous le dis, Hercule ne vous décevra pas.

Et il est vrai que, le lendemain, le cheval Hercule, à Mr Rosslyn, remporta contre toute attente les Boynan Stakes, à la cote de 60 contre 1.

Adroitement, Hercule Poirot déballa un élégant paquet confectionné dans les règles de l'art. Il ôta successivement le kraft épais, la bourre et, enfin, le papier de soie.

Puis il déposa sur le bureau d'Emery Power une coupe d'or étincelant de tous ses feux. Finement ciselé sur ses flancs, un pommier semblait crouler sous le poids de vertes émeraudes.

Le financier prit longuement sa respiration.

– Monsieur Poirot, je vous félicite, dit-il.

Hercule Poirot plongea dans une de ses habituelles courbettes.

Emery Power tendit la main pour effleurer, du bout du doigt, le rebord de la coupe.

– À moi, enfin ! s'écria-t-il d'une voix que l'émotion faisait trembler.

Poirot acquiesça :

– À vous !

S'enfonçant dans son fauteuil, Emery Power soupira d'aise. Puis il s'enquit, donnant à nouveau dans le style professionnel blasé :

– Où l'avez-vous retrouvée ?

– Sur un autel.

La stupéfaction se peignit sur les traits de l'homme d'affaires.

– La fille de Casey, expliqua Poirot, était entrée en religion. Elle s'apprêtait à prononcer ses vœux définitifs quand son père est mort. C'était une jeune fille ignorante, mais très croyante. La coupe était dissimulée dans la maison familiale, à Liverpool. Elle l'a apportée au couvent, avec le désir, j'imagine, de racheter les péchés de son père, et elle en a fait don à la congrégation pour qu'elle soit utilisée à la gloire de Dieu. Je ne pense pas que ces braves bonnes sœurs aient jamais compris quelle en était la valeur. Elles ont cru, sans doute, que c'était un bien de famille. À leurs yeux, c'était tout bonnement un calice…

– Quelle histoire extraordinaire ! s'exclama Emery Power. Qu'est-ce qui vous a suggéré l'idée d'aller là bas ?

Poirot haussa les épaules :

– Peut être que… Enfin, mettons que j'ai procédé par élimination. Je suis parti de ce fait incroyable que nul n'avait jamais essayé de vendre la coupe. Et je me suis dit, voyez-vous, qu'elle devait se trouver en un lieu où les valeurs ordinaires n'ont pas cours. Et puis je me suis souvenu que la fille de Casey était devenue religieuse…

– Eh bien, comme je viens de vous le dire, je vous félicite, répéta Emery Power avec chaleur. Dites-moi le montant de vos honoraires, et je vous signe un chèque.

– Il n'y aura pas d'honoraires, répliqua Poirot.

L'autre le fixa, surpris :

– Qu'entendez-vous par là ?

– Avez-vous lu des contes de fées, quand vous étiez enfant ? Le roi dit toujours : « Demande-moi tout ce que tu désires »…

– Ainsi vous désirez bel et bien quelque chose ?

– Oui, mais il n'est pas question d'argent. J'ai seulement une requête à vous présenter.

– Eh bien, de quoi s'agit-il ? Vous voulez de bons tuyaux en Bourse ?

– Ce serait encore de l'argent, sous une autre forme. Non, ma requête est bien plus simple que cela.

– Qu'est-ce donc ?

Hercule Poirot posa ses deux mains sur la coupe :

– Renvoyez-la au couvent, implora-t-il.

Il y eut un silence.

– Vous êtes tombé sur la tête ? finit par interroger Emery Power.

Poirot secoua l'organe en question :

– Non, je ne suis pas fou. Approchez, je veux vous montrer quelque chose...

Il prit la coupe et, de l'ongle, appuya fortement entre les mâchoires du serpent enroulé autour de l'arbre. À l'intérieur de la coupe, un peu du revêtement d'or s'effaça, découvrant une minuscule communication avec la poignée creuse.

– Vous voyez ? C'était la coupe du pape Borgia. Par ce tout petit trou, le poison passait dans la boisson. Vous m'avez dit vous-même que le mal, la violence, le sang, ont accompagné cette coupe tout au long de son histoire. À votre tour – qui sait ? – peut-être serez-vous frappé par sa malédiction...

– Superstition grotesque !

– Je vous le concède. Mais pourquoi vouliez-vous à toute force posséder cet objet ? Pas pour sa beauté, ni pour sa valeur. Vous avez déjà des centaines, des milliers peut-être, de joyaux rares et précieux. Non, vous étiez poussé par l'orgueil. Vous refusiez de vous avouer vaincu. Eh bien, vous n'êtes pas vaincu. Vous avez gagné ! La coupe est en votre possession. Mais pourquoi ne pas accomplir maintenant un geste grandiose, suprême ? Renvoyez cette coupe là où elle a reposé en paix depuis presque dix ans. Qu'elle y soit purifiée du mal. Autrefois, elle appartenait à l'Église – qu'elle retourne à l'Église, qu'elle trône à jamais sur un autel, qu'elle y trouve absolution et purification, comme nous espérons nous aussi, pauvres hommes, que nos âmes seront un jour purifiées et absoutes de leurs péchés…

Il se pencha en avant :

– Laissez-moi vous décrire le lieu où je l'ai trouvée. C'est le Jardin de Toute Paix, où le regard, au-delà de l'Océan, porte sur un paradis perdu de jouvence et de beauté éternelle.

Et, avec des mots simples, Hercule Poirot dépeignit la magie intemporelle d'Inishgowlen.

Emery Power se passa la main sur le front :

– Je suis né, souffla-t-il, sur la côte ouest de l'Irlande. Tout enfant, j'en suis parti pour l'Amérique.

– C'est ce que je m'étais laissé dire.

Le financier se redressa sur son siège, les yeux brillants.

– Vous êtes un homme étrange, monsieur Poirot, sourit-il. Mais il en sera comme vous le désirez. Rapportez cette coupe au couvent, et dites que j'en fait don. Un don qui me coûte beaucoup. Trente mille livres… Or, que gagnerai-je en échange ?

– Les religieuses diront des messes pour le salut de votre âme, répliqua Poirot avec gravité.

Le sourire du financier s'élargit, découvrant des dents carnassières :

– Après tout, pourquoi ne pas considérer ça comme un investissement ? Le plus rentable, peut-être, de toute ma carrière…

La mère supérieure accueillit Poirot dans le petit parloir. Il lui fit le récit des événements et lui remit la coupe.

– Vous lui direz, murmura-t-elle, que nous le remercions, et que nous prierons pour lui.

– Vos prières, il en a bien besoin, acquiesça doucement Poirot.

– C'est donc un homme malheureux ?

– Si malheureux qu'il ne sait plus ce que signifie le mot bonheur. Si malheureux, même, qu'il en ignore qu'il est malheureux.

La voix de la religieuse s'éteignit dans un souffle :

– Ah, un homme riche…

Poirot ne répondit pas : Il savait qu'il n'y avait rien à répondre.

12

La capture de Cerbère
(The Capture of Cerberus)

Balancé en tous sens, projeté d'une anatomie à l'autre, Hercule Poirot maudissait le surpeuplement dont souffrait la planète !

Il est vrai qu'à une heure pareille (18 h 30), il y avait à coup sûr trop de monde dans le métro de Londres. La chaleur, le bruit, la foule, la promiscuité… ces mains, ces bras, ces épaules, ces corps, même, qui vous pressaient… ces inconnus qui s'agglutinaient à vous… Et, dans l'ensemble, pensait Poirot avec dégoût, ce n'était qu'un lot d'inconnus dépourvus du moindre intérêt ! Prise *en masse*, l'humanité n'était guère attirante. Qu'il était donc rare d'y remarquer un regard pétillant d'intelligence, d'y apercevoir ce qu'un individu de langue française peut qualifier de *femme bien mise* ! Et que penser de cette étrange fureur qu'avait la gent féminine de se mettre à tricoter dans les conditions les moins propices ? Une *personne du sexe*, au jugement de Poirot, ne se présente pas sous son meilleur jour quand elle s'active à un tricot. Ce front buté… ces yeux glauques… ces doigts inlassables… Pour tricoter dans un métro bondé, il faudrait posséder l'agilité d'un chat sauvage et le pouvoir de concentration de Napoléon… Or, pourtant, les femmes y parviennent ! Il leur suffit de s'assurer de la possession d'une place assise : elles sortent, on ne sait d'où, un amas de laine rosâtre et, hop ! les aiguilles entament leur cliquetis halluciné !

Il n'y a plus de place pour l'abandon, pour toutes les grâces de l'éternel féminin ! déplorait le détective en son for intérieur. Son âme plus que mûrissante maudissait le rythme et les tensions du monde moderne. Toutes ces jeunes personnes qui l'entouraient… Dieu ! qu'elles étaient donc toutes bâties sur le même modèle, dépourvues de charme et privées des plénitudes d'une féminité achevée et triomphante ! Pour Hercule Poirot, la séduction se devait de revêtir plus de flamboyance… Que n'eût-il donné, en cet instant, pour voir devant lui une *femme du monde*, une femme *chic*, accueillante, *spi-*

rituelle – une femme aux courbes prometteuses, qui n'aurait pas craint le ridicule de se montrer *sur son trente-et-un* ! Autrefois, dans sa jeunesse, Poirot avait croisé de telles femmes. Tandis que maintenant, maintenant…

La rame s'arrêta. La foule jaillit des voitures, repoussant Poirot vers les mille et un dangers des aiguilles aux pointes acérées. Puis une autre foule s'engouffra, le comprimant davantage encore contre ses contemporains. Le train redémarra, avec une secousse qui projeta Hercule Poirot vers une commère porteuse de paquets aux angles aigus. Il eut à peine le temps de s'excuser d'un « *pardon* » bafouillé en français avant d'être repoussé vers un grand échalas dont le porte-documents lui endolorit le bas du dos. Il trouva la force de prononcer un second « *pardon* » mais il se sentait la moustache en berne. Quel enfer ! songea-t-il. Heureusement qu'il descendait à la prochaine !

Apparemment, puisqu'il s'agissait de Piccadilly Circus, c'était aussi la destination de quelque cent cinquante de ses congénères. On eût pu croire que c'était la marée qui avait déposé les passagers sur le quai. Mais, finalement, coincé par-devant et pressé par-derrière, Poirot finit par prendre pied sur l'escalier roulant qui devait le ramener à la surface.

Le ramener, songea-t-il, du fin fond des Régions infernales… Qu'il était donc douloureux de sentir une valise s'en prendre subrepticement à vos genoux tandis que vous tentiez de conserver un équilibre toujours menacé !

Soudain, une voix cria son nom. Étonné, il leva les yeux. Et, incrédule, il vit sur l'autre escalier roulant, celui qui descendait, une image du passé : une femme aux formes pleines et sensuelles, à la flamboyante chevelure rougie au henné que couronnait un anneau de paille sur lequel nichaient une nuée d'oiseaux aux plumes luxuriantes. Un niagara d'improbables fourrures lui cascadait des épaules.

L'apparition ouvrit une large bouche aux reflets de pourpre, et une voix de mezzo, aux intonations étrangères, réveilla les échos. En voilà une qui avait du coffre !

– C'est *lui* ! Mais c'est *lui* ! scandait l'apparition. Hercule Pouairrrot, *mon trrrès cher* ! Qu'on se revoie il faut ! J'y tiens absolument !

Mais la Destinée elle-même est moins inexorable que deux escalators roulant en sens inverse. Sans qu'il y puisse rien, Hercule Poirot fut entraîné vers le haut, tandis que la comtesse Vera Rossakov était emportée vers le bas.

Penché sur la rampe, se tordant désespérément le cou, il s'égosilla :

– Comtesse de mon cœur ! Où puis-je vous retrouver ?

Du tréfonds des profondeurs, la réponse, à peine audible, lui parvint, aussi inattendue qu'appropriée aux circonstances :

– *En Enfer* !

Pris au dépourvu, Hercule Poirot cligna des paupières à plusieurs reprises. Soudain, il vacilla. Sans qu'il s'en soit rendu compte, l'escalator était parvenu au bout de sa course, et il avait négligé d'accomplir l'indispensable pas en avant. La foule l'entourait. De l'autre côté, on se précipitait vers la descente. Convenait-il de faire marche arrière ? Était-ce cela qu'avait voulu dire la comtesse ? Sans aucun doute, entreprendre de voyager dans les entrailles de la Terre à l'heure de pointe, c'était bel et bien l'enfer... Si c'était à *cela* qu'elle avait fait allusion, jamais il n'avait été mieux en accord avec la comtesse...

D'une démarche résolue, Poirot s'engagea dans le flot descendant qui l'absorba, comme une boîte de fer-blanc une sardine, et le ramena aux abysses chthoniens. Hélas, enfin arrivé, Poirot ne trouva nulle trace de la comtesse. Un vaste choix d'itinéraires, dans le dédale des couloirs, s'offrait à lui.

La comtesse honorait-elle de sa présence la *Bakerloo line* ? Avait-elle préféré *la Piccadilly line* ? Poirot prit le temps d'inspecter toutes les correspondances. Plus d'une fois, il manqua d'être emporté par les marées humaines successives, sans pour autant que surgisse dans son champ de vision la silhouette aussi slave et haute en couleurs que possible de la comtesse Vera Rossakov.

Épuisé, déprimé, en proie à un vrai chagrin, Hercule Poirot se résigna à regagner l'air libre et à plonger dans le tourbillon de Piccadilly Circus. Mais, à son arrivée à son domicile, on pouvait déceler en lui un sentiment d'excitation réjouie.

Pour leur malheur, bien des hommes, auxquels le Destin n'a accordé qu'une stature réduite et une tendance maniaque à l'ordre, sont attirés par de grandes femmes aux goûts extravagants. Poirot n'avait jamais pu se défaire de la fascination que la comtesse exerçait sur lui. Il ne l'avait sans doute pas revue depuis vingt ans, et pourtant son charme opérait encore... Même si son maquillage paraissait dû à un peintre du dimanche, la femme que cachaient la poudre et les fards incarnait encore, aux yeux d'Hercule Poirot, le chic et l'élégance. L'aristocrate continuait de séduire le petit-bourgeois. Et, quoi qu'il en eût, il ne pouvait s'empêcher d'admirer son tour de main pour s'emparer de précieux bijoux... Il se souvenait de l'aplomb insolent dont elle avait fait preuve quand, convaincue de vol, elle avait reconnu les faits ! Une femme de ce gabarit ! Pas une sur mille ! Pas une sur un million ! Il l'avait retrouvée... Et il l'avait perdue.

« *En Enfer !* » avait-elle dit.

Poirot ne pouvait se croire victime d'une hallucination auditive. Elle avait vraiment dit ça.

Mais qu'avait-elle donc eu à l'esprit ? Songeait-elle bien au métro de Londres ? Fallait-il donner à ses paroles un sens religieux ? À coup sûr, la vie qu'elle menait la conduirait, après sa mort, droit chez Satan. Mais on ne pouvait croire qu'elle avait fait violence à sa courtoisie innée de Russe bon teint pour sous-entendre que lui, Poirot, était tout autant qu'elle attendu par les puissances infernales...

Non, elle avait dû avoir autre chose en tête. Poirot, pour sa courte honte, reconnaissait qu'il n'y comprenait goutte. Quelle femme étonnante ! Imprévisible ! Une autre aurait crié « Au *Ritz* ! » ou bien « Au *Claridge* ! ». Mais Vera Rossakov, elle, avait hurlé « En Enfer ! »

Poirot soupira. Mais il refusa de s'avouer vaincu. Sa perplexité le poussa, le matin suivant, à aller au plus simple. Il consulta miss Lemon, sa secrétaire.

Miss Lemon était aussi laide que compétente. Pour elle, Hercule Poirot n'était qu'un homme comme les autres. Tout au plus son patron. Elle fournissait un travail de haute qualité et, à cette époque, consacrait l'essentiel de ses réflexions intimes à perfectionner un système de classement qu'elle se proposait de mettre prochainement en chantier.

– Miss Lemon, puis-je vous poser une question ?

– Bien sûr, monsieur Poirot.

Miss Lemon souleva les doigts du clavier de sa machine à écrire et se figea dans une écoute attentive.

– Si l'un ou l'une de vos amis, dit le détective, vous demandait de le retrouver en enfer, que feriez-vous ?

Fidèle à ses habitudes, miss Lemon ne se perdit pas en inutiles circonlocutions. Elle avait, comme on dit, réponse à tout :

– Je prendrais la précaution de téléphoner pour retenir une table.

Poirot la dévisagea avec ahurissement. Puis il articula, *staccato* et du grave à l'aigu :

– Vous… téléphoneriez… pour… retenir… une… table ?

Miss Lemon se contenta de hocher la tête et de se saisir du combiné.

– Pour ce soir ? demanda-t-elle.

Et, comme Poirot ne répondait pas, elle jugea que son silence valait consentement et composa un numéro sans perdre un instant :

– Allô ? Temple Bar 14578 ? Je suis bien en *Enfer* ? Voulez-vous avoir l'obligeance de réserver une table pour deux, je vous prie. Au nom de M. Hercule Poirot. Oui, pour 23 heures.

Elle reposa le récepteur et effleura le clavier de sa machine de la paume des mains. Un voile, à peine perceptible, de légère impatience tomba sur ses traits. Comme si elle avait voulu signifier qu'elle avait joué le rôle qui était attendu d'elle et que, par conséquent, son patron pouvait maintenant la laisser en paix afin qu'elle puisse achever le travail en cours.

Mais Hercule Poirot n'était pas homme à accepter un manque d'explications.

– Mais qu'est-ce donc au juste que cet *Enfer* ? interrogea-t-il.

Miss Lemon afficha quelque étonnement :

– Oh, vous n'étiez pas au courant, monsieur Poirot ? C'est une boîte de nuit qui vient d'ouvrir et qui fait fureur… gérée par une Russe, me suis-je laissé dire. Je peux, sans problème aucun, vous en obtenir une carte de membre avant ce soir…

Sur quoi, manifestant – non sans ostentation cette fois – qu'elle avait *vraiment* assez perdu de temps, miss Lemon se remit à sa machine dont le cliquetis ininterrompu évoqua bientôt ce qu'un artilleur aurait qualifié de feu roulant.

*

Ce soir-là, passé 11 heures, Hercule Poirot franchit une petite porte au-dessus de laquelle une enseigne au néon embrasait l'une après l'autre des lettres de feu. Il fut accueilli par un homme en queue-de-pie rouge.

Ce dernier s'empara de son manteau. Puis, d'un geste, il lui désigna un large escalier qui s'enfonçait vers les profondeurs du sous-sol.

En caractères majuscules, une phrase était gravée sur chacune des marches.

Je croyais bien faire, affirmait la première.

Passons l'éponge et recommençons à zéro, certifiait la deuxième.

Je peux m'arrêter quand je veux, proclamait la troisième.

– Les bonnes intentions dont l'enfer est pavé, approuva Hercule Poirot pour le seul bénéfice de sa moustache. Pas bête du tout, comme idée.

Il descendit l'escalier, au pied duquel était creusé un vaste bassin orné de nymphéas rouge sang. Une passerelle, qui affectait la forme d'une barque, permettait de l'enjamber. Il la franchit.

Sur sa gauche, au fond de ce qui était censé représenter une grotte de marbre, se dressait un chien – le chien le plus gros, le plus noir et le plus laid qu'il ait jamais vu ! Le molosse se tenait assis très droit, très raide, parfaitement immobile. Peut-être, pensa Poirot – ou plus précisément l'espéra ! –, la bête était-elle *empaillée.* Mais le chien, du fin fond de sa noirceur, émit en cet instant précis un grondement rauque, terrifiant. Et ce ne fut qu'alors que Poirot remarqua une corbeille enrubannée, emplie de biscuits sur lesquels se lisaient les mots « *Un gâteau pour Cerbère !* »

Le chien ne la quittait pas des yeux. Une fois encore, le grondement caverneux retentit. Poirot saisit précipitamment un biscuit et le lui lança.

Une gueule béante et teintée d'écarlate s'ouvrit. Des mâchoires d'acier se refermèrent tout aussitôt avec un claquement sec. Cerbère avait accepté son gâteau, comme, dans la légende, il avait accepté celui que lui proposait Orphée.

La salle dans laquelle il lui était désormais permis d'entrer n'était pas très vaste. On l'avait parsemée de petites tables disposées en cercle autour d'une piste de danse. L'éclairage diffus était fourni par de petites lampes rouges. Des fresques décoraient les murs. Au fond tournait un vaste grill derrière lequel officiaient des cuisiniers déguisés en diablotins, avec les cornes et la queue fourchue de rigueur.

Poirot n'eut que le temps d'y jeter un bref coup d'œil avant que la comtesse Vera Rossakov, resplendissante dans une robe écarlate, ne se précipite vers lui, bras tendus, avec toute la spontanéité de l'exubérance slave :

– Venu vous êtes !… Mon cher, mon *trrrès* cher ami !… De vous revoir quelle joie !… Après toutes ces années… tant et tant d'années… combien, au fait ?… Mais non : cela nous ne le dirons pas !… Moi, il me semble que c'était hier !… Changé vous n'avez pas… pas du monde le moins !

– Ni vous non plus, ma toute bonne, répliqua Poirot en lui baisant la main.

Il n'en était pas moins conscient que vingt années impriment leurs stigmates, et que ce n'aurait pas été manquer à la charité que d'admettre que la comtesse Rossakov n'était plus qu'une ruine. Mais une ruine de grande classe. Elle n'avait rien perdu de son extravagance ni de son prodigieux appétit de vivre, et elle continuait de maîtriser, mieux que quiconque, l'art de flatter un homme.

Elle attira Poirot vers une table qu'occupaient déjà deux personnes.

– Mon ami, mon célèbrre ami Hercule Pouairrrot, annonça-t-elle. La terreur des malfaisants ! D'avoir peur de lui il m'est jadis arrivé moi-même... Hélas, je ne mène plus désormais qu'une vie du plus verrtueux et du plus extrrrême ennui ! Avec moi vous n'êtes pas d'accord ?

Le grand homme mince, et d'un certain âge, auquel elle avait dédié ce discours manifesta son désaccord :

– L'ennui ! Voilà bien un mot, comtesse, dont vous semblez ignorer le sens.

– Le professeur Liskeard, le présenta-t-elle sobrement, renonçant du même coup à son accent et à sa syntaxe par trop haute en couleurs. Rien de ce qui concerne le passé ne lui est étranger et ce sont ses conseils éclairés qui m'ont permis de parfaire la décoration de cette salle.

L'archéologue frémit quelque peu :

– Si j'avais su où vous vouliez en venir ! Le résultat est à faire dresser les cheveux sur la tête.

Poirot observa plus attentivement les fresques : en face de lui, Orphée dirigeait un orchestre de jazz, cependant qu'Eurydice, pleine d'espoir, paraissait attendre le salut du côté du grill. Sur le mur opposé, Isis et Osiris, à ce qu'il semblait, organisaient une partie de canotage dans l'au-delà. Le troisième mur était réservé à de charmants jeunes gens des deux sexes qui, nus comme au premier jour, s'adonnaient aux joies de la baignade.

– Le pays de Jouvence, expliqua la comtesse qui, du même souffle, acheva les présentations. Et voici la chère petite Alice.

Poirot plongea dans une semi-courbette à l'intention de la seconde occupante de la table, jeune femme à l'aspect austère, affublée d'une jupe à poches plaquées et d'une veste à carreaux, et dont le nez était chaussé d'épaisses lunettes d'écaille.

– Elle est très, *trrrès* intelligente, continua la comtesse. Elle a passé un doctorat, elle est psychologue, et elle connaît toutes les raisons pour lesquelles les cinglés sont cinglés ! Contrairement à ce qu'un vain peuple pense, ce n'est pas parce qu'ils sont fous ! Non, il y a toutes sortes de raisons annexes ! Ahurissant, non ?

La dénommée Alice eut un sourire dont l'amabilité n'était pas exempte d'une pointe de mépris. D'une voix ferme, elle demanda au professeur s'il voulait danser. Il parut flatté, mais peu enthousiaste :

– Chère jeune demoiselle, s'excusa-t-il, je crains de ne connaître que la valse.

– *C'est* une valse, précisa-t-elle avec indulgence.

Ils s'élancèrent sur la piste. Ni l'un ni l'autre n'étaient bons danseurs.

La comtesse soupira. Suivant sans doute le cours de ses pensées, elle laissa échapper :

– Et pourtant, elle n'est pas *vraiment* laide…

– Elle ne sait pas tirer parti de ses atouts, admit Poirot.

– Franchement, s'écria la comtesse, les jeunes d'aujourd'hui je ne comprends pas ! De plaire ils ne se donnent même plus le mal. Moi, quand leur âge j'avais, c'était ma préoccupation constante. J'apprenais à trouver les couleurs qui m'allaient… à doser le rembourrage de mon corsage… à serrer ma guêpière pour mettre ma taille en valeur... à découvrir la nuance exacte qui donnerait plus d'éclat à ma chevelure...

D'un geste, elle repoussa de son front ses lourdes tresses à la Titien. Elle, c'était indéniable, n'avait pas renoncé à plaire, et elle faisait toujours de gros efforts !

– Se contenter de ce que dame nature vous a donné, reprit-elle, c'est... c'est *stupide* ! Et puis quelle arrogance ! Cette chère petite Alice, des pages et des pages sur le sexe elle écrit, mais combien de fois, je vous le demande, un homme lui a-t-il proposé de l'emmener passer le week-end à Brighton ? Ça parle, ça discute, ça raisonne. Et puis ça travaille. Et le bien-être de la classe ouvrière par-ci, et l'avenir du monde par-là... C'est bien beau, tout ça, mais, je vous le demande, est-ce que c'est *amusant* ? D'ailleurs, de vous à moi, tous ces jeunes gens nous ont fait un monde assommant ! Tout n'est plus que règlements et interdictions ! Ce n'était pas comme ça de mon temps.

– À propos, vous venez de m'y faire penser, comtesse... Comment va votre... votre fils ?

In extremis, Poirot avait substitué « fils » au « petit garçon » qui lui était d'abord venu au bout de la langue. Après tout, vingt ans avaient passé.

Le visage de Vera Rossakov s'éclaira d'un sourire radieux :

– Le cher ange ! Il est si grand maintenant. Il a des épaules... Et il est d'une beauté ! En Amérique il vit. Il donne dans la construction : ponts, banques, hôtels, grands magasins, voies de chemin de fer... tout ce qui plaît aux Américains !

Poirot ne parvint pas à dissimuler un certain étonnement :

– Il est donc ingénieur ? Ou bien architecte ?

– Quelle importance ? Adorable il est ! Poutrelles d'acier, matériel de levage, résistance des matériaux – il n'a plus que ces mots-là à la bouche. Le genre de choses auxquelles je n'ai jamais compris un traître mot… Mais nous nous adorons ! Nous nous sommes toujours adorés ! Et, pour l'amour de lui, j'adore aussi la chère petite Alice… Mais oui, fiancés ils sont ! Ils se sont rencontrés en avion – ou dans un train, ou à bord d'un bateau, je ne sais même pas –, et ils sont tombés amoureux en discutant de l'amélioration du sort des ouvriers ! Quand elle est arrivée à Londres, elle est venue chez moi, et je l'ai prise sur mon cœur…

La comtesse, pour appuyer son récit, croisa ses bras sur son opulente poitrine et poursuivit :

– Ce qui fait que je lui ai dit : « Niki et toi, vous vous aimez… alors je te dis tu et je t'aime moi aussi… Mais si tu l'aimes, pourquoi l'as-tu laissé tout seul en Amérique ? » Sur quoi elle s'est mise à me parler de son « job », du livre qu'elle est en train d'écrire, de sa carrière, et, très franchement, je n'y ai compris goutte, mais, comme je l'ai toujours dit, savoir se montrer tolérant il faut.

Sans même apparemment songer à reprendre son souffle, la comtesse balaya l'*Enfer* d'un ample geste du bras et enchaîna avec maestria :

– Et, à part ça, trrrès cher et adorrrable ami, comment trouvez-vous le fruit de mon imagination ?

– Je l'ai toujours su fertile, et c'est encore plus net ici qu'ailleurs, approuva Poirot. C'est du dernier *chic* !

La boîte de nuit était pleine, et l'on y ressentait, palpable, l'atmosphère inimitable du succès. Des couples langoureux en tenue de soirée côtoyaient des bohèmes en pantalons de velours et des hommes d'affaires boudinés dans des costumes trois pièces. Des musiciens, eux aussi déguisés en démons, débitaient des rythmes haletants. Il n'y avait pas à s'y tromper : l'*Enfer* ronflait de toutes ses chaudières…

— Un public très éclectique nous avons, expliqua la comtesse. Mais c'est ainsi que ce doit être, n'est-ce pas ? Les portes de l'*Enfer* sont ouvertes à tous…

— Sauf aux pauvres, peut-être ?

— N'est-il pas écrit, rit-elle, qu'il est difficile à un homme riche d'accéder au Royaume des Cieux ? Juste revanche qu'il ait, en *Enfer*, priorité pour entrer !

Le professeur et Alice revenaient. La comtesse se leva :

— J'ai quelque chose à dire à Aristide.

Elle échangea quelques mots avec le maître d'hôtel, un Méphistophélès émacié, puis, passant de table en table, bavarda avec chacun de ses hôtes.

Le professeur s'essuya le front et but quelques gorgées de vin :

— C'est un personnage, n'est-ce pas ? Les gens le sentent tout de suite.

Puis il s'excusa pour aller dire bonjour, à une autre table, à de nouveaux venus. Poirot, laissé seul face à l'austère Alice, se sentit quelque peu embarrassé quand il croisa son froid regard bleu. En réalité, elle n'était pas si mocharde que cela, mais elle le mettait mal à l'aise.

— Je ne sais même pas votre nom, murmura-t-il.

– Cunningham. Dr Alice Cunningham. Je crois comprendre que vous avez connu Vera autrefois ?

– Cela doit faire vingt ans.

– J'estime qu'elle représente le type même du sujet d'étude fascinant… Elle m'intéresse, bien évidemment, en tant que mère de l'homme que je vais épouser, mais aussi d'un point de vue strictement professionnel.

– Ah bon ?

– Oui. Je travaille à un livre de psychologie criminelle. Et la vie nocturne que l'on observe ici est très révélatrice. Nous avons quelques délinquants qui sont des habitués. J'ai pu discuter avec certains d'entre eux de leurs antécédents. Vous savez tout, bien entendu, des tendances coupables de Vera… Je veux parler de sa manie du vol.

– Euh… Oui, je suis au courant, balbutia Poirot, pris par surprise.

– C'est ce que j'appelle le complexe de la pie voleuse… Vous comprenez, elle ne vole que ce qui *brille.* Jamais de l'argent. Toujours des bijoux. J'ai découvert qu'enfant, elle était certes câlinée et choyée, mais aussi et surtout surprotégée. Pour elle, la vie était insupportablement ennuyeuse… ennuyeuse et sécure. Or, sa nature exige le drame… réclame le *châtiment.* C'est là que réside l'origine de sa manie du vol : elle recherche l'*aura* et la *notoriété* qu'apporte le *châtiment* !

– J'ai peine à imaginer qu'une représentante de la noblesse tsariste ait pu connaître une existence ennuyeuse et « sécure » – comme vous dites si bien –, en Russie, pendant la révolution, objecta Poirot.

Une lueur amusée éclaira brièvement les yeux bleus délavés de miss Cunningham :

– Tiens, tiens ! Une représentante de la noblesse tsariste. Elle vous a dit ça ?

– C'est incontestablement une aristocrate ! décréta Poirot, essayant, dans le même temps, de ne pas trop se souvenir des différentes versions des premières années de sa vie que lui avait données la comtesse.

– Chacun croit ce qu'il lui plaît de croire, pontifia le Dr Cunningham, en le jaugeant d'un œil professionnel.

Un sentiment d'inquiétude envahit Poirot. Dans une seconde, il le sentait, ce seraient ses complexes *à lui* qu'elle allait aborder. En bon tacticien, il décida de porter l'offensive dans le camp adverse. Les origines aristocratiques de la comtesse faisaient partie des charmes qui lui faisaient apprécier sa société, et il n'avait quand même pas l'intention de se laisser gâcher son plaisir par une quelconque binoclarde munie d'un doctorat en psychologie !

– Savez-vous ce qui m'étonne ? interrogea-t-il.

Alice Cunningham n'était pas femme à admettre qu'elle ne *savait pas* quelque chose. Elle se contenta d'un regard teinté d'ennui, mais néanmoins nuancé de bienveillante indulgence.

– Voyez-vous, ce qui me surprend, reprit Poirot, c'est que *vous,* qui êtes jeune et qui seriez jolie pour peu que vous vous en donniez la peine, vous ne vous la donniez justement pas, cette peine-là. Vous portez cette veste de gros tweed et cette jupe déformée par des poches – des poches à une jupe ! – comme si vous étiez venue disputer une partie de golf ! Mais ce n'est pas un *green,* ici.

C'est une cave à la mode. Il y fait plus de vingt-cinq degrés, vous avez le nez luisant, et vous ne pensez même pas à le poudrer ! Pour ne rien dire de ce rouge à lèvres que vous vous êtes tartiné sans prêter la moindre attention au dessin de votre bouche ! Vous êtes une femme, mais vous négligez votre féminité ! D'où mon interrogation : *Pourquoi* ? C'est un tel gâchis !

Poirot eut, un instant, la satisfaction de déceler un peu d'humanité chez Alice Cunningham. L'éclat de la colère brilla dans ses yeux. Mais elle retrouva bien vite son attitude condescendante :

— Mon cher monsieur Poirot, je crois que vous ignorez tout des valeurs actuelles. C'est la valeur intrinsèque qui compte – pas les vains artifices.

Elle regarda un homme jeune, très beau, très brun, qui s'approchait d'eux.

— Voici un spécimen du plus haut intérêt, souffla-t-elle avec gourmandise. C'est Paul Varesco ! Il vit aux crochets des femmes… et ses goûts dépravés sortent de l'ordinaire ! Je brûle d'impatience qu'il m'en dise davantage sur la nurse qui s'occupait de lui et lui enfilait ses couches-culottes quand il avait trois ans…

Deux minutes plus tard, elle était dans ses bras. Il dansait comme un dieu. Alors que le couple évoluait près de sa table, Poirot entendit Alice Cunningham demander à son cavalier :

— Et, après ces vacances à Bognor, elle vous a donné une grue miniature ? Une *grue*… Oui, c'est très éclairant.

Pendant quelques minutes, Poirot caressa l'idée peu charitable que l'intérêt que miss Cunningham portait aux délinquants de tout poil pourrait, un beau matin, conduire à la découverte de son corps mutilé au creux de quelque taillis solitaire. Alice Cunningham lui déplaisait souverainement, mais il était cependant assez honnête pour admettre qu'il fallait en chercher la raison dans le fait que lui, Hercule Poirot, ne l'impressionnait visiblement guère ! Sa vanité était au supplice !

Ce qu'il vit soudain éloigna Alice Cunningham de ses pensées. À l'autre bout de la salle, un jeune homme blond venait de s'asseoir à une table. Il portait l'habit et toute son attitude dénonçait une existence facile consacrée au plaisir. Il était accompagné d'une de ces jeunes femmes que l'on sait, d'avance, coûteuses, et qu'il couvait d'un œil où se lisaient la fatuité et la sottise. « De riches oisifs ! » devait penser tout un chacun en les voyant. Mais Hercule Poirot, lui, savait que le jeune homme en question n'était ni riche ni oisif. Il s'agissait de l'inspecteur Charles Stevens, et il paraissait plus que probable à Poirot que l'inspecteur Stevens se trouvait là en mission…

*

Le lendemain matin, Hercule Poirot s'en fut, à Scotland Yard, rendre visite à son vieil ami l'inspecteur Japp.

Mais il ne s'attendait pas à l'accueil que réserva Japp à ses questions.

– Sacré vieux renard ! lui jeta amicalement l'inspecteur. Je me demande toujours comment vous arrivez à lever ce genre de lièvre !

– Mais je vous assure que je ne sais rien ! protesta Poirot. Absolument rien ! C'est de la curiosité pure et simple.

– À d'autres ! répliqua Japp. Vous voulez savoir ce qu'est cet *Enfer* ? À vue de nez, ce n'est qu'une boîte comme tant d'autres. Et qui marche ! Malgré des frais élevés, ils doivent ramasser l'argent à la pelle. C'est une Russe qui est censée faire tourner la boutique. Elle se fait appeler comtesse Je-ne-sais-trop-quoi…

– Je connais bien la comtesse Rossakov, coupa Poirot, très froid. Nous sommes de vieux amis.

– Elle n'est qu'un prête-nom, poursuivit Japp. Ce n'est pas elle qui a financé l'affaire. Ça pourrait être Aristide Papopobus, le maître d'hôtel – il a sûrement des intérêts dans la boîte –, mais nous ne pensons pas qu'il soit lui non plus le grand manitou. En fait, nous ne savons pas *qui* est le grand manitou.

– Et vous avez chargé l'inspecteur Stevens de le découvrir.

– Ah, vous avez vu Stevens ? C'est un petit veinard… Faire la java aux frais du contribuable, c'est un boulot agréable ! Mais jusqu'à présent, ce qu'il a trouvé ou rien…

– Que pensez-vous qu'il y ait à trouver ?

– De la came ! Un trafic de drogue de première grandeur ! Et pas payée avec de jolis billets, la came ! Non, en pierres précieuses !

– Tiens, tiens !

– Voilà comment ça fonctionne, Lady Truc – ou la comtesse Machin-chouette – a de la peine à se procurer du liquide… ou n'a aucune envie de tirer une grosse somme sur son compte en banque. Mais elle a de beaux bijoux – bijoux de famille dans la majorité des cas ! Elle les envoie soi-disant se faire « nettoyer », ou « remonter ». En fait, les pierres sont desserties, et remplacées par des copies. Les originaux sont revendus sous le manteau, ici ou sur le Continent. Tout est légal. Il n'y a pas eu vol, personne n'a porté plainte ni poussé les hauts cris. Et si, par hasard, on en vient un beau jour à découvrir qu'un diadème ou un collier sont du toc ? Lady Truc est l'innocence et la stupeur personnifiées – elle ne comprend pas *où* et *quand* la substitution a bien pu avoir lieu : le collier n'a *jamais* quitté son coffret à bijoux ! Et on expédie ces pauvres crétins de flics cavaler sur une fausse piste après avoir, bien entendu, fichu dehors une femme de chambre, un maître d'hôtel douteux ou un laveur de carreaux suspect !

» Mais nous ne sommes pas aussi débiles que ces gens de la haute veulent bien l'imaginer. Nous avons eu plusieurs cas d'affilée... *et nous leur avons trouvé un dénominateur commun* : toutes les femmes concernées présentaient des symptômes d'intoxication, nervosité, irritabilité, pupilles dilatées, et ainsi de suite. La question que nous nous sommes posée, c'est : qui leur fournit la drogue et qui dirige le trafic ?

– Et la réponse, vous pensez que c'est à l'*Enfer* que vous allez la trouver ?

– Nous sommes persuadés que c'est le quartier général des trafiquants. L'endroit où les bijoux sont tripatouillés, nous l'avons déjà repéré. Une société intitulée Golconde & Cie : des dehors respectables – spécialistes en joaillerie d'imitation haut de gamme. Et puis il y a un vrai malfrat, un certain Paul Varesco… ah ! je vois que vous le connaissez.

– Je l'ai vu… en *Enfer*.

– Moi, c'est en enfer, pour de bon, que je voudrais le voir ! C'est le mal en personne, ce type. Mais les femmes, même les plus collet-monté, lui mangent dans la main ! Il a des liens avec la Golconde & Cie, et je suis convaincu que c'est lui qui est derrière l'*Enfer*. Pour lui, c'est l'endroit idéal : on y côtoie de tout, des femmes du monde aux truands de haut-vol – dans le genre plaque tournante, on ne fait pas mieux.

– Et vous pensez que c'est là que se négocient les échanges drogue contre pierres ?

– Oui. Nous connaissons déjà un bout de la filière : la Golconde… Maintenant, c'est l'autre bout qu'il nous faut, le côté drogue. Nous voulons savoir qui la fournit, et d'où elle vient.

– Et, pour le moment, vous n'en avez aucune idée ?

– Moi, je penche pour cette Russe… seulement je n'ai pas l'ombre d'une preuve. Il y a quelques semaines, on a cru qu'on allait emporter le morceau. Varesco était allé à la Golconde, il y avait pris quelques pierres, et il s'en était allé droit à l'*Enfer*. Stevens le filait, mais il ne l'a pas *vu* passer la poudre. Et quand Varesco est sorti, on lui a mis la main au collet – *et les pierres n'étaient plus sur lui* ! On a fait une rafle dans la boîte, on a fouillé tout le monde. Résultat : pas de pierres… et pas de came !

– Bref, fiasco sur toute la ligne ?

– Ne m'en parlez pas ! Ça a bien failli ! grinça Japp. On aurait pu se retrouver dans le pétrin, mais, coup de veine, on a ramené Peverel dans nos filets – vous ne connaissez que lui : le meurtrier de Battersea, Pur hasard : j'aurais juré qu'il avait filé en Écosse. Mais un de nos sergents, qui a oublié d'avoir les yeux dans sa poche, l'a reconnu d'après les photos. Donc tout est bien qui finit bien. Excellent pour notre réputation… et publicité du tonnerre de Zeus pour la boîte : c'est encore plus bondé qu'avant !

– Mais ça n'a pas fait avancer l'enquête sur la drogue, commenta Poirot. Il doit pourtant bien y avoir une cache quelconque sur les lieux ?

– Forcément. Mais pas moyen de la dénicher. Ce n'est pourtant pas faute d'avoir tout passé au peigne fin. D'autant que, strictement entre vous et moi, nous avons poussé la conscience professionnelle jusqu'à retourner en douce sur les lieux, histoire de nous livrer à une seconde petite fouille… d'un genre plus officieux. J'ai pris ça sous mon bonnet. Effraction, vous voyez le genre. On ne peut pas dire que ç'ait été un succès ! Notre homme a manqué se faire réduire en chair à pâté par ce chien monstrueux ! Il dort sur place, le bestiau !

– Ah oui, Cerbère…

– Ouais. Drôle de nom pour un clebs… Ça me fait penser à Cérébos – c'est une marque de sel, non ?

– Cerbère… répéta Poirot, songeur.

– Et si vous essayiez de mettre un peu votre nez dans cette affaire, Poirot ? suggéra Japp. C'est ce que les jeunes générations qualifieraient de sac de nœuds, mais le jeu en vaut la chandelle. La drogue et les histoires de drogue, ça me met hors de moi ! Cette saloperie qui détruit les corps et les âmes. La drogue, c'est *vraiment* l'enfer ou je ne m'y connais pas !

– Oui, murmura Poirot. Cela me permettrait de boucler la boucle… Oui… Savez-vous, mon cher Japp, quel a été le douzième des Travaux d'Hercule ?

– Pas la moindre idée.

– La capture de Cerbère. Ne dirait-on pas un fait exprès ?

– Je ne comprends pas un traître mot à ce que vous me chantez là, mon vieux, mais ne perdez pas de vue un détail : un chien qui dévore un Belge, ça peut faire les manchettes des journaux !

Et, ravi de sa plaisanterie, Japp se tordit de rire.

*

– Il faut que je vous parle très sérieusement, préluda Poirot.

Il était encore tôt et l'Enfer était quasi désert. La comtesse et Poirot s'étaient attablés à un guéridon proche de la porte.

– Mais aucune envie d'être sérieuse je n'ai ! s'insurgea-t-elle. Alice, ce cher, cher petit ange, est toujours sérieuse, et ça, de vous à moi, horripilant je trouve. Mon pauvre Niki, qu'aura-t-il pour s'amuser dans la vie ? Rien.

– J'ai pour vous la plus vive affection, continua Poirot sans se laisser désarçonner. Et je ne voudrais pas vous savoir, comme dit le populaire, dans le pétrin.

– Calembredaines ! Au sommet je suis ! À flots l'argent coule !

– Cet établissement vous appartient ?

Les yeux de la comtesse se firent vagues.

– Évidemment, répondit-elle.

– Mais vous avez un associé ?

– Qui est-ce qui vous a raconté ça ? demanda-t-elle avec emportement.

– Et votre associé, c'est Paul Varesco ?

– Oh ! Paul Varesco ! En voilà, une idée !

– Il a un casier judiciaire chargé. Vous êtes-vous rendu compte qu'il y a des malfrats parmi vos clients ?

La comtesse éclata d'un rire sonore :

– Votre côté bourgeois je reconnais bien là ! Bien sûr, que je m'en suis rendu compte ! Vous ne voyez pas que ça fait la moitié du charme de l'endroit ? Toute cette jeunesse dorée de Mayfair… ils en ont assez de ne jamais sortir de leur milieu fermé du West End. Alors ils viennent s'encanailler ici, voir les truands, voir des voleurs, des maîtres chanteurs, des rois de l'arnaque… peut-être même des assassins, qui sait ? Ceux qui feront les manchettes de la presse du Dimanche ! Ça, c'est excitant – ça vous donne l'impression de découvrir enfin la vraie vie ! Pareil pour le bonnetier en gros qui passe toute la semaine à vendre des petites culottes, des bas et des corsets ! Quel changement par rapport à son existence étriquée, à ses amis trop convenables ! Et puis voilà qu'il a même droit à une attraction supplémentaire : là, à la table du coin, occupé à tirailler sa moustache, il y a l'inspecteur de Scotland Yard… un inspecteur en habit !

– Vous étiez donc au courant ? demanda doucement Poirot.

Leurs regards se croisèrent. Elle sourit :

– Pour qui me prenez-vous, trrrès cher ? Je ne suis pas aussi godiche que vous semblez l'imaginer !

– Si je comprends bien, le trafic de drogue, ici, c'est vous qui le gérez ?

– De la drogue ? *Ici* ? Ah, ça, pas question ! s'écria la comtesse. Ce serait abominable !

Poirot demeura méditatif quelques secondes :

– Je vous crois, soupira-t-il. Mais, alors, il est plus que jamais nécessaire que vous me disiez qui est le vrai propriétaire de cet établissement.

– Mais c'est moi ! se rebiffa-t-elle.

– Sur le papier, oui… Mais il y a quelqu'un derrière vous…

– Savez-vous, mon tout bon, que je commence à vous trouver un peu trop curieux ? Tu ne le trouves pas trop curieux, hein, Doudou ?

Pour prononcer ces derniers mots, la voix de la comtesse avait glissé vers le roucoulement. Dans son assiette, elle s'empara d'un os de canard qu'elle lança au chien monstrueux, qui l'avala dans un terrifiant claquement de mâchoires.

– Comment avez-vous donc appelé ce fauve ? sourit Poirot.

– C'est mon petit Doudou.

– Mais ça lui va comme des bretelles à un lapin !

– Oh ! il est chou comme tout ! C'est un dogue ! Il a tous les dons… absolument tous. Regardez !

Elle se leva, jeta autour d'elle un coup d'œil circulaire et s'empara d'une assiette contenant un superbe steak qui venait d'être posée devant l'un des dîneurs. Elle s'en fut jusqu'à la niche de marbre et, chuchotant quelques mots en russe, plaça l'assiette sous le museau de l'animal.

Cerbère ne bougea pas d'un pouce, comme si le steak n'avait jamais existé.

– Vous voyez ? Et ce n'est pas l'affaire d'une ou deux *minutes* ! Non ! Il pourrait rester comme ça pendant des *heures* s'il le fallait.

Elle prononça deux syllabes indistinctes. Vif comme l'éclair, Cerbère tendit le cou et le steak disparut, comme par enchantement.

Vera Rossakov entoura le chien de ses deux bras et, se haussant sur la pointe des pieds, l'embrassa avec transports.

– Regardez comme il peut se montrer gentil ! roucoula-t-elle. Il est capable d'en faire autant avec Alice, avec tous les gens qu'il considère comme ses amis – ceux-là peuvent lui demander tout ce qu'ils veulent ! Mais il suffit de lui dire un mot et hop ! il ferait de la charpie de… mettons… d'un inspecteur de police ! Parfaitement ! De la charpie !

Elle éclata de rire :

– Et s'il me prend l'envie de dire ce mot…

Poirot se hâta de l'interrompre. Le sens de l'humour de la comtesse ne lui inspirait aucune confiance. Quant à l'inspecteur Stevens, il semblait décidément risquer gros.

– J'ai l'impression que le Pr Liskeard souhaiterait vous parler…

– Vous m'avez subtilisé mon steak, geignit le professeur. Pourquoi avez-vous fait ça ? Un si bon steak !

*

– C'est pour jeudi soir, mon vieux ! claironna Japp. Bien sûr, c'est Andrew qui va mener la danse – Andrew, de la brigade des Stupéfiants –, mais il sera ravi de vous savoir dans le coup. Non merci, vous êtes trop bon, je ne veux pas de vos maudits *sirops* ! Je soigne mon estomac, moi ! C'est du whisky que je vois là-bas ? Ça ferait beaucoup mieux mon affaire !

Reposant son verre, Japp poursuivit :

– Je crois qu'on a résolu le problème. La boîte dispose d'une autre sortie... *et nous l'avons trouvée* !

– Où cela ?

– Derrière le grill. Une cloison mobile.

– Mais, enfin, vous auriez pu vous rendre compte...

– Non, mon vieux ! Quand nous avons effectué notre descente, la salle a été subitement plongée dans le noir – quelqu'un avait coupé le disjoncteur principal – et il nous a fallu une bonne minute pour rétablir le courant. Personne n'est sorti par-devant : nous avions l'œil. Mais il est maintenant évident que quelqu'un a pu se faufiler par-derrière avec la marchandise. On a examiné l'immeuble d'à côté sous toutes les coutures... et c'est comme ça qu'on a découvert le pot aux roses...

– Et vous envisagez... quoi, au juste ?

Japp cligna de l'œil :

– On va recommencer le même topo : la police déboule, les lumières s'éteignent... *mais il y a cette fois des gens de l'autre côté du passage secret, pour voir qui en sort.* Ce coup-ci, ils sont faits comme des rats !

– Et pourquoi jeudi ?...

Nouveau clin d'œil :

– Golconde & Cie a été mise sur écoute. Il est prévu

que de la camelote en sorte jeudi. Les émeraudes de lady Carrington.

– Vous me permettrez, décréta Poirot, de prendre moi aussi un certain nombre de dispositions.

*

Installé selon son habitude à un guéridon proche de l'entrée, Poirot observait la situation. Et ce jeudi soir, comme tous les autres soirs, l'*Enfer* affichait complet !

La comtesse était, pour autant que cela fût possible, plus maquillée encore que de coutume. Et, plus Russe que jamais, elle tapait dans ses mains et affolait les échos de l'éclat de son rire. Paul Varesco avait fait son entrée. S'il arborait souvent une tenue de soirée sans reproche, il lui arrivait parfois, comme ce soir-là, de préférer un accoutrement d'apache : veste noire haut boutonnée et foulard au cou. À lui seul, il affichait toutes les séductions du vice. S'arrachant à une grosse femme mûrissante constellée de diamants, il vint s'incliner devant Alice Cunningham qui, seule à sa table, noircissait de notes un petit carnet, et l'invita à danser. La dondon délaissée jeta à Alice un regard haineux, mais leva sur Varesco des yeux enamourés.

Ce n'était pas de l'adoration que l'on pouvait lire dans ceux de miss Cunningham, mais le froid détachement de la curiosité scientifique. Quand le couple évoluait près de lui, Poirot s'efforçait de capter quelques bribes de la conversation. Le Dr Cunningham avait dépassé le stade de la nurse, et s'enquérait maintenant de la surveillante de l'école primaire du beau jeune homme.

L'orchestre marqua une pause, et Alice Cunningham, tout sourire et un brin survoltée, en profita pour se glisser à côté de Poirot :

– Fascinant ! lui confia-t-elle. Varesco va tenir une place de tout premier plan dans mon livre ! La symbolique, chez lui, est d'une clarté aveuglante. Ces problèmes de maillot de corps, par exemple… comment ne pas penser à la haire de crin des pénitents, voire à la toison, sous ses formes les plus intimes ? Et ce qui en découle est l'évidence même : on se trouve en présence d'un criminel-né – mais dont la criminalité est bien évidemment curable.

– Les femmes, commenta Poirot, ont toujours vécu dans la douce illusion qu'elles peuvent faire un agneau d'un serpent à sonnettes.

Alice Cunningham le considéra d'un œil torve :

– Ne voyez là rien de *personnel,* monsieur Poirot.

– Ça ne l'est jamais. Ça relève toujours du plus pur altruisme… même si l'objet d'une telle sollicitude est immanquablement un séduisant représentant du sexe opposé. Seriez-vous à même de vous intéresser, par exemple, à l'endroit où, *moi,* je suis allé à l'école, et à l'attitude de la surveillante à *mon* égard ?

– Oh ! mais vous, vous n'avez absolument pas le type du délinquant de base ! protesta miss Cunningham.

– Parce que vous êtes capable de reconnaître un délinquant à première vue ?

– Bien évidemment !

Le Pr Liskeard les rejoignit et s'assit à côté de Poirot.

– Vous parlez de criminels ? Vous devriez jeter un coup d'œil au code d'Hammourabi, monsieur Poirot.

1800 avant Jésus-Christ. Passionnant. *Celui qui pille pendant un incendie, qu'on le précipite dans les flammes.*

Le professeur fixa, en connaisseur, le grill électrique, et ajouta :

– Et puis il y a aussi, plus vieux encore, les anciennes lois sumériennes. *Si une femme hait son époux au point de lui dire : « Tu n'es plus mon mari », qu'elle soit précipitée dans le fleuve.* Moins cher et plus facile qu'un divorce. Toutefois, si un mari dit la même chose à sa femme, il n'aura à verser que quelques barres d'argent. Lui, personne n'ira le précipiter dans le fleuve.

– Toujours la même histoire, grinça Alice Cunningham. Une loi pour les hommes, et une loi pour les femmes.

– Sans doute les femmes accordent-elles généralement plus de prix aux espèces sonnantes et trébuchantes, reprit le professeur, pensif. Vous savez, enchaîna-t-il, moi, j'aime assez cet endroit. J'y viens presque tous les soirs. Je n'ai pas à régler l'addition. La comtesse en a décidé ainsi – ce qui est fort gentil de sa part – pour me remercier des conseils que je lui aurais soi-disant prodigués pour la décoration. Non que j'y sois pour quelque chose – je ne savais même pas pourquoi elle me posait toutes ces questions. D'ailleurs, comme on pouvait s'y attendre, le peintre et elle ont *tout* compris de travers. J'espère que personne n'ira jamais imaginer que je puisse être le moins du monde responsable de ces monstruosités. Je n'y survivrais pas ! Mais ça n'en demeure pas moins une femme merveilleuse… assez babylonienne dans son genre, à mon très humble avis.

Les Babyloniennes, je ne vous apprends rien, étaient d'excellentes femmes d'affaires et…

Un soudain concert d'exclamations noya les propos du professeur. Une voix hurla : « La Police ! » Les femmes se dressèrent sur leurs talons hauts. Tout ne fut plus que brouhaha. Les lumières s'éteignirent – le grill électrique en fit autant.

En contrepoint au vacarme général, le professeur n'en continuait cependant pas moins à débiter divers extraits du code d'Hammourabi…

Quand les lampes se rallumèrent, Poirot avait déjà escaladé une demi-volée de marches. Les policiers plantés de part et d'autre de la porte le saluèrent. Il franchit le seuil et se dirigea vers la ruelle adjacente. Sitôt passé le coin, il faillit se cogner dans un petit bonhomme qui s'était jusque-là soigneusement confondu avec la muraille.

Le nouveau venu arborait une trogne de pochard, dégageait une odeur prenante et s'exprimait d'une voix de mélécasse.

– Me v'là, patron, chuinta-t-il. C'est-y à moi d'jouer ?

– Oui. Allez-y.

– Ça pue la flicaille, dans le secteur !

– Ne vous inquiétez pas. Ils sont prévenus.

– J'espère qu'ils vont pas venir s'en mêler, hein ?

– Ils ne s'en mêleront pas. Mais vous êtes sûr de pouvoir mener l'opération à bien ? L'animal en question est aussi gigantesque que féroce.

– Avec moi, y s'ra pas féroce pour deux ronds, affirma le petit bonhomme. Pas avec c'que j'y ai apporté ! Avec ce truc-là, y a pas un cador qui me suivrait pas jusqu'en enfer !

– Dans le cas qui nous occupe, commenta Poirot, il va falloir qu'il vous suive *hors* de l'Enfer !

*

Le téléphone sonna aux petites heures de l'aube. Poirot décrocha.

La voix de Japp était reconnaissable entre mille :

– Vous m'aviez bien demandé de vous passer un coup de fil ?

– Oui, parfaitement. *Alors ?*

– Zéro pour la came… mais nous avons récupéré les émeraudes.

– Où ça ?

– Dans la poche du Pr Liskeard.

– Du Pr Liskeard ?

– Ça vous surprend vous aussi ? Franchement, je ne sais plus que penser ! Il a eu l'air aussi ahuri que l'enfant qui vient de naître, les a regardées sans comprendre, a clamé qu'il n'avait pas la moindre idée de la façon dont elles étaient arrivées là – et du diable si je ne crois pas qu'il disait la vérité ! Varesco peut les avoir glissées subrepticement dans sa poche pendant la coupure de courant. Parce que je n'arrive pas à imaginer un type comme Liskeard mêlé à un racket ! Il est membre d'une myriade de sociétés savantes archi cotées, et il a même je ne sais trop quoi à voir avec le British Museum ! Tout l'argent qu'il dépense, c'est pour s'acheter des bouquins – des bouquins d'occasion, et tout mangés aux mites par-dessus le marché ! Non, ça ne colle pas. Je commence à croire que nous avons fait fausse route depuis le début – qu'il n'y a jamais eu de came dans cette boîte.

– Oh, mais si, mon bon ami. Il y en avait bel et bien hier soir. Dites-moi, mon tout bon, vous n'avez facilité la sortie en douce d'aucune personnalité ?

– Si, bien entendu, Le prince Henry de Scandenberg et son aide de camp, débarqués en Angleterre dans la journée. Vitamian Evans, le ministre (pas toujours rose, la vie de ministre travailliste ! Il faut regarder où on met les pieds ! Quand c'est un ministre conservateur qui fait la java, tout le monde s'en fiche, parce qu'on croit qu'il claque sa fortune personnelle. Tandis que quand il s'agit d'un travailliste, les contribuables sont persuadés que c'est *leur* argent qui y passe ! Ce qui, tout bien considéré, n'est pas si faux que ça). Où en étais-je ? Ah oui ! Dernière du lot : lady Beatrice Viner. Elle épouse après-demain le petit duc de Leominster, qui est bégueule comme pas deux. J'ai peine à croire que l'un des éminents personnages précités soit dans le coup.

– Et je ne vous donne pas tort. Il n'empêche qu'il y avait bel et bien de la drogue dans la boîte de nuit et que quelqu'un a réussi à l'en sortir.

– Qui ça ?

– Moi, mon bon ami, susurra Poirot.

Il reposait le récepteur, coupant court aux cris d'orfraie de Japp, quand on carillonna à la porte. Il alla ouvrir. La comtesse Rossakov effectua une entrée en fanfare.

– Si trop vieux nous n'étions pas, trémola-t-elle, plus Russie éternelle que jamais, tout cela serait bien compromettant ! À vous je suis venue, comme dans votre mot vous me l'avez demandé. J'ai, j'en jurerais, un policier aux trousses, mais cette piétaille peut fort bien rester dans la rue. Et maintenant, très cher, de quoi s'agit-il ?

Poirot, galant, la délivra de ses renards.

– Pourquoi avez-vous glissé ces émeraudes dans la poche du Pr Liskeard, lui demanda-t-il ? Vous trouvez ça gentil, de faire des choses pareilles ?

La comtesse ouvrit de grands yeux :

– Mais enfin, voyons, c'était dans votre poche à *vous* que je voulais les mettre !

– Dans *ma* poche ?

– Évidemment. Je me précipite vers la table où vous avez l'habitude de vous asseoir… seulement voilà, les lumières sont éteintes et, dans mon désarroi, je prends la poche du professeur pour la vôtre.

– Mais pourquoi diable vouliez-vous à toute force mettre ces émeraudes volées dans ma poche ?

– Ça me paraissait… J'aurais voulu vous y voir ! Comme si j'avais eu le temps de réfléchir !… Ça me paraissait… la meilleure solution !

– Ma chère Vera, vous êtes vraiment *impayable* !

– Mettez-vous à ma place, très cher ! La police arrive, le courant est coupé (ça, c'est notre petit stratagème pour protéger l'anonymat de certains de nos clients en mal de discrétion) *et une main m'arrache mon réticule.* Je le rattrape, mais, à travers le velours, j'y sens quelque chose de dur. Au toucher, je devine qu'il s'agit de bijoux, et je comprends tout de suite qui les a mis là !

– Ah, bon ?

683

– Évidemment, voyons ! C'est ce salopard ! Ce répugnant personnage, ce monstre, ce bandit, ce faux jeton, ce fils de porc de Paul Varesco !

– Votre associé à la tête de l'*Enfer* ?

– Oui, oui, celui qui en est le véritable propriétaire, qui a apporté les fonds ! Jusqu'à présent, trahi je ne l'avais pas – je n'ai qu'une parole, moi ! Mais maintenant qu'il essaie de me faire porter le chapeau, de me mouiller auprès de la police, je ne vais quand même pas me gêner pour le balancer, aux flics ou à vous ! Oui, le *balancer* !

– Ne sombrez pas dans la trivialité, lui conseilla Poirot. Et suivez-moi plutôt dans la pièce à côté.

Il poussa la porte et l'endroit parut de prime abord *intégralement empli de CHIEN*. Dans les locaux spacieux de l'*Enfer,* Cerbère semblait déjà hors normes. Mais là, dans la minuscule salle à manger de l'appartement d'Hercule Poirot, le molosse envahissait l'espace. S'y trouvait en outre le petit homme à l'odeur prenante, qui était Dieu sait comment parvenu à s'y caser aussi.

– Nous v'la donc arrivés jusqu'ici comme que c'était prévu, patron, annonça le bonhomme de sa voix enrouée.

– Doudou ! s'époumona la comtesse. Doudou, mon petit ange à moi !

Déclenchant comme un roulement de tambour, Cerbère se mit à balayer frénétiquement le plancher du bout de sa queue. Mais il ne bougea pas d'un centimètre.

– Permettez-moi de vous présenter Mr William Higgs ! vociféra Poirot pour essayer de se faire entendre malgré le vacarme ambiant. Dans son métier, c'est un artiste. Hier au soir, profitant du tohu-bohu, Mr Higgs a convaincu Cerbère de le suivre hors de l'*Enfer.*

– *Vous* l'avez convaincu, *lui* ?

La comtesse jetait sur la demi-portion un regard incrédule :

– Mais *comment ça ? Comment ?*

Mr Higgs baissa les yeux non sans un certain embarras :

– C'est pas ben des trucs qu'on aime à en causer d'vant une dame. N'empêche qu'y a comme qui dirait des choses, quoi, qu'pas un chien il y résiste. Faut qu'il aille y mettre son nez, quoi ! Seulement faites gaffe qu'avec une chienne, z'obtiendriez pas le même résultat. Mâle et femelle, c'est comme qui dirait pas du pareil au même, quoi !

La comtesse Rossakov se tourna vers Poirot :

– Mais pourquoi ? *Pourquoi ?*

– Un chien dressé à ça, expliqua lentement Poirot, peut garder un objet dans sa gueule tant qu'il n'a pas reçu l'ordre de le lâcher. S'il le faut, il le gardera pendant des heures. Voudriez-vous ordonner à votre chien de lâcher ce qu'il tient ?

Vera Rossakov, éberluée, pivota sur ses talons et lança deux mots brefs.

Les mâchoires monstrueuses de Cerbère s'ouvrirent. *Et l'on eut l'impression terrifiante que la langue du chien tombait hors de sa gueule…*

Poirot se précipita et ramassa ce qui paraissait être une blague à tabac de caoutchouc rose. Il l'ouvrit. À l'intérieur, il y avait un paquet de poudre blanche.

– Qu'est-ce que c'est ? s'écria Vera Rossakov d'un ton âpre.

– *De la cocaïne*, répondit Poirot dans un murmure. En

685

quantité infime, serait-on tenté de dire. Seulement il y en a quand même là pour des milliers de livres – suffisamment pour plonger des centaines de personnes dans la misère et l'abjection.

La comtesse s'étrangla presque :

– Et vous pensez que c'est *moi* qui… mais ça n'est pas vrai ! Je vous jure que ça n'est pas vrai ! Dans le bon vieux temps, il m'est arrivé de chaparder des bijoux, des petits riens, des babioles – ça aide à boucler les fins de mois, comprenez-vous. Et, après tout, pourquoi pas ? Qu'est-ce qui fait qu'un objet appartient à telle personne plutôt qu'à telle autre ?

– C'est bien c'que j'pense rapport aux chiens, fit remarquer Mr Higgs.

– Vous n'avez aucun sens du bien et du mal, reprocha tristement Poirot à la comtesse.

– Peut-être… Mais la *drogue… ça, jamais de la vie* ! Parce que c'est la cause de trop de misère, de trop de souffrance, de trop d'avilissement ! Je n'ai jamais pensé un instant, jamais soupçonné le moins du monde, que mon petit *Enfer*, mon innocent, mon délicieux, mon divin petit *Enfer* pouvait un jour servir à *ça* !

– Pour ce qui est de la came, j'suis d'votre avis et j'la partage ! approuva Mr Higgs. C'est comme le dopage aux courses de lévriers ! C'est pas moi que j'irais faire des saloperies pareilles – même que j'l'ai jamais fait !

– Mais dites-moi au moins que vous me croyez, très cher ! implora la comtesse.

– Mais bien sûr, que je vous crois ! N'ai-je pas consacré assez de temps à mettre en évidence la personnalité du véritable organisateur du trafic ? N'ai-je pas accompli le douzième des Travaux d'Hercule, n'ai-je pas été jusqu'à faire remonter Cerbère des Enfers pour démontrer la justesse de mes hypothèses ? Combien de fois faudra-t-il que je vous le répète : j'ai horreur de voir mes amis victimes d'un coup monté ! Oui, *un coup monté* ! Parce que c'était *vous* qui alliez vous faire épingler si l'affaire avait mal tourné ! C'est dans *votre* réticule qu'on aurait découvert les émeraudes ! Et si un inspecteur de police avait été assez futé (comme je l'ai été moi-même) pour songer que la gueule d'un chien monstrueux pouvait constituer une cachette… eh bien, le molosse en question, c'était à tout prendre le *vôtre*, non ? Le *vôtre*, même si cet animal avait adopté *la chère petite Alice* au point d'obéir *aussi* à ses ordres ! Ah, vous pouvez bien ouvrir de grands yeux ! Dès le premier instant, cette jeune personne, avec son jargon pseudo-scientifique, sa veste de gros tweed et sa jupe déformée par des poches m'a déplu ! Eh oui, *des poches* ! Il n'était quand même pas naturel qu'une femme éprouve tant de dédain pour la toilette ! Et les belles idées qu'elle a essayé de me faire gober ! Que c'est la valeur intrinsèque qui compte ! La valeur intrinsèque de ce qu'il y avait dans ses poches, oui ! Des poches qui lui servaient à apporter la drogue et à emporter les pierres précieuses ! Procéder à l'échange ne posait guère de problème : il lui suffisait de danser avec son complice, auquel elle prétendait s'intéresser en tant que cas pathologique. Belle couverture, n'est-il pas vrai ? Qui aurait été soupçonner ce bas-bleu de docteur en psychologie, avec tous ses diplômes et ses vilaines lunettes ! Elle pouvait faire tout benoîtement son trafic de drogue, intoxiquer ses riches patients et investir dans une boîte de nuit dont elle s'arrangerait pour confier la direction à quelqu'un dont le passé ne serait pas – comment dire ? – garanti sans taches. Seulement elle a cru qu'elle pouvait s'offrir le luxe de mépriser Hercule Poirot ! Elle a cru l'embobiner avec ses histoires de nurse et de couches-culottes. Oui mais voilà : je l'attendais au tournant, moi ! Sitôt les lumières éteintes, j'ai filé discrètement de ma table et je suis allé me planter à côté de Cerbère. Dans le noir, je l'ai entendue qui arrivait. Elle a ouvert la gueule du chien et y a fourré son paquet… tandis que moi, délicatement, sans qu'elle s'en rende compte, je prélevais un échantillon de sa manche avec une paire de ciseaux…

Et Poirot, théâtral, exhiba un morceau de tissu :

– Examinez cette étoffe… Il s'agit bien de son tweed à carreaux… Cet échantillon, je vais le confier à Japp qui pourra en déterminer la provenance avant de procéder à quelques arrestations… et de se vanter une fois encore de la perspicacité de Scotland Yard !

Ahurie, la comtesse Rossakov fixait le détective d'un regard incrédule. Soudain, elle se mit à gémir comme une corne de brume :

– Mais mon Niki… mon Niki chéri ! Ça va être atroce pour lui…

Elle se mordit les lèvres, puis :

– À moins que, tout bien réfléchi…

– Comme vous dites, très chère. D'autant qu'aux Amériques, il en trouvera d'autres à la pelle, fit observer Poirot avec bon sens.

– Dire que, sans vous, sa pauvre mère serait en prison… en *prison*… le cheveu coupé ras… dans un cul-de-basse-fosse… empestant le désinfectant ! Ah, vous êtes merveilleux… *merveilleux* !

Fondant sur Poirot toutes voiles dehors, elle l'étreignit sur son sein avec une fougue toute slave et le couvrit goulûment de baisers sous l'œil approbateur de Mr Higgs tandis que Cerbère agitait la queue en cadence.

Le timbre assourdissant de la porte palière vint interrompre cette scène touchante.

– Japp ! paniqua Poirot en se dégageant à grand-peine de l'étreinte de la comtesse.

– Peut-être vaudrait-il mieux que je passe dans la pièce à côté, jugea Vera Rossakov.

Elle s'éclipsa tandis que Poirot lorgnait vers le hall.

– Psitt, patron ! s'émut anxieusement Higgs dans un râle asthmatique. Vaudrait p'têt mieux qu'vous vous r'luquiez comme qui dirait dans la glace, croyez pas ?

Poirot suivit ce bon conseil et eut un mouvement de recul : sur son visage, rouge à lèvres et mascara mêlés lui faisaient un masque de carnaval.

– Si c'est le m'sieur Japp de Scotland Yard, reprit Higgs, sûr et certain qu'il ira croire le pire…

Puis, tandis que la sonnette retentissait encore et que Poirot s'affairait fébrilement à éponger l'écarlate gras qui lui souillait la pointe des moustaches, le petit bout d'homme reprit :

– Au fait, quoi qu'c'est'y qu'vous voulez qu'j'en fasse… que j'l'embarque ? C'est pas d'la dame, que j'cause, c'est comme qui dirait du clébard d'l'Enfer !

– Si j'ai bonne mémoire, répliqua Poirot, Cerbère a rejoint les Enfers.

– Comme c'est qu'vous voudrez. D'un côté, faut r'connaître qu'y m'plaît bien. Mais tout d'même, c'est pas l'genre de clebs qu'j'aimerais m'farcir en permanence… Trop voyant, si vous m'suivez. Et puis qu'est-ce qu'y m'coûterait pas en barbaque ! Un bestiau pareil, ça doit bouffer pire qu'un lion !

– Du Lion de Némée à la Capture de Cerbère, murmura Poirot. La boucle est bouclée, le cycle est accompli.

*

Une semaine plus tard, miss Lemon estima qu'il lui fallait attirer l'attention d'Hercule Poirot sur une facture :

– Pardonnez-moi, monsieur Poirot. Cela vous paraît-il normal ? *Leonora, fleuriste.* Une douzaine de roses rouges. Onze livres, huit shillings et six pence. Livrées à la comtesse Vera Rossakov, l'*Enfer,* 13 End Street, Londres, WC1.

Les joues d'Hercule Poirot virèrent subitement à un rouge plus soutenu encore que celui des roses litigieuses. Il rougit même jusqu'à la racine des cheveux :

– Oui, oui, c'est bien cela, miss Lemon. Une manière… d'hommage, en quelque sorte… une façon bien modeste de m'associer à un événement familial. Le fils de la comtesse vient de se fiancer… oui, avec la fille de son patron, un magnat de l'acier. Or, la comtesse, ai-je cru me souvenir… a toujours eu un faible pour les roses rouges.

– Exact, concéda miss Lemon. N'empêche qu'elles sont affreusement chères hors saison.

Poirot bomba le torse :

– Il est des moments, affirma-t-il, où il faut savoir ne pas regarder à la dépense.

Et, fredonnant sous sa moustache, il quitta le bureau d'un pas léger, presque sautillant.

Miss Lemon, stupéfaite, le suivit des yeux. Elle en oublia ses mirifiques projets de système de classement. Son intuition féminine sonnait le tocsin.

– Miséricorde ! murmura-t-elle. C'est à se demander si… Enfin, tout de même !… À son âge !… Il ne manquerait plus que ça…

Aubin Imprimeur
LIGUGÉ, POITIERS

Achevé d'imprimer en octobre 2001
pour le compte de France Loisirs
123, bd de Grenelle, 75015 Paris

N° d'édition 35740 / N° d'impression L 62442
Dépôt légal, octobre 2001
Imprimé en France